T5-AFZ-250

Karl-Christoph Epting
Ein Gespräch beginnt

BASLER STUDIEN ZUR HISTORISCHEN UND SYSTEMATISCHEN THEOLOGIE

Herausgegeben von Max Geiger

Band 16

Karl-Christoph Epting

Ein Gespräch beginnt

Die Anfänge der Bewegung für Glauben und Kirchenverfassung in den Jahren 1910–1920

THEOLOGISCHER VERLAG ZÜRICH

Ein Gespräch beginnt

Die Anfänge der Bewegung für Glauben und Kirchenverfassung
in den Jahren 1910 bis 1920

von

KARL-CHRISTOPH EPTING

THEOLOGISCHER VERLAG ZÜRICH

Printed in Switzerland by
Graphische Anstalt Schüler AG. Biel
ISBN 3 290 13316 8

Vorwort

Bei der vorliegenden Arbeit handelt es sich um eine historische Darstellung. Der Ablauf und die Entwicklung der ersten zehn Jahre des Bestehens der Bewegung für Glauben und Kirchenverfassung werden verfolgt. Die Abgrenzung ergab sich, da in der Zeit von der Einsetzung der Kommission der Protestant Episcopal Church zur Vorbereitung einer Weltkonferenz für Glauben und Kirchenverfassung im Jahre 1910 bis zur Vorkonferenz des Jahres 1920 in Genf die Vorbereitungsarbeit wesentlich in den Händen der genannten Kommission lag. Bei der Genfer Vorkonferenz wurde die weitere Vorbereitung einem internationalen Continuation Committee übertragen. Damit bilden die zehn Jahre von 1910 bis 1920 eine in sich geschlossene erste Periode der Bewegung für Glauben und Kirchenverfassung.

Die sich in diesen Jahren abzeichnenden Probleme theologisch-systematischer Art, deren Diskussion die Kommission ängstlich vermied, um die geplante Weltkonferenz nicht zu präjudizieren, werden in der Arbeit nur am Rande gestreift. Da sie für die Entwicklung der Vorbereitungsarbeit der Kommission keine direkte Bedeutung hatten, wurde das im Rahmen dieser Untersuchung für sachlich wie arbeitstechnisch rechtens erachtet. Doch wäre eine ausführliche Untersuchung der von der Kommission der Protestant Episcopal Church nicht aufgenommenen theologischen Probleme in den behandelten Jahren wünschenswert und kann vielleicht einmal vorgelegt werden.

Die Anregung zur Behandlung der Anfänge der Bewegung für Glauben und Kirchenverfassung entstammt einem Gespräch mit Dr. Lukas Vischer, Genf, an das ich mich dankbar erinnere. Den Ausgangspunkt für die Beschäftigung mit dem Thema bildete die sehr umfangreiche Korrespondenz des ersten Sekretärs der Bewegung für Glauben und Kirchenverfassung, die sogenannte *Gardiner-Korrespondenz.* Während des Lesens dieser Korrespondenz hatte ich Gelegenheit, mich verschiedene Male mit dem Bearbeiter, dem langjährigen ehrenamtlichen Sekretär der Bewegung für Glauben und Kirchenverfassung in den USA, Rev. Floyd Tomkins, D. D., zu treffen und zu besprechen. Für seine freundliche und hilfsbereite Art, vor allem für die Überlassung der bisher nicht veröffentlichten alphabetischen Aufstellung der Briefpartner von Sekretär Gardiner, die in der Bibliographie zu finden ist, möchte ich mich sehr bedanken.

Bei der Beschäftigung mit der Gardiner-Korrespondenz konnte ich feststellen, daß noch weiteres aus dem Sekretariat Gardiner's stammendes Material vorhanden sein müßte. Trotz mündlicher und schriftlicher Nachforschungen konnte ich jedoch keine näheren Auskünfte erhalten. Durch Zufall fand ich dann die im General Theological Seminary in New York gelagerte zweiundvierzigbändige Sammlung der sogenannten *World Conference Clippings,* die alle über die Weltkonferenz-Bewegung und christliche Einheit im allgemeinen in den Jahren 1910 bis 1930 im Sekretariat eingetroffenen Meldungen und Berichte aus Zeitungen und Zeitschriften umfaßt. Zwar hat die nicht mehr allzu gut erhaltene Sammlung für wissenschaftliche Zwecke nur sekundäre Bedeutung, doch ist sie von großem historischem Interesse und bedeutete für die Arbeit eine Hilfe.

Aus der Korrespondenz entnahm ich auch, daß außer den bekannten numerierten Veröffentlichungen, die ebenfalls eine Quelle für die Anfänge der Bewegung für Glauben und Kirchenverfassung darstellen, vom Sekretariat Rundbriefe, Bulletins und sonstige Verlautbarungen ausgingen. Durch recht mühsame Studien in einer großen Anzahl von kirchlichen Blättern, besonders den Blättern der Protestant Episcopal Church *The Living Church* und *The Churchman,* konnten diese schriftlichen Äußerungen sichergestellt und verwendet werden. Auch sie sind zumeist nicht von großem sachlichem, sondern vor allem von historischem Wert und sind im Anhang zu dieser Arbeit abgedruckt. Auch nichtnumerierte Veröffentlichungen im Auftrage der Kommission der Protestant Episcopal Church wurden gefunden und gaben Hinweise bei der Darstellung der ersten zehn Jahre der Bewegung für Glauben und Kirchenverfassung.

Beim Lesen der Gardiner-Korrespondenz wurde deutlich, daß für die Entwicklung vor allem Rev. N. Smyth und Rev. P. Ainslie Bedeutung hatten. Das in der Arbeit so genannte *Smyth-Material* konnte ich in der Bibliothek der Yale University, New Haven, durchgehen. Das sogenannte *Ainslie-Material* konnte ich durch die Freundlichkeit des Sohnes, Rev. P. Ainslie, jun., in Pittsburgh (Pennsylvania) aus einer großen Kiste, in der die ganze schriftliche Hinterlassenschaft von Rev. P. Ainslie ungeordnet liegt, zusammensuchen und benützen. Auch hier bin ich zu Dank verpflichtet. Verwunderlich empfand ich, daß in der Gardiner-Korrespondenz ein Briefwechsel mit Bischof Brent nicht vorhanden ist. Beim Studium des Nachlasses von Bischof Brent, der in der Library of Congress, Washington, D.C., gelesen werden kann, fand ich dort neben interessanten Schriftstücken, die in der Arbeit teilweise unter dem Stichwort *Brentmaterial* wiederkehren, auch die Korrespondenz von Mr. Gardiner mit Bischof Brent. Sie ist zu einem bestimmten Zeitpunkt bedauerlicherweise aus der übrigen Gardiner-Korrespondenz herausgenommen und nach Washington, D. C., gebracht worden. Die Beschaffung dieser und anderer Quellen geschah durch zum Teil langwierige und manchmal abenteuerliche Bemühungen.

Nicht zum Erfolg führte zu meinem Bedauern eine Spur, auf die ich gestoßen wurde. Beim Lesen der Gardiner-Korrespondenz stellte ich fest, daß der Nachfolger im Sekretariat nach Mr. Gardiner's unerwartetem Tod im Jahre 1924, Mr. Ralph W. Brown, schon ab dem Jahre 1913 im Sekretariat teilweise tätig war. Nach längeren Bemühungen fand ich heraus, daß Mr. Brown, der aus bis heute nicht eindeutig erkennbaren Gründen im Jahre 1933 als Sekretär der Bewegung für Glauben und Kirchenverfassung abgelöst wurde, hochbetagt in Hanover (New Hampshire) lebte. Auf meine schriftliche Bitte um Beratung und ein Gespräch über die Anfänge der Bewegung für Glauben und Kirchenverfassung schrieb er ablehnend. Des eventuellen Interesses wegen soll seine Antwort hier mitgeteilt werden:

«Being eighty years old and a hermit committed to loadshedding, I am dismayed by your letter of the fourth. I am most reluctant to share in the task which you have undertaken, since I have done all possible to forget the story you are trying to tell, and am now effectively disqualified by natural loss of memory in old age.

Conflicts of assumptions, theories, purposes and methods of the founders and promoters of the ‹Lausanne movement› and the ‹Stockholm movement› whose amalgamation Brent and Gardiner steadfastly opposed until they died were never recorded and should not be imaginatively misrepresented now. I ought not to write or say a word about those matters which are subject to misunderstanding and distortion in my mind.

If you can leave me in peace I beg you to do so. I cannot travel or invite a guest, and have written hastily in order not to endure this disturbance when I get in bed tonight. If this seems not a very cordial message, at least I dare say Brent and Gardiner might think well of it, and you are losing nothing because there is nothing I can offer you, except good wishes . . . »

Auf diesen am 6. Oktober 1965 geschriebenen Brief Ralph W. Brown's bat ich erneut um seine Hilfe. Darauf folgte am 13. Oktober 1965 das zweite folgende Schreiben:

«Once more I must dissociate myself from your project. As for your specific questions, I have not the answers and know nobody who has.

Spokesmen of the two movements maintained unanimously, although without connivance, unbroken silence about their conflicting purposes. After this lapse of time a wish to understand and publicize their disagreement seems to me, if I may speak my mind, preposterous. But the benefit of counsel will have to come from someone with more leverage than I, and who is left to intervene?

De mortuis nil, nil.

With all good wishes, Ralph W. Brown»

Leider blieb mir durch diese Antworten eine mögliche wichtige Quelle verschlossen.

Daß ich aber im übrigen die notwendigen Studien und Forschungen zur Auffindung von Material durchführen konnte, habe ich einem Stipendium des Ökumenischen Rates der Kirchen, Genf, zu verdanken und der Yale Divinity School, New Haven (Connecticut), an der ich mich über zwei Jahre aufhalten konnte. Von der Yale Divinity School möchte ich Herrn Professor Dr. R. Morris, dem Bibliothekar, an dieser Stelle für seine vielen Hinweise und die Hilfe beim Suchen nach Quellen sehr herzlich danken, Professor Dr. Ch. Forman und Professor Dr. P. Minear für manchen Rat und Professor Dr. G. A. Lindbeck für die fortwährende Begleitung bei den Studien und die mit ihm geführten und bereichernden Gespräche. Die Hilfsbereitschaft und Freundlichkeit aller dieser Lehrer an der Yale Divinity School hat wesentlich zum Gelingen der Arbeit beigetragen. Schließlich möchte ich für die Beratung und Geduld bei der Ausführung dieser Arbeit Herrn Professor Dr. M. Geiger, Basel, sehr herzlich danken.

Karl-Christoph Epting

Inhaltsverzeichnis

I

Voraussetzungen und Geschehnisse des Jahres 1910 — der geschichtliche Hintergrund der Kommission zur Vorbereitung einer Weltkonferenz für Glauben und Kirchenverfassung, eingesetzt von der Protestant Episcopal Church der Vereinigten Staaten von Amerika.

1. Einleitung

Am 20. Oktober 1910 hat die amerikanische Protestant Episcopal Church, eine Tochterkirche der Church of England, eine ökumenische Tat von weitreichenden Folgen vollbracht. Sie hat auf ihrer alle drei Jahre stattfindenden Kirchensynode, der General Convention, den Grundstein für die spätere Bewegung für Glauben und Kirchenverfassung durch die Einsetzung einer Kommission zur Vorbereitung einer Weltkonferenz aller christlichen Kirchengemeinschaften für Fragen des Glaubens und der Kirchenverfassung gelegt. Die Auswirkungen und Folgen des Handelns konnten damals kaum erahnt werden. Doch ist es das Verdienst der Protestant Episcopal Church, daß das theologische Gespräch im ökumenischen Rahmen, das heute so weitläufig, umfassend und auch selbstverständlich ist, in Gang kam.

Um die Bedeutung dieses Geschehens zu verstehen, haben wir zunächst den Rahmen aufzuzeigen, in dem es allein recht gesehen wird. Wir müssen uns also der Geschichte und dem Denken der Protestant Episcopal Church zuwenden, insbesondere dem, was in ihr im Blick auf christliche Einheit vor 1910 getan und gedacht wurde. Wir müssen die allgemeine kirchliche Situation in den Vereinigten Staaten nach der Jahrhundertwende wenigstens grob andeuten. Wir müssen schließlich das Jahr 1910 betrachten, und die Einsetzung der Kommission zur Vorbereitung einer Weltkonferenz für Glauben und Kirchenverfassung im Ganzen der Ereignisse dieses Jahres darstellen.

Für die von der Protestant Episcopal Church eingesetzte Kommission gibt dieses Triplum den Hintergrund ab, der seines Einflusses und seiner Bedeutung wegen festgehalten werden muß.

2. Die Protestant Episcopal Church

a) Die Verfassung

Schon seit der ersten ständigen Ansiedlung auf amerikanischem Boden im Jahre 1607 in Jamestown, Virginia, war die Church of England auf dem Kontinent vertreten. Nach der Unabhängigkeitserklärung der Vereinigten Staaten von Amerika hatte sich im Jahre 1789 die unabhängige und selbständige Protestant Episcopal Church gebildet. Ihre Schwierigkeit war, daß sie lange Zeit vielfach als die Kirche der englischen Kolonialherren angesehen wurde. Trotz dieser Schwierigkeit und der völligen Unabhängigkeit blieb sie jedoch in ihrem gesamten Aufbau und Denken der Church of England ähnlich.

Die 39 Religionsartikel der Church of England wurden mit einigen Abänderungen im Jahre 1801 von der General Convention der Protestant Episcopal Church als lehrmäßige Grundlage angenommen. Sie wurden dem Book of Common Prayer, in dem die Ordnungen gottesdienstlicher Handlungen und Anleitungen zu persönlicher Andacht und zu geistlichem Leben zur «Liturgie der Kirche»[1] vereinigt sind, angehängt. Wie dieses Buch – für viele Anglikaner die wichtigste Hilfe in ihrem Glaubensleben – zu verstehen ist, wird im Vorwort ausgesprochen:

«It is a most invaluable part of that blessed ‹liberty wherewith Christ hath made us free›, that in his worship different forms and usages may without offence be allowed, provided the substance of the Faith be kept entire; and that, in every Church, what cannot be clearly determined to belong to Doctrine must be referred to Discipline; and therefore, by common consent and authority may be altered, abridged, enlarged, amended, or otherwise disposed of, as may seem most convenient for the edification of the people, ‹according to the various exigency of times and occasions›[2].»

Damit wurde auf die liturgische Vielfalt gottesdienstlichen Lebens hingewiesen und das Book of Common Prayer als die gemeinsame Hilfsquelle aller Mitglieder der Kirche auf diesem Gebiet verstanden. Zudem war hier die charakteristische Zweiteilung anglikanischen theologischen Redens sichtbar, die Zweiteilung zwischen doctrine and discipline, zwischen Lehre und Ordnung.

Als Ausdruck der Lehre wurden die altkirchlichen Glaubensbekenntnisse – das Apostolicum und das Nicänum – anerkannt[3]. Als Richtlinien für die Ordnung des kirchlichen Lebens wurden vor allem die Verfassung und die Kanones der Kirche verabschiedet, die jeweils den Berichtbänden über die General Convention angehängt wurden. Die General Convention besteht nach englischem Vorbild aus dem Haus der Bischöfe und dem Haus der Abgeordneten, das gewählt ist und sich zur Hälfte aus Geistlichen und Laien zusammensetzt[4]. Entscheidungen müssen von beiden Häusern mehrheitlich gefällt werden und haben dann für die gesamte Kirche Gesetzeskraft. Die Zusammensetzung der General Convention zeigt schon die Bedeutung des geistlichen Standes und des Episkopats in der Kirche an. Drei geistliche Stände werden nach dem Neuen Testament unter-

[1] Vgl. *Book of Common Prayer,* S. IV.

[2] Vgl. ebenda, S. V.

[3] Vgl. Articles of Religion in *Book of Common Prayer,* S. 604, Art. VIII.

[4] Vgl. Constitution der Protestant Episcopal Church, Artikel I.

schieden: Diakone, Pastoren und Bischöfe. Am historischen Episkopat wird festgehalten.

Bei der Zählung im Jahre 1906 stand die Protestant Episcopal Church mit 2,7 Prozent nur an siebter Stelle unter den protestantischen Kirchen. Doch hatte sie sich mit ihren 886 942 aktiven Mitgliedern um 66,7 Prozent seit der vorangegangenen Zählung im Jahre 1890 vermehrt[5]. Zudem war sie durch ihre Mitglieder eine der wohlhabendsten und einflußreichsten Kirchen der Vereinigten Staaten geworden.

b) Zur Geschichte bis 1874

Entscheidend in der Geschichte der Protestant Episcopal Church war von Anfang an die Diskussion und der Gegensatz in Fragen der Lehre wie der Ordnung. Beinahe wären darüber nach der Revolution 1776 zwei Episcopal Churches in Amerika entstanden. Denn während die Süd- und Mittelstaaten eine Kirche unter recht äußerlichen Gesichtspunkten gründen wollten, war im Norden die apostolische und katholische Ordnung wesentlich. Während man im Süden zuerst die Kirche gründete und dann nach einem Bischof fragte, war man im nördlichen Staat Connecticut überzeugt, daß zuerst ein Bischof dasein müsse, der dann die aktionsfähige Gemeinde bilden würde. Aus dem Süden kam ein dann abgelehnter Vorschlag, ganz auf Bischöfe zu verzichten. Dort wollte man den Bischöfen als besonderes Recht höchstens die ex-officio-Mitgliedschaft bei der General Convention zugestehen, dort wollte man sogar auf das Nicänum verzichten. Im Norden verteidigte man die Bedeutung und Notwendigkeit von Bischöfen, die in apostolischer Sukzession stehen müßten. Man betonte, daß man die Lehre, die Sakramente, die Autorität und die geistlichen Stände der Urkirche habe und daß die katholische Tradition zur Schriftinterpretation wesentlich sei[6].

Im Jahre 1789 konnten diese unterschiedlichen Auffassungen durch das Nachgeben der Führer beider Seiten in der einen Protestant Episcopal Church zusammengehalten werden. Ein Schisma wurde vermieden. Aber deutlich wurde die Spannung, die in der Church of England zu beobachten war und die nun auch der Protestant Episcopal Church in die Wiege gelegt worden war, die Spannung zwischen dem katholischen und dem evangelischen Element. War sie eine katholische Kirche, die eine Reformation durchgemacht hatte? Oder war sie eine reformatorische Kirche mit einer katholischen Haltung?

Die theologische Auseinandersetzung im Rahmen dieser Spannung

[5] Vgl. *Bureau of Census,* Part I, S. 25 und 27.

[6] Vgl. E. R. Hardy, *Northern Catholicism,* S. 77 ff.

bestimmte das Leben der Protestant Episcopal Church entscheidend für beinahe das ganze erste Jahrhundert ihres Bestehens. Sie hatte Auswirkungen auf «faith and discipline»[7] der Kirche. Mit immer neuen Ausdrücken wurde diese Zweiteilung umschrieben. Für faith konnte z. B. doctrine oder truth eingesetzt werden, für discipline konnte man auch polity oder order sagen. Auf diese Weise konnte man auch von faith and order reden, ein Ausdruck, der schon von dem berühmten Bischof John Henry Hobart anfangs des letzten Jahrhunderts gebraucht wurde[8], nach dem später die Faith- and Order-Bewegung genannt werden sollte und der zu deutsch mit Glaube und Kirchenverfassung wiedergegeben wurde. Faith and Order kennzeichnet einmal ganz allgemein den Glauben und die Ordnung der Kirche, es kennzeichnet dann aber besonders den unaufgebbaren, also wesentlichen Glaubensinhalt der Kirche, der natürlich im Bekenntnis formuliert sein muß, und die göttlich gestiftete und daher ebenfalls unaufgebbare Ordnung der Kirche, auf die nur beschränkt der Begriff Kirchenverfassung zutrifft. Nicht immer war es einfach, den allgemeinen vom besonderen Gebrauch der Begriffe zu unterscheiden. Doch wurden oftmals Hilfen gegeben durch die Beiwörter essential (wesentlich) und unessential (unwesentlich) oder external (äußerlich), ebenfalls häufig gebrauchte anglikanische Begriffe.

Um 1820 kamen die Unterschiede zwischen den «evangelischen» und «katholischen» Episcopalians – man sagte später High Churchman (Hochanglikaner) und Low Churchman oder Evangelical (Evangelischer) – zum Tragen. Damals war John Henry Hobart, der Vater der amerikanischen Hochkirchler[9], Bischof in New York. Er entwickelte erstmals ein klares Kirchenverständnis, betonte das apostolische Amt und formulierte sein Sakramentsverständnis.

Für ihn war die Kirche eine göttliche Einrichtung. « . . . it is the characteristic of the Christian Church that it is not an human institution. It is a society constituted by that divine personage who purchased it by his blood, and who still presides over and governs it as its Almighty head[10].» Von daher konnte er sagen: «. . . our Church

[7] Daß die Ausdrücke eigentlich immer in der Protestant Episcopal Church benutzt wurden, zeigt der frühe Gebrauch im zweiten Brief an die Erzbischöfe und Bischöfe von England von der Versammlung, die 1786 in Philadelphia zur Vorbereitung der Kirchengründung zusammen war. Vgl. Ch. C. Tiffany, *History,* S. 567.

[8] Vgl. J. H. Hobart, *The Churchman,* S. 30: bei der Darstellung der Grundsätze eines Mitglieds der Protestant Episcopal Church wird gesagt: «They are principles which even in these days of declension from primitive faith and order, have the sanction of the names of men whose piety would have adorned the purest ages of the Church.»

[9] Vgl. G. E. De Mille, *The Catholic Movement,* S. 40.

[10] Vgl. J. H. Hobart, *A Charge to the Clergy, S. 6.*

considers the ministry, in the various orders of Bishops, Priests and Deacons, with their appropriate powers, as of divine institution»[11]. Denn die Kirche war «true apostolic Church, deriving its authority from that founded by the Apostles»[12]. Die Verbindung zur alten Kirche durch das Amt war wesentlich. Die ersten Jahrhunderte der Kirche und die Kirchenväter waren im Blickpunkt und richtungweisend. Denn hier war die heilige Kirche zu entdecken, die noch frei war «from the false ornaments and unhallowed appendages with which superstition and ambition had deformed it»[13]. Deshalb schreibt Hobart über die Episcopalians – und darin war zugleich das für ihn Entscheidende zusammengefaßt –: «The Churchman adheres in all essential points to the faith, ministry and worship, which distinguished the apostolic and primitive Church, particularly to the constitution of the Christian ministry under its three orders of Bishops, Priests and Deacons[14].»

Solchen Worten haben die Evangelicals jener Zeit nicht widersprochen. Sie hielten zu den drei Ämtern und zu dem Episkopat. Höchstens betonten sie, daß das Episkopat «was not really essential to the esse of the church but very essential, bene esse, to the best and highest development of the church»[15]. Sie sprachen mit den Hochkirchlern zusammen von der sündigen Natur des Menschen, der allein durch die Gnade Jesu Christi gerechtfertigt und gerettet werde, und waren auch in der Sakramentslehre nicht unterschieden. Hobarts Verständnis von Brot und Wein beim Abendmahl «as symbols and memorials of the body and blood of Christ; assuring to those who worthily receive them all the blessings of his meritorious cross and passion»[16] entsprach dem ihren. Gegen feierliche Riten und priesterliches Verhalten war man gemeinsam eingestellt. Das Schlagwort hieß: «No Priest, no Altar, no Sacrifice»[17]. Darin kam auch eine Antihaltung gegenüber der römisch-katholischen Kirche zum Ausdruck.

Die Unterschiede zwischen High Churchmen und Evangelicals lagen damals mehr in Betonungen und in der Praxis als in der grundsätzlichen Lehre. Stellte die Predigt der Hochkirchler immer wieder die Bedeutung des Amtes heraus, so strichen die Evangelicals die Bedeutung persönlicher Bekehrung, des individuellen Glaubens und sei-

[11] Ebenda, S. 4.

[12] Ebenda, S. 18.

[13] Vgl. J. H. Hobart, *The Churchman*, S. 6.

[14] Ebenda, S. 7.

[15] Vgl. R. W. Albright, *History*, S. 171; vgl. auch A. C. Zabriskie, *Anglican Evangelicalism*, S. 25.

[16] Vgl. J. H. Hobart, *The Churchman*, S. 23.

[17] Vgl. R. W. Albright, *History*, S. 171

ner Erfahrung heraus. Ein Bischof, der sich zu den Evangelicals zählte, Alexander Viets Griswold, (1766–1843) kritisierte die Hochkirchler als «regarding the Church more than religion and the Prayerbook more than the Bible, ... destitute of true piety and renovation of heart»[18]. Während die Hochkirchler das Book of Common Prayer besonders schätzten, waren den Evangelicals freies Gebet und Erwekkungsversammlungen wichtig. Die verschiedene Akzentuierung, einmal die stärkere Betonung der «objektiven Seite» des Glaubens, zum anderen die stärkere Betonung der «subjektiven Seite» des Glaubens[19], verursachte jedoch keinen tieferen Gegensatz.

Das wurde in den Vierzigerjahren anders, als von England her der Traktarianismus seinen Einfluß auszuüben begann. Die Traktate, deren erster im Jahre 1833 erschien, und die von einer Gruppe junger Oxforder Theologen unter der zunächst nicht offenen Führung von John Henry Newman herauskamen, wollten «to establish or reestablish the genuine truths and practices of Christianity and the refutation and condemnation of Christian errors and abuses»[20]. Mit diesem Ziel wurden die apostolische Sukzession, die Bedeutung der Sakramente und die Autorität der Kirchenväter neu betont, Dinge, die in der Protestant Episcopal Church allgemein anerkannt waren. Doch Newman ging über die Neubekräftigung solcher Lehren hinaus und betonte in wachsendem Maße die Bedeutung der Tradition der römisch-katholischen Kirche. Er kam schließlich zu der Feststellung, daß «the Bible could be properly interpreted only in the light of this tradition»[21]. Damit war die protestantische These, daß die Schrift sich selbst interpretiere (scriptura scripturae interpres), aufgegeben. Die eigentliche Auseinandersetzung begann, nachdem der Traktat 90 erschienen war, in dem Newman zu zeigen versuchte, daß die 39 Artikel der katholischen Position der Traktarianer nicht widersprechen würden. Das stimmte nicht, besonders nicht in der Frage der Rechtfertigung. Während Newman die Bedeutung guter Werke hervorhob, «it is quite true that works done with divine aid, and in faith, before justification do dispose men to receive the grace of justification»[22], betont Artikel XI: «We are accounted righteous before God, only for the merit of our Lord and Saviour Jesus Christ by faith and not for our own works and deservings. Wherefore, that we are justified by Faith only, is the most wholesome Doctrine[23].»

[18] Vgl. ebenda R. W. Albright, *History,* S. 164.
[19] J. Th. Addison, *The Episcopal Church,* S. 89, benutzt diese Formulierungen.
[20] Vgl. D. Croly, *Tracts,* S. 1.
[21] Vgl. W. W. Mancross, *History,* S. 268.
[22] Vgl. J. H. Newman, *Tract 90,* S. 16.
[23] Vgl. *Book of Common Prayer,* S. 605.

Anfang der Vierzigerjahre war der Einfluß der Traktarianer in der Protestant Episcopal Church zu beobachten. Die High Churchmen betonten stärker und stärker katholische Elemente, und es begann eine scharfe und feindselige Auseinandersetzung zwischen High und Low. Dabei kamen tiefe theologische Differenzen zum Vorschein. Ein führender Evangelical war Bischof Meade, der die Lehre der apostolischen Sukzession als Glaubensnotwendigkeit ablehnte, der sich weigerte, nichtepiskopalistischen Geistlichen die Rechtmäßigkeit ihres Amtes abzuerkennen, der den ab und zu auftretenden Gedanken der Transsubstantiation im Abendmahl und des Opfers in der Messe schroff ablehnte und die Kirche als «the great body of those who confess and call themselves Christians and who hold the substance of the truth as it is in Jesus»[24] verstand. Der persönliche Glaube an Jesus Christus war entscheidend. Die Mehrzahl der Episcopalians betrachtete den Traktarianismus skeptisch und setzte ihn mit Romanismus als der Tendenz zur römisch-katholischen Kirche hin gleich. Vor allem war das so, nachdem nicht nur in England J. H. Newman und seine Anhänger zur römisch-katholischen Kirche übergetreten waren, sondern auch in Amerika eine ganze Reihe Episcopalians diesen Schritt vollzogen. Der prominenteste Konvertit war wohl im Jahre 1852 ein Bischof, L. S. Ives von North Carolina[25]. Doch war die römische Tendenz nicht die notwendige Folge des Traktarianismus. Er hatte vielmehr auch Verdienste. Das, was bei Bischof Hobart schon zu vernehmen war, wurde durch ihn gefördert und vertieft: Die Bedeutung der ersten christlichen Jahrhunderte, der apostolischen Zeit und der Schriften der Kirchenväter, der altkirchlichen Symbole[26]. Man verstand jene Zeit als die Epoche echter Katholizität. Und das Ziel der High Churchmen war jetzt, solche Katholizität in der Protestant Episcopal Church zu verwirklichen.

Darüber entstand ein neuer Konflikt, diesmal zwischen den Hochkirchlern. Was meinte Katholizität? Meinte das, daß man die Lehre und Ordnung der Alten Kirche als wesentlich anerkennen sollte und sich darauf beschränkte? Das taten weitgehend die alten Hochkirchler, die von Hobart herkamen. Andere, die die Tradition weiter verstanden und von den Traktaten beeinflußt waren, richteten den Blick aufs Mittelalter und versuchten, das gottesdienstliche Leben der Gemeinden durch Beiwerk, viele Riten und die Einführung von mittelalterlichen Praktiken wie Privatbeichte, die Betonung des Opfercharakters beim Abendmahl oder die Anbetung der Hostie zu bereichern und zu verlebendigen. Dadurch entstand, besonders stark nach dem

[24] Vgl. A. C. Zabriskie, *Anglican Evangelicalism,* S. 27.

[25] Vgl. W. W. Mancross, *History,* S. 284 f.

[26] In diesem Sinne sprach sich Bischof Potter im Jahre 1855 aus.

amerikanischen Bürgerkrieg von 1861 bis 1865, der ritualistische Streit.

Viele alte Hochkirchler wehrten sich gegen Neuerungen, wie die Beachtung der Heiligentage, tägliche Morgen- und Abendgottesdienste, Kerzen auf dem Altar, wöchentliche Abendmahlsfeier oder Pfarrer in Talaren und Umhängen, mit farbigen Schärpen. Heute glaubt man kaum, daß in der Protestant Episcopal Church um solche Dinge einmal gekämpft worden ist, und zwar bitter und sehr persönlich, wofür die General Conventions von 1868, 1871 und 1874 zeugen. Denn fast alle diese Neuerungen sind Allgemeingut in der Protestant Episcopal Church geworden. Schon damals waren nicht alle Evangelicals gegen solche Neuerungen[27]. Teilweise sahen auch sie darin Bereicherungen ästhetischer Art, die theologisch nicht gefährlich waren. Andrerseits kämpften mit den Evangelicals zusammen auch High Churchmen für ein unritualistisches Verständnis von Abendmahl und Taufe. In dem ganzen Streit war das einzige konkrete Ergebnis die Verabschiedung eines Kanons auf der «Convention» des Jahres 1874, der vor allem jede Form der Verehrung der Elemente beim Abendmahl ablehnte[28]. In der Frage der übrigen ritualistischen Neuerungen wurde am Ende alles offen gelassen. Nach 1874 versuchte niemand mehr, durch gesetzliche Maßnahmen gegen Riten und Zeremonien vorzugehen.

Wenige sahen, daß es bei dem ganzen Kampf um viel mehr als Äußerlichkeiten ging. Auf der General Convention 1868 sprach nur ein Mann davon, daß es um mehr ginge als die diskutierten Praktiken, nämlich um eine Rückkehr zu größerer Katholizität in Lehre und Frömmigkeit[29]. In der Tat gelangte die Protestant Episcopal Church in diesem Kampf der Gegensätze und in dem Austrag der Meinungsverschiedenheiten zu einem Selbstverständnis, das am Rande zwar schon immer in der Kirche betont worden war, aber eben doch nicht eine breite Resonanz gefunden hatte. Die Erkenntnis war, daß High Churchmen und Low Churchmen mit ihren Traditionen und Betonungen in einer möglichen Einheit zusammen leben könnten. Auch wenn Reibungen auftreten würden, könnten sie voneinander lernen und einander bereichern, bei gemeinsamem Bemühen um echte Katholizität. Im Bewußtsein der Katholizität würde sich die comprehensiveness der Protestant Episcopal Church zeigen. Comprehensiveness meinte die Weite, den Umfang, in dem viele verschiedene Auffassungen möglich sind. Für den breiten Durchbruch dieser

[27] Vgl. besonders W. A. Muhlenberg.

[28] Vgl. G. H. De Mille, *The Catholic Movement*, S. 124, vgl. auch *Journal of the General Convention* 1874, S. 185.

[29] Vgl. G. H. De Mille, *The Catholic Movement*, S. 114.

Erkenntnis und Haltung setzt man das Jahr 1874 an[30]. Der Pfarrer James De Koven sprach vor der General Convention 1874, und kurz vorher argumentierte der Pfarrer John Cotton Smith auf dem ersten Church Congress der Protestant Episcopal Church in derselben Weise:

«We are the only Christian Body in regard to which it can be claimed, for a moment, that is a truely comprehensive Church. The Church of Rome has become sectarian by the limits of its recent dogmas (Vatican I), and the other Christian bodies around us proceed upon the principle of division when there are differences as to the doctrine and ritual. Our Church stands in the position of recognizing very wide differences as legitimate and as constituting no obstacle to communion and fellowship.»[31]

Das war genau das neue Selbstverständnis der Kirche. Der Church Congress, auf dem diese Worte gesprochen wurden, kam erstmals 1874 zusammen. Er hatte den Zweck, die verschiedensten Meinungen in der Protestant Episcopal Church zum Leben und Denken der Kirche in freier und offener Diskussion zu Gehör zu bringen und so eine breite Gemeinschaft und gemeinsamen Eifer für das Werk der Kirche im katholischen Geist zu sichern. Die Initiatoren des Church Congress, zu dem alle Glieder der Protestant Episcopal Church eingeladen waren, wollten die Tendenz fördern «to be as comprehensive as possible and to minimize the importance of definite Dogma»[32]. Ihre Haltung war die der Broad Churchmen, der vermittelnden und ausgleichenden Episcopalians, die in diesen Jahren mehr und mehr eine Gruppe zu werden begannen.

c) Christliche Einheit vor 1874

Die Protestant Episcopal Church hatte zwischen 1789 und 1874 ihr Bekenntnis zur Katholizität entwickelt, sie hatte ihre Lehre vom Amt, dem Episkopat und den Sakramenten mit besonderem Blick auf die Alte Kirche und die apostolische Sukzession begründet, und sie hatte eine liturgische Erneuerung im gesamten kirchlichen Leben mit dem Blick aufs Mittelalter erlebt. All das hatte sich in theologischem und kirchlichem Kampf durchgesetzt. Es hatte die Kirche gestärkt und lebendig gemacht. Hatte das aber alles irgendwelche Bedeutung in bezug auf die Frage der christlichen Einheit?

Zunächst ist verständlich, daß die innere Auseinandersetzung in der Protestant Episcopal Church alle Kräfte beanspruchte. So war die Kirche vor allem mit sich selbst beschäftigt und war die Möglichkeit

[30] Vgl. W. W. Mancross, *History,* S. 300 ff.; R. W. Albright, *History,* S. 287 ff.
[31] Vgl. Church Congress, *Authorized Report,* S. 15.
[32] Vgl. W. W. Mancross, *History,* S. 307.

des Gesprächs mit anderen christlichen Denominationen von vornherein beschränkt. Zudem wollten die High Churchmen aus ihrem Amtsverständnis heraus, das die Gültigkeit des nichtepiskopalistischen Amtes anzweifelte oder bestritt, von Einheit mit den Protestanten nichts wissen. J. H. Hobart sagte: «The Churchman maintains the unity of the Church in submission to the Episcopal constitution of her ministry»[33]. Beides hielt die Protestant Episcopal Church in einer Art Isolation[34].

Doch waren auch von Anfang an Kräfte in der Kirche vorhanden, die Kontakte und Zusammenarbeit mit anderen protestantischen Kirchengemeinschaften wollten und pflegten. Unter ihnen waren auch die Wegbereiter des um 1874 allgemein anerkannten Katholizitätsverständnisses der Protestant Episcopal Church. Sie kamen vor allem aus den Kreisen der Evangelicals, deren Amtsverständnis nicht so rigoros war und die auch andere Ämter neben den drei episkopalistischen «orders» anerkannten. Die Betonung des persönlichen Glaubens und der erwecklichen Verkündigung machte sie auch offener für gemeinsame christliche Unternehmungen. Sie arbeiteten in den interdenominationellen Bibelgesellschaften mit und nahmen an interdenominationellen Gottesdiensten teil[35]. Bischof Moore rechtfertigte das auf der Synode seiner Diözese: «We stretch forth the right hand of fellowship to all who in sincerity call upon the Lord Jesus Christ»[36].

Einer der ersten, die sich konkrete Gedanken um christliche Einheit machten und dabei zugleich zunächst noch unerkannte Wegbereiter des Selbstverständnisses der Kirche waren, war William Augustus Muhlenberg. Nach einem fachmännischen Urteil war er wohl die bedeutendste Einzelgestalt der Protestant Episcopal Church im 19. Jahrhundert[37]. Im Jahre 1835 gab er ein Büchlein «Hints on Catholic Union»[38] heraus. Da sie alle Jünger Christi seien, gäbe es bereits eine Einheit (unity) unter Christen, meinte er. Aber es fehle die sichtbare Vereinigung (union), die äußerst wichtig sei. Denn «it is the offspring of unity, and in turn becomes its protector»[39]. Als Methode auf diese Vereinigung hin schlug Muhlenberg eine Konföderation der

[33] Vgl. J. H. Hobart, *The Churchman,* S. 27.

[34] Vgl. dazu auch A. Ayres, *Muhlenberg,* S. 268. Dort wird berichtet, daß M. immer mehr die «Isolation» der Kirche zu schaffen machte.

[35] Vgl. A. C. Zabriskie, *Anglican Evangelicalism,* S. 25. Zum Beispiel arbeitete Bischof Griswold mit den interdenominationellen Bibelgesellschaften zusammen (vgl. R. W. Albright, *History,* S. 166) und Bischof Moore war Präsident des Zweiges der American Bible Society im Staate Virginia (vgl. R. W. Albright, *History,* S. 169).

[36] Vgl. R. W. Albright, *History,* S. 169.

[37] Vgl. E. R. Hardy, *Muhlenberg,* S. 192.

[38] Vgl. W. A. Muhlenberg, *Papers,* S. 9 ff.

[39] Ebenda, S. 15.

führenden protestantischen Kirchen – bei all seinen Einigungsgedanken dachte er nur an diese – dem Aufbau der Vereinigten Staaten entsprechend vor. Bestimmte grundsätzliche Artikel der Konföderation sollten in bezug auf Lehre, das Amt und den öffentlichen Gottesdienst gemeinsam formuliert werden. Er war überzeugt und versuchte zu zeigen, daß solche Übereinstimmung gefunden werden könne. Eine solche Konföderation wäre ein Anfangsstadium auf Vereinigung hin, «a nucleus of union». Außerdem dürfte eine Vereinigung – so war Muhlenbergs Überzeugung – die besonderen Lehren und Formen der verschiedenen Kirchengemeinschaften nicht antasten. Sie müßte also eine breite und weite Grundlage haben und neben der gemeinsamen Basis die Besonderheiten der einzelnen Mitgliedskirchen gelten lassen können.

«Union must proceed on broader ground ... leaving to the separate Churches all their original independence, but uniting them, if not under one government, yet in the adoption of all the great principles which they hold in common[40].»

Die großen Bekenntnisse waren in der Alten Kirche zu finden. «We shall have to fall back upon the primitive ground and use our strength in defending the common territory, instead of expending it all upon the separate fabrics there erected[41].» Das wäre eine «broad church»[42], in der echte, rechte Katholizität verwirklicht würde.

Nicht nur die Gedanken, die später Allgemeingut wurden, finden sich schon bei ihm, sondern auch der Vorschlag, daß die Protestant Episcopal Church am besten geeignet sei, das Modell für eine vereinigte Kirche bereitzustellen. Könnte nicht nach den 39 Religionsartikeln das Glaubensbekenntnis einer katholischen vereinigten Kirche formuliert werden? So fragte er. Atmen nicht ihre Formulierungen eine besondere Weite, einen «catholic spirit»? Und könnte die Weise der Ordination nicht für Nichtepiskopalisten annehmbar gemacht werden oder durch eine «joint ordination» von Vertretern verschiedener Kirchen ergänzt werden? Es ist zu betonen, daß Muhlenberg keine fertigen Pläne zur Lösung des Einheitsproblems vorlegen wollte. Er versuchte, aus Gründen der Verkündigung und Seelsorge darüber nachzudenken. Denn das kirchliche System schien ihm den Anforderungen der Zeit nicht zu genügen. Weil ihm zu einer Änderung die Vereinigung der Kirchen notwendig erschien, legte er Vorschläge vor zur Überlegung, Diskussion und eventuellen Bewerkstelligung einer solchen Vereinigung. Er schrieb:

[40] Vgl. ebenda, S. 18.
[41] Vgl. A. Ayres, *Muhlenberg*, S. 248.
[42] Vgl. E. R. Hardy, *Muhlenberg*, S. 191, der meint, daß Muhlenberg den Begriff in Amerika eingeführt hat.

«Let Christians lay it to heart, for it approves itself to their affections, as well as to their reason. Indeed it must spring from brotherly love. Charity must begin the work and wisdom must complete it. If the plan of union is objectionable, let another be devised. Let us ascertain in what way the desideratum is practicable, fore it cannot be impossible»[43].

Hinter all diesen Gedanken stand eine Haltung, die Muhlenberg selber als «evangelisch-katholische» bezeichnete (Evangelical-Catholic). Ihr Verständnis von Kirche ist in den Worten Anne Ayres, der Biographin Muhlenbergs, ausgesprochen:

«Evangelical in requiring faith of the heart and immediately in Christ, and Catholic in adhering to the ancient documents of the faith — Catholic, also, in the moral sense of the word, as well as in the historic or ecclesiastical — liberal, comprehensive, large-minded»[44].

Bei ihrem Erscheinen fand die Schrift nur geringes Echo. Sie übte aber ihren Einfluß aus, wie die spätere Entwicklung zeigte.

Auch das Buch «The Comprehensive Church», das Thomas H. Vail im Jahre 1841 herausbrachte, fand zunächst geringen Widerhall. Im Vorwort zur zweiten Auflage des Buches, die 37 Jahre später erschien, schrieb er:

« ... the title of this book was in those days seldom if ever heard; and the conception embodied in it was little understood or appreciated ... The Church did not then apprehend the receptive capabilities of her divinely catholic constitution. It was not up to the idea presented in this book»[45].

Die Idee war die Muhlenbergs, daß die kirchliche Einheit nur in einer Kirche gefunden werden könne «broad enough to allow all sincere and humblehearted disciples of our Lord to unite upon it — a comprehensive church»[46]. Auch für ihn war «comprehensiveness» nichts anderes als Katholizität[47], die Verbindung von größter Freiheit und Weite mit Einigkeit und Vereinigung. Die Basis einer umfassenden Kirche müßte sein: «comprehensiveness in matters acknowledged by all to be relatively non-essentials, conformity in matters received by each to be essential»[48]. Vail schlug ebenfalls als Modell der «comprehensive church» in ausführlichen Darlegungen die Protestant Episcopal Church vor. Man könnte mehr Beispiele anführen, in denen sich einzelne Episcopalians mit der Frage der Einheit beschäftigten[49]. Aber nicht einmal das berühmte «Muhlenberg-Memorial» vom Jahre 1853

[43] Vgl. W. A. Muhlenberg, *Papers,* S. 29.

[44] Vgl. W. A. Muhlenberg, *Papers,* S. III.

[45] Vgl. Th. H. Vail, *The Comprehensive Church,* S. 17 f.

[46] Ebenda, S. 35.

[47] Ebenda, S. 40.

[48] Ebenda, S. 61.

[49] Vgl. W. H. Lewis und E. A. Washburn, deren Schriften A. W. Albright, *History,* S. 271 erwähnt.

hatte eine größere praktische Wirkung. Es war von Muhlenberg verfaßt und von ihm mit anderen auf der General Convention mit dem Zweck vorgelegt worden, eine bessere Wirksamkeit der Kirche und einen Fortschritt in der Frage christlicher Einheit zu erreichen. Neben Vorschlägen, die Zulassung zum Amt der Verkündigung zu erleichtern und auch fähigen und theologisch geschulten Nichtepiskopalisten aus anderen Denominationen die Ordination in der Protestant Episcopal Church zu ermöglichen, war der Grundgehalt der, daß die Kirche eine Ordnung haben müsse:

«broader and more comprehensive than that which you now administer, surrounding and including the Protestant Episcopal Church as it now is, leaving that Church untouched, identical with that Church in all its principles, yet providing for as much freedom in opinion, discipline, and worship as is compatible with the essential faith and order of the Gospel. To define and act upon such a system it is believed, must sooner or later be the work of an American Catholic Episcopate»[50].

Das Memorial wurde von wenigen voll unterstützt[51], und das wichtigste konkrete Ergebnis war die Einsetzung einer Kommission für christliche Einheit im Haus der Bischöfe bei der General Convention 1856 «as an organ of communication or conference with such Christian bodies or individuals as may desire it»[52]. Diese Formulierung beschränkte die Kommission auf passives Bereitsein. Sie hatte daher im Jahre 1859 auch wenig zu berichten[53] und blieb, nachdem sie bei der General Convention 1868 neu eingesetzt wurde[54] und auf den folgenden General Conventions bestätigt wurde, vorläufig ohne Bedeutung. Muhlenberg, der für die Protestant Episcopal Church in vieler Hinsicht, vor allem auch in liturgischer, Bedeutendes gewirkt hatte[55], begann nach 1856 von der offiziellen Protestant Episcopal Church nicht mehr viel in der Frage christlicher Einheit zu erwarten, er gab persönlich die Bemühungen darum aber nie auf[56].

Doch hatte sich 20 Jahre später vieles verändert. In der theologischen Auseinandersetzung waren solche Gedanken, wie sie Vail und Muhlenberg vorgetragen hatten, allgemein aufgenommen worden. Thomas H. Vail – inzwischen war er zum ersten Bischof in Kansas ernannt worden – schrieb im Vorwort zur zweiten Auflage seines Buches im Jahre 1879: «The idea of ‹The Comprehensive Church› is

[50] Vgl. W. A. Muhlenberg, *Papers,* S. 82.

[51] Vgl. E. R. Hardy, *Muhlenberg,* S. 174 ff.

[52] Vgl. A. Ayres, *Muhlenberg,* S. 270.

[53] Vgl. *Journal of the General Convention* 1859 und E. R. Hardy, *Muhlenberg,* S. 188.

[54] Vgl. *Journal of the General Convention* 1868, S. 231 und S. 426.

[55] Darauf kann hier nicht eingegangen werden. Es muß auf die Biographie von Anne Ayres verwiesen werden.

[56] Vgl. A. Ayres, *Muhlenberg,* S. 273.

now quite generally accepted, and the phrase is becoming decidedly familiar[57].» Die Protestant Episcopal Church hatte das in ihr allgemein anerkannte Selbstverständnis als die Kirche der Katholizität oder Comprehensiveness gefunden.

High Churchmen, Low Churchmen und Broad Churchmen versuchten ihre verschiedenen Tendenzen in der einen Kirche zu verwirklichen.

d) Christliche Einheit nach 1874

Das gewonnene Selbstverständnis bedeutete die Aufgabe. Denn wenn die Protestant Episcopal Church das Modell für eine vereinigte Kirche abgeben sollte, dann hatte sie aktiv zu werden. Dann hatte sie Mittlerin, Initiatorin in der Frage christlicher Einheit zu sein. In der Tat versuchten die verschiedenen Gruppen und die Kirche als Ganze im letzten Drittel des 19. Jahrhunderts aktiv zu werden.

Zuerst muß die hervorragendste Gestalt dieser Jahrzehnte, Pfarrer William Reed Huntington, erwähnt werden. Schon im Jahre 1865 hatte er in einer Predigt betont, daß die Mitglieder der Protestant Episcopal Church die Verantwortung hätten, die Initiative beim Werk der christlichen Einheit zu ergreifen[58]. Im Jahre 1870 erschien sein bekanntes Buch über christliche Einheit[59], dessen wesentliche Aussagen erstmals in einer Predigt am 30. Januar des Jahres gesprochen wurden. Wenn in Amerika mit dem Bekenntnis zur Heiligen Katholischen Kirche ernstgemacht werden solle, müsse eine Kirche der Versöhnung, «a Church of Reconciliation», für alle Christen möglich sein. Die Grundlage für eine solche katholische Kirche von Amerika könnte nur die römisch-katholische oder die anglikanische Kirche abgeben, da sie die einzigen historischen Kirchen seien. Aber da die römisch-katholische Kirche zu den historischen Kernpunkten des Glaubens andere hinzugefügt habe, so wie die Puritaner die wesentlichen Glaubensinhalte reduziert hätten und der Liberalismus sie verzerrt habe, komme nur die anglikanische Kirche als Grundlage in Frage. Ihre historischen Merkmale seien:

1. Die Heilige Schrift als das Wort Gottes.
2. Die ersten Glaubensbekenntnisse als Ausdruck der Lehre.
3. Die beiden Sakramente, die Christus selbst einsetzte.
4. Das Episkopat als Grund leitungsmäßiger Einheit[60].

[57] Vgl. Th. H. Vail, *The Comprehensive Church,* S. 18.

[58] Vgl. J. W. Suter, *Huntington,* S. 166.

[59] Vgl. W. R. Huntington, *The Church-Idea,* An Essay towards Unity.

[60] W. R. Huntington, *The Church Idea,* S. 125. Herr Professor E. R. Hardy wies mich freundlicherweise darauf hin, daß in dem Buch «The Kingdom of Christ»

Die katholische Kirche Amerikas müsse dieses «Quadrilateral», ein Ausdruck Huntingtons, als Grundlage haben. Immer wieder betonte er auf dieser Basis die Notwendigkeit einer nationalen katholischen Kirche[61], sollte die christliche Botschaft glaubwürdig sein.

Das Quadrilateral machte Geschichte. Der General Convention von 1886 in Chicago war ein von mehr als tausend Bischöfen, Pfarrern und Diakonen unterzeichnetes Schreiben und verschiedene Erklärungen der Diözesen Florida, Indiana, Kentucky und Louisiana überreicht worden, die sich alle mit der Frage kirchlicher Einheit befaßten und zu Kontakten mit den anderen protestantischen Kirchengemeinschaften aufriefen[62]. Ein zur Beratung dieser Vorlagen eingesetztes Komitee des Hauses der Bischöfe erklärte unter anderem in seinem Bericht:

«We do hereby affirm that the Christian unity now so earnestly desired by the memorialists can be restored only by the return of Christian communions to the principles of unity exemplified by the undivided Catholic Church during the first ages of its existence; which principles we believe to be the substantial deposit of Christian Faith and Order committed by Christ and his Apostles to the Church unto the end of the world, and therefore incapable of compromise or surrender by those who have been ordained to be its stewards and trustees for the common and equal benefit of all men. As inherent parts of this sacred deposit, and therefore as essential to the restoration of unity among the divided branches of Christendom, we account the following to wit:

1. The Holy Scriptures of the Old and New Testament as the revealed Word of God.
2. The Nicene Creed as the sufficient statement of the Christian Faith.
3. The two Sacraments — Baptism and the Supper of the Lord — ministered with unfailing use of Christ's words of institution and of the elements ordained by Him.
4. The Historic Episcopate, locally adapted in the methods of its administration of the very needs of the nations and peoples called of God into the unity of His Church.»[63]

Es übernahm also das Quadrilateral Huntingtons als Grundlage jeder Einigung und als Bedingung für jedes Gespräch über christliche Einheit. Die General Convention setzte auf Vorschlag des Hauses der Abgeordneten eine gemeinsame Kommission ein[64], die briefliche Kon-

von Frederick Denison Maurice, das erstmals 1837 erschien, fünf «signs of a spiritual society» genannt werden, die in Huntington's Quadrilateral als die vier Punkte wiederkehren. Obwohl es möglich sein könnte, kann ich allerdings keinen beweisbaren Einfluß von Maurice's Buch auf Huntington feststellen.
Vgl. F. D. Maurice, *The Kingdom of Christ,* London 1838, 3 Bände.

[61] Am eindrücklichsten wurden diese Gedanken wohl in dem Büchlein betont: «*A National Church*», New York, 1898.

[62] Vgl. *Journal of the General Convention* 1886, S. 840 ff. Dort sind alle Erklärungen abgedruckt.

[63] Vgl. *Journal of the General Convention* 1886, S. 80.

[64] Vgl. *Journal of the General Convention* 1886, S. 135.

takte über diese Grundlage mit anderen Kirchengemeinschaften aufnehmen sollte und im Jahre 1889 über ihre Ergebnisse berichten sollte. Dieses Vorgehen bedeutete, daß die Protestant Episcopal Church in der Frage christlicher Einheit erstmals offiziell aktiv wurde.

Mit kurzen Begleitschreiben schickte die neue Kommission das sogenannte Chicago-Quadrilateral an 18 Kirchengemeinschaften[65] und konnte der General Convention von 1889 berichten, daß die Presbyterian General Assembly, die General Synod of Evangelical Lutherans, das United General Council South of the Evangelical Lutherans und die Provinzsynoden der Moravians[66] Kommissionen eingesetzt hätten, mit denen man in Korrespondenz stehe. Sie erbat eine Erweiterung ihrer Vollmachten «so as to permit us to enter into brotherly conference with all Committees or Commissions appointed to confer with us, for the purpose of negotiating the terms of restoration to the unity of the faith of all those who profess and call themselves Christians, on such basis»[67]. Der Bitte wurde entsprochen.

Die Kontakte mit den Presbyterians schienen zunächst hoffnungsvoll zu sein. Die presbyterianische Kirche erklärte sich bereit, in Verhandlungen zu treten «on the basis of the four propositions», woraufhin kurz vor Beginn der General Convention 1892 eine Konferenz abgehalten wurde, wohl die erste offizielle Begegnung der Protestant Episcopal Church mit einer anderen protestantischen Denomination über Fragen der Einheit. Das Echo des Berichts war ermutigend:

> «That such conference could be held, and those taking part in it go out feeling that it was indeed a beginning of the end so devoutly sought and earnestly prayed for, not alone by all of us, but as we are assured by thousands who are not of us, was, we believe, a very great gain[68].»

Besonders wurde auch vermerkt, daß das presbyterianische Komitee erklärt habe, wirkliche Einheit müsse äußerliche Einheit sein («corporate unity and union»). Die persönlichen und brieflichen Kontakte wurden fortgesetzt und hatten einen herzlichen und entgegenkommenden Ton, bis man im Jahre 1895 an der Frage des Episkopats scheiterte. Das presbyterianische Komitee hatte 1893 vorgeschlagen, daß es, um zu einem besseren Verständnis zu kommen, eine gute Sache wäre, wenn die Pfarrer der beiden Kirchen die Kanzeln zum gegenseitigen Predigtaustausch freigeben dürften, wie das bei anderen

[65] Sie sind alle aufgeführt zusammen mit dem Formular des Begleitschreibens in: *Journal of the General Convention* 1895, S. 595.

[66] Die Kirche der Böhmischen Brüder und Herrnhuter Brüdergemeine.

[67] Vgl. *Journal of the General Convention* 1889, S. 59.

[68] Vgl. *Journal of the General Convention* 1892, S. 545.

Kirchen in Übung sei[69]. Die Kommission der Protestant Episcopal Church antwortete darauf, daß sie keine Vollmacht habe, diesen Vorschlag zu beantworten, ihn aber gerne der nächsten General Convention im Jahre 1895 vorlegen werde. Im Mai 1894 tagte die Generalversammlung der Presbyterians und beschloß auf Vorschlag ihres Komitees, «to suspend further correspondence with the Protestant Episcopal Commission until that Commission secures from its General Convention instructions to accept and act upon the doctrine of mutual recognition and reciprocity»[70]. In der Protestant Episcopal Church wurde das so verstanden, daß «mutual recognition and reciprocity» an die Stelle der Forderung des historischen Episkopates treten solle[71]. Mit Höflichkeit, aber unter gegenseitigem Mißtrauen, wurde der Meinungsaustausch daraufhin abgebrochen.

Die General Synod der Evangelical Lutheran Church antwortete freundlich, aber klar, daß «we deem the restoration of the organic unity of the Church, at the present period, neither desirable nor practical»[72], weil die Unterschiede zwischen den verschiedenen Kirchengemeinschaften zur Zeit zu groß seien. Außerdem halte sie das Nicänum als Bekenntnis des christlichen Glaubens allein für nicht ausreichend. Die Union Synod of the South unterstützte das. Einige andere Kirchengemeinschaften reagierten in freundlicher, aber ablehnender Weise. Der zugrundegelegte Vorschlag erweckte Bedenken und ließ gegenüber dem guten Willen der Protestant Episcopal Church vorsichtig sein. Die ersten aktiven Bemühungen der Protestant Episcopal Church in der Frage christlicher Einheit endeten so ohne Erfolg.

Die Grundlage für diese erste Kontaktnahme der Protestant Episcopal Church mit anderen protestantischen Kirchengemeinschaften war das Chicago Quadrilateral. Doch an ihm entstanden die Schwierigkeiten. Grundlagen und Forderungen bewirkten Trennungen. Das, was man im Jahre 1910 beachtete, hatte man noch nicht entdeckt, daß ein echtes Gespräch nicht mit bestimmten Voraussetzungen und Bedingungen beginnen kann. Daß das auf Huntington zurückgehende Chicago Quadrilateral trotzdem ein ausgezeichnetes Bekenntnis der wesentlichen Grundsätze der anglikanischen Kirchengemeinschaft ist, wurde auf der «Lambeth-Conference» im Jahre 1888 deutlich. Diese Konferenz, zu der auf Vorschlag der kanadischen Synode der Church of England erstmals im Jahre 1867 alle Bischöfe der anglikanischen Kirchengemeinschaft in den Lambethpalast des Erzbischofs von Canterbury eingeladen wurden und die zu einer bleibenden Einrichtung

[69] Vgl. *Journal of the General Convention* 1895, S. 607.
[70] Ebenda, S. 609.
[71] Ebenda, S. 612.
[72] Ebenda, S. 614.

mit Treffen im Abstand von ungefähr 10 Jahren wurde, sollte die gegenseitige Zusammenarbeit und innere Einheit der Anglikaner fördern, sollte eine Plattform für gegenseitigen Meinungsaustausch und die Diskussion aller gemeinsamen Fragen darstellen. Die Konferenz gab sehr bedeutende Erklärungen ab, obwohl sie nur beratend, nicht aber verbindlich oder gesetzgeberisch auftreten kann. Unter diesen Erklärungen fand sich im Jahre 1888 auch das «Lambeth Quadrilateral», das fast wörtlich eine Übernahme des Textes des «Chicago Quadrilaterals» der amerikanischen Protestant Episcopal Church darstellt[73], und anzeigt, daß Huntingtons Grundsätze für die ganze anglikanische Kirchengemeinschaft als wesentlich angesehen wurden. Das Quadrilateral wurde auf der Konferenz 1897 bestätigt[74] und ist bis heute ein entscheidendes theologisches Dokument der anglikanischen Kirchengemeinschaft geblieben. Das Quadrilateral bedeutete nicht den einzigen Versuch, der Aufgabe, Mittler und Initiator in der Frage der Einheit zu sein, nachzukommen. Die Protestant Episcopal Church unterzog sich trotz innerer Widerstände einer vorläufigen Revision des Book of Common Prayer[75]. Es sollte in Stil und Form der Zeit angepaßt werden und man verstand die Arbeit daran als einen Dienst für die Einheit der Kirche. Huntington, der führend daran beteiligt war, schrieb nach Abschluß der Revision im Jahre 1892 einem Freund: «I hope you will not think that the Revision of the Prayer Book was a question of ritual with me. I am looking forward to the time when the Church of Christ will be one Church, and all my work on revision has had in view the getting our own Church into the best possible position for meeting that issue when it shall come»[76]. Die hochkirchlichen Gruppen der Kirche schlugen auch eine Namensänderung im Interesse der Einheit vor. Für eine katholische Kirche sei der Name «Protestant», der einschränke, ein Widerspruch. Er erschwere auch die Kontaktaufnahme zu anderen katholischen Kirchen und sei so ein Hindernis bei der Bemühung um christliche Einheit. Nach 1877 wurde in fast jeder General Convention ein Antrag auf Namensänderung eingebracht, aber nie angenommen. Die knappste Abstimmung mit einer sehr geringen Ablehnungsmehrheit ereignete sich im Jahre 1910. Ein anderer Versuch, auf Einheit hinzuwirken, war schon vor der Kontaktaufnahme mit den protestantischen Kirchen gegenüber den sogenannten verwandten Kirchen geschehen. Von der General Convention eingesetzte Komitees traten schon nach 1865 in freundliche Kontakte zu verschiedenen episkopalistischen Kirchen

[73] Vgl. Archbishop Davidson, *Lambeth Conferences,* S. 121.
[74] Ebenda, S. 247.
[75] Im Jahre 1928 wurde eine zweite Revision abgeschlossen.
[76] Vgl. J. W. Suter, *Huntington,* S. 395.

wie der Kirche von Schweden, der Brüdergemeinde in Amerika, den östlichen orthodoxen Kirchen und den Altkatholiken. Man dachte, mit diesen Kirchengemeinschaften leichter ins Gespräch über die Einheit zu kommen, als mit den nichtepiskopalistischen protestantischen Kirchen. Um 1910 waren diese Kontakte noch nicht über «freundliche Beziehungen» hinaus gediehen.

Die verschiedenen Unternehmungen zeigen schon an, daß der Einfluß der hochkirchlichen Mitglieder in der Protestant Episcopal Church bedeutend war. Diese haben in der zweiten Hälfte des 19. Jahrhunderts das Leben der Kirche sehr bereichert. Ihre aus der Beschäftigung mit dem Mittelalter übernommenen vielfältigen liturgischen Ausdrucksmöglichkeiten, ihre tiefe innere Frömmigkeit und ihre konservative, Tradition hoch einschätzende Weise theologischen Bemühens wirkten auf alle Richtungen in der Kirche ein. Sie leisteten einen großen Beitrag für das gottesdienstliche und karitative Leben der ganzen Kirche[77]. Sie wollten auch betont wissen, daß die Kirche die katholische sei und nicht mit den protestantischen Kirchen zusammengebracht oder gar identifiziert werden dürfe. Das war auch an dem Verhältnis der Protestant Episcopal Church zu den Vorbereitungen für den Federal Council of Churches in Amerika zu beobachten.

Da der Federal Council vor allem die protestantischen Kirchengemeinschaften zusammenführte und sie zu gemeinsamem Tun in den praktischen und sozialen Fragen veranlaßte, war er des Sektarianismus verdächtig. Obwohl einzelne Mitglieder der Protestant Episcopal Church schon früh an den aufkommenden sozialen Fragen der Zeit gearbeitet hatten[78] und die Kirche selber Bedeutendes auf diesem Gebiet geleistet hatte, trat sie der Bewegung für den Federal Council offiziell nicht bei. Die General Convention 1904 erlaubte der Kommission für christliche Einheit, die schon jahrelang unbeschäftigt war, nur «to seek the cooperation of the other Christian bodies of this land in the observance of the Lord's Day; in the preservation of the sanctity of marriage; in the religious education of children; and in other like matters of mutual interest, so as to bring about closer relation and better understanding between us than now exist»[79]. Auf Grund dieser Resolution nahm dann die Kommission an der Interchurch Conference des Jahres 1905 teil, die die Gründung des Federal Council vorbereitete. Sie erklärte aber eindeutig: «As a committee we have no power, we have received no authority, we have been given no instructions, as to what stand we should take on the question of fede-

[77] Vgl. G. E. De Mille, *The Catholic Movement,* S. 133 ff.
[78] Vgl. Ch. H. Hopkins, *Social Gospel,* S. 318.
[79] Vgl. Journal of the General Convention 1904, S. 121.

ration[80]». «We can act simply as individuals[81].» Auch bei der Gründung des Federal Council im Jahre 1908 war die Protestant Episcopal Church nur individuell und privat vertreten.

e) Zusammenfassung

Es ist deutlich geworden, daß für die Protestant Episcopal Church die Frage christlicher Einheit für lange Zeit ein innerkirchliches Problem gewesen ist. Sie stand in einer äußeren Isolation gegenüber den anderen christlichen Kirchen, zumindest bis in die zweite Hälfte des letzten Jahrhunderts. Doch entwickelte sie in der innerkirchlichen Auseinandersetzung aus sich heraus ein theologisches Konzept und theologische Begriffe für die Frage der Einheit. Es ist eine wichtige Feststellung, daß viele Begriffe und Denkweisen, die uns in der Kommission für Glauben und Kirchenverfassung nach ihrer Einsetzung durch diese Kirche im Jahre 1910 begegnen, in der Geschichte der Protestant Episcopal Church im 19. Jahrhundert zu finden und von da herzuleiten sind. Von entscheidender Bedeutung ist dabei die Vorstellung, die nach 1874 allgemein unter den Mitgliedern verstanden wurde, daß die Protestant Episcopal Church die Kirche der Katholizität und Weite ist. Ferdinand C. Ewer, einer der größten Theologen dieser Kirche, formulierte jenes Verständnis von Katholizität klassisch:

«Behold, then, in Catholicity the perfect unit, the unit of the highest order. For while Romanism is simple organic unity without diversity, and while Protestantism is diversity without organic unity, Catholicity is organic unity in diversity[82].»

Ihr Verständnis von Katholizität ließ die Protestant Episcopal Church ihre besondere Mission erkennen. Sie als die Kirche der comprehensiveness hatte Vorschläge für Einheit zu unterbreiten und Kontakte zu anderen Kirchengemeinschaften zu suchen. Da aber ihre Vorschläge aus der Isolation gegenüber den anderen Kirchen vorgetragen wurden und nicht in zwischenkirchlichem Gespräch erarbeitet worden waren, wirkten sie einseitig, und die Kontaktsuche wurde leicht als die Vorladung zu einer schon von Bedingungen abhängigen Begegnung verstanden.

Die Ergebnisse dieser ersten Bemühungen waren vielleicht darum gering. Immerhin war die Stimmung in der Protestant Episcopal Church auf die Bemühung um christliche Einheit ausgerichtet. Vor-

[80] Vgl. E. B. Sanford, *Federal Council,* S. 371.
[81] Ebenda, S. 373.
[82] Vgl. F. C. Ewer, *Catholicity,* S. 96.

aussetzungen für konkrete Taten waren gegeben. Man hatte nur den rechten Einsatz, die geeigneten Methoden zu erspüren. Hier bildete das Jahr 1910 einen Einschnitt.

3. Zur kirchlichen Situation in den Vereinigten Staaten nach der Jahrhundertwende

Die kirchliche Situation war in den Vereinigten Staaten zu Anfang dieses Jahrhunderts verhältnismäßig unübersichtlich. Neben Vorteilen brachte die vollständige Religionsfreiheit schon immer den Nachteil mit sich, daß unendlich viele religiöse Gemeinschaften bestanden und es leicht zu Schismen kam. Von den 186 Religionsgemeinschaften, die 1906 in Amerika gezählt wurden, waren 164 protestantische Kirchengemeinschaften[83]. Unter diesen waren die – der Reihe nach – stärksten Gruppen die Methodisten (30,5 Prozent), die Baptisten (25,9 Prozent), die Presbyterianer (7,3 Prozent), die Lutheraner (6 Prozent), die Disciples (5,2 Prozent) und die Protestant Episcopal Church (3,2 Prozent) vor den Kongregationalisten (2 Prozent). Das Bezeichnende war, daß in diesen Gruppen meist mehrere selbständige und völlig unabhängige Gemeinschaften bestanden, die sich z. B. auf Traditionen der alten Heimatkirche vor der Auswanderung nach Amerika beriefen, oder die besonders organisiert sein wollten, die sich aber seltener aus wirklich konfessionellen oder theologischen Gründen gebildet hatten. So gab es im Jahre 1906 18 methodistische, 14 baptistische, 12 presbyterianische und 26 lutherische Kirchengemeinschaften in den Vereinigten Staaten. Das ergab ein verwirrendes Bild, wobei die Protestant Episcopal Church gut dastand. Sie hatte ihre Geschlossenheit im Ganzen wahren können. Nur eine einzige Abspaltung einer kleinen Gruppe, die sich Reformed Episcopal Church nannte, fand im Jahre 1874 statt.

Die meisten dieser Kirchengemeinschaften waren klein an Zahl und isolierten sich daher um so mehr, um ihre Besonderheiten und Eigenheiten hochzuhalten. Sie kümmerten sich wenig um die anderen. Es gab Ortschaften wie diese, die bei 1347 Einwohnern 9 verschiedene Kirchengemeinschaften hatte[84]. Solcher Zustand war unerträglich und zudem eine Vergeudung kirchlicher Finanzmittel. Er mußte mit der Zeit zur Erkenntnis der Notwendigkeit christlicher Einheit schon aus ganz äußerlichen Gründen führen.

[83] Vgl. für diese und die folgenden Angaben: *Bureau of Census,* Part I, S. 21 ff.

[84] Vgl. *The Christian Union Quarterly,* July 1917, S. 8. Dort sind mehr Beispiele angegeben.

Doch zwei entscheidenderen Schwierigkeiten begegneten die aufgesplitterten Denominationen, die alle die gleiche Botschaft verkündigen wollten. Die eine erwuchs aus dem Missionsbefehl. Wem sollten die nichtchristlichen Völker glauben, wenn gleichzeitig 6 verschiedene Kirchen im Namen Jesu kamen und womöglich ganz Verschiedenes sagten? Auf Grund solchen Fragens begann in der Mission eine Rücksichtnahme der verschiedenen Denominationen, die mehr und mehr zu einer Zusammenarbeit wurde[85]. Auf dem Hintergrund solchen Fragens wurden auch die seit 1853 ungefähr alle zehn Jahre stattfindenden weltweiten Missionskonferenzen einberufen, von denen die Weltmissionskonferenz von Edinburgh im Jahre 1910 starken Einfluß auf die Einsetzung einer Kommission für eine Weltkonferenz über Fragen von Glauben und Kirchenverfassung ausübte[86].

Die andere Schwierigkeit erwuchs angesichts der immer stärker werdenden sozialen Fragen. Man erkannte, daß in diesem Bereich denominationelle Arbeit sinnlos sei, weil die Probleme wie Industrialisierung, Familie, religiöse Unterweisung oder alkoholische Enthaltsamkeit für alle Christen die gleichen seien. Zunächst bildeten sich interdenominationelle, nur auf ihre Mitglieder gestellte und von den Kirchen unabhängige Bewegungen. Ihren Zweck und ihre «Basis» legten die meisten wie die weltweite, im Jahre 1855 in Paris gegründete Young Men's Christian Association in Grundsätzen nieder: «The Young Men's Christian Association seek to unite those young men who regarding Jesus Christ as their God and Saviour, according to the Holy Scriptures, desire to be His disciples in their faith and in their life, and to associate their efforts for the extension of His Kingdom amongst young men[87]».

Diese Situation – einerseits der starke Denominationalismus, andererseits die sozialen und missionarischen Fragen, die alle Kirchen in gleicher Weise angingen – führte mit der Zeit auch zu offizieller Zusammenarbeit zwischen Kirchen. Die erste Federation of Churches wurde 1895 in New York gebildet. In den folgenden Jahren nahm die örtliche Zusammenarbeit verschiedenster Denominationen immer

[85] An dieser Stelle kann davon nicht ausführlicher gesprochen werden. Doch sei auf zwei grundlegende Bücher von R. Pierce Beaver, Ecumenical Beginnings in Protestant World Mission, New York 1962, und William Richey Hogg, Ecumenical Foundations, New York 1952, hingewiesen.

[86] Vgl. zur Weltmissionskonferenz in Edinburgh 1910 die näheren Ausführungen S. 30 ff.

[87] Besonders bemerkenswert ist, daß die Formel dieser Erklärung «Jesus Christ as their God and Saviour», die sonst ungebräuchlich ist, den gleichen Wortlaut hat wie die später von der General Convention der Protestant Episcopal Church bei der Einsetzung ihrer Kommission zur Vorbereitung einer Weltkonferenz «on faith and order» gebrauchte. Zitiert nach: Toward Our Second Century, A Preview of the 1955 Centenary. Report of the Geneva Plenary Meeting, 1953.

mehr zu. Im Jahre 1899 ertönte der Ruf zu nationaler Zusammenarbeit: «May we not also look forward to a National Federation of all our Protestant Christian denominations, through their official heads, which shall utter a declaration of Christian unity and accomplish in good part the fulfillment of the prayer of our Lord, ‹that they all may be one, that the world may know that Thou hast sent Me›.»[88] Der Vorbereitung einer solchen nationalen Federation dienten in den folgenden Jahren mehrere Konferenzen. Schließlich fand im Jahre 1905 in der Carnegie Hall in New York die schon erwähnte Interchurch Conference statt, an der die Protestant Episcopal Church auf Grund ihrer Einstellung nicht offiziell teilnahm[89]. Auf dieser Konferenz wurde die Verfassung für einen Federal Council of Churches in the United States vorgetragen, die man in den folgenden Jahren den amerikanischen Kirchen vorlegte. Etwa 30 Kirchen, worunter fast alle größeren waren, billigten sie. Im Jahre 1908 wurde dann in Philadelphia formell der Federal Council gegründet.

Die Präambel zur Verfassung gibt den entscheidenden Grund für einen Federal Council an: « ... In the providence of God, the time has come when it seems fitting more fully to manifest the essential oneness of the Christian Churches of America in Jesus Christ as their Divine Lord and Saviour, and to promote the spirit of fellowship, service and cooperation among them ... [90].» Das Ziel war «to express the fellowship and catholic unity of the Christian Church», die Kirchen zu gemeinsamen Taten und gegenseitiger Beratung zusammenzubringen und ihnen einen stärkeren Einfluß in sozialen und sittlichen Fragen zu verschaffen. Auch das Verhältnis zwischen dem Federal Council und einzelnen Kirchen war klar formuliert: «This Federal Council shall have no authority over the constituent bodies adhering to it ... It has no authority ... in any way to limit the full autonomy of the Christian bodies adhering to it[91]».

Diese Form der Zusammenarbeit wahrte die volle Selbständigkeit der Kirchen. Gleichzeitig aber gab man der Zusammengehörigkeit Ausdruck und wollte gemeinsame christliche Antworten zu den Fragen der Zeit finden. Damit war der Federal Council eine neue Form kirchlicher Gemeinschaft, die große Bedeutung für das zersplitterte amerikanische Kirchenleben gewann, was wiederum seine Auswirkungen auf die Arbeit der Kommission zur Vorbereitung einer Weltkonferenz für Fragen des Glaubens und der Kirchenverfassung haben sollte.

[88] Vgl. Charles S. Macfarland, *The Churches of the Federal Council,* S. 247.
[89] S. o. S. 20 f.
[90] Vgl. Ch. S. Macfarland, *The Churches of the Federal Council,* S. 248.
[91] Ebenda, S. 250.

4. Die Geschehnisse des Jahres 1910

Oft wurde das Jahr 1910 als der Beginn der modernen ökumenischen Bewegung beschrieben. Und in der Tat, dieses Jahr war ein ökumenisches Jahr. Man kann durchaus sagen: «The year 1910 was the year of a general awakening in Christian unity affairs[92]». Denn bei den verschiedensten kirchlichen Ereignissen während dieses Jahres wurde sichtbar, daß die Bemühung um christliche Einheit als eine Notwendigkeit verstanden wurde und daß man damit nur durch Taten, in der Aktion vorankomme. Die Tendenz, die als solche jahrelang schon in Versuchen zu Tage trat, wurde nun verschiedentlich in einem einzigartigen Zusammenfall konkretisiert.

a) Der Kongreß der Laymen Missionary Movement

Vom 3. bis 6. Mai 1910 fand in Chicago der erste nationale Kongreß der amerikanischen Laymen Missionary Movement statt. Diese Bewegung war wenige Jahre zuvor im Anschluß an die Hundertjahrfeier des American Board of Commissioners for Foreign Missions, der ersten Gesellschaft für äußere Mission in Nordamerika, entstanden. Am 15. November 1906 hatten sich in der Fifth Avenue Presbyterian Church in New York City etwa 75 Männer, alles Laien aus verschiedensten Kirchengemeinschaften versammelt, denen der Umfang und die Mittel gegenwärtiger Missionsarbeit unangemessen erschienen. Das Ergebnis ihres dreistündigen nachmittäglichen Gebetsgottesdienstes und einer abendlichen Versammlung war die Erkenntnis, daß die männlichen Laien ganz anders und viel stärker für die Aufgabe der Mission interessiert werden müßten. Zu diesem Zweck wollte man sich zusammentun und wählte ein Komitee mit 25 repräsentativen Mitgliedern (unter anderen gehörten Männer wie John R. Mott und Robert E. Speer dazu), das sich mit den Sekretären der verschiedenen Missionsgesellschaften über folgende Vorschläge beraten sollte:

«1. Die Durchführung einer Erziehungskampagne unter den Laien, um ihr Interesse für Mission zu verstärken.

2. Einen umfassenden Plan für die Evangelisierung der Welt in dieser Generation auszuarbeiten.

3. Sich zu bemühen, eine Gruppe von 50 oder mehr Laien die Missionsfelder besuchen zu lassen und sie ihre Erkenntnisse dann vor den heimatlichen Kirchen berichten zu lassen.»[93]

Bei der jährlichen Konferenz der Missionsgesellschaften in den Ver-

[92] Vgl. *The Christian Union Quarterly»*, Oktober 1920, S. 132.
[93] Vgl. *Missionary Congress 1910*, S. 1.

einigten Staaten und Kanada im Jahre 1907 wurden sie «herzlich und einstimmig» unterstützt.

Was in unserem Zusammenhang wichtig wird, ist die Tatsache, daß diese zunächst nur an der äußeren Missionsarbeit interessierte Bewegung für das ganze Leben der Kirchen der Vereinigten Staaten von besonderer Bedeutung wurde. Was war der Grund dafür?

Zunächst war die Laymen Missionary Movement nicht eine neue organisatorische Vereinigung. Es gab außer in einer Reihe von Komitees keine Mitgliedschaft und auch keinen institutionellen Aufbau. Man war eine einfache und formlose Bewegung, die sich nur um der Sache willen zusammenfand: Das missionarische Interesse unter den Laien zu stärken und für eine aktivere Missionspolitik und -planung Sorge zu tragen.

Ein zweites Kennzeichen war der interdenominationelle und individuelle Charakter der Bewegung. Man kam zu den Veranstaltungen und Treffen aus den verschiedensten Denominationen zusammen, informierte und besprach sich gemeinsam, leistete aber die konkrete Arbeit in der jeweiligen Kirche. So war man dem beschränkten Blickwinkel konfessionellen Missionsbemühens entnommen und hatte den Gesamthorizont der Ausbreitung der Christusbotschaft vor Augen, war aber gleichzeitig den eigenen Überzeugungen und der eigenen Kirche ganz treu. Die Laymen Missionary Movement wollte nur zum Austausch Gelegenheit geben, anregen und inspirieren.

Kennzeichnend war außerdem, daß man eine männliche Laienbewegung war. Man wollte damit nicht die Bedeutung der Pfarrer schmälern, aber die selbständige und gleichwertige Verantwortung der Laien für die Mission betonen. Da die Frauen und Kinder von jeher mehr für die Mission getan und gegeben hatten, wollte man besonders die Männer an ihre Verantwortung erinnern und zu tätiger Mitarbeit aufrufen.

Auf diesem Hintergrund war die Laymen Missionary Movement voller Aktivität. Sie führte in einzelnen Gemeinden, in Orten und Bezirken und in den einzelnen Staaten Veranstaltungen und Tagungen durch, die das Interesse hervorrufen, die Begeisterung entfachen und den Sinn für missionarische Verantwortung wecken sollten. In den Gemeinden sollten missionarische Komitees gebildet werden mit dem Zwecke, Hilfe und Anregung zu geben. Es wurde zum Gebet für die Arbeit der Mission, für mehr und neue Mitglieder aufgerufen, und es wurde konkret vorgeschlagen, für welches Gebiet und welchen Missionar eine Gemeinde besonders Fürbitte leisten sollte. Die Laymen Missionary Movement wurde im Gebet gegründet und in ihr wurde das Gebet immer als das Grundlegendste und Wesentliche allen Bemühens empfunden:

«We are feeling more and more that we must continue in the spirit of prayer if we are to succeed in our purpose. We men must more than all else develop a prayer life; thus we shall come into fellowship with men of every communion at home and abroad.»[94]

Pläne für die Unterrichtung und Erziehung der Gemeinden wurden aufgestellt. Wer das Werk der Mission verstehen will und etwas dafür tun soll, der sollte umfassendes und gutes Wissen über die Vorgänge in der Welt, den Auftrag der Christen gegenüber der Welt und die Bedeutung des Missionswerks der einzelnen Kirchengemeinschaften haben.

«Nothing less than well-wrought-out plans of systematic education will keep any congregation informed of the most important religious development among the nations of the earth. There is here a fast educational opportunity, worthy of the highest skill of trained educational experts. Every pastor and every missionary committee will find in this problem a task worthy of their best thought and effort.»[95]

Schließlich wurden Vorschläge für größere finanzielle Beiträge der Gemeinden für das Missionswerk ausgearbeitet. Es sollten neben den besonderen Missionsopfern sogenannte «wöchentliche Opfer» gegeben werden – das erleichtere das Geben und halte das Interesse wach –, und es sollten jährlich einmal alle Kirchenmitglieder besucht werden mit dem Ziele, einen regelmäßigen Beitrag jedes Einzelnen für das Werk der Mission zu sichern. Dabei sollte über die Fragen an die Mission und die persönliche Verantwortung der Kirchenmitglieder für die Mission gesprochen werden.

Dieses dreigeteilte Programm der Laymen Missionary Movement für Gebet, Erziehung und Finanzierung, bei dem der Akzent immer auf der persönlichen Verantwortung und dem persönlichen Einsatz lag, belebte nicht nur das Missionswerk ungemein, es wirkte sich aufs ganze kirchliche Leben aus. Das Werben der Bewegung für die Bedeutung der Missionsarbeit erweckte unter den Männern ganz neuen starken Glauben an die erlösende Kraft des Evangeliums und machte sie frei zu eigenem, verantwortlichem Handeln. Sie wurden auf den verschiedenen kirchlichen Gebieten aktiv und arbeiteten mit ganzem Einsatz und eigenständig in den Gemeinden mit.

«The Movement has had a great reflex influence on the whole life of the Church. The invariable testimony following on the introduction of its aims and methods is that the support of Church work and of all other funds has been increased ... such a new interest means a new understanding of life and its opportunities, and of the call to those who believe in Jesus Christ to share in His work.»[96]

[94] Vgl. S. B. Capen, *Uprising,* S. 20.
[95] Vgl. J. C. White, *Laymen Missionary Movement,* S. 12 f.
[96] Vgl. K. Maclennan, *Laymen Missionary Movement,* S. 32.

Darüber hinaus hatte der interdenominationelle Charakter der Bewegung Bedeutung für die Frage christlicher Einheit. Die Teilnehmer bei den Veranstaltungen der Laymen Missionary Movement kamen als Individuen und privat. Aber das Gespräch und der Austausch von Männern verschiedenster Kirchengemeinschaften ließ in wachsendem Maße einen Geist der Zusammengehörigkeit und Gemeinschaft entstehen. Einer schrieb darüber: «Without stopping to argue about church union, many of the advantages of such union are thus secured[97]». Auf jeden Fall weckten die Erfahrungen der Begegnung in der Laymen Missionary Movement unter den männlichen Laien ein ernstes Interesse an der Einheit der Kirchen.

Das zeigte sich beim oben erwähnten ersten nationalen Kongreß der Laymen Missionary Movement Anfang Mai 1910. Nach einer ausgedehnten Kampagne für die Arbeit der Mission in allen Teilen der Vereinigten Staaten im Winter 1909/10 sollte der Kongreß in Chicago den Höhepunkt und Abschluß bilden. Über 4000 Teilnehmer kamen angereist. Es war ein einzigartiges Ereignis in der amerikanischen Kirchengeschichte, daß auf einem christlichen Kongreß so viele Männer zusammen waren, die alle Staaten und verschiedenste Kirchen mit über 20 Millionen Mitgliedern vertraten. So etwas hatte es noch nie gegeben, und es wurde vermutet, daß eine «neue Epoche in der christlichen Geschichte»[98] anzubrechen scheine.

Der Kongreß stand selbstverständlich im Zeichen der Mission. Ein volles Programm informierte umfassend und berührte in nüchterner Weise alle Probleme, die auf den verschiedenen Missionsfeldern begegneten. Man sah in der Verkündigung des Evangeliums die zentrale Aufgabe der christlichen Kirchen und betonte dazu in einer der Erklärungen des Kongresses besonders die Verantwortung der Laien.

«We declare our conviction that, according to their ability and opportunity, the laymen of the Churches are equally responsible with the ministers to pray and plan, to give and to work for the coming of the kingdom of God upon earth. We believe that the call to share actively in extending the knowledge of Christ presents to every man his supreme opportunity for development, usefulness and satisfaction, and we appeal to men everywhere to invest their intelligence, their influence, their energy and their possessions in the united effort of the Church of Christ to evangelize the world.»[99]

Doch als hervorstechendes Kennzeichen des Kongresses ist zweifellos der vorherrschende Geist der Einheit zu erwähnen. Im Vorwort des offiziellen Berichtbandes heißt es: «It would be impossible not to allude to the remarkable spirit of unity prevalent in the Congress. No

[97] Vgl. J. C. White, *Laymen Missionary Movement,* S. 32.
[98] Vgl. *The Living Church,* Band 43, 1910, S. 37.
[99] Vgl. *Missionary Congress 1910,* S. 311.

note was more prominent and dominant[100]». Christliche Einheit wurde nicht nur als theoretische Möglichkeit gesehen. Sie wurde vielmehr als eine praktische Notwendigkeit erkannt. Der in diesem Zusammenhang eindrücklichste Vortrag auf diesem Kongreß, der auch immer wieder durch starken Applaus unterbrochen wurde, war der des Bischofs der Protestant Episcopal Church in der Diözese von Chicago, Charles P. Anderson[101], der über «Der Wille Christi für die Welt»[102] sprach. Unter diesem Thema waren ihm zwei Worte besonders wichtig: Universalität und Einheit. Es gelte die Universalität der Botschaft Christi zu sehen. Sie sei an die ganze Welt gerichtet. Was das meine, führte Bischof Anderson in längeren geschichtlichen und religionsvergleichenden Betrachtungen aus. Damit die Botschaft Christi aber universal gehört und geglaubt werden könne, sei vor allem die Einheit der Christen notwendig. Bischof Anderson betonte, daß Einheit nicht Einheitlichkeit oder Gleichförmigkeit meine: «Unity is that oneness in the visible body of Christ, that makes men know and believe[103]». Einheit könne nicht entstehen, wenn man die eigenerkannte Wahrheit gegen eine andere Wahrheit ausspiele, sondern nur, wenn man sie zusammenzuschauen vermöge. Oftmals wäre die Fragestellung falsch, wenn es um die Frage der Einheit gehe, denn nicht das sei die Frage, was wir aufgeben könnten, sondern was wir geben könnten. Christliche Einheit könne nicht auf einem unveränderlichen Rest begründet werden, sondern sie sollte auf einem möglichst breiten Fundament und vielen Beiträgen erstehen und bestehen. Er prägte in diesem Zusammenhang die später viel zitierte Formel von der «unity not on minimums, but on maximums».

Der Vortrag löste ein starkes Echo aus. Er hatte vorwärts- und zukunftsgerichtet über die Frage der Einheit gesprochen. So stark bestimmte diese Frage auf diesem Kongress daraufhin die Laymen Missionary Movement, daß in einem Bericht darüber stehen konnte: «We predict that the time will come perhaps not in the far distance, when in some great gathering there will be a sudden stampede of the laity toward immediate unity[104]».

Wie die Laymen Missionary Movement das verantwortliche In-

[100] Ebenda, S. X.

[101] Charles Palmerston *Anderson,* Bischof von Chicago, wurde im Jahre 1864 in Kemtville, Canada, geboren. Nach den Studien wurde er im Jahre 1888 zum Pfarrer geweiht. Zuerst war er in Kanada, dann in Oakland, Illinois, als Gemeindepfarrer tätig. Im Jahre 1900 wurde er zum Bischof dieser Diözese nach Chicago berufen. Anderson starb im Jahre 1930. Vgl. *Who was who in America,* Vol. I (1897 bis 1942) S. 22.

[102] Vgl. «The Will of Christ for the World» in: *Missionary Congress,* S. 5 ff.

[103] Ebenda, S. 12.

[104] Vgl. *The Living Church,* Bd. 43, 1910, S. 37.

teresse der Laien an der Mission geweckt hatte, so hatte der erste nationale Kongreß auch das Interesse an der Frage christlicher Einheit unter Laien in ganz Amerika stark angeregt. Die Laymen Missionary Movement hat auf die spätere Kommission zur Vorbereitung einer Weltkonferenz für Glauben und Kirchenverfassung ihren Einfluß ausgeübt. Das wird deutlich, wenn man feststellt, daß z. B. der Bostoner Rechtsanwalt R. H. Gardiner[105], der wenige Monate später Sekretär der Kommission der Protestant Episcopal Church für eine Weltkonferenz über Glauben und Kirchenverfassung wurde[106], ein aktives Mitglied der Laymen Missionary Movement war und dem Exekutivausschuß des Chicagoer Kongresses angehörte. Der durch seinen Vortrag vor dem Kongreß der Laymen Missionary Movement weithin bekanntgewordene Bischof Anderson wurde von dieser Kommission zu ihrem Präsidenten gewählt.

b) Die Weltmissionskonferenz in Edinburgh

Die bekannte Weltmissionskonferenz fand vom 14. bis 23. Juni 1910 in Edinburgh in Schottland statt. Sie wird allgemein als ein wesentliches Ereignis der protestantischen Kirchengeschichte verstanden und bildet gewiß eines der grundlegenden ökumenischen Ereignisse unseres Jahrhunderts. Bei der Konferenz in Edinburgh ging es wie in Chicago um die Mission. Es war eine Missionskonferenz, zu der sich die christlichen Missionsgesellschaften versammelten. Die verschiedenen Kirchen waren nur insofern vertreten, als die Missionare oder auch die Missionsgesellschaften den verschiedensten Kirchen angehörten oder mit ihnen verbunden waren. Es ist hier nicht der Platz, die Verdienste und die Bedeutung dieser Konferenz in größerer Ausführlichkeit darzustellen[107].

Wir wollen nur einige wenige Dinge hervorheben, die in unserem Zusammenhang von Bedeutung sind.

Besonders waren in Edinburgh verschiedene Dinge. Nie zuvor war eine Missionskonferenz mit solcher Intensität und in solcher Breite vorbereitet worden. In vierjähriger Vorbereitungszeit wurde mit Hilfe

[105] Robert Hallowell *Gardiner,* Rechtsanwalt, wurde im Jahre 1855 in Fort Tejon, Kalifornien, geboren. Er studierte an der Harvard Universität und ließ sich im Jahre 1880 als Rechtsanwalt in Boston, Massachusetts, nieder. Er baute eine bedeutende Anwaltspraxis auf und gehörte einer Reihe von Verwaltungsräten an. Er arbeitete in vielen Organisationen mit, besonders auch in seiner Kirche. Er starb im Jahre 1924. Vgl. *Who was who in America,* Vol. I (1897–1942) S. 439.

[106] S. u. S. 51.

[107] Hauptinformationsquellen sind: «World Missionary Conference, 1910 (9 Bände); W. H. T. Gairdner, Edinburgh 1910.

von Komitees, Ausschüssen und mit der Hilfe aller Missionare eine möglichst genaue Übersicht über die Situation der Mission und ihrer Probleme in der ganzen Welt erarbeitet. So lag viel Material vor. In der Tat war Edinburgh nicht eine Demonstration der Mission[108], sondern eine Studien- und Arbeitskonferenz. Man kam zur Selbstbesinnung und Beratung zusammen[109].

Eine weitere Neuheit war die Zusammensetzung der Konferenz. Konnte noch an der vorhergehenden großen Missionskonferenz in New York im Jahre 1900 jeder interessierte Missionar sich beteiligen, so konnten jetzt nur offizielle Delegierte der anerkannten Missionsgesellschaften aktiv teilnehmen. Die Anzahl der Delegierten jeder Gesellschaft wurde nach einem genauen Proporzsystem ausgerechnet, so daß jede Gesellschaft angemessen vertreten war und man von einer wirklichen Repräsentation der Missionswelt sprechen konnte.

Von großer Bedeutung war die Teilnahme der ganzen anglikanischen Kirche. Denn auch für die Missionswelt hatte es gegolten: «Throughout the nineteenth century High Churchmen had remained aloof from almost every interdenominational event shared in by other missionaries[110].» Es war bedingt durch die theologischen und innerkirchlichen Kämpfe, in die die ganze anglikanische Kirche im 19. Jahrhundert verwickelt war und mit denen wir uns am Beispiel der Protestant Episcopal Church beschäftigt haben. Für die hochkirchlichen Anglikaner waren die protestantischen Kirchen theologisch wie institutionell nicht annehmbar und das Gespräch mit ihnen kaum sinnvoll. Mit Hilfe der Student Christian Movement und ihres Sekretärs Tissington Tatlow kam es jedoch dazu, daß bei der Weltmissionskonferenz in Edinburgh die ganze anglikanische Kirche vertreten war. Allerdings war die Bedingung, daß keine Differenzen in theologischen und Kirchenordnungsfragen besprochen und verhandelt werden durften. Die offizielle Garantie, die gegeben werden mußte, lautete «that no expression of opinion should be sought from the Conference on any matter involving any ecclesiastical or doctrinal question, on which those taking part in the Conference differed among themselves»[111]. Man sollte nur auf dem Gebiet beraten, wo es um gemeinsame Fragen und Probleme ging: der Mission unter den nichtchristlichen Völkern.

Solche Beschränkung verhinderte nicht, daß Edinburgh ein einzigartiges Beispiel abgab von dem Geist, in dem Christen miteinander

[108] Wie frühere Missionskonferenzen, z. B. die in New York im Jahre 1900. Näheres vergleiche bei W. R. Hogg, *Ecumenical Foundations,* S. 15 ff.

[109] Vgl. K. S. Latourette, *Ecumenical Movement,* S. 357.

[110] Vgl. W. A. Hogg, *Ecumenical Foundations,* S. 110 f.

[111] Vgl. *World Missionary Conference,* 1910, Bd. 9, S. 8.

verkehren sollten. Immer wieder wurde der neue Geist schon während der Konferenz und in den Berichten darüber hervorgehoben. Selbstgerechtigkeit, Konkurrenz und provinzielles Denken wurden beim gemeinsamen Studium fragwürdig. Die Entdeckung war, daß «when the success of Christ in the saving of men is plainly seen as the single object of the life of the Church, then all anxieties for success of organizations or success of dogmas or success of polities must fall away»[112]. Solcher Entdeckung mußte eine neue Haltung in christlichem Denken und Handeln folgen. Edinburgh vollbrachte es, daß einer den anderen und sein Werk anerkannte, ohne die eigenen Prinzipien aufzugeben. Es entstand ein Geist der Zusammengehörigkeit und ein Streben nach Einheit. Das zeigte sich ganz allgemein in der zentralen Bedeutung des Gebetes und im besonderen in der täglichen Fürbitte, die in die Vormittagsberatungen der Konferenz eingeschoben war und von der der offizielle Konferenzbericht schreibt: sie «quickened the sense of unity in Christ into a living force in every heart making forbearance and patience easy amid diversity of view, and lifting the proceedings into a harmony unclouded by a single regrettable incident»[113]. Das zeigte sich auch immer wieder in der offenen und klaren Diskussion. Sie rief zur Selbstprüfung auf, verdeckte die Unterschiede nicht, betonte aber die Notwendigkeit gemeinsamen und brüderlichen Bestrebens. Dr. R. W. Thompson sagte für viele: «We are members of the body of Christ and seeking the guidance of the Spirit of Christ to lead us into the larger and fuller truth which comprehends the different opinions[114].»

Der Geist der Gemeinsamkeit und Einheit in Edinburgh war aber eben doch nur ein Anfang in dieser Richtung. Ein großer Teil der Christenheit – die römisch-katholische und die orthodoxe Kirche – war nicht vertreten, und die Diskussionsmöglichkeiten der Konferenzteilnehmer waren eingeschränkt. Einer derer, die das im Auge behielten, war der Missionsbischof der Protestant Episcopal Church in den Philippinen, Charles H. Brent[115]. Er schrieb zwar: «The World Mis-

[112] Vgl. *The Churchman,* 2 1910, S. 152.

[113] Vgl. *World Missionary Conference,* 1910, Bd. 9, S. 25.

[114] Ebenda, Bd. 8, S. 215.

[115] Charles Henry *Brent,* Missionsbischof auf den Philippinen, wurde im Jahre 1862 in Newcastle, Ontario/Canada, geboren. Nach der Studienzeit wurde er im Jahre 1887 zum Pfarrer geweiht. Brent hatte verschiedene amerikanische Pfarrstellen inne, bevor er im Jahre 1901 zum Missionsbischof auf den Philippinen berufen wurde. Nachdem er verschiedene Angebote abgelehnt hatte, nahm er die Berufung zum Bischof der Diözese Western New York im Jahre 1918 an. Er starb im Jahre 1929. Vor allem durch sein Wirken für christliche Einheit, aber auch durch seine Mitarbeit in der internationalen Opiumkommission und als Vorsitzender der Opiumkonferenz in Den Haag im Jahre 1911 ist er bekanntgeworden. Vgl. *Who was who in America,* Vol. I (1897–1942) S. 135.

sionary Conference was world-wide in its aim and struggled to be so in its sympathies. For this reason it was one of the most notable assemblages since the division of Christendom and justified its name[116].» Aber er sah auch: «On the few occasions when passing reference was made to questions of faith and polity the Conference was nervous to a man. Why? Because here is the real issue at stake, and we have not yet girded ourselves to grapple with it[117].» Die Fragen der Lehre und Ordnung waren für ihn von größter Bedeutung für das kirchliche Leben und fundamental, wo es um Einheit und Gemeinsamkeit zwischen den Kirchen ging.

Am 3. September 1910 schrieb Bischof Brent in dem Wochenblatt der Protestant Episcopal Church über Edinburgh:

«I think I can see wither the Conference is leading us. Thus far we have not been ready to confer on questions of faith and polity... Questions touching the extend and limitations of dogma, the character of authority, the frame-work of the Church's government... They must be considered by a representative Conference yet to be, in the same good-tempered, truthseeking way that characterized discussion on the topics treated in Edinburgh... The day is coming when the churches must meet for a World Conference on these fundamentals. The Edinburgh Conference is no cul de sac, but a highway leading straight up to such a culmination.»[118]

Hier scheint erstmals der Gedanke an eine Weltkonferenz für Glauben und Kirchenverfassung aufzutauchen. Wenn auch noch ganz allgemein davon gesprochen wird, so ist doch klar dadurch, daß der Gedanke an eine Weltkonferenz für Glauben und Kirchenverfassung im Nachdenken über die Weltmissionskonferenz von Edinburgh seinen Ursprung hat.

c) Die General Convention der Protestant Episcopal Church

Ohne Zweifel hatten beide Veranstaltungen, der Laymen Missionary Congress und die World Missionary Conference, ihre sichtbaren Auswirkungen in der Protestant Episcopal Church. Die großen Wochenblätter der Kirche, das der hochkirchlichen Kreise *The Living Church* und das allgemeine kirchliche *The Churchman,* interpretierten Chicago und Edinburgh als einen Neuanfang der Annäherung der Christen verschiedener Kirchen. Beide Blätter fragten ihre Kirche, was ihre Antwort auf diesen Neuanfang wäre. *The Churchman* drängte besonders, daß Chicago und Edinburgh auf der General Convention, die im Oktober des Jahres in Cincinnati stattfinden sollte, berücksichtigt würden. Sie müßten im Programm der General

116 Vgl. *The Churchman* 2 1910, S. 340.
117 Vgl. Ch. H. Brent, «The World Missionary Conference» in: *Inspiration,* S. 67.
118 Vgl. *The Churchman* 2 1910, S. 340.

Convention einen gebührenden Platz einnehmen[119]. Vor allem, da die Beiträge von Bischöfen der Protestant Episcopal Church bei fast allen Kirchengemeinschaften sehr gut aufgenommen worden seien, habe die Protestant Episcopal Church jetzt «die größte Gelegenheit in ihrer Geschichte». Die Repräsentanten der Kirche sollten deshalb erstens von Teilnehmern der Protestant Episcopal Church über die Vorgänge und Erfahrungen auf den beiden Konferenzen informiert und unterrichtet werden. Zweitens müßte sich die General Convention dann die Frage stellen: «What is to be done at Cincinnati to secure through Edinburgh and Chicago the maximum of service from this Church for the extension of the Kingdom of God?»[120] Besonders müsse man aufhören, Einheitsschemen und -forderungen aufzustellen und anerkennen, daß die Einheit der Kirche eine Wirklichkeit sei, die nicht durch Verhandlungen oder dogmatische Sätze geschaffen würde. Sie sei da und «we must begin with the positive recovery of ‹the unity of Catholic Church› as a living organism»[121].

Die General Convention begann am 5. Oktober. Nachdem schon frühmorgens die Bischöfe und Delegierten des Hauses der Abgeordneten, Geistliche und Laien, zu einer gemeinsamen Abendmahlsfeier in der St. Paul's Cathedral in Cincinnati im Staate Ohio zusammengekommen waren, wurde sie um 10.30 Uhr mit einem feierlichen Gottesdienst in der Music Hall der Stadt offiziell eröffnet. Vor über 4000 Menschen predigte der Bischof von Salisbury, John Wordsworth[122], der als Gast und Vertreter der englischen Mutterkirche zu dieser Convention eingeladen worden war.

In seiner Predigt, in der er von Johannes 2, 21 «er aber sprach von dem Tempel seines Leibes» ausging, führte er aus, daß Jesus als ein Erneuerer, nicht als ein Revolutionär gekommen sei, «reform, not revolution was His watchword»[123]. Was aber meine das heute? Der Bischof sprach in diesem Zusammenhang ausführlich über die Kirche.

Da, wo der Herr der Kirche ein offenes und freies Gelände gewollt habe, da seien heute die Mauern vieler Parteien, die dieses Gelände in Abschnitte unterteilt hätten. Diese Mauern könne man nicht einfach niederreißen. Auch sei nicht so klar, was die Einheit der Kirche aus-

[119] Im vorläufigen Programmentwurf waren Berichte oder Diskussionen über die Geschehnisse in Chicago und Edinburgh nicht eingeplant. Vgl. *The Churchman* 2 1910, S. 337 (10. September).

[120] Vgl. *The Churchman* 2 1910, S. 337.

[121] Vgl. *The Churchman* 2 1910, S. 527.

[122] John Wordsworth wurde im Jahre 1843 geboren. Nach seiner Ausbildung und Weihe im Jahre 1867 trat er besonders als Bibelausleger hervor. Zahlreiche Veröffentlichungen stammen von ihm. Vom Jahre 1885 an wirkte er als Bischof von Salisbury. Er starb im Jahre 1911. Vgl. *Who was who,* 1897—1916, S. 780.

[123] Vgl. *Journal of the General Convention* 1910, S. 428.

mache. An Pfingsten habe der Heilige Geist in vielen Sprachen gesprochen und für die Gemeinden des apostolischen Zeitalters und danach seien verschiedene Organisationsformen wahrnehmbar. Wenn man über Einheit nachdenke, seien zwei Dinge zuerst nötig. Diese beiden könnten gleichzeitig erlangt werden, wollten die Christen die Einheit in Christus ernst nehmen: erstens, gegenseitige Kenntnis und brüderlicher Austausch zwischen Leuten verschiedener Kirchen, und zweitens, gegenseitige Anerkennung und gegenseitige Achtung. Die menschlichen Schranken müßten zuerst niedergerissen werden, und alle Arroganz, Vorurteil, Unehrlichkeit, Ungerechtigkeit müßten aufhören. Echte Erneuerung geschehe langsam und vorsichtig. Alle seien zu solchem Werke aufgerufen. Und – damit endete Bischof Wordsworth seine Eröffnungspredigt – «sicher muß aus einer solch aufrichtigen Versammlung von Christenmenschen wie dieser viel an wahrer Erneuerung hervorgehen»[124].

In dieser Predigt war das Verhältnis der christlichen Kirchen untereinander den Delegierten als eine deutliche Aufgabe vorgelegt worden. In den Verhandlungen der nächsten Tage, vor allem in den Missionsversammlungen, hörte man immer weitere Beiträge dazu. Bischof Brent sagte beim dreijährlichen Treffen der Frauenhilfe der Protestant Episcopal Church (Women Auxiliary, Triennial Meeting) am 8. Oktober: «Der Leib Christi ist einer, was immer auch Menschen sagen mögen! ... Laßt uns jeden Christen auch für einen Christen halten ... Christliche Einheit und kirchliche Einheit sind nicht in eins zu setzen – Gott sei Dank! – und viel Einheit kann da sein, bevor volle kirchliche Einheit kommt. Vielleicht wird das Schlußstück der Kette die kirchliche Einheit sein.»[125] Solche Aufrufe zu christlicher Gemeinsamkeit, die vermehrt werden könnten, hinterließen bei den Zuhörern einen tiefen Eindruck.

Zum großen Vorkämpfer christlicher Einheit auf dieser General Convention seiner Kirche wurde ohne Zweifel Bischof Brent. Seine verschiedenen Reden verfehlten ihre Wirkung nie. Er brachte die General Convention zur Aktion. Es war am Abend des 11. Oktober, als er mit anderen Teilnehmern über die Weltmissionskonferenz in Edinburgh berichtete. Er erzählte, daß in Edinburgh jedesmal, wenn Fragen des Glaubens und der Kirchenverfassung berührt worden seien, eine nervöse Unruhe durch die Versammlung gegangen sei. Das habe ihm angezeigt, «that the vital things are questions of faith and order». Diese müßten also ans Licht gebracht und studiert werden, wenn sie gelöst werden sollten. Dann sprach Brent erstmals seinen Vorschlag aus:

[124] Ebenda, S. 435.
[125] Vgl. *The Churchman* 2 1910, S. 573.

«I am going to venture a daring suggestion. Why should not this Church attempt in some corporate way to bring about a conference for the whole of Christendom on faith and order? ‹Oh, the difficulty of it!› some one laments. ‹Oh, the peril of it!› says another, fearfully. Yes, but I say ‹Oh, the opportunity of it!› Did you ever see an opportunity of decent dimensions that did not lie next door to a peril?»

Er schloß seine Ansprache mit den Worten:

«Rather than go on in the line of conventional Christianity I would run the risk of losing some of our distinctive characteristics in trying to gain the unity which our Lord meant His Church to have[126].»

Die vagen Gedanken, die Brent nach Edinburgh geäußert hatte, waren damit konkretisiert worden. Brent schlug seiner Kirche vor, daß sie eine Weltkonferenz für Glauben und Kirchenverfassung vorbereiten solle.

Erstmals sei ihm dieser Gedanke bei einer Abendmahlsfeier am frühen Morgen des Eröffnungstages der General Convention gekommen[127], schreibt Bischof Brent in seinem Tagebuch. In den Tagen vor dem 11. Oktober hatte er sich mit seinen Freunden beraten. George Wharton Pepper[128] schreibt in seiner Biographie, daß seine engsten Freunde zu jener Zeit der Rechtsanwalt Robert H. Gardiner und der Missionsbischof Charles H. Brent von den Philippinen waren. Er berichtet:

«One evening walking back from the convention hall to the hotel we three were reviewing the change of name controversy and the whole problem of Christian unity. Said the Bishop, ‹There never can be an approach toward unity until we all discuss our differences as well as our agreements. We must drag our differences out of the shadow and bring them into the sunlight›. We all three stood still. ‹Why not agitate for that very thing?› I asked. ‹Why not advocate a World Conference on questions of Faith and Order› suggested Gardiner. ‹We cannot begin too soon›, said the Bishop, ‹there is no time like the present; but we must make it clear that our purpose is to exclude the promotion of any scheme of unity and merely to create a better understanding by a frank discussion of different points of view›.»[129]

Vor das Haus der Abgeordneten brachte den Vorschlag zur Einsetzung einer Kommission zur Vorbereitung einer Weltkonferenz für

[126] *The Churchman* 2 1910, S. 627.

[127] Vgl. A. C. Zabriskie, *Bishop Brent,* S. 147. Vgl. auch den Anfang der Erklärung mit dem Titel «A Pilgrimage Towards Unity», die Bischof Brent nach der Vorbereitungskonferenz in Genf 1920 verfaßte. Vgl. Heft 33, S. 90; vgl. auch im *Anhang,* S. 386 ff.

[128] George Wharton *Pepper,* Rechtsanwalt, wurde im Jahre 1867 in Philadelphia, Pennsylvania, geboren. Nach dem Studium ließ er sich als Rechtsanwalt in dieser Stadt nieder und wirkte auch als Professor an der University of Pennsylvania. Als ein weithin geschätzter Mann vertrat er in den Jahren 1922–1927 den Staat Pennsylvania als republikanischer Senator im amerikanischen Kongreß. Pepper starb im Jahre 1961. Vgl. *Who is who in America,* Vol. 31 (1960–1961) S. 2262.

[129] Vgl. G. W. Pepper, *Philadelphia Lawyer,* S. 305.

Glauben und Kirchenverfassung William T. Manning, Pfarrer an der Trinity Church in New York[130]. Er war selbst an der Frage der Einheit interessiert und hatte Anfang des Jahres in New York eine Konferenz mit einer Gruppe von Episcopalians über diese Frage abgehalten, die anschließend eine gemeinsame Erklärung dazu abgaben[131]. Er war der geeignete Mann, und nachdem Bischof Brent mit ihm gesprochen hatte, brachte er am 12. Oktober morgens eine förmliche Resolution ein:

«Es soll ein gemeinsames aus 7 Bischöfen, 7 Presbytern und 7 Laien bestehendes Komitee zur Beratung der Frage ernannt werden, wie diese Kirche eine Konferenz fördern kann, die in ihrer allgemeinen Methode der Weltmissionskonferenz folgt, und an der aus allen christlichen Gemeinschaften der ganzen Welt, die unseren Herrn Jesus Christus als Gott und Heiland annehmen, Vertreter teilnehmen sollen, um Fragen zu bedenken, die in das Gebiet von Glauben und Kirchenverfassung der Kirche Christi fallen. Dieses Komitee soll, wenn es eine solche Konferenz für durchführbar hält, darüber dieser General Convention berichten.»[132]

Eine Abänderung an der ursprünglichen Resolution wurde vorgenommen. Rev. Manning hatte eine Kommission vorgeschlagen, die der General Convention im Jahre 1913 berichten sollte. Aber der Vorschlag eines anderen Abgeordneten, ein Komitee einzusetzen, das noch auf der jetzt tagenden General Convention berichten solle, wurde auch von ihm akzeptiert[133].

Die abgeänderte Resolution wurde von beiden Häusern angenommen, und schon am 19. Oktober trug Rev. Manning den Bericht des einundzwanzigköpfigen Komitees, dessen Inhalt hauptsächlich von Bischof Brent formuliert worden war, dem Haus der Abgeordneten vor:

«Das Komitee ist einer Meinung. Wir glauben, die Zeit ist jetzt gekommen, daß Vertreter der gesamten Familie Christi, vom Heiligen Geist geführt, bereit sein werden, zur Beratung von Fragen des Glaubens und der Kirchenverfassung zusammenzukommen. Wir glauben außerdem, daß alle christlichen Kirchengemeinschaften mit uns eins sind in dem Wunsche, den Eigenwillen abzulegen und gesinnt zu

[130] *William Thomas Manning,* Pfarrer an der Trinity Church in New York, wurde im Jahre 1866 in Northampton in England geboren. Nach der Auswanderung und den entsprechenden Studien wurde er im Jahre 1891 zum Pfarrer geweiht. Nach verschiedenen Tätigkeiten wurde er im Jahre 1908 zum Pfarrer der traditionsreichen und bedeutenden Trinity Church in New York gewählt. Dieses Amt hatte er inne bis zum Jahre 1921, als er zum Bischof von New York gewählt wurde. Manning leitete diese Diözese bis zum Jahre 1946. Er starb im Jahre 1949. Vgl. *Prudently with Power,* W. Th. Manning, 10 th Bishop of New York, von W. D. F. Hughes, West Park, N. Y., Holy Cross Publications, o.D.

[131] Vgl. W. D. F. Hughes, *Manning,* S. 70 ff.

[132] Vgl. *Journal of the General Convention* 1910, S. 310; vgl. auch H. Sasse, *Lausanne,* S. 5.

[133] Vgl. *The Churchman* 2 1910, S. 613.

sein, wie Jesus Christus auch war. Wir möchten auf diesen Ruf des Geistes Gottes in aller Demut und mit aufrichtiger Absicht Acht geben. Wir möchten uns an die Seite unserer Mitchristen stellen, indem wir nicht nur auf das Unsere sehen, sondern auch auf das, was der anderen ist, in der Überzeugung, daß unsere einzige Hoffnung auf gegenseitiges Verstehen darin liegt, daß wir uns persönlich miteinander beraten im Geist der Liebe und Geduld. Wir sind überzeugt, daß eine derartige Konferenz zum Zwecke des Studiums und der Diskussion und ohne Vollmacht, Gesetze zu geben oder Resolutionen anzunehmen, der nächste Schritt auf die Einheit zu ist. Voll Schmerz über unsere Eigenbrötelei in der Vergangenheit und über andere Fehler des Hochmuts und der Selbstgenügsamkeit, die zur Kirchenspaltung führen, der Wahrheit treu, wie wir sie sehen, mit Achtung vor den Überzeugungen derjenigen, die sich von uns unterscheiden, und in dem Glauben, daß die Anfänge der Einheit in der klaren Feststellung und der gründlichen Beratung sowohl der Dinge, in denen wir uns unterscheiden, als auch der Dinge, in denen wir eins sind, gefunden werden, unterbreiten wir ehrerbietig die folgende Entschließung zur Beschlußfassung:

In Anbetracht dessen, daß heute unter allen Christen ein wachsendes Verlangen nach Erfüllung des Gebetes unseres Herrn herrscht, daß alle seine Jünger eins seien, auf daß die Welt glaube, daß Gott ihn gesandt habe, beschließen wir vorbehaltlich der Zustimmung des Hauses der Bischöfe, daß eine gemeinsame Kommission eingesetzt werde, die eine Konferenz zur Beratung von Fragen aus dem Bereich von Glauben und Kirchenverfassung herbeiführen soll und daß alle christlichen Kirchengemeinschaften der Welt, die unseren Herrn Jesus Christus als Gott und Heiland bekennen, angefragt werden sollen, sich mit uns für die Vorbereitung und Durchführung einer solchen Konferenz zu vereinigen. Die Kommission soll aus 7 Bischöfen bestehen, die vom Vorsitzenden des Hauses der Bischöfe ernannt werden, und aus 7 Presbytern und 7 Laien, die vom Präsidenten des Hauses der Abgeordneten ernannt werden. Sie soll Vollmacht haben, sich durch Zuwahlen zu ergänzen und für Mitglieder, die vor der nächsten General Convention ausscheiden, Ersatzwahlen vorzunehmen.»[134]

Die Resolution wurde einstimmig angenommen, und am 20. Oktober waren die Mitglieder beider Häuser für die neue gemeinsame Kommission ernannt. Noch am selben Tag hielt die Kommission ihre konstituierende Sitzung ab.

Mit der Einsetzung der Kommission hatte die Protestant Episcopal Church eine Antwort von ökumenischer Tragweite auf die Anfragen aus Chicago und Edinburgh gegeben. Sie hatte den Ruf zur Einheit und die Notwendigkeit der Bemühung darum für die Arbeit der christlichen Kirchen im eigenen Lande und auf den Missionsfeldern gesehen. Sie versuchte, ernsthaft etwas zu tun, indem sie ohne Programme und Vorlagen die Kirchen einfach zu gemeinsamer Arbeit an den Fragen des Glaubens und der Ordnung zusammenbringen wollte. Das war ein bedeutender Unterschied zu ihren früheren Unternehmungen. Wenn das Verlangen für die Einheit da war, – und daß es da war, zeigten sowohl diese General Convention[135] wie der Kongreß

[134] Vgl. *Journal of the General Convention* 1910, S. 377 f.; vgl. auch die Übersetzung bei H. Sasse, *Lausanne,* S. 5 f.

[135] Einstimmig urteilen so *The Churchman:* «The Church's representatives at

in Chicago und die Weltmissionskonferenz in Edinburgh – dann wollte die Protestant Episcopal Church dafür tun, was sie konnte. Der präsidierende Bischof der Protestant Episcopal Church, Daniel Sylvester Tuttle, sagte in seiner Abschlußpredigt am Freitagnachmittag, dem 21. Oktober, vor der General Convention: «If urgent calls for Christian Union are in the air, and, better yet, if deep longings for Christian Unity are in the heart, this Church, welcoming the rising wave of the Laymen's Movement over the land as a veritable Nile's overflow to spread fertility, and listening with good-will and sympathy to an Edinburgh World Conference with hearty voice and rising vote accords her greeting and approbation[136].»

d) Die National Convention der Disciples of Christ

Nicht nur in der Protestant Episcopal Church, auch anderwärts zeitigten die Erkenntnisse und Erfahrungen der World Missionary Conference und des Laymen Missionary Congress konkrete Ergebnisse. Ohne eine Absprache oder Verbindung mit der Protestant Episcopal Church schritten um etwa die gleiche Zeit im Oktober 1910 zwei weitere amerikanische Denominationen auf ihren Generalversammlungen zur Aktion. Bei der einen handelte es sich um die Disciples of Christ, eine amerikanische Kirche, deren Urheber zu Anfang des 19. Jahrhunderts vor allem Rev. Thomas Campbell und sein Sohn Alexander waren. Diesen Männern lag die christliche Einheit besonders am Herzen, und sie meinten, den Spaltungen zu wehren und zur Einheit zu kommen, wenn sie sich ganz auf die Lehren und Praktiken des Neuen Testaments beschränkten und auf all die Deutungen und Bekenntnisse, all die durch die Jahrhunderte hindurch entwickelten Forderungen verzichteten. Sie lehnten Bekenntnisse als Prüfstein des Glaubens ab, betonten allein die Bibel als den Grund des Glaubens an Jesus Christus, den Herrn, und nannten sich, da sie nicht eine neue Kirche bilden wollten, sondern allein ihm nachfolgen wollten, Disciples of Christ, Jünger Christi[137].

Die Disciples of Christ verbreiteten sich in den Vereinigten Staaten

Cincinnati have committed it to the principle of unity as fundamental in Christianity and absolutely essential to the conversion of the world.» (Band 2 1910, S. 601) und *The Living Church:* «The predominating note of most meetings connected with this General Convention was that of Christian Unity.» (Band 44 1910/11.)

[136] Vgl. *The Churchman* 2 1910, S. 671.

[137] Vgl. *P. Ainslie,* The Disciples and Christian Union (Address Delivered at Ascension Protestant Episcopal Church, April 19, 1916), *Ainsliematerial* und *The Encyclopedia Americana,* Vol. 9, 1962, S. 151 f.

jedoch so sehr, daß sie zu einer neuen größeren kirchlichen Gemeinschaft wurden. Der Gemeindeaufbau ist kongregationalistisch. Die jährliche National Convention berät vor allem die missionarischen Bemühungen und besondere Aufgaben, die die Gemeinden gemeinsam tragen sollten. Im Jahre 1910 fand diese nationale Zusammenkunft vom 11. bis 18. Oktober in Topeka im Staate Kansas statt.

Bei dieser National Convention war «der Mann der Stunde» ein junger Geistlicher, Rev. Peter Ainslie[138], aus Baltimore an der amerikanischen Ostküste. Ein Jahr früher war er zum Präsidenten der American Christian Missionary Society, der Missionsorganisation seiner Kirche, gewählt worden. Aus diesem Grunde hatte er an der Weltmissionskonferenz in Edinburgh teilgenommen. In dieser Funktion präsidierte er auch die National Convention seiner Kirche im Jahre 1910. Dort hoben ihn seine bestimmten und energischen Ansprachen über Nacht in eine Führerstellung unter den Disciples. In den Berichten über die National Convention heißt es, seine Worte «shook his audience like an earthquake»[139]. Sein Thema war die christliche Einheit. Für sie etwas zu tun, das wollte er seiner Kirche als die entscheidende Aufgabe vor Augen stellen. In seiner Präsidentenrede stellte er die Arbeit der Christen in der Welt dar und sprach von der Sehnsucht vieler nach Einheit, wie er es bei der Weltmissionskonferenz in Edinburgh erfahren hatte. Er nannte verschiedene Vorschläge, die in der Vergangenheit zur Schaffung von Einheit gemacht worden waren, aber seiner Ansicht nach nicht den Kern des Problems getroffen hätten. Denn der Kern des Problems liege darin, daß die «Christianity started neither from theological ideas nor ethical principles, but from the personality of Jesus Christ»[140]. Wo man die persönliche Führung Jesu im Leben des Einzelnen anerkenne, da befinde man sich schon auf dem Wege zur Einheit. Rev. Ainslie betonte den immer stärkeren Willen zur Einheit. «Never there has been more activity in the history of Christianity than now. The Laymen Missionary Movement has swept through the whole church with a wonderful enthusiasm, bringing to the front more than ever the necessity of a united church,

[138] *Peter Ainslie* wurde am 3. Juni 1867 in Dunnsville, Virginia, geboren. Im Jahre 1891 wurde er Pfarrer in Baltimore, wo er eine bekannte Gemeinde seiner Kirche aufbaute und leitete. Er war Präsident der Association for the Promotion of Christian Unity (1910–1925) und Herausgeber der Zeitschrift *The Christian Union Quarterly*. Er gilt als die bedeutendste Persönlichkeit der Disciples of Christ in diesem Jahrhundert, nahm an vielen großen Konferenzen teil und veröffentlichte zahlreiche Bücher. Ainslie starb im Jahre 1934. Vgl. *WKL*, Sp. 20 f.; *World Call*, Magazine of the Disciples of Christ, Vol. 48, Nr. 1, S. 13 ff.

[139] Vgl. *The Lutheran Observer*, 2.12.1910, S. 14. Siehe auch ein Ausschnitt aus *The Continent*, o.D. unter dem Ainslie-Material.

[140] *The Christian Union Quarterly*, April 1912, S. 18 f.

until the leaders of all the missionary forces have been brought to plead for the union of Christendom[141].» Doch brauche es Taten. Hier seien die Disciples gefragt, was sie tun könnten: «It is an auspicious time, and it is a pertinent question to ask ourselves, as Disciples of Christ, what we are doing for the solution of this problem?»[142]

Der junge Pfarrer versuchte darauf die Antwort zu geben. Es war der aufregendste Moment der Convention in Topeka, als er seine Vorschläge vortrug:

«We have been content to be isolated from the other churches all these years, but I believe we were wrong in keeping to ourselves. We should let the world know the message that we have. There are three steps that I believe we should take.

First, we should put out a definite propaganda. We should send literature embodying our views to every minister in this country every month or at least once a quarter. This is not an original plan but one which has been followed by the Unitarians and the Christian Scientists for a number of years. The Disciples represented by a board or committee should pass upon these tracts and have charge of the work of sending them out.

Second, there should be a monthly magazine as a clearing house for thought on Christian union. Its pages should be open for discussion by any reputable minister or layman of any church but its editorial policy should be steadfastly in line with the principles of the Disciples of Christ. This magazine should serve to bring our platform before the divided church of God. We feel that it has much in it that will appeal to other denominations which are blindly groping in the dark for some plan of Christian Union.

Third, the time has come when we have got to change our attitude toward our religious brethren. Sometimes it has looked as if we regarded the Methodists and Presbyterians and the others as our enemies. We can't win them by throwing stones at them but we can win them by love. We should regard them as brothers. The baptismal question is not as large a question as once it seemed. Thomas Campbell's plea was to unite the world.»[143]

Besonders der dritte Punkt erregte die Gemüter. Die Selbstkritik, so klar vorgetragen, brachte eine heute kaum noch vorstellbare Stimmung von Unruhe, Widerspruch und Protest zuwege. Was er mit einer Änderung der Haltung meine? Ob sie nicht immer Leute aus anderen Kirchen als Brüder behandelt hätten? Ob er seine Kirche demütigen wolle? So wurde gefragt. Die Entgegnungen beeindruckten Rev. Ainslie jedoch nicht, und er hielt fest, daß «there is no humiliation in repenting of a mistake and changing a wrong policy»[144]. Dank seiner Standhaftigkeit und Überzeugungskraft erfuhren seine Vorschläge einen eindeutigen Sieg auf der National Convention.

Als ein «epochmaking event» wurde ein fünfzigköpfiger Council on Christian Union mit einer neunköpfigen Kommission zur Durchfüh-

[141] Ebenda, S. 20.

[142] Ebenda, S. 20.

[143] Vgl. «A Prophetic Convention», in *The Christian Century*, 27. 10. 10., S. 7.

[144] Ausschnitt aus *The Continent* unter dem *Ainsliematerial,* o. D.

rung der Ziele des Council gebildet. Zum Vorsitzenden wurde Rev. Ainslie gewählt. Der Plan entsprach den Vorschlägen Ainslie's für (1) Literatur, (2) eine Zeitschrift und (3) bessere Gemeinschaft mit anderen Kirchen. Im Zusammenhang mit dem dritten Punkt plante der Council für das folgende Jahr «about a dozen conferences on Christian union», wozu Mitglieder anderer Denominationen eingeladen werden sollten, «to equal freedom with ourselves on the committee of arrangements, all addresses and discussions to be made courteously and in the spirit of prayer, and a part of each of these conferences to be devoted to a season of prayer and heart searching devotion. Perhaps nothing more will come out of these first conferences other than a larger acquaintance among believers and a more cordial fellowship towards each other, but that will be a good deal, and it is a vital step towards union for most Christians are closer together than they think.»[145]

Wesentlich durch die Initiative von Rev. P. Ainslie hatte damit die Frage christlicher Einheit die Disciples of Christ auf der National Convention in Topeka zentral beschäftigt. Als praktische Schritte waren nicht nur die Gründung des Council on Christian Union bemerkenswert, sondern auch eine neue Tiefe der Diskussion. Sie gründete in einem «sense of short-coming in performing the task to which we were commissioned by our Lord», was ausdrücklich betont wird: «There was a wholesome sense of our failures. There was an earnest reaching forth unto the things that lie before us.» Verhalten und Aktion der National Convention beschrieb der Bericht darüber entsprechend, indem er endete: «Topeka 1910 was the symbol of the achievements of the new era upon which the Disciples are entering[146].»

e) Der National Council of Congregational Churches

Die zweite Denomination, deren jährliche Synode zur gleichen Zeit in Boston tagte, war die kongregationalistische. Im National Council of Congregational Churches hatten sich die Kongregationalisten der Vereinigten Staaten zusammengeschlossen, wobei das entscheidende Prinzip der vollen Selbstverantwortung und der autonomen Leitung der örtlichen Gemeinden nicht aufgegeben wurde. Diesen von der Reformation her entwickelten Grundsatz hatten schon sehr früh Einwanderer nach den Vereinigten Staaten – die Pilgerväter vom Jahre 1620 – mitgebracht und durchgeführt. Theologisch

[145] Vgl. «Another Move for Christian Unity» von Rev. Ainslie, in *The Congregationalist and Christian World*, 26.11.10, S. 813.

[146] Vgl. «A Prophetic Convention», in *The Christian Century*, 27.10.10, S. 7.

gibt es unter den Kongregationalisten keine Einheit, auch wenn der reformierte und calvinistische Einfluß besonders stark sind[147].

Der National Council of Congregational Churches bildete also ähnlich wie die National Convention der Disciples of Christ eine Beratungs-, Besprechungs- und Abstimmungsmöglichkeit auf nationaler Ebene, um bei bestimmten Fragen und Aufgaben gemeinsam vorwärtsgehen zu können. Ohne Wissen, was auf der General Convention der Protestant Episcopal Church vorging, sandte der Präsident des National Council, Rev. Raymond Calkins[148], ein Schreiben an das Haus der Delegierten der General Convention, das dieses kurz vor seiner Vertagung erreichte. Darin teilte Rev. Calkins mit, daß der National Council of Congregational Churches

«im Hinblick auf die Möglichkeit einer brüderlichen Aussprache über kirchliche Einheit, wie sie von der Lambeth-Konferenz der anglikanischen Bischöfe 1908 vorgeschlagen worden sei, eine Sonderkommission mit fünf Mitgliedern ernannt habe, um alle Vorschläge zu bedenken, die auf Grund dieser Konferenz an unsere Denomination herangetragen werden mögen[149].»

Dieser Beschluß wurde in Boston zur gleichen Zeit gefaßt, als in Cincinnati die Kommission «to arrange for a World Conference on Faith and Order» eingesetzt wurde: am 20. Oktober.

Dem Schreiben der kongregationalistischen Synode war eine Erklärung beigefügt, die folgenden Wortlaut hatte:

«Die letzte Lambeth-Konferenz der Bischöfe der anglikanischen Kirchengemeinschaft in London 1908 richtete den Blick auf das Ideal kirchlicher Einheit mit folgenden Worten: ‹Wir müssen uns die Kirche Christi vorstellen wie er sie haben wollte: ein Geist und ein Leib, reich durch den Besitz all der Elemente der göttlichen Wahrheit, welche die getrennten Kirchengemeinschaften jetzt für sich allein betonen, gestärkt durch das Ineinanderwirken all der Gaben und Gnaden, die unsre Spaltungen jetzt auseinanderhalten, erfüllt mit aller Gottesfülle. Wir dürfen nicht um des lieben Friedens willen die uns anvertrauten Schätze preisgeben. Noch können wir wünschen, daß sich andre treulos gegenüber Anvertrautem verhalten, das für sie genau so heilig ist. Wir müssen unsere Augen auf die Kirche der Zukunft richten, deren Reichtum gemeinsam in ihren und unseren Schätzen bestehen

147 The *American Peoples Encyclopedia,* Bd. 5, S. 377 f., 1965; *WKL,* Spalte 768 ff., Kongregationalisten.

148 Raymond Calkins wurde im Jahre 1869 in Buffalo (New York) geboren. Im Jahre 1896 wurde er als kongregationalistischer Pfarrer ordiniert. Vom Jahre 1910 bis 1940 war er Pfarrer in Cambridge (Mass.). Seither lebte er im Ruhestand. Er ist ein prominenter Vertreter der kongregationalistischen Kirche und veröffentlichte verschiedene Bücher. Vgl. The *Encyclopedia Americana,* New York/Chicago/ Washington D.C., 1962, Vol. V, S. 225.

149 Vgl. *Journal of the General Convention* 1910, S. 411; vgl. Heft 1 (der Veröffentlichungen der Kommission der P. E. Church) S. 6 f. und die Übersetzung von H. Sasse, *Lausanne,* S. 6.

wird. Unser unablässiges Verlangen sollte Zusammenfassung, nicht Kompromiß, sollte Einheit, nicht Einförmigkeit sein.› Angesichts dieser Erklärung und der weiteren Empfehlung der anglikanischen Bischöfe, zur Erreichung dieses Zieles Konferenzen von Geistlichen und Laien verschiedener christlicher Kirchen abzuhalten, um ein besseres gegenseitiges Verständnis herbeizuführen, wollen wir an unserem Teil, soweit es uns möglich ist, für Einheit und Frieden in der ganzen Christenheit arbeiten. Wir vergessen dabei nicht, daß unsere Väter, deren rechtmäßiges geistliches Amt unser Erbe ist, nicht willentlich Separatisten waren, und möchten die Schätze, die uns als Kongregationalisten anvertraut sind, in treuer Gesinnung zur Kirche der Zukunft beitragen. Darum möchte diese Versammlung ausdrücklich den Geist der Erklärung der Lambeth-Konferenz dankbar hervorheben und ihre Übereinstimmung mit dem Ziel derselben erklären. Gleichzeitig möchten wir unsere ernsthafte Hoffnung auf eine engere Gemeinschaft mit der Episcopal Church in praktischer christlicher Tätigkeit und im Gottesdienst ausdrücken.»[150]

Die Erklärung und die Einsetzung der kongregationalistischen Kommission schien den Delegierten der General Convention ein göttliches Ja zum Vorhaben der Vorbereitung einer Weltkonferenz für Glauben und Kirchenverfassung zu sein. Man übertrug die Beantwortung des Schreibens und der Erklärung gleich der neuernannten Kommission, und nicht mehr «to the old joint commission on Christian Unity that has come down from Quadrilateral days. This reference was one more clear demonstration that the old order has changed.»[151]

Zum Vorsitzenden der vom National Council of Congregational Churches eingesetzten Sonderkommission war Rev. Newman Smyth[152] bestimmt worden. Das wurde in der Protestant Episcopal Church bei Hochkirchlern als besonders verheißungsvoll empfunden. Denn Rev. Newman Smyth brachte zwei Jahre zuvor ein Buch mit dem Titel «Passing Protestantism and Coming Catholicism» heraus, das ihn weithin bekannt gemacht hatte[153]. Als Protestant versuchte er in diesem Buch, die Katholizität und ihre grundlegende Bedeutung bei allen Bemühungen um christliche Einheit herauszustellen. Das hatte ihm in episkopalistischen Kreisen Sympathien eingetragen. Nun meinte man: «That Dr. N. Smyth should head the Committee that asks to meet one of our own under the Lambeth suggestions indicates that his platform of «Passing Protestantism and Coming Catholicism» is one which may perhaps become that of his committee; and that is

[150] Vgl. *Journal of the General Convention* 1910, S. 411 f.; vgl. auch Heft 1 (der Veröffentlichungen der Kommission der P. E. Church), S. 7 f. und die Übersetzung von H. Sasse, *Lausanne,* S. 6.

[151] *The Living Church,* 12.11.1910, S. 40.

[152] Newman Smyth wurde 1843 in Brunswick (Maine) geboren. Nach seinen Studien wurde er im Jahre 1868 Pfarrer der kongregationalistischen Kirche. Er wirkte von 1882 bis 1907 an der historischen Center Church in New Haven, Connecticut. Seine zahlreichen Veröffentlichungen machten ihn über seine Kirche hinaus bekannt. Er starb im Jahre 1925. Vgl. *Who was who in America,* Vol. I, S. 1152.

[153] N. Smyth, *Passing Protestantism and Coming Catholicism,* New York, 1908.

one that may easily become the basis for common ground with Churchmen[154].» Ebenso stand Rev. Smyth in der kongregationalistischen Kirche in hohem Ansehen. Er achtete stark auf die Tradition und war gleichzeitig geistig beweglich und Neuem gegenüber offen. Das machte ihn zu einem geeigneten Vermittler. Der Ausruf «we need more Dr. Smyth»! bedeutete mehr als eine Sympathieerklärung[155].

Die Aktion des National Council of Congregational Churches bildete gleichfalls einen Anfang und eröffnete weitere Möglichkeiten für die Bemühung um christliche Einheit.

5. Zusammenfassung

Die Einsetzung der Kommission zur Vorbereitung einer Weltkonferenz über Fragen des Glaubens und der Kirchenverfassung war nicht einfach ein Schritt in Neuland, sondern sie fand auf vorbereitetem Boden statt. Sie ist in einem Rahmen von Voraussetzungen und Geschehnissen zu sehen, der das Thema christlicher Einheit in verschiedensten Klängen und Variationen behandelte. Gedanken, Motive, Zustände, durch welche die Protestant Episcopal Church geschichtlich entwickelt wurde, welche im kirchlichen Leben der Vereinigten Staaten von Amerika allgemein vorhanden waren und welche das Jahr 1910 besonders prägten, begleiten die Einsetzung der Kommission für die Vorbereitung einer World Conference on Faith and Order.

In die Augen springt die Bedeutung der Mission für die Bemühung um christliche Einheit. Beim Laymen Missionary Congress, in Edinburgh, für Rev. Ainslie oder Bischof Brent ging es zunächst um Fragen der Mission. Die Zersplitterung auf dem Gebiet der Mission führte notwendigerweise zur grundsätzlichen Frage nach christlicher Einheit. So wird schon am Anfang ökumenischer Bemühung die unauflösbare Verflechtung mit der Mission sichtbar, die nach Gemeinsamkeit sucht und zur Aktion drängt.

Das Jahr 1910 brachte eine merkwürdige Konzentration auf das Thema christlicher Einheit. Dabei war kennzeichnend ein neuer Stil, ein neuartiges Verhalten angesichts des Themas. Die Veränderung und der Wandel zeigten sich im Aussprechen der «sins of exclusiveness», in einer erstaunlichen Offenheit gegenüber anderen Kirchen, in einer vorher so nicht vorhandenen Aktivität der Laien. Angesichts der zahlreichen Aktionen konnte ein Bericht zum Jahresende 1910

[154] *The Living Church,* 12.11.1910, S. 40.
[155] GK 3, *Francis J. Hall,* an G, 13.11.1910.

mit Recht sagen: «The record of the past twelve months is a breaking up of old notions in regard to churches, their relations to each other, their ways of working, and their responsibility to the world. On all hands it is said that the year saw the end of many conceptions and made possible many new ones. Everybody in the religious world at present looks for almost anything unusual to happen. Just what is coming nobody seems to know, but so far as can be learned the condition ist buoyant.»[156]

Die Einsetzung der Kommission der Protestant Episcopal Church für eine Weltkonferenz über Fragen des Glaubens und der Kirchenverfassung ist ein Ereignis des Jahres 1910. Es wurde damit ein Versuch, ein Schritt in einer dafür günstigen geschichtlichen Stunde im Blick auf die Bemühung um christliche Einheit unternommen. Mit dem Wissen darum, und um die Geschichte, aus der diese Kommission kommt, wollen wir uns nun ihr, ihrem Wachsen und ihren Rückschlägen, ihren Versuchen und ihren Problemen bei ihrem Bemühen um christliche Einheit zuwenden.

[156] WCC. *A Survey of the Year's Religious Progress,* The Herald (Washington D.C.), 1.1.1911.

II

Die Kommission zur Vorbereitung einer Weltkonferenz für Fragen des Glaubens und der Kirchenverfassung in den ersten Monaten ihres Bestehens – Oktober 1910 bis April 1911.

1. Die konstituierende Sitzung

Zur ersten Sitzung der Kommission am 20. Oktober – kurz vor dem Ende der General Convention 1910 – waren von den einundzwanzig ernannten Mitgliedern vierzehn anwesend. Neben dem Initiator der Kommission[1], Bischof Ch. H. Brent, hatten sich die Bischöfe Vincent[2], Gailor[3], Weller[4], Greer[5] und Kinsman[6], die Pfarrer Manning, Rogers[7] und Parsons[8] und die Laien Pepper, Mather[9], Stetson[10], Bailey[11] und Gardiner eingefunden. Von den Mitgliedern fehlten Bischof Anderson, die Pfarrer Mann[12], Hall[13], Clark[14] und Rhinelander[15] und die Laien Low[16] und Morgan[17].

[1] Soweit von den Mitgliedern der eingesetzten Kommission nicht schon gesprochen worden ist, sollen an dieser Stelle die wichtigsten Daten über die einzelnen Persönlichkeiten – soweit solche ausfindig gemacht werden konnten – genannt werden. Die obige Reihenfolge der Nennung ist dabei maßgebend, ohne daß damit etwas über die jeweilige Bedeutung in der Kommission ausgesagt ist.

[2] Boyd *Vincent,* Bischof der Diözese South Ohio, wurde im Jahre 1845 in Erie, Pennsylvania, geboren. Nach seinen Studien wurde er im Jahre 1872 zum Pfarrer geweiht. Nach der Arbeit in verschiedenen Pfarreien wurde er im Jahre 1899 zunächst zum Hilfsbischof von Southern Ohio berufen. Vom Jahre 1904 bis 1929 wirkte er als Bischof dieser Diözese. Er starb im Jahre 1935. Eine besondere Auszeichnung bedeutete es, daß Vincent vom Jahre 1910 bis 1916 das Amt des Vorsitzenden des Hauses der Bischöfe übertragen wurde. Vgl. *Who was who,* 1929–1940, S. 1391.

[3] Frank Thomas *Gailor,* Bischof von Tennessee, wurde im Jahre 1856 in Jackson, Mississippi, geboren. Nach den Studien wurde er im Jahre 1880 zum Pfarrer geweiht. Nach kurzer Tätigkeit in einer Gemeinde wirkte er von 1882 bis 1890 als Universitätsgeistlicher und Professor für Kirchengeschichte an der University of the South. Vom Jahre 1893 an war er Bischof von Tennessee. Er starb im Jahre 1935. In seiner Kirche hatte er mehrere wichtige Ämter inne, u.a. das auszeichnende Amt des Vorsitzenden des Hauses der Bischöfe vom Jahre 1916 bis 1922. Vgl. *Who was who,* 1929–1940, S. 487.

[4] Reginald Heber *Weller,* Bischof von Fond du Lac, wurde im Jahre 1857 in Jefferson City, Missouri, geboren. Nach seinen Studien wurde er im Jahre 1884 zum Pfarrer geweiht. Er versah dann mehrere Pfarrstellen, bevor er im Jahre 1900 zum Hilfsbischof von Fond du Lac berufen wurde. Vom Jahre 1912 bis 1933 leitete er diese Diözese. Er starb im Jahre 1935. Vgl. *Who was who,* 1929–1940, S. 1434.

[5] David Hummell *Greer,* Bischof von New York, wurde im Jahre 1844 in Wheeling, Westvirginia, geboren. Nach seinen Studien wurde er im Jahre 1898 zum Pfarrer geweiht. Er betreute verschiedene Gemeinden, bevor er im Jahre 1904 zum Hilfsbischof von New York berufen wurde. Vom Jahre 1908 bis zu seinem Tode im Jahre 1919 war er dann Bischof dieser Diözese. Vgl. *Who was who in America,* Vol. I (1897–1942), S. 485.

Zunächst mußten in dieser ersten Sitzung die notwendigen organisatorischen Fragen geklärt werden. In seiner Abwesenheit übertrug man Bischof Anderson die Präsidentschaft. Sein Einfluß im Haus der Bischöfe und sein durch den Laymen Missionary Congress für die

[6] Frederick Joseph *Kinsman,* Bischof von Delaware, wurde im Jahre 1868 in Warren, Ohio, geboren. Nach seinen Studien wurde er im Jahre 1896 zum Pfarrer geweiht. In den folgenden Jahren wirkte er als Gemeindepfarrer und Professor für Kirchengeschichte an verschiedenen Orten. Im Jahre 1908 wurde er zum Bischof von Delaware gewählt. Dieses Amt legte Kinsman im Jahre 1919 nieder. Bald darauf trat er über in die römisch-katholische Kirche. Als Privatgelehrter und Schriftsteller lebte er bis zum Jahre 1944. Vgl. *Who was who in America,* Vol. III (1951 bis 1960), S. 479.

[7] Benjamin Talbot *Rogers,* Pfarrer, wurde im Jahre 1865 in Rockland, Michigan, geboren. Nach seinen Studien wurde er im Jahre 1889 zum Pfarrer geweiht. Als solcher und als Leiter eines kirchlichen Hauses war er seit 1893 in Fond du Lac tätig. Vom Jahre 1916 bis 1919 war er Vorsteher des Racine College, Wisconsin, von 1919 an Professor für Kirchengeschichte an einem theologischen Seminar in Buffalo, New York. Vom Jahre 1929 bis 1933 wirkte er als Pfarrer und Historiker in New York. Er starb im Jahre 1934. Vgl. *Who's who in America,* Vol. 18 (1934 bis 1935), S. 2034.

[8] Edward Lambe *Parsons,* Pfarrer in Berkeley, Kalifornien, wurde im Jahre 1868 in New York geboren. Nach längerer Studienzeit, die ihn auch an die Universität Berlin führte, wurde er im Jahre 1895 zum Pfarrer geweiht. Er war Pfarrer an verschiedenen Gemeinden in Kalifornien, bevor er im Jahre 1919 zum Hilfsbischof dieser Diözese berufen wurde. Vom Jahre 1924 an wirkte er als Bischof von Kalifornien. Er starb im Jahre 1960. Vgl. *Who was who in America,* Vol. 18 (1934 bis 1935), S. 1846.

[9] Samuel *Mather,* Geschäftsmann in Cleveland, wurde im Jahre 1851 in Cleveland, Ohio, geboren. Nach Ausbildung und Studien war er in seiner Firma tätig, der Picklands, Mather and Co., miners and dealers in iron, ore and coal and manufacture of pig iron. Er war sehr wohlhabend und wirkte ehrenamtlich in einer Reihe karitativer und kultureller Organisationen. Auch in seiner Kirche war er sehr aktiv. Er starb im Jahre 1931. Vgl. *Who was who in America,* Vol. I (1897 bis 1942), S. 788.

[10] Francis Lynde *Stetson,* Rechtsanwalt, wurde im Jahre 1846 in Keeseville im Staate New York geboren. Nach seinen Studien ließ er sich als Rechtsanwalt in New York nieder und vertrat verschiedene große Unternehmen in Rechtsfragen. Später vertrat er vor allem die Interessen des Bankiers J. P. Morgan. Auch er war ein sehr aktives Mitglied seiner Kirche. Er starb im Jahre 1920. Vgl. *Who was who in America,* Vol. I (1897–1942), S. 1180.

[11] Edward P. *Bailey:* über ihn konnten in den zur Verfügung stehenden Nachschlagewerken keine Daten ermittelt werden. In der Kommission der Protestant Episcopal Church tritt er nie hervor. Er lebte nach den Adressenangaben in den Veröffentlichungen der Kommission in Chicago, Illinois.

[12] Alexander *Mann,* Pfarrer, wurde im Jahre 1860 in Geneva im Staate New York geboren. Nach den Studien wurde er im Jahre 1886 zum Pfarrer geweiht. Er wirkte in verschiedenen Gemeinden, bevor er im Jahre 1905 an die traditionsreiche Trinity Church in Boston, Massachusetts, berufen wurde. Nachdem er mehrere Berufungen als Bischof abgelehnt hatte, nahm er die zum Bischof von Pittsburgh im Jahre 1923 an. Eine besondere Ehre für Mann war, daß er vom Haus der Delegierten bei den General Conventions im Jahre 1913, 1916, 1919, 1922 als Präsident ge-

Frage christlicher Einheit bekanntgewordener Name schienen ihn als einen guten Repräsentanten auszuweisen[18]. Bischof Brent als Missionsbischof auf den Philippinen konnte dieses Amt nicht übernehmen, da er wegen dieser Aufgabe selten in den Vereinigten Staaten

wählt wurde. Er starb im Jahre 1948. Vgl. *Who's who in America,* Vol. 18 (1934 bis 1935), S. 1540; *Who was who in America,* Band II, S. 343.

[13] Francis Joseph *Hall,* Pfarrer und Professor, wurde im Jahre 1857 in Ashtabula, Ohio, geboren. Nach den Studien wurde der Taube im Jahre 1886 zum Pfarrer geweiht. In den folgenden Jahren bis 1913 wirkte er als Professor für dogmatische Theologie am Western Theological Seminary, von 1913 an bis zum Jahre 1928 am General Theological Seminary. Neben seiner Aufgabe als Professor arbeitete er bei vielen Fragen in seiner Kirche mit. Seine große Anzahl von Schriften, vor allem seine zehnbändige *Dogmatic Theology* machten ihn in der ganzen anglikanischen Welt bekannt. Hall starb im Jahre 1932. Vgl. *Who was who in America,* Vol. I (1897–1942), S. 505.

[14] William Meade *Clark,* Pfarrer, wurde im Jahre 1855 geboren. Seine Bedeutung gewann er als Schriftleiter des kirchlichen Blattes *Southern Churchman,* das in Richmond, Virginia, herauskam. Clark starb im Jahre 1914. Vgl. *Virginia Magazine of History and Biography* 22 (July 1914). In memoriam.

[15] Philip Mercer *Rhinelander,* Pfarrer und Professor, wurde im Jahre 1869 in Newport, Rhode Island, geboren. Nach den Studien, die ihn auch an die University of Oxford in England führten, wurde er im Jahre 1897 zum Pfarrer geweiht. Er war mehrere Jahre als Gemeindepfarrer tätig und lehrte dann vom Jahre 1903 bis 1907 an der Berkeley Divinity School in Middleton, Connecticut, vom Jahre 1907 an in der Episcopal Theological School in Cambridge, Massachusetts, Religions- und Missionsgeschichte. Nach der Berufung im Jahre 1911 wirkte er bis zum Jahre 1925 als Bischof von Pennsylvania, bevor er von 1925 bis 1937 die ehrenvolle Aufgabe des Vorstehers an der Washington Cathedral in Washington, D.C. übernahm. Rhinelander starb im Jahre 1939. Vgl. *Who was who in America,* Vol. I (1897–1942), S. 1025.

[16] Seth *Low,* Erzieher und Publizist, wurde im Jahre 1850 im Stadtteil Brooklyn in New York geboren. Nach den Studienjahren arbeitete er im väterlichen Teeimportgeschäft, zunächst als Angestellter, später als Teilhaber. Bekannt wurde er durch Veröffentlichungen und durch seine Tätigkeit als Bürgermeister von Brooklyn (in den Jahren 1881–1885), als Präsident der Columbia University (in den Jahren 1890–1901) und als Bürgermeister von New York (in den Jahren 1902–1903) u.a. Auch in seiner Kirche galt er als sehr aktives Mitglied. Low starb im Jahre 1916. Vgl. *Who was who in America,* Vol. I (1897–1942), S. 749.

[17] John Pierpont *Morgan,* Bankier, wurde im Jahre 1837 in Hartford, Connecticut, geboren. Seine Studien führten ihn auch an die Universität Göttingen. Bekannt und berühmt wurde er als sehr erfolgreicher Unternehmer, der es zu großem Reichtum und Vermögen brachte. Besondere Bedeutung gewann er bei der Neuorganisation des Eisenbahnwesens. Auch in seiner Kirche war er rege. An vielen General Conventions nahm er als Delegierter teil. Morgan starb im Jahre 1913. Vgl. *Who was who in America,* Vol. I (1897–1942), S. 865.

[18] Vgl. GK 3, *F. J. Hall,* von G, 23.10.1910; vgl. auch Hinweise auf Bischof Andersons Rede vor dem Laymen Missionary Congress (s. o. S. 29) in Berichten, u. a. in einem Zeitungsausschnitt unter dem Material von P. Ainslie, o.D., in dem es heißt: «Bishop Anderson's forceful and broad-visioned address . . . at the Laymen Missionary Congress last May brought him into such prominence as an advocate of unity, that he was made chairman of the committee for enlisting Christendom in a

weilte. Ebenfalls in seiner Abwesenheit wählte man den New Yorker Bankier J. P. Morgan, der spontan für die Arbeit der Kommission nach ihrer Ernennung 100 000 Dollar zur Verfügung gestellt hatte, verständlicherweise zum Schatzmeister. Doch dieser lehnte ab. An seiner Stelle wurde dann Rechtsanwalt George Zabriskie, auch ein prominenter Laie der Protestant Episcopal Church, gewählt[19]. Schließlich wählte man zum Sekretär der Kommission den Bostoner Rechtsanwalt R. H. Gardiner, der besonders als Präsident der Brotherhood of St. Andrew hervorgetreten war. Er hatte dieses Amt in den Jahren 1904 bis 1909 inne[20]. Mr. Gardiner nahm die Wahl an, betonte aber im Blick auf die Aufgaben des Sekretärs sogleich, «that it would be impossible for me alone to discharge them». Er befürwortete die baldige Ernennung eines hauptamtlichen Sekretärs oder zumindest einer hauptamtlichen Hilfskraft des Sekretärs[21].

Allgemein muß gesagt werden, daß sämtliche Mitglieder der Kommission bekannte und angesehene Persönlichkeiten innerhalb der Protestant Episcopal Church, eine Reihe auch darüber hinaus, waren. Wie sie sich für die Kommission einsetzen würden, — dazu konnte man jetzt noch nichts sagen, doch man hatte versucht, eine möglichst aktive Kommission zu ernennen. «We felt that it was as strong a Commission as we could well get[22].»

Nach den organisatorischen Fragen diente die erste Zusammenkunft der Kommission vor allem der gegenseitigen Verständigung. Man versuchte sich darüber klar zu werden, was nun zu tun sei. In einer ganz von der auf der General Convention herrschenden Gesinnung geprägten Diskussion versuchte man, die Aufgabe und die Gefahren für die Kommission zu erkennen. Bischof Brent betonte den umfassenden Rahmen der Weltkonferenz, indem er sagte, man müsse sie so vorbereiten, daß die Orthodoxen, die Altkatholiken und die

World Conference on unity, a committee appointed by the Episcopal convention last October.»

[19] Vgl. Minutes of the Executive Committee = *Minutes Ex Comt,* 29.11.1910 und *Minutes Com,* 15.12.1910; George *Zabriskie* wurde im Jahre 1852 in New York City geboren. Nach seinen Studien ließ er sich dort nieder als Teilhaber der angesehenen Anwaltsgemeinschaft Zabriskie/Sage/Gray/Todd. Als aktives Mitglied arbeitete er in der Protestant Episcopal Church mit. Er starb im Jahre 1931. Vgl. *Who was who in America,* Vol. I (1897—1942), S. 1393.

[20] Die Brotherhood of St. Andrew war im Jahre 1883 in Chicago als ein Männerbund innerhalb der Protestant Episcopal Church gegründet worden. Ihre Zeitschrift ist das monatlich erscheinende St. Andrew's Cross. Als engagierte Christen verpflichteten sie sich in besonderer Weise zu Gebet und Dienst und versuchten, möglichst wöchentlich einen jungen Mann zum Hören der biblischen Botschaft zu bewegen. Vgl. *The Encyclopedia Americana,* Vol. IV, S. 598.

[21] GK 1, *Ch. P. Anderson,* von G, 17.12.1910.

[22] GK 6, *N. Smyth,* von G, 3.11.1910.

römisch-katholische Kirche teilnehmen könnten. Angeregt wurde weiter, ein Gespräch über alle kirchlichen Fragen, in denen Unterschiede bestehen, in Gang zu bringen, um die Ursachen der Spaltungen zu ermitteln. Dem wurde verschiedentlich entgegengehalten, man sollte nicht bei den Unterschieden und Kontroverspunkten mit dem Gespräch beginnen, da das nur zur Verteidigung von Positionen in den einzelnen Kirchen führen würde. Mehrere Teilnehmer appellierten zudem an die Versammelten, daß entscheidend jetzt persönliche Erneuerung sei, nämlich, daß man sich ganz und gar auf die Kraft des Heiligen Geistes verlasse, sich neu und völlig Gott hingebe und alte Vorurteile abstreife[23].

Die Diskussion zeitigte zwei Ergebnisse: Einmal wurde ein siebenköpfiger Planungsausschuß, das sogenannte Committee on Plan and Scope, eingesetzt, der sich selber durch Zuwahl ergänzen konnte und dessen Aufgabe sein sollte «to formulate a plan of procedure», der endgültig bei einer Sitzung der Kommission um Ostern 1911 verabschiedet werden sollte. Zum Vorsitzenden des Planungsausschusses wurde Pfarrer W. T. Manning gewählt, der den Antrag zur Beratung über die Einsetzung der Kommission vor die General Convention gebracht hatte. Zu weiteren Mitgliedern wurden die Bischöfe Anderson, Greer und Kinsman, der Theologe Rhinelander und die Herren Stetson und Gardiner, der hier ebenfalls als Sekretär teilnehmen sollte, benannt[24].

Zum andern kam man überein, vorläufig offiziell nichts zu unternehmen. Besonders die Bischöfe Greer und Weller meinten, es sei verfrüht, vor der Verabschiedung eines solchen Arbeitsplans mit anderen Kirchen offizielle Kontakte aufzunehmen. Der gemeinsame Beschluß war daher, daß die einzelnen Mitglieder der Kommission bis dahin auf der privaten Ebene Kontakte mit Mitgliedern anderer Kirchen anknüpfen und pflegen, mit ihnen über Wege und Weise einer Annäherung an ihre Kirchen sprechen und deren Ratschläge einholen sollten[25].

Die Gesinnung, in der die Beschlüsse und die Diskussion dieser konstituierenden Sitzung der Kommission erfolgten, schien erfolgversprechend. Der neuernannte Sekretär sprach von einem «splendid spirit»[26]. Ihm hatte man auf seine Frage hin für die Einrichtung des Sekretariats und die Ausübung seines Amtes volle Freiheit gelassen. Er

[23] Vgl. *Mottmaterial,* World Conference on Faith and Order, Yale Divinity School. Dort findet sich ein ausführlicher Bericht über diese Sitzung am 20.10.1910.

[24] *Minutes Com,* 20.10.1910.

[25] Vgl. *Mottmaterial,* s.o., und GK 3, *F. J. Hall,* von G, 9.11.1910.

[26] GK 1, *Ch. P. Anderson,* von G., 29.10.1910.

sollte «exercise his discretion, consulting Rev. Manning and Mr. Stetson when he seems it necessary»[27].

2. Das Echo auf die Einsetzung der Kommission

Kaum hatte sich die General Convention der Protestant Episcopal Church am 21. Oktober vertagt, kaum waren die Delegierten auseinandergeströmt, da meldete die Presse die Einsetzung der Kommission zur Vorbereitung einer Weltkonferenz für Fragen des Glaubens und der Kirchenverfassung. In Leitartikeln, in Interviews oder in Berichten wurde in vielen amerikanischen Zeitungen darüber informiert, wobei ganz besonders immer wieder die von J. P. Morgan der Kommission für ihre Arbeit gestifteten 100 000 Dollar hervorgehoben wurden[28].

Die freundliche Aufnahme des Vorschlags zeigen anschaulich die Ausführungen eines Kongregationalisten, der an der General Convention in Cincinnati teilnahm:

> «This is perhaps the most hopeful proposition which has ever been proposed to divided Protestantism. It corresponds to that appeal to a general council which was the dream of the leaders of the Reformation. Following close upon the splendid conference on missions in Edinburgh, it is another evidence of a new spirit, a wider vision, a comprehensive purpose. It looks as if the time had really come when the old details which sundered Christendom might be reopened without bitterness.»[29]

Ähnlich freundliche Stimmen in ihrem Herkommen nach sehr verschiedenen Zeitungen und Zeitschriften könnten beachtlich vermehrt werden. Selbst ein recht zurückhaltendes Organ wie das presbyterianische The Continent schrieb:

> «The Continent has implicit faith that all other Protestant churches will respond heartily to this invitation, and that the great world meeting thus contemplated will in due course be assembled — undoubtedly an even greater and more impressive event than the recent Edinburgh conference on missions.»[30]

Besonders wurden die gleichzeitigen Aktionen der Kongregationalisten und der Protestant Episcopal Church als Vorsehung und als zeichenhaft empfunden. So bekannte Pfarrer N. Smyth, der zum Vorsitzenden der kongregationalistischen Kommission ernannt worden war, am 24. Oktober in New Haven: «I regard the simultaneous action of both these representative conventions as a great step in a prac-

[27] *Minutes Com,* 20.10.1910.

[28] WCC, 1910 überall.

[29] Rev. George Hodges in *The Congregationalist and Christian World,* 5.11.1910, S. 673.

[30] Vgl. unter dem *Ainsliematerial* einen Ausschnitt aus The Continent, o.D.

tical way to realize the ideal of church unity. It is a providential movement which may lead us all on and on to larger issues than we had dared to hope for[31].» Auch Pfarrer W. T. Manning, der Vorsitzende des Planungsausschusses, formulierte ähnlich in einer Erklärung nach seiner Rückkehr von der General Convention nach New York: «It is a most significant fact that at the very time when this action looking toward unity was being taken in the convention of the Episcopal church similar action was being taken by the national council of the Congregational church in Boston[32].»

Die zur gleichen Zeit gefaßten Beschlüsse der Disciples of Christ wurden dagegen zunächst kaum in der Presse zur Kenntnis genommen, was vielleicht teilweise aus einem vorherrschend skeptischen Gefühl dieser Kirchengemeinschaft gegenüber herzuleiten war[33]. Der Führer und Initiator der Bemühungen bei den Disciples versuchte allerdings die Ernsthaftigkeit der Beschlüsse seiner Kirche zu betonen: «One purpose will be the cultivation of fraternity among Christians and the breaking down, wherever possible, the barriers that have separated them[34].» In seinem ersten Brief an Pfarrer P. Ainslie unterstützte Mr. Gardiner dieses Anliegen und schrieb zu dem merkwürdigen Zusammentreffen der verschiedenen Aktionen bei den Disciples, den Kongregationalisten und der Protestant Episcopal Church: «We cannot doubt that we were led by the same spirit[35].»

War das allgemeine Echo auf den Vorschlag der Protestant Episcopal Church freundlich[36], verstand man die gleichzeitigen Aktionen verschiedener Kirchen als zeichenhaft und brachte sie unwillkürlich miteinander in Verbindung, so waren doch auch manche zweifelnden Stimmen zu vernehmen, die sich vor allem am Chicago-Lambeth-Quadrilateral orientierten. Sie fragten zumeist, ob nicht die neugebildete Kommission der Protestant Episcopal Church die traditionelle Haltung dieser Kirche an den Tag legen werde «of looking down on the other communions and issuing the historic Episcopate as an ultimatum»[37].

[31] WCC, Herald, Boston (Massachusetts), 24.10.1910.

[32] WCC, Herald, Boston (Massachusetts), 30.10.1910.

[33] Vgl. z. B. den Bericht eines Journalisten: «I have learned from long experience and close association with your leading men that it is next to impossible to have any intercourse without continually meeting the proposition that your brotherhood is ‹it› . . . ». Vgl. WCC, *The Congregationalist and Christian World*, Dezember 1910.

[34] WCC, Courier Journal Louisville, Kentucky, 6.11.1910.

[35] GK 1, *P. Ainslie,* von G, 15.11.1910.

[36] Vgl. auch GK 4, *W. T. Manning,* an G, 25., 26., 27.10.1910; von vielen Seiten wurden ermutigende Briefe geschrieben.

[37] GK 4, *W. T. Manning,* von G, 21.10.1910; GK 3, *F. J. Hall,* an G, 25.11.1910.

Damit war deutlich, daß die Kommission zur Vorbereitung einer Weltkonferenz nicht nur die freundliche Offenheit rechtfertigen, sondern auch den Zweiflern gegenüber Vertrauen schaffen mußte, daß sich in der Protestant Episcopal Church in der Tat und nicht nur in den Worten etwas geändert hatte. Die Kommission hatte Arbeit zu leisten. Pfarrer W. T. Manning sagte dazu:

«Much time will of course be needed for thought, and consideration and consultation between the representatives of the various bodies of Christians. The committee appointed by our convention has not yet taken its first step, and will not do so for the present. The preparation for such a conference as has been suggested will take years and cannot be hurried. I believe, however, that the very thought and effort in preparation for it will help to create an atmosphere, in which we shall all see more clearly and see things more in their true proportions.»[38]

In dieser Erklärung vor der Presse nach seiner Rückkehr nach New York wiederholte Rev. Manning für die Öffentlichkeit, was sich die Kommission in ihrer ersten Sitzung vorgenommen hatte: einen Arbeitsplan vorzubereiten und die rechte Gesinnung zu erkunden und zu entwickeln.

3. Die Entwicklung innerhalb der Kommission

Die Monate der Vorbereitung eines Aktions- und Arbeitsplans der Kommission waren Monate der ersten Erfahrungen der Mitglieder in der Zusammenarbeit und im jeweiligen Einsatz für die gemeinsame Sache. Besonders bedeutsam war dabei die Rolle des Sekretariats. Denn hier wurden die Protokolle der Sitzungen und sonstige Verlautbarungen angefertigt, hier wurde für die Ausführung der gefaßten Beschlüsse Sorge getragen, von hier gingen die ersten Briefe der Kommission aus und trafen dementsprechend die Antworten ein.

Zudem war von Anfang an zu erkennen, daß Robert H. Gardiner einen sehr ernsthaften und einsatzfreudigen Sekretär abgab. Kaum war er von der General Convention zurückgekehrt, da machte er sich an die Errichtung des Sekretariats. Mit Hilfe einer Presseagentur, die ihm von sofort an sämtliche Zeitungsberichte über die geplante Weltkonferenz und sonstige christliche Einheitsbemühungen zuschickte, verschaffte er sich und sammelte ausgiebige Informationen[39]. Gleichzeitig sammelte er Anschriften. Er begann eine Adressenliste aufzustellen, in der Einzelpersonen und eine große Anzahl religiöser Blätter und Zeitschriften aufgezeichnet wurden. Dann ließ Mr. Gardiner

[38] WCC, Herald, Boston (Massachusetts), 30.10.1910.

[39] Diese Informationen sind unter dem Titel World Conference Clippings (= WCC) in 42 Bänden gesammelt, die sich im General Theological Seminary in New York befinden.

die Erklärungen über die Einsetzung der Kommission bei der General Convention drucken, zunächst in einer Auflage von 5000 Exemplaren[40]. Die erste aufgetragene Korrespondenz des Sekretärs galt den beiden ebenfalls mit der Frage christlicher Einheit sich beschäftigenden Gruppen innerhalb der Protestant Episcopal Church, der Joint Commission on Christian Unity und der Church Unity Foundation. Dabei ging es um die Klärung des gegenseitigen Verhältnisses und der jeweiligen Vorhaben und Ziele. Die Joint Commission on Christian Unity, die nach dem Jahre 1886 im Zusammenhang mit dem «Quadrilateral» eingesetzt worden war[41], hatte schon lange keine echten Aufgaben mehr und fristete ein schattenhaftes Dasein. Sie beantwortete auch Gardiner's Briefe nicht. Die andere Gruppe, die sich Church Unity Foundation nannte, hatte sich im Juni des Jahres 1910 gebildet. Einzelne Mitglieder der Protestant Episcopal Church wollten darin «to proceed unofficially and in conference with similar foundations in other religious bodies». Sie meinten: «Being voluntary, we are free of limitations of a body with delegated powers. So we can confer more freely and frankly[42].» Aus der freundlichen Antwort der Church Unity Foundation ging hervor, daß diese freie und private Organisation klar unterschieden werden konnte von der Kommission für eine Weltkonferenz, die von der Protestant Episcopal Church offiziell und für einen bestimmten Zweck, eben die Vorbereitung der geplanten Konferenz, eingesetzt worden war[43].

Die hauptsächliche Arbeit der Kommission hatte vom Sekretariat aus zu geschehen. Weil das Mr. Gardiner sofort klar war, drängte er von der konstituierenden Sitzung an immer wieder auf die Ernennung eines hauptamtlichen Sekretärs[44]. Er meinte, die Aufgaben des Sekretariats seien zu groß und zu zahlreich, als daß man sie nebenher und ehrenamtlich erledigen könnte. Sie würden zudem im Laufe der Zeit noch erheblich ansteigen. Er empfand außerdem, daß er sie nicht angemessen würde erfüllen können, obwohl er sich ganz dem Vorhaben verschrieben hatte: «I stand ready to give every ounce of the strenghth God gives me and every moment of the time I can spare from my duties to this work, which I consider the greatest opportunity that has ever been offered to a man for many centuries[45].» Weil ihn das Vorhaben so engagierte, setzte er sich für Publizität und

[40] GK 7, *G. Zabriskie,* von G, 16.12.1910.

[41] S. o. S. 16 f.

[42] GK 2, *R. F. Cutting,* an G, 31.10.1910.

[43] GK 4, *W. T. Manning,* von und an G, 31.1.1911; 3.2.1911; vgl. auch *Minutes Ex Comt,* 29.11.1910.

[44] GK 1, *Ch. P. Anderson,* von G, 16.1.1911; GK 6, *B. T. Rogers,* 31.12.1910, GK 6, *F. L. Stetson,* von G, 4.1.1911.

[45] GK 6, *B. T. Rogers,* von G, 31.12.1910.

Öffentlichkeitsarbeit ein, wie sie auch in der Laymen Missionary Movement betont wurden[46]. Nur dadurch konnte seiner Meinung nach Interesse an der Weltkonferenz geweckt, erhalten und verstärkt werden[47]. Daß man damit zuwarte, bis ein Arbeitsplan aufgestellt sei, hielt er für falsch. –

Die einzige Publikation in den ersten Monaten war der Druck und die Verschickung der Einsetzungsbeschlüsse der Kommission zusammen mit einem Begleitbrief an die religiösen Blätter in den Vereinigten Staaten – es waren mehrere hundert[48]. Mr. Gardiner war unzufrieden, daß am Ende des Jahres 1910 außer der Nachricht von der Einsetzung noch nichts von der Kommission an die Öffentlichkeit gelangt war. Informationen über das Wesentliche bei der Weltkonferenz für Fragen des Glaubens und der Kirchenverfassung und die Aufgabe der Kommission konnten auch schon vor der Verabschiedung eines Arbeitsplans gegeben werden. – Doch setzte sich Mr. Gardiner mit dieser Ansicht in der Kommission nicht durch. Zwar war vom Planungsausschuß bei einer Sitzung am 29. November 1910 kurz vor der Ausreise von Bischof Brent über Europa nach den Philippinen Rev. Manning und Mr. Gardiner als ein Presseausschuß eingesetzt worden «to give newspapers matters they think wise and to answer matters whenever they deem it expedient»[49]. Doch hatte die Kommission bei der darauf folgenden Sitzung durch die Einschränkung «to give newspapers such information as this Commission or Committee on Plan and Scope shall authorize»[50] eine bewegliche und schnell agierende Pressearbeit gelähmt. Das bemängelte der Sekretär.

Er meinte in dieser Beschränkung der Publizität einen Rückschritt gegenüber dem vorwärtsgerichteten Mut bei der Einsetzung der Kommission durch die General Convention zu entdecken, eine Überängstlichkeit, die nur ja keinen Fehler begehen wollte. Gegenüber solcher Vorsicht hob er die Notwendigkeit des Vertrauens auf Gott und in die Führung seines Geistes hervor. «We should go slowly, but we should take the utmost pains to prepare ourselves for action. The man who never made a mistake, never made anything. Of course we shall make mistakes, for we shall all rely on our own wisdom to much instead of giving ourselves up absolutely to the guidance of the Holy Spirit[51].» Nur wo man sich ganz Gott anvertraute, war Beweglichkeit und Mut zum Wagnis zu erwarten.

[46] S. o. S. 25 ff.

[47] GK 3, *F. J. Hall,* von G, 19.12.1910; GK 4, *W. T. Manning,* von G, 5.12.1910.

[48] GK 1, *Ch. P. Anderson,* von G, 1.2.1911; später wurde diese Veröffentlichung als Heft 1 der Kommissionsveröffentlichungen geführt.

[49] *Minutes Ex Comt,* 29.11.1910.

[50] *Minutes Com,* 15.12.1910.

[51] GK 6, *B. T. Rogers,* von G, 31.12.1910.

Das Wissen darum, daß das Vorhaben nur in der völligen Unterordnung des eigenen unter Gottes Willen gelingen könne, war für Mr. Gardiner grundlegend. Im Jahre 1904 hatte er als neugewählter Präsident der Brotherhood of St. Andrew deshalb aufgefordert: «If our service is to amount to any thing we must make our Rule of Prayer the mainstay of our lives[52].» Ebenso betonte er jetzt die Notwendigkeit und entscheidende Bedeutung des Gebetes für solche Unterordnung unter Gottes Willen. Er schlug vor, daß die erste öffentliche Äußerung der Kommission ein Aufruf an die Christenheit zum Gebet für die Vorbereitung der Weltkonferenz für Fragen des Glaubens und der Kirchenverfassung sein sollte[53].

Auch andere hoben die Bedeutung des Gebetes hervor. Schon am 20. Oktober 1910 machte Rev. B. T. Rogers in der konstituierenden Sitzung einen Vorschlag[54], der in der folgenden Sitzung von der Kommission modifiziert angenommen wurde. Danach sollten die Mitglieder an jedem ersten Sonntag im Monat, an dem sie, dem Brauch der Protestant Episcopal Church entsprechend, zum Abendmahl gingen, im Gebet besonders der Aufgabe der Kommission gedenken[55]. Außerdem war ein Ausschuß von Bischöfen damit beauftragt, Gebete für den Gebrauch zu formulieren[56]. Mr. Gardiner hatte trotzdem den Eindruck, daß die Notwendigkeit des Gebetes im Grunde in der Kommission nicht erkannt sei und sie es zumindest mehrheitlich für «somewhat immaterial for the present» halte.

Die ersten Diskussionen um Publizität und das Gebet zeitigten ein Ergebnis. Um dem Vorhaben der geplanten Konferenz in der Protestant Episcopal Church zu breiterer Resonanz zu verhelfen, sollte schon vor Verabschiedung des Arbeitsplans etwas unternommen werden. In ihrer Sitzung im Dezember 1910[57] beschloß die Kommission, daß Bischof Anderson und Mr. Gardiner zusammen einen Brief anfertigen sollten «to every Bishop of the Church asking him to issue to his people a pastoral address advising them of and asking their support for the Commission on the World Conference on Faith and Order, and asking them to set forth a special prayer for God's blessing upon the work of the Commission ... »[58]. Nach der Billigung wurde dieses von Bischof Anderson entworfene erste offizielle Schreiben der Kommission unter dem Datum des 25. Januar 1911 verschickt[59].

[52] Vgl. *St. Andrew's Cross,* November/December 1904, S. 39.

[53] GK 4, *W. T. Manning,* von G, 31.12.1910; GK 6, *B. T. Rogers,* von G. 31.12.1910.

[54] *Minutes Com,* 20.10.1910.

[55] *Minutes Com,* 15.12.1910.

[56] *Minutes Ex Comt,* 29.11.1910.

[57] *Minutes Com,* 15.12.1910.

[58] *Minutes Ex Comt,* und *Minutes Com,* 15.12.1910.

[59] GK, *Ch. H. Brent,* von G, 9.1.1911; vgl. den vollen Wortl. des Schr. im Anh. S. 315 f.

Das Echo darauf war gering. Von den 110 Bischöfen, an die das Schreiben gesandt worden war, antworteten nur zwölf. Sechs hatten vor, es in ihrer Diözese zu veröffentlichen, drei wollten vor ihren Diözesansynoden darüber sprechen[60]. Mr. Gardiner führte dieses Ergebnis auf die fehlende Publizität zurück. Der Grund sei, daß der Zeitraum zwischen der Einsetzung der Kommission und der Herausgabe des Briefes viel zu lang gewesen sei. Außer kritischen Äußerungen zur mangelnden Öffentlichkeitsarbeit und über eine zu lasche Haltung gegenüber dem Gebet machte der Sekretär in diesen ersten Monaten persönliche Beobachtungen innerhalb der Kommission, die ihn unzufrieden stimmten. Er hatte bald das Gefühl, daß die Vorsicht der Kommission in einer zu lässigen und leichtfertigen Behandlung ihrer Aufgabe begründet war. Die Sache wurde nicht mit genügendem Ernst und Einsatz angegangen[61].

Sichtbar wurde das für Mr. Gardiner an verschiedenen Äußerlichkeiten. Einmal meinte er, daß das gegenseitige Vertrauen zu gering sei. Hatte man anfangs ihm als Sekretär bei der Ausführung seiner Aufgabe freie Hand gelassen, so kamen bald Diskussionen auf, die eine Abgrenzung der Befugnisse des Präsidenten, des Vorsitzenden des Planungsausschusses und des Sekretärs voneinander zum Thema hatten. Solche Überlegungen schienen ihm formalistisch und von Mißtrauen gegenüber dem Sekretariat bestimmt. Man könne dessen Aufgaben nämlich nicht genau bestimmen, wichtig aber sei eine gute Zusammenarbeit der Kommission und ihre Wirksamkeit und «that efficiency requires that the Secretary office shall be the center of the work of the Commission. He should keep close contact with the President and the Chairman of the Committee on Plan and Scope, but the laboring oar should be upon him»[62]. Um die Zusammenarbeit und Wirksamkeit zu gewährleisten, empfahl er deshalb, einen Sekretär in der Umgebung von Chicago zu wählen, damit er in der Nähe des Präsidenten der Kommission sei[63].

Bemerkenswert schien ihm auch das Verhalten der Theologen der Kommission. Er spürte, daß sie alles selber bedenken, überprüfen und entscheiden wollten und keine Verantwortung delegierten. Das zeigte sich vor allem bei der langsamen Beantwortung von Briefen, was Mr. Gardiner für ein Zeichen des «individualism of it's bishops and

[60] *Minutes Com,* 20.4.1911; vgl. auch GK 6, *W. T. Manning,* von G, 27.3.1911.

[61] Vgl. GK 7, *G. Zabriskie,* von G, 16.12.1910; dort schreibt Gardiner: «With hilarity and irresponsibility of a parcel of school boys» sei die Sitzung der Kommission am 15.12.1910 durchgeführt worden. Vgl. auch GK 4, *W. T. Manning,* von G, 31.12.1910.

[62] GK 6, *F. L. Stetson,* von G, 4.1.1911

[63] GK 3, *F. J. Hall,* von G, 13.3.1911.

clergy and their timidity of trusting anyone»[64] hielt. Das zeigte sich auch bei den Überlegungen, ob man als hauptamtlichen Sekretär überhaupt einen Laien oder nicht besser einen Geistlichen wählen sollte. Mr. Gardiner empfand solche Überlegungen als unsachlich und Zeitverschwendung. «I think the most important thing is to get the right man[65].» Die Beschäftigung mit solchen Äußerlichkeiten verzögerte nicht nur die Handlungsfähigkeit der Kommission, sondern setzten das Können und die Erfahrung des Laien in kirchlichen Angelegenheiten zurück.

Der Laie R. H. Gardiner fühlte sich für die Aufgabe der Kommission jedoch nicht weniger kompetent als die Theologen. « . . . this matter is always in my mind and . . . all my business training has been in the direction of getting things to move faster than the Church is accustomed to»[66]. Obwohl er mit dieser Ansicht nicht allein stand, betonten andere die natürliche Führungsstellung der Bischöfe und Geistlichen. Nichts sollte ohne sie oder gegen ihren Willen unternommen werden. Das hochkirchliche Mitglied der Kommission, Professor Francis J. Hall bemerkte, wenn die Geistlichen zögerten, arbeiteten sie «slowly but deliberate[67].» Obwohl diese unterschiedlichen Ansichten nebensächlich dünken, kam in ihnen doch das noch immer ungelöste Problem der rechtlichen und faktischen Bedeutung des Laien innerhalb der christlichen Gemeinde zum Vorschein.

Die hauptsächliche Aufgabe der Kommission in den ersten Monaten bestand in der Vorbereitung und Ausarbeitung des Arbeitsplans bzw. des Aktionsprogramms. Hier trat zunächst vor allem Professor Francis J. Hall mit Gedanken und Überlegungen hervor, die er unter dem Titel «Some Thoughts On the World Conference» zusammenfaßte. Darüber wurde ausführlich im Planungsausschuß gesprochen[68]. Professor F. J. Hall betonte besonders die einzigartige Stellung der Kommission als Teil der Protestant Episcopal Church: «We occupy a unique vantage ground, having points of contact with every type of Christianity that accepts Christ as Lord.» Diese besondere Stellung gelte es immer zu beachten, und sie erfordere eine entsprechend besonnene Handlungsweise. Einmal müsse sich die Kommission genau an ihre Richtlinien halten und dürfe nicht Verhandlungen über kirchliche Einheit führen. Zum andern dürfe sie keinerlei Verbindun-

[64] GK 6, *F. L. Stetson,* von G, 4.1.1911; vgl. auch GK 4, *W. T. Manning,* von G, 16.1.1911; dort wird Bischof Anderson als «a very valuable selfdoing man» bezeichnet, bei dem «nothing should be done without his personal approval».

[65] GK 6, *B. T. Rogers,* von G, 31.12.1910.

[66] GK 1, *Ch. P. Anderson,* von G, 16.1.1911.

[67] GK 3, *F. J. Hall,* an G, 23.1.1911 und 16.2.1911.

[68] *Minutes Ex Comt,* 29.11.1910; in dieser Sitzung wurde Professor F. J. Hall zum Planungsausschuß hinzugewählt.

gen aufnehmen, die einer wirklich ökumenischen Konferenz hinderlich sein könnten[69]. Damit sollten besonders Vereinigungen abgelehnt werden, für die die Einheit der Kirche nur geistlich, aber nicht sichtbar gefordert wurde, daher also «organic unity» nicht notwendig war, sondern «federation» genügte. Mr. Gardiner unterstrich die Beachtung der Mittelstellung und meinte, das Vorhaben dürfe nicht zu protestantisch werden, «lest that should induce Rome to refuse to participate»[70].

Außerdem regte Professor Hall kurze Darstellungen der theologischen Standpunkte der einzelnen christlichen Kirchen als notwendig an, und zwar unter den zwei wesentlichen Gesichtspunkten: «(1) those which find common terms and exclusively emphasize mutual approximations, (2) those which very candidly bring out what after all is really distinctive and tenaciously held»[71]. Solche im Sinne der Einsetzungsresolution der Kommission nach Unterschieden und Gemeinsamkeiten spürende Frageweise sollte theologische Information verschaffen. Als Hilfe dazu wollte Professor Hall eine Bibliographie von Büchern «on religious bodies including their chief statements» zusammenstellen[72].

Bei der Vorbereitung und Ausarbeitung eines Plans mußte man auch technische Fragen der Kontaktaufnahme zu anderen Kirchen beraten und darin zu Entschlüssen kommen. Ganz allgemein achtete man darauf, daß der Eindruck vermieden wurde, es handele sich bei dem jetzigen Vorhaben der Protestant Episcopal Church wieder um einen Vorschlag, der wie das Chicago-Lambeth-Quadrilaterial «too much of the nature of an ultimatum» an sich habe[73]. Doch, wenn man auch das Errichten von Schranken verhindern wollte, mußte man dennoch bestimmen, welchen von den zahlreichen Denominationen der Vereinigten Staaten man sich nähern wollte. Allen gleichzeitig oder zunächst nur bestimmten? Wovon sollte eine Auswahl abhängig gemacht werden? Sollte man die Mitgliederzahl zum Maßstab setzen? Oder den theologischen Beitrag? Sollte man zu kleinen Kirchen in Amerika Beziehungen aufnehmen aus dem taktischen Grunde, daß man so die Verbindung zu ihren großen Schwesternkirchen in Europa bekäme? Sollte man sich z. B. der zahlenmäßig kleinen Dutch Re-

[69] GK 3, *F. J. Hall,* an G, 31.10.1910.

[70] GK 3, *F. J. Hall,* von G, 3.11.1910.

[71] GK 3, *F. J. Hall,* an G, 13.11.1910.

[72] *Minutes Ex Comt,* 29.11.1910; in dieser Sitzung wurde der Vorschlag Prof. Hall's unterstützt. Am 20.4.1911 legte er den Entwurf der Kommission vor. Vgl. *Minutes Com,* 20.4.1911. Später wurde die Bibliographie als Heft 16 der Kommission veröffentlicht.

[73] GK 3, *F. J. Hall,* 19.12.1910, von G; GK 4, *W. T. Manning,* von G, 16.1.1911.

formed Church in den Vereinigten Staaten oder den Moravians nähern? Das waren die Fragen[74].

Der Planungsausschuß befürwortete ein eher von hochkirchlichem Denken bestimmtes Vorgehen, bei dem nach der Church of England zunächst die sogenannten katholischen Kirchen, d. h. die römisch-katholische und die orthodoxen, vor den großen protestantischen zur Mitarbeit bei der Vorbereitung der Weltkonferenz eingeladen werden sollten. Dabei dachte man, daß die zahlenmäßig kleineren Denominationen auch Kontakte wünschten, wenn man solche schon zu diesen großen und führenden Kirchen aufgenommen habe[75]. Ein solches Vorgehen, so meinte Professor F. J. Hall, sei eine bloße Frage der Prozedur und sollte nicht in «any definite rule» festgelegt werden[76]. Als Hilfe stellte Mr. Gardiner zusammen mit Professor F. J. Hall eine Liste der Denominationen und der wichtigsten kirchlichen Zusammenkünfte auf. Die Denominationen wurden dabei in drei Gruppen unterteilt: (1) solche, zu denen schon Kontakte vorhanden waren; (2) solche, denen man sich möglichst bald nähern sollte und (3) solche, die man vorläufig außer Acht lassen konnte[77].

Als der Planungsausschuß im Januar 1911 seinen Vorsitzenden beauftragte, nun einen Bericht über die «discussion-matters and a business-list of what has to be done» zu formulieren, da hatten sich eine ganze Anzahl von Vorschlägen angesammelt[78]. Im März hatte Rev. Manning seinen Entwurf niedergeschrieben, den er der Kommission am 20. April 1911 vortrug[79].

[74] GK 4, *W. T. Manning,* von und an G, 24.2.1911; 1.3.1911; GK 3, *F. J. Hall,* von G, 21.3.1911.

[75] *Minutes Ex Comt,* 12.1.1911; GK 1, *Ch. P. Anderson,* an G, 2.3.1911; GK 4, *W. T. Manning,* an G, 4.3.1911.

[76] GK 3, *F. J. Hall,* an G, 3.3.1911.

[77] GK 3, *F. J. Hall,* von G, 21.3.1911; GK 4, *W. T. Manning,* von G, 31.3.1911.

[78] Außer von Prof. F. J. Hall und Mr. Gardiner, der seine eigenen Gedanken auch zusammengeschrieben und mit Bischof F. J. Kinsman und Rev. Ph. M. Rhinelander besprochen hatte (vgl. GK 4, *W. T. Manning,* von G, 13.1.1911), waren besondere Vorschläge von Mr. G. Wh. Pepper und Rev. N. Smyth von der kongregationalistischen Kirche unterbreitet worden. Vgl. GK 3, *F. J. Hall,* von G, 5.1.1911; GK 4, *W. T. Manning,* an und von G, 13.1.1911 und 16.1.1911; GK 6, *F. L. Stetson,* von G, 4.1.1911.

[79] GK 4, *W. T. Manning,* von G, 22.3.1911; GK 5, *G. Wh. Pepper,* von G, 3.1.1913.

4. Die Tätigkeit der Kommission nach außen

Die erste Sitzung der Kommission hatte beschlossen, daß man bis zur Annahme eines Arbeitsplanes offiziell nichts unternehmen wolle und die Mitglieder nur auf privater Ebene Kontakte zu Persönlichkeiten anderer Kirchen suchen sollten. Doch die Beauftragung der Kommission zur Vorbereitung einer Weltkonferenz für Fragen des Glaubens und der Kirchenverfassung mit der Beantwortung der kongregationalistischen Schreiben[80] mußte den gewählten Sekretär Gardiner dennoch in eine offizielle Verbindung mit dieser Kirche bringen.

Er suchte den Kontakt rasch. Rev. Raymond Calkins, dem Präsidenten des National Council of Congregational Churches und Unterzeichner, bestätigte er sofort dankend den Eingang der Schreiben dieser Versammlung bei der General Convention. Auf der Rückreise von Cincinnati besuchte er ihn kurz. Auch dem Vorsitzenden der von den Kongregationalisten ernannten Kommission, Rev. Newman Smyth, schrieb Mr. Gardiner sofort und informierte ihn über die konstituierende Sitzung der Kommission der Protestant Episcopal Church[81]. Dieser schickte daraufhin schon am 27. Oktober an Rev. R. Calkins, später auch an Mr. Gardiner «Suggestions for the work of the Joint Commission»[82]. Darin ging es auch ihm vor allem um Publizität und Öffentlichkeitsarbeit, und er empfahl daher «educational work» in dreierlei Richtung: (1) durch zwanglose Gespräche von kleinen Gruppen repräsentativer Personen in irenischer Weise; (2) durch ein Pressebüro, das ab und zu Erklärungen herausgeben solle «to keep up the public interest and belief that something may be done»; (3) durch die Veröffentlichung von historischen und aktuellen Schriften, die die Einheit fördern könnten. Diese Vorschläge wurden am 14. November 1910 bei einem ersten Gespräch zwischen Rev. N. Smyth, Rev. R. Calkins, Professor Ph. M. Rhinelander und Mr. Gardiner in dessen Haus in Boston ausführlicher besprochen[83]. Während Rev. N. Smyth dabei nochmals unterstrich, wie wichtig es sei «creating at once and generally the impression that something is going», meinte Rev. R. Calkins, man sollte vor allem über «Federation», den Wert und die Grenze davon, arbeiten. Angesichts des Federal Council of Churches sei das eine Frage von großer Bedeutung[84]. Als Ergebnis dieser Begeg-

[80] S. o. S. 43 f.

[81] GK 6, *N. Smyth,* von G, 26.10.1910.

[82] Diese Vorschläge bilden den Anhang zum Brief GK 6, *N. Smyth,* an R. Calkins, 27.10.1910.

[83] GK 2, *R. Calkins,* 3.11.1910, von G.

[84] Unter dem *Smythmaterial,* Yale University Library, findet sich ein Protokoll dieser Zusammenkunft am 14.11.1910; vgl. auch GK 6, *N. Smyth,* an G, 23.12.1910.

nung unterstützte es der Planungsausschuß, daß Rev. N. Smyth und Professor F. J. Hall gemeinsam versuchen sollten, «to state the value and limits of federation» und Professor Ph. M. Rhinelander und Rev. R. Calkins «make a careful review of the history of the Puritan secession with a study of it as a possible reapproachment»[85].

Waren durch diese Kontakte gute Beziehungen zu den Kongregationalisten hergestellt und eine Atmosphäre für Zusammenarbeit geschaffen, so entwickelte sich in der Folgezeit als eine Frucht davon die erste theologische Diskussion im Rahmen, wenn auch am Rande, der Kommission zur Vorbereitung der Weltkonferenz durch eine rege Korrespondenz zwischen Rev. N. Smyth und Professor F. J. Hall über die Frage der Föderation[86]. Ein weiteres Zeichen für die guten Beziehungen war, daß Mr. Gardiner beim Druck der Einsetzungsbeschlüsse der Kommission mit Zustimmung von Rev. W. T. Manning die Schreiben des National Council of Congregational Churches hinzufügte. Bei der Neuauflage der Einsetzungsbeschlüsse gestattete die Kommission allerdings mit der Begründung, man könne daraus eine einseitige Ausrichtung ihrerseits ableiten, diese Hinzufügung der Schreiben des National Council of Congregational Churches nicht mehr[87].

Das beeinträchtigte die guten Kontakte jedoch nicht. Rev. N. Smyth und Sekretär Gardiner tauschten Meinungen und Ratschläge rege aus, wobei immer die Bedeutung von Zusammenarbeit hervorgehoben wurde. Rev. N. Smyth empfahl möglichst bald die Beiziehung von Vertretern anderer Denominationen als Berater der Kommission der Protestant Episcopal Church. Auf den Brief an alle Beschöfe der Protestant Episcopal Church vom Januar 1911 hin sandten der Bischof der Kirche im Staate Maine und Rev. R. Calkins gemeinsam einen Rundbrief an alle Geistlichen des Gebiets, in dem sie über die Einsetzung der Kommission der Protestant Episcopal Church und des National Council of Congregational Churches berichteten, zum Gebet für die Einheit aufriefen und dazu aufforderten, einen «spirit of unity» zu entwickeln und «much affectionate personal intercourse between representatives of different communions»[88]. Der Bischof der Protestant Episcopal Church im Staate Connecticut, in dem auch Rev. N. Smyth lebte, wollte ebenfalls die Zusammenarbeit betonen und schrieb der State Conference, der Synode der kongregationalistischen Kirche in Connecticut, über die General Convention seiner Kirche:

[85] *Minutes Ex Comt,* 29.11.1910.

[86] S. u. S. 75 ff.; Prof. Ph. M. Rhinelander und Rev. R. Calkins haben an ihrem Thema nicht gearbeitet, soweit das festzustellen ist. Vgl. GK 1, Ch. P. Anderson, von und an G, 27.1.1911; 1.2.1911.

[87] GK, *Ch. H. Brent,* von G, 20.1.1912; Minutes Com, 15.12.1910; der Neuabdruck wurde als Heft 2 der Veröffentlichungen der Kommission gezählt.

[88] GK 1, *Ch. B. Brewster,* von G, 10.2.1911; WCC, *Transcript Boston,* 25.2.1911.

«Explicitly has been disclaimed the idea of seeking to absorb other Communions, but rather to cooperate ‹with them on the basis of a common faith and order›, that they and we may be merged in that great Church of the future which shall be larger and nobler far than any particular Church today[89].» Ähnlich wie Rev. Smyth sprach der Bischof von Connecticut davon, jetzt sei eine «educational period», in der noch keine gemeinsamen Aktionen unternommen werden könnten, sondern «the most that can be done is to present faithfully our Lord's ideal of unity». Das zu tun wurde Rev. N. Smyth eingeladen, und er sprach auf diese Weise verschiedene Male vor Pfarrern und anderen Angehörigen der Protestant Episcopal Church der Diözese Connecticut[90].

Gesten dieser Art empfindet man heute als nebensächlich und eigentlich selbstverständlich. Sie bedeuten aber in jenen Jahren sehr viel, als Mr. Gardiner von seiner Kirche bekennen mußte: «We have grown so accustomed to exclusiveness in the Episcopal Church that it is pretty hard for us to get into real touch with our brethren in other Communions[91]», als es in Zeitungsberichten hervorgehoben wurde, wenn Rev. W. T. Manning als ein Mitglied der Protestant Episcopal Church bei einer Veranstaltung seine nichtepiskopalistischen Zuhörer mit «Brüder» anredete[92], als durch ihr weitgehendes Eigenleben die Kirchen kaum Wissen, zumindest kein sachliches, voneinander hatten. Es war für die Mitglieder der Kommission der Protestant Episcopal Church daher auch nicht einfach, Kontakte zu anderen Kirchengemeinschaften zu finden. Die raschen und guten Beziehungen zur Congregational Church bildeten eher den glücklichen Ausnahmefall.

Der Anfang der Kontaktaufnahme bestand im allgemeinen zunächst in der Information. So schlug man Artikelserien über verschiedene Denominationen in den kirchlichen Blättern vor[93], oder wollte sich selber eine Übersicht über die Spaltungen der Christenheit verschaffen, wie z. B. Sekretär Gardiner, der Professor F. J. Hall um entsprechende Buchtitel fragte[94]. Die ersten persönlichen Kontaktnahmen waren eher formal und weniger «heart to heart talks»[95]. Die Reaktionen waren meist freundlich, doch schrieb der Sekretär dazu:

[89] *The Congregationalist,* 20.11.1910, S. 815.

[90] GK 1, *Ch. B. Brewster,* an und von G, 16.2.1911; 17.2.1911; GK 1, *Ch. P. Anderson,* von G, 1.2.1911; GK 3, *F. J. Hall,* von G, 25.2.1911.

[91] GK 4, *W. T. Manning,* von G, 16.11.1911.

[92] WCC, *Tribune New York,* 20.12.1910.

[93] Vgl. z. B. den Vorschlag von Prof. F. J. Hall, in der Living Church eine solche Serie zu veröffentlichen. GK 3, *F. J. Hall,* an G, 18.11.1910.

[94] GK 3, *F. J. Hall,* von G, 3.11.1910.

[95] GK, *Ch. H. Brent,* von G, 9.11.1910.

«... when we get below the cordial and sympathetic surface, we shall find much greater divergence of opinion than at first seems apparent»[96].

Einige Mitglieder nahmen solche ersten persönlichen Kontakte nach verschiedenen Seiten hin auf. Bischof Brent sprach mit einem Missionsbischof der Methodist Episcopal Church, wobei besonders die anglikanischen Weihen als Problem empfunden wurden[97]. Professor F. J. Hall versuchte mit den Baptisten in Chicago ins Gespräch zu kommen, die nur auf der Bibel als Grundlage bestanden und sonst keine Bekenntnisse hatten[98]. Bischof Ch. P. Anderson traf in Chicago mit einem Mitglied der kongregationalistischen Commission on Christian Unity zusammen[99]. Auch auf öffentlichen Veranstaltungen wurde gesprochen. So referierte Rev. W. T. Manning bei der Jahresversammlung der Presbyterian Ministers Association vor über 100 Teilnehnehmern und betonte den Umfang der Weltkonferenz: «Such a conference must include representatives of Christian bodies of all names. All Catholics ought to be there. All Protestants ought to be there.»[100] Mr. G. Wh. Pepper sprach vor der Lutheran Social Union in Philadelphia und warb für den Gedanken der Weltkonferenz und für christliche Einheit, wobei er sagte: «It is well to pray for union, but we must work and pray. The church that prays and does not work is praying in a fit of absent-mindedness.»[101] Mr. Gardiner traf mit Persönlichkeiten der Northern Baptist Convention und der Southern Baptist Convention zusammen[102].

Diese privat aufgenommenen Kontakte der Kommissionsmitglieder zu einzelnen Personen oder Gruppen anderer Denominationen hielt Sekretär Gardiner für «very efficient and successful», vor allem angesichts der Tatsache, daß die Kommission offiziell in dem ersten halben Jahr nichts im Blick auf die anderen Kirchen unternahm[103].

[96] GK 1, *Ch. B. Brewster,* von G, 17.2.1911.

[97] GK, *Ch. H. Brent,* an G, 27.10.1910.

[98] GK 3, *F. J. Hall,* an G, 18. und 26.11.1910.

[99] GK 1, *Ch. P. Anderson,* an G, 21.12.1910.

[100] WCC, *The Sun New York,* 20.12.1910.

[101] WCC, *Public Ledger Philadelphia,* 21.2.1911; GK 4, *W. T. Manning,* von G, 22.3.1911.

[102] Die Northern Baptist Convention hatte im November 1910 aus eigener Initiative einen Ausschuß eingesetzt, der sich mit den Vorschlägen der P. E. Church und auch des NCCC beschäftigen sollte, und dem Executive Committee der Convention am 14. März in Chicago eine Erklärung vorlegte. Vgl. GK 4, *W. T. Manning,* 24.2.1911; 27.3.1911. GK 3, *F. J. Hall,* von G, 25.2.1911; die Southern Baptist Convention galt als zahlenmäßig starke, aber sonst unbedeutende Negerkirche. Zunächst wollte man keine Kontakte zu ihr suchen. Vgl. GK 4, *W. T. Manning,* von und an G, 27.2.1911; 4.3.1911; 27.3.1911; 31.3.1911.

[103] GK 1, *Ch. P. Anderson,* von G, 10.3.1911.

Diese persönlichen Beziehungen, die man aufzurichten suchte, blieben dadurch allerdings unbefriedigend, daß sie unbestimmt waren. Dementsprechend hörten sich die ersten Briefe unverbindlich an. Ein Brief des Stated Clerk der General Assembly der Presbyterianer, Rev. William H. Roberts, war in dieser Weise abgefaßt. Rev. Roberts, eine bedeutende Persönlichkeit des amerikanischen Kirchenlebens und sehr einflußreich bei der Gründung und im Federal Council of Churches, schrieb auf Grund seiner Erfahrungen mit der Protestant Episcopal Church zwar freundlich, aber abwartend[104].

Er stimmte «informal meetings for fraternal discussion of the situation as to church unity» zu, schickte aber die erfolglose Korrespondenz zwischen der Protestant Episcopal Church und der Presbyterian Church auf Grund des Quadrilaterals in den Jahren 1887 bis 1896[105]. Immerhin war er interessiert an dem Vorhaben der Weltkonferenz und riet, die Sache unbedingt dem Exekutivausschuß der amerikanischen Sektion der World Alliance of the Reformed Churches holding the Presbyterian System vorzutragen, das am 7. Februar in Philadelphia tage[106]. Vor diesem Ausschuß sprachen dann Rev. Manning und Mr. Pepper als Mitglieder der Kommission, allerdings nicht in offiziellem Auftrag. Rev. Manning führte den Zweck der geplanten Weltkonferenz aus: «What we have in mind is such a real agreement as to what are the absolute essentials as to make possible the greatest possible diversities without those diversities being considered a reason for separation.» Mr. Pepper unterstrich bei seinen Ausführungen: «A world conference could not be called by the Protestant Episcopal Church. We haven't the standing or the qualifications to take such a position, but we can ask the churches to consider with us the advisability of calling such a conference.»[107] Diese Ansprachen wurden so begeistert aufgenommen, daß man von da an auf die Mitarbeit der Presbyterianer rechnen konnte[108]. Der Exekutivausschuß verfaßte auch eine Erklärung und sandte eine Liste, in der die Treffen der verschiedenen pres-

[104] *William Henry Roberts* wurde am 31.1.1844 in Holyhead, Wales, geboren. Er wurde Bibliothekar, studierte später am Princeton Theological Seminary Theologie und wurde nach seinem Abschluß im Jahre 1873 presbyterianischer Pfarrer. Nach verschiedenen anderen Aufgaben wirkte er ab 1884 als der Stated Clerk der General Assembly der Presbyterian Church in den USA und ab 1888 auch als der American Secretary der Alliance of the Reformed Churches throughout the World. Neben vielen Ehrenämtern übertrug man ihm die Präsidentschaft der Interchurch Conference on Federation 1905 und der konstituierenden Sitzung des Federal Council im Jahre 1908. Rev. Roberts starb am 26.6.1921. Vgl. *Who was who,* 1916 bis 1928, S. 896.

[105] GK 5, *W. H. Roberts,* an G, 14.12.1910.

[106] *Minutes Ex Comt,* 12.1.1911.

[107] WCC, *Public Ledger Philadelphia* u.a., 8.5.1911.

[108] GK 6, *N. Smyth,* von G, 13.2.1911.

byterianischen Kirchen in der ganzen Welt aufgeführt waren. Sekretär Gardiner konnte in seiner Antwort nur hoffen, daß er bald eine offizielle Mitteilung seiner Kommission schicken könne[109].

Auch zur Mutterkirche der anglikanischen Kirchengemeinschaft, der Church of England, gelangten die ersten Berichte über das geplante Vorhaben auf privatem Wege und inoffiziell. Der Bischof von Salisbury, der an der General Convention der Protestant Episcopal Church teilgenommen und die Eröffnungspredigt gehalten hatte, erwähnte die geplante Weltkonferenz in einem Bericht vor dem Upper House of the Convocation of Canterbury[110]. Vor die Öffentlichkeit brachte Bischof Brent das Vorhaben. Er machte auf der Fahrt nach den Philippinen in England Halt. In einer Predigt, die er am 11.12.1910 in der überfüllten St. Paul's Kathedrale in London hielt, sprach er von der geplanten Weltkonferenz über Fragen des Glaubens und der Kirchenverfassung. Er redete über die Verwirklichung christlicher Einheit, deren Notwendigkeit gerade die Missionare deutlich spürten. «Do not be deceived; without unity the conversion of great nations is well-nigh hopeless. The success of Mission is inextricably bound up with unity.» Doch werde die Verwirklichung christlicher Einheit verhindert durch die Trägheit, die sich mit dem Zustand zufrieden gebe, durch die Selbstsicherheit, besonders der großen Kirchen, wie der Church of England, der römisch-katholischen oder der orthodoxen Kirchen, durch die Selbstverständlichkeit, mit der man sich als die Kirche bezeichne, wo es doch höchstens möglich sei, sich als kirchliche Gemeinschaft, als ein Teilgebilde zu betrachten, und schließlich in gleicher Weise durch Streben nach uniformity, einer Einförmigkeit, oder undenominationalism, einem Interkonfessionalismus, beides Ersatzversuchen für Einheit, die ihrem Zustandekommen im Wege ständen. Wirklich organische Einheit könne man nur erreichen, wo man sich an eine volle Analyse der Verschiedenheiten mache. Von daher betonte er: «Our next formal or organised effort is to discover by personal conference just where we stand, and to clear the issues befogged by controversy.» Dazu wolle die geplante Weltkonferenz helfen, erklärte Bischof Brent. Dann berichtete er über die Einsetzung der Kommission und die Erklärungen der General Convention. Als er vom Risiko sprach, das man eingehen müsse, wo man etwas wagen wolle, führte er aus:

[109] GK 4, *W. T. Manning,* von G, 24.2.1911; 3.3.1911; 17.3.1911; GK 1, *Ch. P. Anderson,* von G, 3.3.1911.

[110] Es handelt sich dabei um das Haus der Bischöfe in der Church of England. Nach Bischof Salisbury war die Hauptschwierigkeit in der Church of England, daß die meisten Geistlichen dieser Kirche gar kein Interesse daran hatten, etwas über andere Denominationen und deren Tun zu erfahren. Vgl. GK, *Ch. H. Brent,* von G, 9.1.1911.

«‹What a risk!› I hear some one say. Yes, I reply, a glorious risk. It were better far for a Christian Communion to risk the loss of its distinctive character in a brave effort toward unity than to sit in idle contemplation of a shattered Christendom. At worst it would lose its eccentricities and prejudices; at best it would lose itself entirely in the splendour of unity according to the mind of Christ. But let there be what peril there may, peril for God's sake is the only safe condition for Church or Churchmen. It is more reasonable to be in peril than in security if the best things lie a hairs-breadth beyond the peril. Everything worth having is found only on the yonder side of a risk. We must have unity, not at all costs, but at all risks.»[111]

Diese mutigen Worte des Missionsbischofs von den Philippinen wurden zwar in der Presse wenig beachtet[112], doch verursachten sie bei einer Reihe von Anglikanern Erregung. Sie verstanden Brent's Aufruf zum Risiko so, daß er damit angedeutet habe, die Kirche müsse bereit sein, «to surrender our character as holding the stewardship what our Protestant brethren have abandoned»[113]. Solche Befürchtungen waren unbegründet, aber daß Bischof Brent die Notwendigkeit wirklicher Offenheit der Kommission zur Vorbereitung einer Weltkonferenz bei seinem Vorschlag gegenwärtig war und daß er das Risiko, welches seine Kirche mit der Annahme dieser Aufgabe auf sich lud, vor Augen hatte, das ging aus diesen und anderen Äußerungen an Mr. Gardiner hervor:

«I doubt if anyone could have felt more keenly than I who initiated the idea the responsibility I was taking in proposing it to the Church. You and a few others know that I did not press the matter myself but rather left it to the Convention at large to formulate the movement if they were so minded. All this was due to my consciousness that we were embarking on a perilous sea and at the time when I opened up the idea to the mass meeting I used every effort with deliberately weighed words, words not spoken in the heat of excitement, to convince my hearers that the risks involved were extreme. If, for instance, one or the other wing of the Church should get control and move along partisan lines, we might either have a schism or else loose the distinctive character of the Church ... In this movement toward unity, however, the Church is acting corporately and is risking her all. Unless we move with precision, with that faith which conquers all things, we cannot hope to win and instead of making a net gain we shall lose, and as I fear lose what we cannot afford to lose.»[114]

Außer in der Predigt vor der Öffentlichkeit sprach Bischof Brent während seines Englandaufenthaltes auch ausführlich mit dem Erzbischof von Canterbury über die geplante Weltkonferenz. Doch war Brent mit der Unterredung unzufrieden und hatte den Eindruck, er

[111] *Internationale Kirchliche Zeitschrift,* 1, 1911, S. 293 ff.

[112] WCC, *Herald Boston* (Massachusetts), 30.12.1910.

[113] GK, *Ch. H. Brent,* von G, 9.1.1911.

[114] GK, *Ch. H. Brent,* an G, 22.3.1911; vgl. auch GK, *Ch. H. Brent,* von G, 4.5.1911.

habe Bedenken und Mißverständnisse gegenüber dem Vorhaben beim Erzbischof nicht ausräumen können[115]. Anfang des Jahres 1911 hatte auch Bischof Kinsman, der England besuchte, eine Unterredung mit dem Erzbischof. Aber solche privaten Begegnungen konnten für die englische Mutterkirche kein Anlaß für eine ernsthafte Beschäftigung mit dem geplanten Vorhaben sein. Der erforderliche offizielle Kontakt jedoch konnte gemäß dem Beschluß der Kommission noch nicht aufgenommen werden[116].

Das Bewußtsein, die Kirche der Katholizität zu sein, und die Überzeugung zwischen den römischen Katholiken, den Orthodoxen und den Altkatholiken, die den entscheidenden Dingen des Glaubens und der Kirchenverfassung andere hinzugefügt hätten, und den Protestanten, die diese verringert hätten, den Mittelweg, die via media zu gehen, ließ schon in den ersten Monaten darauf achten, sich nicht nach einer Seite hin stärker zu betätigen. Zuerst hatte der Sekretär durch die engen Kontakte zu den Kongregationalisten etwas Furcht, das ganze Vorhaben könne einen zu protestantischen Eindruck erwecken und die römisch-katholische Kirche könne dann deswegen leicht eine Teilnahme an der Bemühung um die Weltkonferenz ablehnen[117]. Als in der Presse eine Notiz erschien, es handele sich bei der Weltkonferenz für Fragen des Glaubens und der Kirchenverfassung um eine protestantische Unternehmung, war ihm sehr daran gelegen, diese Falschmeldung zu verbessern[118]. Auch die Hilfe und Teilnahme der römisch-katholischen Kirche sollte von Anfang an gesucht werden, denn man erstrebte eine Weltkonferenz aller christlichen Kirchen. Zwar war die Skepsis Rom gegenüber unter den Protestanten groß. Rev. W. H. Roberts konnte sich angesichts der Feindseligkeit gegenüber dem Modernismus, der Forderung nach voller Unterwerfung und dem Mißtrauen gegenüber allem, was außerhalb dieser Kirche geschah, eine Mitarbeit Roms kaum vorstellen. Rev. N. Smyth dachte ähnlich, stimmte aber zu, daß man die Hoffnung «to bring her in» aufrechterhalten müsse, «until we have tried it out very thoroughly». Er stimmte auch bei, daß die Protestant Episcopal Church hier besonders ein «organ of mediation» sein könne, warnte jedoch gleichzeitig davor, daß sie «by holding a central position» sich gegenüber den protestantischen Kirchen isolieren könne. Umgekehrt meinte Sekretär Gardiner, würde durch eine Mitarbeit der römisch-

[115] GK, *Ch. H. Brent,* an G, 7.1.1911.

[116] GK 4, *W. T. Manning,* von und an G, 4.3.1911; 16.3.1911; 17.3.1911.

[117] GK 2, *R. Calkins,* von G, 3.11.1910; vgl. auch GK 3, *F. J. Hall,* an G, 7.11.1910.

[118] Vgl. die Notiz z. B. in WCC, *Kansas City Journal,* 23.10.1910; GK 4, *W. T. Manning,* an G, 4.11.1910.

katholischen Kirche die Skepsis der protestantischen Kirchen abgebaut werden[119].

Die ersten Beziehungen zur römisch-katholischen Kirche wurden durch private Gespräche von Mitgliedern der Kommission mit römisch-katholischen Freunden oder Bekannten geknüpft[120]. Bischof Brent schlug vor, auf solche Weise sollte Bischof Anderson auch mit dem Primas der römischen Katholiken in den Vereinigten Staaten, Kardinal Gibbons, Verbindung aufnehmen. Doch Bischof Anderson wollte es nicht mit der Begründung, in solchem Falle könne er das nicht privat tun, sondern brauche ein Mandat der ganzen Kommission[121].

Große Publizität durch die Presse erlangte eine Predigt von Kardinal Gibbons, die er am 4. Dezember 1910 in der Kathedrale von New York über christliche Einheit hielt. Darin sagte er:

«The Episcopal Church, in its recent triennial convention, is reported to have advocated in strong and earnest language the reunion of the various Christian churches. I am grateful to the members of the convention for the praiseworthy sentiments which they express and which reflect honor on their heads and hearts. And I pray with them that the day may be hastened when the words of our common Redeemer, Jesus Christ, may be fulfilled, when there ‹will be one fold and one Shepherd›.»[122]

Zwar betonte Kardinal Gibbons im weiteren Verlauf der Predigt, daß «essential unity of faith and government» nur in der römisch-katholischen Kirche zu finden sei und stellte diese Kirche dar als die, in der die Einheit Wirklichkeit sei, doch erschien es Sekretär Gardiner schon bedeutsam, daß der Kardinal überhaupt das Thema christlicher Einheit aufgenommen und die Bemühung der Protestant Episcopal Church angesprochen hatte. «I think this shows that the Cardinal is aware of the importance of unity and perhaps we can make him see that Rome can promote it better than by adhering to its pre-

[119] GK 5, *W. H. Roberts,* an G, 19.1.1911; GK 6, *N. Smyth,* von und an G, 11.2.1911; 13.2.1911; GK 6, *F. L. Stetson,* von G, 10.1.1911; GK 4, *B. Vincent,* von G, 28.3.1911.

[120] GK 3, *F. J. Hall,* an G, 7.11.1910; GK 4, *W. T. Manning,* von G, 27.3.1911; *F. L. Stetson,* an G, 11.11.1910.

[121] GK 1, *Ch. P. Anderson,* von und an G, 7.11.1910; 11.11.1910; GK 3, *F. J. Hall,* von G, 9.11.1910. Kardinal James *Gibbons* wurde im Jahre 1834 in Baltimore geboren. Nach Studien im St. Charles College (Maryland) und im St. Mary's Seminary in Baltimore wurde er im Jahre 1861 zum Priester geweiht. Seit 1868 war er apostolischer Vikar in North Carolina, seit 1872 Bischof von Richmond, seit 1877 Erzbischof von Baltimore. Im Jahre 1886 wurde er zum Kardinal ernannt. Er starb im Jahre 1921. Durch Jahrzehnte galt Kardinal Gibbons als der Führer des amerikanischen Katholizismus. Vgl. *Who was who,* 1916—1928, S. 402.

[122] WCC, *Catholic Sun Syracuse,* New York, 16.12.1910 u.a.

vious position that the only road to unity is unconditional surrender to Rome.»[123]

Eine erste Begegnung zwischen Mitgliedern der Kommission und Kardinal Gibbons kam Anfang April 1911 zustande. Bischof F. Kinsman und Rev. W. T. Manning informierten den Kardinal über die geplante Weltkonferenz. Dieser zeigte sich zwar interessiert und bat, über die weiteren Pläne und den Fortschritt unterrichtet zu werden, erklärte sich auch bereit, «to guard us from taking any step which might complicate the situation as to the Roman Church», verhielt sich aber im ganzen unverbindlich. Durch seine Vermittlung konnte Rev. Manning bald darauf auch den Erzbischof der römisch-katholischen Diözese New York, Kardinal Farley, besuchen[124].

Wie mit der römisch-katholischen, so hoffte man mit der orthodoxen Kirche wegen der Weltkonferenz erste persönliche Beziehungen aufnehmen zu können. Sekretär Gardiner selber fing an, modernes Griechisch zu lernen und die griechische Zeitschrift Eirene zu lesen, die von den Bemühungen der Anglican and Eastern Churches Union laufend berichtete, um für Kontakte besser gerüstet zu sein[125]. Man wußte, daß die orthodoxen Kirchen theologisch und lebensmäßig sehr rückständig und unbeweglich waren, meinte aber trotzdem: «Agreement upon essentials may come while differences of civilization and much narrowness in view continues. We need carefully to remind ourselves that ultra-conservatism is not a mortal sin, but may be a divinely provided brake to prevent precipitate action on unsound though plausible lines.»[126] Rev. B. T. Rogers konnte als erster dem russisch-orthodoxen Erzbischof Platon in einem persönlichen Gespräch über die Aktion der General Convention berichten. Dabei zeigte sich der Erzbischof interessiert und hilfsbereit[127].

Im Umgang mit den anderen Kirchen, so resümierte der Sekretär nach den ersten Monaten, müßten vor allem drei Dinge beachtet werden: 1. daß keine Kirche irgendwie unterdrückt werde, sondern jeder die Betonung der für sie wichtigen Dinge möglich sei; 2. daß das Motto auf der Linie der Lambeth-Konferenz liege «not compromise

[123] GK 3, *F. J. Hall,* von G, 21.12.1910.

[124] GK 3, *F. J. Hall,* von G, 6.4.1911; GK 4, *W. T. Manning,* an G, 8.4.1911; GK 2, *J. Gibbons,* an G, o. D. 1911; John *Farley* wurde im Jahre 1842 in Irland geboren. Nach Studien in Irland, den Vereinigten Staaten und in Rom wurde er im Jahre 1870 dort zum Priester geweiht und kehrte anschließend nach den Vereinigten Staaten zurück. Er übte verschiedenste Ämter aus, bevor er im Jahre 1902 als vierter Erzbischof von New York eingesetzt wurde. Im Jahre 1911 wurde er zum Kardinal ernannt. Er starb im Jahre 1918. Vgl. *Who was who,* 1916–1928, S. 343 f.

[125] GK 3, *F. J. Hall,* von G, 19.1.1911; 20.7.1911.

[126] GK 3, *F. J. Hall,* an G, 10.4.1911.

[127] GK 6, *B. T. Rogers,* an G, 21.4.1911.

but comprehension, not uniformity but unity»; 3. daß bei den verschiedenen Denominationen ein rechtes gegenseitiges Verständnis geschaffen werde[128]. Dazu waren Austausch und Gespräch nötig. Mr. Gardiner forderte die Mitglieder seiner Kommission immer wieder dazu auf, man solle eine Zusammenkunft mit Kongregationalisten, Presbyterianern und römischen Katholiken durchführen[129]. Doch es war Rev. P. Ainslie, den er als einen jungen Mann schilderte «not well instructed. His prescription for unity is that everyone should become a member of the Disciples. Creed seems to be immaterial for them». Er war es, der das erste Gespräch zustandebrachte. An der Monatswende Februar/März 1911 hatte er Gespräche zwischen der Church Unity Foundation und den Disciples, und zwischen den Kongregationalisten und den Disciples in New York organisiert[130]. Das war der Anlaß, daß am 2. März im Hause von Rev. W. T. Manning eine Zusammenkunft von Episkopalisten, Kongregationalisten, Presbyterianern und Disciples stattfand. Unter den Teilnehmern befanden sich Rev. W. H. Roberts, Rev. N. Smyth, Bischof Greer, Mr. Stetson, Mr. Zabriskie, Rev. W. T. Manning und Rev. P. Ainslie. Bei dieser Zusammenkunft von Vertretern verschiedener Denominationen wurde erstmals in einem solchen Kreis über die geplante Weltkonferenz gesprochen. Man fand allgemein, daß es zunächst auf ein rechtes gegenseitiges Verstehen ankomme und daher «informal conferences» verstärkt gepflegt werden sollten, und sprach das auch gemeinsam in einer Erklärung aus:

«We would place ourselves by the side of our fellow Christians, looking not only on our own things, but also on the things of others, convinced that our one hope of mutual understanding is in taking personal counsel together in the spirit of love and forbearance. It is our conviction that each conference for the purpose of study and discussion, without power to legislate or to adopt resolutions, is the next step toward unity.»[131]

Die Teilnehmer, die nicht der Protestant Episcopal Church angehörten, forderten außerdem deren Kommission zur Vorbereitung der Weltkonferenz auf, «that the Commission of the Protestant Episcopal Church should communicate officially to the churches the action of the General Convention with reference to the proposal for a world conference of all Christian churches on faith and order»[132].

[128] GK 1, *P. Ainslie,* von G, 15.11.1910.

[129] GK 3, *F. J. Hall,* von G, 5.1.1911.

[130] Vgl. Conferences on Church Union, von Peter Ainslie, in *The Congregationalist and Christian World,* 25.3.1911, S. 403.

[131] WCC, *New York American,* 3.3.1911.

[132] Ebenda.

Rev. Manning schickte das Protokoll dieser Zusammenkunft und damit auch diesen Aufruf der ganzen Kommission zu[133]. Das Gespräch selber brachte Rev. P. Ainslie und die Disciples erstmals in persönlichen Kontakt mit Mitgliedern der Kommission der Protestant Episcopal Church. Rev. N. Smyth beeindruckte ihr «simple and earnestly religious spirit»[134].

5. Aufkommende theologische Probleme

Im Jahre 1910 wurde von allen Seiten betont, daß Einheit nur möglich werde, wenn man einander anders begegne. Die einzelnen Kirchen müßten den anderen ganz neu zuhören, sie zu verstehen und zu erfassen suchen in dem, was jeweils das Anliegen war, sie ernstnehmen und anerkennen. Es war ein neuer Stil, den man zu verwirklichen begann[135]. Er mußte auch zu echterem theologischem Gespräch führen.

Die Ansätze zum theologischen Gespräch kamen aus dem Fragenkreis, was christliche Einheit sei und wie sie nicht aussehen dürfe. Dabei ging es vor allem darum, ob «federation» genug sei, oder ob christliche Einheit eine organische Einheit verlange. In der Protestant Episcopal Church war man sich einig, daß organische Einheit nötig sei. Das Verhalten gegenüber dem Federal Council deutete das an. Aber gerade dieses Verhalten hatte Probleme aufgeworfen. Denn viele Denominationen fragten angesichts der Ablehnung der Protestant Episcopal Church als volles Mitglied im Federal Council mitzuarbeiten, ob damit nicht ein exklusiver Anspruch erhoben werde, der Bedingungen und Forderungen bei Gesprächen über christliche Einheit aufstelle, die ein solches gerade vereitelten. Umgekehrt gab es nicht wenige Persönlichkeiten, die der Meinung waren, in einer Föderation sei christliche Einheit genügend verwirklicht[136]. Es war also wichtig, Klarheit über die Bedeutung von Föderation zu gewinnen und

[133] GK 4, *W. T. Manning,* an G, 4.3.1911.

[134] GK 3, *F. J. Hall,* 7.3.1911.

[135] Vgl. verschiedene Berichte in kirchlichen Wochenblättern; «Men are saying more and more frequently that the things which separate their denomination from other Christian bodies are not essential things. Anathemas are no longer hurled at them for saying this.» Zitiert nach *The Churchman,* 4.2.1911, S. 153. Oder: Die neue Situation «is producing everywhere a readiness to acknowledge that the work of divided Christianity, even at its best, can only be successful if, and when, it leads to a common campaign done in behalf of a common Lord». Vgl. *The Churchman,* 21.1.1911, S. 85.

[136] Mr. Gardiner war z. B. der Meinung, daß Rev. W. H. Roberts denke, «federation is all that is necessary». Siehe GK 4, *W. T. Manning,* von G, 16.1.1911.

das Verhältnis von Föderation und Einheit aufzuzeigen. Besonders Mr. Gardiner meinte, hier sei «educational work» zu leisten[137].

Obwohl die Kommission über theologische Fragen nicht in Gespräche treten sollte, war es doch durch den aufgetragenen Kontakt zur kongregationalistischen Kirche in Ordnung, als die Zusammenkunft zwischen Rev. Smyth, Rev. Calkins, Professor Rhinelander und Mr. Gardiner am 14. November 1910 in Boston einen länger andauernden brieflichen und mündlichen Gedankenaustausch zwischen Professor F. J. Hall und Rev. Smyth über «Value and Limits of Federation» auslöste.

Dabei betonte Professor Hall, er wolle den Standpunkt der High Churchmen innerhalb der Protestant Episcopal Church wiedergeben und nicht persönliche Gedanken. Deren Position sei die katholische, weil sie an der apostolischen Sukzession und am Priesteramt festhalte, d. h. man beanspruche, das priesterliche Amt «by virtue of uninterrupted transmission through the historic episcopate from Christ himself» zu erhalten und spreche deshalb «of a ministry which has uninterrupted apostolic succession as ‹valid›, and of other ministries as ‹invalid› or ‹null and void› ». Professor Hall hob das hervor, weil «Whether the Catholic position is true or not, it cannot be changed in the near future, and therefore has to be reckoned with in all our plans for unity». Denn von diesem Standpunkt aus konnte man ein nichtsakerdotales Amt unmöglich als gleichwertig und gleichberechtigt ansehen.

Was bedeutete aber «Federation» von diesem Standpunkt aus gesehen? «Federation is some form of mutual concordat between different religious bodies, on equal terms, without corporate union — leaving each body in possession of its existing identity and organization.» Eine solche Bestimmung von Föderation setzte dann eine Anerkennung der Gleichwertigkeit der Ämter voraus, eine Nachlässigkeit gegenüber theologischen Problemen und daher wohl eine Verdrängung der vom Neuen Testament her einzig wirklichen Einheit. Darum dachte Professor Hall äußerst skeptisch über Föderation und stellte fest:

> «The only unity that has real vitality is one that is in some sense organic; because no other unity brings its participants into the relations that preserve intimate mutual understanding. External gluing together at the edges feels the strain of every movement of the bodies thus glued together. Interior union, on the other hand, is disturbed only by some radical disturbance; and it involves its participants in relation and ties that are difficult, comparatively speaking, to break up[138].»

[137] GK 3, *F. J. Hall,* von G, 22.3.1911.

[138] GK 6, *N. Smyth,* von F. J. Hall, 9.1.1911; vgl. auch GK 6, *N. Smyth,* von F. J. Hall, 18.2.1911.

Zu diesem Verständnis von Föderation, bei dem Föderation im Grunde die Bemühung um wirkliche Einheit nur verhindern und einnebeln konnte, meinte Rev. Smyth, es sei weder das katholische, sondern das der Anglo-Catholics, noch das der Protestant Episcopal Church, sondern das eines Teils davon. Offiziell und in Dokumenten der Protestant Episcopal Church finde er das sakerdotale Amtsverständnis nicht vertreten. Außerdem, so betonte er, liege die Hoffnung «for reunion with Rome and the East... not in such sacerdotal approximations», wie sie Professor Hall hervorhob, um damit die Weite und Bedeutung solchen Denkens herauszuheben, «but rather in the restoration of the more primitive Episcopate, in its universal recognition as expedient among other Christian communions, and ultimately, should the Ecumenical Council for which Erasmus hoped ever be called, in the protestant Episcopate, standing for the liberty of us all, have voice and power before the restored and reformed Episcopate of the Roman Church». Doch fordere «Federation» keine Einigung in solchen theologischen Fragen und auch keine Anerkennung der Gleichwertigkeit der Ämter, denn dabei gehe es einfach um einen Zusammenschluß für die Erledigung praktischer Aufgaben, die gemeinsam besser angegangen werden könnten[139].

Die längere Diskussion, die ganz persönlich und unverbindlich vor sich ging, brachte keine Lösungen, führte aber in eine Reihe von theologischen Fragen hinein. Denn hatte man schon verschiedene Vorstellungen von Föderation, so wurde gleichzeitig sichtbar, daß die Frage des Amtes mit ihrer verschiedenen Beantwortung darauf Einfluß hatte. Je nach dem Verständnis des Amtes wirkte sich das auf die Möglichkeit und Bereitschaft zur Zusammenarbeit aus. Das Amtsverständnis wiederum war aber bestimmt durch ein entsprechendes Kirchenverständnis. Professor Hall sprach von der Kirche als einem Organismus, der als ein Leib in lebendiger Beziehung mit Jesus Christus sei. Rev. Smyth dagegen betrachtete nach Hall's Meinung die Kirche lediglich als ein Mittel zu leitungsmäßiger Einheit und sah sie daher utilitaristisch[140].

Auch Mr. Gardiner betonte, daß die Beantwortung der Frage nach der Kirche wesentlich bei der Bemühung um christliche Einheit sei. Wie es unter den Mitgliedern der Protestant Episcopal Church weithin gesehen wurde, so sah auch er in der Kirche eine organische Ein-

[139] GK 6, *N. Smyth,* von F. J. Hall, 21.2.1911; s. auch GK 3, *F. J. Hall,* von G, 25.2.1911, wo an soziale Fragen wie Sorge für die Armen, Kampf gegen Verbrechen, Verbesserungen sanitärer Bedingungen u.a. erinnert wird. Vgl. *The Value and Limits of Federation,* A Statement. Ein sechsseitiges Manuskript unter dem *Smythmaterial.*

[140] GK 3, *F. J. Hall,* an G, 20.3.1911.

heit, die durch sakramentales und sakerdotalistisches Leben gekennzeichnet war. Die allgemeine Annahme dieser wahren katholischen Konzeption, so meinte er, würde viele andere theologische Fragen lösen[141].

Seine Ansichten vertrat Mr. Gardiner in Artikeln, die in den Wochenblättern seiner Kirche veröffentlicht wurden[142]. Der christliche Glaube sei eben nicht eine intellektuelle Sache, die Annahme eines trockenen und leblosen theologischen Systems, sondern Glaube an Christus meine «a vital union with him». Diese «vital union» entsteht durch «the Life of Christ in man and man in Christ, enduring, inspiring, transforming, making all things new, for it makes man one with God through Christ and so God's friend and partner ... ».

Die Inkarnation als Grund des Glaubens und einer lebendigen Gemeinschaft mit Christus führe in eine «corporate or social relation». «Membership in Christ is more than the relation of the individual in Christ to Him and all others who are also members of Him, and the individual is not one with Christ unless he is also one with every other member.» Die Lebensgemeinschaft mit Christus kann nicht individualistischer Art sein, sondern: «In the light of the Incarnation we see God personal and man free, sharing in the Life of Christ, both God and man, and we have no better term than organism for the Body in which that Life inheres. What is the full reality of that Body is infinitely beyond our finite comprehension.»

Auch wenn die sichtbare Form eines Organismus nicht klar zu bestimmen sei, so sei doch klar, daß jeder Organismus sichtbar sei. Nichts anderes sollte die Kirche sein als die sichtbare Form des durch den Glauben verbundenen Organismus. «Hence, the common life of the Body of Christ must, for humanity, find expression in an organization, the Church, and the one life of the one Body can only adequately be expressed in one Church truly Catholic, that is, adapted to all men, anywhere, at all times, for the essential unity of the Body is the foundation which holds together the diversities of the members.»

Diese persönlichen Ausführungen des Nichttheologen Gardiner stellten den Kirchengedanken heraus, verankerten aber diesen sofort im Glauben, der durch das Geschehen der Inkarnation Leben empfing und behielt. Noch wesentlicher als das Verständnis der Kirche als organische Gemeinschaft war die Erkenntnis dieser Tatsache aus dem durch die Inkarnation bewirkten lebendigen Glauben. Der Glaube an Jesus Christus war Grund für die Kirche.

[141] GK 3, *F. J. Hall,* von G, 13.3.1911.

[142] Dem Folgenden liegen zwei Artikel von R. H. Gardiner zugrunde. Es sind dies: The Meaning of Christianity, in *The Living Church,* 1.4.1911, S. 733; und Creed, Life, Unity, in *The Churchman,* 15.4.1911, S. 529 f.

Die Gedanken über Föderation, das Amt, die Kirche, die Inkarnation stellten erste Äußerungen dar. Sie entstammten persönlichem Nachdenken und Gespräch nach der Einsetzung der Kommission zur Vorbereitung einer Weltkonferenz für Fragen des Glaubens und der Kirchenverfassung, waren erste Versuche der Bemühung um die Sache auf dem Boden der jeweiligen kirchlichen Tradition. Aber sie zeigen schon an, wo die theologischen Fragen und Schwierigkeiten lagen.

6. Die Sitzung der Kommission am 20. April 1911

Mit der Sitzung der Kommission am 20.4.1911 kam die Zeit der privaten und inoffiziellen Aktivität und der Vorbereitung eines Arbeitsentwurfs zum Abschluß. Für den Planungsausschuß berichtete Rev. Manning dessen Überlegungen und Gedanken, die ausführlich besprochen wurden. Der Bericht – im wesentlichen von Rev. Manning selbst verfaßt – wurde dann einigen Mitgliedern der Kommission[143] zur Einarbeitung der Verbesserungen übergeben, bevor er als dritte Veröffentlichung der Kommission erschien[144].

Es wurde in ihm das Fernziel der Weltkonferenz für Fragen des Glaubens und der Kirchenverfassung formuliert, der nächste Schritt auf dieses Ziel hin davon unterschieden und Vorschläge zum praktischen Vorgehen gemacht. Der ganze Bericht sollte aufgenommen werden «as embodying a preliminary outline and plan of the work of the Commission»[145]. Das grundsätzliche Ziel des Vorhabens einer Weltkonferenz wurde unter Aufnahme der Einsetzungsworte der Kommission von neuem betont: «to prepare the way for the outward and visible reunion of all who confess our Lord Jesus Christ as God and Saviour, and for the fulfillment of our Lord's prayer, ‹That they all may be one›». Dagegen war das konkrete Ziel und damit die Aufgabe der eingesetzten Kommission die Vorbereitung der Konferenz, wofür außer der Einberufungsformel an alle «who confess our Lord Jesus Christ as God and Saviour» folgende Richtlinien nach den Diskussionen der vorangegangenen Monate und entsprechend den Grundsätzen bei der Einsetzung der Kommission aufgestellt wurden: 1. Repräsentanten der ganzen weltweiten Christenheit sollten an der Konferenz teilnehmen. 2. Keine teilnehmende Kirche sollte auf irgendeine Weise oder in irgendeinem Punkt durch die Konferenz zu etwas verpflichtet werden können. 3. Die Konferenz sollte ausschließlich dem offenen Gespräch und Studium aller Fragen des Glaubens und der

[143] Es waren dies Rev. Manning, Mr. Stetson, Mr. Zabriskie und Mr. Gardiner.

[144] Vgl. *Report,* Heft 3, 1911, S. 8 ff.

[145] Ebenda, S. 8.

Kirchenverfassung, der Unterschiede und der Gemeinsamkeiten, dienen. Als Ergebnis der Konferenz erhoffte man «a better understanding of divergent views of Faith and Order», und daß das «will result in a deepened desire for reunion and inofficial action on the part of the separated Communions themselves».

Die Kommission der Protestant Episcopal Church hatte nur den Anfang der Vorbereitungsarbeit zu betreiben. Wenn eine genügende Anzahl von ähnlichen Kommissionen in anderen katholischen und evangelischen Denominationen eingesetzt seien, so wurde festgestellt, sollte die weitere Vorbereitungsarbeit möglichst bald gemeinsam geschehen. Die Kommission der Protestant Episcopal Church sollte sich jetzt nur organisatorisch betätigen: sie sollte sich um die Einsetzung solcher unabhängiger und mitarbeitender Kommissionen bemühen, dann gemeinsame Treffen, wo es hilfreich erscheine, veranstalten und schließlich die endgültigen Vorbereitungen der Konferenz einem aus den verschiedenen Kommissionen zusammengesetzten Gremium übergeben.

Für die Durchführung dieser Aufgaben wurden praktische Beschlüsse gefaßt. Dem Planungsausschuß wurden – obwohl er noch bis zum Jahre 1913 den Namen Committee on Plan and Scope beibehielt – die Rechte eines Exekutivausschusses übertragen «with authority to determine all questions, and to authorize all procedures, which ought to be determined and authorized between of the Commission, the said Committee to report their actions at the subsequent meetings of the Commission»[146].

Bei der Kontaktaufnahme – die schon zu den Kongregationalisten, den Presbyterianern, den Disciples und Baptisten geknüpften Kontakte wurden berichtet – sollte entsprechend den Vorstellungen des Planungsausschusses vorgegangen werden[147]. Für wesentlich hielt man, möglichst bald mit den anglikanischen Schwesterkirchen Kontakte aufzunehmen. Der Präsident und Sekretär sollten in Briefen die Erzbischöfe, die Metropoliten und die Bischöfe der weltweiten anglikanischen Kirchengemeinschaft informieren. Außerdem sollte der Planungsausschuß einen oder zwei Bischöfe benennen, die das Vorhaben persönlich dem Erzbischof von Canterbury und anderen Persönlichkeiten der Church of England vortragen sollten. Außerdem wurden zur Kontaktaufnahme verschiedene Spezialausschüsse eingesetzt[148].

[146] Vgl. dazu GK 4, *W. T. Manning,* von und an G, 24.2.1911; 22.3.1911, wo beide für die Übertragung der Vollmachten eines Exekutivausschusses auf den Planungsausschuß eintreten.

[147] S. o. S. 53 ff.

[148] Folgende Ausschüsse wurden eingesetzt: Committee to communicate with the Roman Catholic Church; Committee to communicate with the Holy Orthodox Eas-

Schließlich sollten an protestantische Kirchen brieflich vom Präsidenten und Sekretär Informationen geschickt werden, wobei der Beschluß schon kurze Zeit später zu Auseinandersetzungen führte, indem es hieß, daß Bischof Anderson und Mr. Gardiner «send official letters to those Communions whose governing bodies meet before the next meeting of this Commission, suggesting to them the appointment of Commissions to act with us»[149].

Auch in der Frage der Publizität wurden Beschlüsse gefaßt. Dem Präsidenten und dem Vorsitzenden des Planungsausschusses wurde erlaubt, der Presse Informationen über die Arbeit der Kommission nach eigenem Ermessen zu geben. Der Vorschlag von Professor Hall, offizielle und inoffizielle Veröffentlichungen herauszugeben[150], wurde angenommen. Offizielle Veröffentlichungen durften danach auf keine Frage, die vor die Weltkonferenz kommen sollte, schon im voraus eine Antwort geben. Inoffizielle Veröffentlichungen sollten den Vermerk enthalten: «This document is deemed worthy of publication by the Commission of the Protestant Episcopal Church on a World Conference on Faith and Order, which, however, does not hold itself responsible for any statement or opinion therein expressed[151].» Alle Veröffentlichungen durften nur mit Genehmigung der Kommission oder des Committee on Plan and Scope erscheinen. Ein besonderer Literaturausschuß wurde geschaffen[152], dem die Veröffentlichungen vorgelegt und von dem sie mehrheitlich gebilligt werden mußten, bevor sie vor die Kommission oder das Committee on Plan and Scope kommen konnten. Die technische Verantwortung für die Herausgabe aller Publikationen wurde Sekretär Gardiner übertragen.

Neben diesen Beschlüssen, die für die Arbeit nach außen von Bedeutung waren, besprach man auch innere Angelegenheiten. Man beschäftigte sich mit dem Verhältnis zur Christian Unity Foundation und setzte einen ständigen Verbindungsausschuß ein[153]. In seiner Abwesenheit wurde Bischof Kinsman zum Executive Secretary gewählt. Die Mitglieder Mr. Pepper, Rev. Manning und Professor Rhinelander sollten ihn zur Annahme bewegen. Im Falle der Ablehnung sollte der Planungsausschuß einen anderen ständigen Sekretär ernennen. Schließlich wählte die Kommission vier weitere Mitglieder hinzu:

tern Churches; Committee to communicate with the Old Catholic Churches; Committee to study the best means of communication with Established National Churches; Committee to report how best to approach Christian Communions for which no special provision has been made. Vgl. *Minutes Com,* 20.4.1911, Anhang.

[149] Vgl. *Report,* Heft 3, 1911, S. 11.

[150] GK 3, *F. J. Hall,* an G, 13.3.1911.

[151] Vgl. Report, *Heft 3,* 1911, S. 9, 6b.

[152] Ebenda, S. 9, 6d.

[153] *Minutes Com,* 20.4.1911.

Bischof Ch. B. Brewster, Bischof A. C. A. Hall, Rev. H. S. Nash und Rev. A. G. Mortimer[154].

[154] Chauncey Bunce *Brewster* wurde am 5.9.1848 in Windham im Staate Connecticut geboren. Nach seinen Studien wurde er im Jahre 1873 zum Pfarrer der Protestant Episcopal Church geweiht. Er wirkte als Pfarrer und wurde im Jahre 1897 zum Hilfsbischof von Connecticut ernannt. Von 1899 an bis 1928 war er Bischof von Connecticut. Brewster starb am 9.4.1941. Vgl. *Who was who,* 1941–1950, S. 138.

Arthur Crawshay Aliston *Hall* wurde am 12.4.1847 in Binfield in England geboren. Er studierte Theologie und wurde Mitglied der Society of St. John the Evangelist (Cowley Fathers). Im Jahre 1874 wurde er zum Pfarrer in Boston, Massachusetts, berufen. Am 2.2.1894 wurde er als Bischof von Vermont eingesetzt. A. C. A. Hall galt als ausgeprägter Hochanglikaner und war schriftstellerisch sehr rege. Er starb im Jahre 1930. Vgl. *Who was who,* 1929–1940, S. 578.

Henry S. *Nash* wurde im Jahre 1854 geboren. Nach seinen Studien lehrte er seit 1884 am Episcopal Theological Seminary in Cambridge, Massachusetts, als Professor für New Testament literature and interpretation. Er starb am 6. November 1912. Vgl. *Who was who* in America, Vol. I, S. 887.

A. G. *Mortimer* wurde im Jahre 1848 geboren und nach seinen Studien zum anglikanischen Pfarrer geweiht. Seit 1891 wirkte er in Philadelphia im Staat Pennsylvania. Vgl. *Who's who in America,* Vol. 7 (1912/13), S. 1498 f.

III

Die Kommission auf dem Wege zur Zusammenarbeit mit Kommissionen anderer Kirchen – die Jahre 1911 bis 1913

Der am 20. April 1911 verabschiedete Arbeitsplan, der sogenannte Report of the Committee on Plan and Scope, bildete die Grundlage für die von da an beginnende offizielle Tätigkeit der Kommission. Die Vorlage, die sich auf organisatorische und technische Vorbereitungsarbeit beschränkte und keine theologischen Gespräche vorsah, wies den Weg und stellte die Richtlinien dafür auf.

1. Publizität

Gleich nach der Sitzung des 20. April machte sich der dazu bestimmte Ausschuß daran, den Report on Plan and Scope druckfertig zu machen. Seine recht grundsätzliche und allgemeine Anlage wurde dabei als notwendig und gut empfunden[1]. Nur sollte er für die Veröffentlichung gestrafft und zusammengefaßt werden, während den Mitgliedern der Kommission der unveränderte Bericht für den privaten Gebrauch zugesandt werden sollte. Rev. Manning übernahm diese Aufgabe der Straffung, wobei er die Anmerkungen der anderen Bearbeiter berücksichtigte. Gewünscht wurde, daß der Absatz im Bericht über das Gespräch mit Kardinal Gibbons nur nach seiner Billigung stehen bleiben sollte[2]. Auf einen entsprechenden Brief hin erklärte der Kardinal unter anderem: «... the statement which you enclosed and which is to be included in your report of your interview with me, is in every way satisfactory to me and meets with my approval»[3]. Außerdem war man sich eine Zeit lang unklar, ob die Beschlüsse 13 und 15 gedruckt werden sollten[4]. Doch setzte sich das Argument von

[1] GK 1, *Ch. B. Brewster,* von G, 28.4.1911; GK 3, *F. J. Hall,* von G, 22.3.1911.

[2] Vgl. *Report,* Heft 3, S. 6; beim Bericht über das im ersten halben Jahr privat Unternommene heißt es: «9. Interview by appointment between two members of the Commission and Cardinal Gibbons at Baltimore, in which the Cardinal expressed friendly interest in the subject, a desire to be kept informed of the progress of the movement, and a conviction both that clear statement of positions would show them to be nearer together than had been supposed, and that only good could come of the effort to promote the spirit in which such a Conference should be undertaken. The interview closed with prayer offered by His Eminence.»

[3] GK 2, *J. Gibbons,* o.D., Statement of the Commission; vgl. GK 4, *W. T. Manning,* an G, 2.6.1911.

[4] Vgl. *Report,* Heft 3, S. 10 f.: der Wortlaut der Beschlüsse sagt: «13. Resolved, That a special Committee be appointed to study and report on the best means of communicating with Established National Churches other than the Church of England.» «15. Resolved, That a committee be appointed to report how best to ap-

Mr. Gardiner durch, daß der Ausschuß den Bericht nur straffen, nicht aber verändern dürfe und deshalb beide Beschlüsse zu drucken seien[5]. Mitte August lagen schließlich 50 000 Exemplare des gedruckten Berichts vor[6].

Damit der Bericht eine möglichst große Publizität und weite Verbreitung gewinne, hatte Mr. Gardiner einen publicity plan aufgestellt, der vom Ausschuß verbessert und gebilligt wurde. Danach wurde der Bericht zunächst allen religiösen Blättern und auch sonstigen Zeitungen, wenn sie schon Interesse an der Weltkonferenz bekundet hatten, zugesandt. Dann sollte die eigene Kirche möglichst gut informiert werden, weshalb der Bericht an Bischöfe, Pfarrer und einflußreiche Laien der Protestant Episcopal Church gesandt wurde. Auch allen Bischöfen der übrigen anglikanischen Kirchengemeinschaft schickte man ihn zu. Schließlich wurde der Bericht an die Pfarrer aller Kirchengemeinschaften innerhalb der Vereinigten Staaten, deren Adressen zu ermitteln waren, und die «within the scope of the Conference» gehörten, gesandt. Die Hoffnung war, daß auf diese Weise die Bewegung für eine Weltkonferenz in der breiten Öffentlichkeit bekannt werde[7].

Diese Hoffnung trog nicht. Mr. Gardiner hatte den Eindruck, daß durch die Veröffentlichung des Berichts und seine Verbreitung nach dem publicity plan das Interesse an der Weltkonferenz erneuert und verstärkt wurde[8]. Als der gedruckte Bericht im August vorlag, begann sofort eine emsige Tätigkeit im Sekretariat. Teilweise halfen sechs Personen bei der Verpackung und Verschickung des Report of the Committee on Plan and Scope, dem immer ein Begleitbrief beigelegt war. Bald schon begannen das Sekretariat freundliche Antwortschreiben zu erreichen[9]. Täglich wurden zwischen 1000 und 2000 Exemplare versandt, als Antworten trafen um die 100 Briefe ein[10]. Zwar

proach Christian Communions for which no special provision has been made in this report.»

[5] GK 4, *W. T. Manning,* von und an G, 11.7.1911; 17.7.1911; o.D., Antwort auf 17.7.1911.

[6] GK 4, *W. T. Manning,* von G, 22.8.1911; vgl. zu den obigen Ausführungen auch GK 1, *Ch. P. Anderson,* von G, 10.5.1911; 9.6.1911; GK 3, *F. J. Hall,* von und an G, 23.6.1911; 5.7.1911; 17.7.1911; 20.7.1911; 27.7.1911; o.D. (August 1911!?); GK 4, *W. T. Manning,* von und an G, 1.5.1911; 5.5.1911; 31.5.1911; 2.6.1911; 9.6.1911; 16.6.1911; 20.6.1911; 28.6.1911; 5.7.1911; 11.7.1911; 17.7.1911; 28.7.1911.

[7] GK 4, *W. T. Manning,* von und an G, 16.6.1911; 19.6.1911; 11.7.1911; 17.7.1911; 22.8.1911; GK 6, *F. L. Stetson,* von G, 28.4.1911; GK 7, *G. Zabriskie,* von G, 21.6.1911; 10.6.1911.

[8] GK, *Ch. H. Brent,* von G, 19.10.1911; GK 7, *G. Zabriskie,* von G, 24.9.1911.

[9] GK 4, *W. T. Manning,* von G, 22.8.1911; 28.8.1911.

[10] GK 6, *R. E. Speer,* von G, 10.11.1911; GK 2, *J. Gibbons,* von G, 28.9.1911; GK, *Ch. H. Brent,* von G, 19.10.1911.

lebten die Adressaten des Berichts zumeist in den Vereinigten Staaten, doch wurden Exemplare praktisch in jeden Teil der Welt gesandt. Zudem begann Mr. Gardiner sofort, verschiedene Übersetzungen anfertigen zu lassen[11]. Als Mitte November eine Auflage von über 100 000 Exemplaren verschickt worden war, empfahl Mr. Gardiner einen Neudruck, weil die Nachfrage immer noch anhielt und anstieg[12]. Bei einem genauen Überblick vor dem Planungsausschuß darüber, an wen der Bericht verschickt worden war, konnte Mr. Gardiner auch feststellen, daß «certainly not ten which of a hostile character» unter den vielen Antwortschreiben seien[13]. Nur in der religiösen Presse wurde der Bericht verhältnismäßig wenig zur Kenntnis genommen[14]. Doch das allgemeine Echo auf diese nach den Einsetzungsbeschlüssen erste Veröffentlichung der Kommission spornte an. Allerdings war sich die Kommission in der Frage der Publizität nicht einig. Einerseits wurde die Ansicht vertreten, daß Publizität durch Veröffentlichungen der Kommission und Nachrichten in der Presse die wichtigste Aufgabe sei, damit das Interesse für eine Weltkonferenz über Fragen des Glaubens und der Kirchenverfassung geweckt und verstärkt werde[15]. Andrerseits wollten verschiedene Kommissionsmitglieder aus der Furcht heraus, die Kommission könne in den Verdacht einseitiger protestantischer Ausrichtung – besonders wegen der von Anfang an freundlichen Kontakte zu den Kongregationalisten und anderen protestantischen Kirchen – geraten, keine intensivere Zusammenarbeit mit anderen Kommissionen vor einer Mitarbeit der Church of England und zumindest freundlichen Beziehungen zu den katholischen Kirchen[16]. Diese Auffassung brachte Schwierigkeiten bei der Frage der Publizität. Denn wenn durch Publizität das Interesse gesteigert werden sollte, mußte man auch die Zusammenarbeit mit Interessierten wollen. Umgekehrt: wenn man auf Zusammenarbeit noch keinen Wert legte, war stärkere Publizität sinnlos, denn das Interesse mußte erlahmen.

Die Spannung zwischen dem Wunsch nach Publizität und der Furcht vor daraus möglicherweise entstehender zu einseitiger Aktivität unter den Kirchen hatte nun innerhalb der Kommission ausgehalten zu werden. Am 20. April hatte man einen Literaturausschuß ein-

[11] GK 1, *Ch. P. Anderson,* an G, 13.9.1911; GK 4, *W. T. Manning,* von und an G, 23.8.1911; 28.8.1911; die Übersetzungen werden als Hefte 4–11 und Heft 22 der Veröffentlichungen der Kommission gezählt.

[12] GK 3, *F. J. Hall,* von G, 15.11.1911.

[13] *Minutes Ex Comt,* 25.10.1911.

[14] GK 6, *R. E. Speer,* von G, 10.11.1911.

[15] GK 4, *W. T. Manning,* von G, 9.11.1911.

[16] GK 4, *W. T. Manning,* von und an G, 19.9.1911; 23.9.1911; 26.9.1911; GK 7, *G. Zabriskie,* von und an G, 24.9.1911; 26.9.1911; *Minutes Com,* 14.12.1911.

gesetzt, das sogenannte Committee on Literature[17]. Dieser Ausschuß sollte über eventuelle Veröffentlichungen beraten und der Kommission oder dem Planungsausschuß gegenüber seine Empfehlungen zur Beschlußfassung unterbreiten[18].

Zunächst unternahm dieser Ausschuß nichts, vor allem, weil der Vorsitzende Bischof A. C. A. Hall sehr kränklich war, der Präsident der Kommission jedoch seinem Kollegen den Vorsitz lassen wollte[19]. Es kam hinzu, daß der Ausschuß klären mußte, welche Art von Veröffentlichungen er für eine Herausgabe befürworten wollte. Es mußten zuerst Leitlinien oder eine Art Programm entworfen werden. In Gesprächen wurde man sich einig, daß der Ausschuß vergrößert werden müsse, um möglichst viele kirchliche Richtungen der Protestant Episcopal Church – Bischof A. C. A. Hall und Rev. A. Mann gehörten beide der hochanglikanischen an[20] – an ihm zu beteiligen. Dann allerdings, so meinte man, sollte die Kommission dem Ausschuß volles Vertrauen entgegenbringen und ihn selbst auch entscheiden lassen. Ganze Vollmacht sei nötig, wenn man wirkungsvoll, d. h. ohne lange Verzögerungen, veröffentlichen wolle[21]. Zum Inhalt der Veröffentlichungen beschloß das Committee on Plan and Scope, sie sollten «be addressed to the end of fostering in the several Christian Communions a desire for a World Conference on Faith and Order»[22]. Rev. Mann wollte, daß das Committee on Literature nicht nur beurteile, sondern auch zum Schreiben über bestimmte Themen entsprechende Persönlichkeiten anrege. «... the Committee should take the initiative in the matter of getting articles written bearing on the matter Faith and Order, which the Conference some day is to consider»[23].

Einen versuchsweisen Themenplan legte Rev. Mortimer in der Sitzung der Kommission am 14. Dezember 1911 für das Committee on Literature vor. Dieser Plan war unter Berücksichtigung verschiedener Vorschläge erarbeitet worden[24] und gliederte sich in elf Punkte. Sie lauteten:

[17] Als Mitglieder gehörten ihm an: Bischof A. C. A. Hall (Vorsitzender), Rev. A. Mann, Rev. A. G. Mortimer. Vgl. *Minutes Com*, 20.4.1911, Anhang.

[18] Vgl. vor allem *Report ...*, Heft 3, S. 9, Nr. 6d und e.

[19] GK 1, *Ch. P. Anderson*, an G, 9.6.1911.

[20] GK 4, *W. T. Manning* von G, 10.10.1911; 19.10.1911; GK 7, *G. Zabriskie*, von G, 19.10.1911.

[21] GK 4, *A. Mann*, an G, 11.12.1911.

[22] *Minutes Ex Comt*, 25.10.1911.

[23] GK 4, *A. Mann*, an G, 21.11.1911; vgl. auch GK 4, *A. Mann*, von G, 20.11.1911.

[24] Rev. Smyth, Bischof Rhinelander und Mr. Gardiner hatten Vorschläge gemacht. Vgl. *Minutes Ex Comt*, 15.10.1911; vgl. auch GK 6, *N. Smyth*, an G, 10.1.1912.

«1. The nature and need of prayer for unity.

2. The attitude of mind in which we should approach the discussion.

3. Dr. Hall's «Bibliography of Unity». The Committee has approved of this, but thinks it not expedient for the first publication.

4. An anthology of eirenic utterances, by Dr. Smyth.

5. Bishop Rhinelander's «Unity or Union: Which?».

6. Various addresses on Unity, e.g., those by Bishop Anderson, Dr. Carson, Dr. Little, Dr. Bitting and Dr. Smyth.

7. The nature of Faith, i.e., the relation between faith and life.

8. Some preliminary conception of the Church as a living organism.

9. A paper on the values and dangers of Federation.

10. The proper place of historical study.

11. At some time, though possibly much later in the plan, historical studies of the causes leading to particular separations.»[25]

Nach einer Aussprache wurde dem Vorschlag von Mr. Pepper zugestimmt, dem Committee on Literature die Vollmacht zu geben, nach eigenem Urteil aus den Punkten 1 bis 6 zu veröffentlichen. Anderes sollte weiterhin der Kommission oder dem Planungsausschuß vorgelegt werden. Ebenso wurde bei dieser Sitzung dem Wunsche entsprochen, das Committee on Literature zu erweitern. Als neue Mitglieder wurden Bischof Ch. B. Brewster, Professor H. S. Nash – er galt als ein Vertreter der Broad Church School – und Professor F. J. Hall hinzugefügt. Besonders glücklich war, daß Mr. Gardiner auf Anraten von Rev. Mann mit Professor Fosbroke[26], der an der Episcopal Theological School in Cambridge, Massachusetts, nahe Boston lehrte, in Kontakt kam und dieser sich bereit erklärte, einen Teil seiner Zeit unentgeltlich dem Sekretariat zur Verfügung zu stellen[27]. Vom 1. Januar 1912 an war Professor Fosbroke dann als Sekretär des Committee on Literature tätig[28]. Nach anfänglichen Schwierigkeiten wurde er am 10. April 1912 zur Kommission und zum Planungsausschuß hinzugewählt[29]. Schon vorher hatte Mr. Gardiner ihn auf dem

[25] *Minutes Com,* 14.12.1911.

[26] Hughell Edgar Woodall *Fosbroke* wurde im Jahre 1876 geboren. Nach Studien an der Harvard University u.a. wurde er im Jahre 1900 zum Pfarrer der Protestant Episcopal Church geweiht. Im Jahre 1902 wurde er am Nashotah House, einem hochkirchlichen Seminar seiner Kirche, Professor für Altes Testament, von 1909 bis 1916 wirkte er als Professor für Geschichte und Religion Israels in Cambridge, Massachusetts, in der Nähe des Sekretärs Gardiner in Boston. Seit dem 1.2.1917 war er Dean des General Theological Seminary in New York City, dem bedeutendsten Seminar der Protestant Episcopal Church. Vgl. *Who is who in America,* Vol. 15 (1928–1929).

[27] GK 4, *A. Mann,* von und an G, 1.11.1911; 20.11.1911; 21.11.1911; GK 4, *W. T. Manning,* von und an G, 2.11.1911; 6.11.1911; 9.11.1911; 20.11.1911; GK 5, *Ph. M. Rhinelander,* von G, 2.11.1911; 6.11.1911.

[28] GK 4, *A. Mann,* von und an G, 15.12.1911; 16.12.1911; GK 5, *J. R. Mott,* von G, 18.12.1911.

[29] *Minutes Com und Minutes Ex Comt,* 10.4.1912.

Briefkopf der Kommission über sich ebenfalls als Sekretär aufgeführt[30].

Die äußeren Gegebenheiten waren also günstig, dem Ausschuß lag auch Material vor. Man konnte veröffentlichen. Tatsächlich aber zeitigte das Committee on Literature so wenig Ergebnisse, daß Mr. Gardiner über es im Oktober 1912 schreiben konnte: «... so far as I know it has done nothing yet except to change its mind every time it meets or takes action»[31]. Teilweise lag das sicher an dem Vorsitz des kränkelnden und alternden Bischof Hall, der erst am 5. Mai 1913 seinen Rücktritt von diesem Amt erklärte, welcher am 7. Mai vom Exekutivausschuß – dem früheren Planungsausschuß – angenommen wurde[32]. Großenteils lag es aber am Committee on Literature selber. Zwar war der Wille da, sich Zeit zu nehmen[33], aber man war zu unentschlossen. Die erste Schrift, die auf einen Beschluß des Ausschusses hin herausgegeben wurde, erschien im Mai 1912. Sie stammte von Professor Hall. Unter dem Titel «The World Conference and the Problem of Unity» wurden drei von ihm in der Living Church im September 1911 veröffentlichte Artikel ein wenig gekürzt wiedergegeben. Schon die Veröffentlichung dieser Schrift scheint große Diskussionen im Ausschuß ausgelöst zu haben. Denn es wurde teilweise empfunden, daß in ihr zu sehr der theologische Standort der Protestant Episcopal Church vertreten werde, und daß andere Kirchen leicht einen Ausschließlichkeitsanspruch ableiten könnten. Schließlich wurde entschieden, die Schrift zu drucken, sie jedoch nur für die Mitglieder der Protestant Episcopal Church zu gebrauchen, um ihnen die Sache der Einheit und der Weltkonferenz nahezubringen[34].

In seiner Sitzung am 5. März 1912 beschloß das Committee dann an die Durchführung eines schon länger vorhandenen Gedankens zu gehen. Repräsentative Vertreter verschiedener christlicher Kirchen sollten kurze Artikel über die Bedeutung der Weltkonferenz aus ihrer Sicht anfertigen und die vereinigten Voten wollte man dann in einer Art Symposium drucken und verschicken[35]. Es wurde ein Kreis von Persönlichkeiten zusammengestellt, wobei sehr auf gleiche Beteiligung von katholischer und protestantischer Seite geachtet wurde.

[30] GK 6, *F. L. Stetson,* von und an G, 4.12.1911; 5.12.1911; 7.12.1911.

[31] GK 3, *F. J. Hall,* von G, 10.10.1912.

[32] GK 3, *A. C. A. Hall,* an G, 5.5.1913; *Minutes Ex Comt,* 7.5.1913; GK 4, W. T. *Manning,* von G, 10.1.1912.

[33] GK 3, *F. J. Hall,* von G, 21.2.1912.

[34] *Minutes Com,* 10.4.1912; GK 3, *F. J. Hall,* an G, 10.4.1912; GK 1, W. H. Black, an G, 4.6.1912; GK 6, *N. Smyth,* von G, 13.5.1912; in der Reihe der Veröffentlichungen der Kommission der Protestant Episcopal Church erschien diese Schrift als Heft Nr. 12.

[35] *Minutes Com,* 10.4.1912.

Man konnte auch eine Reihe von Beiträgen in Empfang nehmen[36], doch das Urteil von Professor Fosbroke lautete: «Neither for its intrinsic worth nor for its representative character would it seem to be the kind of thing which it would be desirable for our Committee to publish[37].» Man kam von der Verwirklichung dieses Vorhabens also wieder ab und empfand den Versuch seiner Durchführung als Fehlgriff. Doch waren Monate verstrichen, ohne daß man irgendetwas anderes veröffentlichte, weil man zuvor ausgemacht hatte, vor dem Symposium solle nichts weiter gedruckt werden[38].

Ein Artikel, der schon Anfang 1912 vorlag, wurde daher erst Anfang des Jahres 1913 als nächste Veröffentlichung gedruckt. Mr. Gardiner hatte in ihm eines seiner Hauptanliegen, das Gebet im Blick auf die Einheit, behandelt, war aber nicht als Verfasser aufgeführt worden, weil, wie er schrieb, «I made the first draft, but Dr. Fosbroke went over it so minutely that he is entitled to claim whatever there is in it of value[39].» Man kann das Heft «Prayer and Unity» als eine Gemeinschaftsarbeit bezeichnen[40]. Danach folgten entsprechend dem Plan des Committee[41] schnell hintereinander mehrere Veröffentlichungen. Ebenfalls im Jahre 1913 erschien die besonders für Mitglieder der Protestant Episcopal Church gedachte Abhandlung vom Vorsitzenden des Ausschusses Bischof Hall, die den Titel «Questions of Faith and Order for Consideration by the Proposed Conference» hatte und ihre hochkirchliche Ausrichtung nicht verleugnete[42]. Zur gleichen Zeit kam die von Professor Hall schon im Jahre 1911 fertiggestellte, inzwischen nochmals überarbeitete Bibliographie heraus[43].

[36] Vgl. GK 3, *F. J. Hall,* von H. E. W. Fosbroke, 13.9.1912; Beitr. von Rev. Bitting (Baptist), von Rev. Smyth (Kongregationalist), von Rev. Ainslie (Disciples), von Father Doyle (röm. Kath.) und Kard. Gibbons (röm. Kath.) waren gekommen. Keine Antworten waren eingetroffen von Bischof Hamilton (Methodist), Rev. Carson (Presbyterianer), Erzb. Platon (russ. Orthod.) und Rev. Pister (German Evang. Lutheran).

[37] GK 3, *A. C. A. Hall,* von H. E. W. Fosbroke, 27.9.1912.

[38] GK 3, *A. C. A. Hall,* von und an H. E. W. Fosbroke, 27.9.1912; 30.9.1912; GK 3, *F. J. Hall,* an H. E. W. Fosbroke, 21.5.1912; GK 1, *Ch. B. Brewster,* an A. Mann, 6.5.1912.

[39] GK 6, *B. T. Rogers,* von G, 15.2.1913.

[40] *Minutes Com,* 10.4.1912; GK 3, *A. C. A. Hall,* von H. E. W. Fosbroke, 13.9.12; GK 6, *N. Smyth,* von G, 1.2.1913; GK 5, *G. Wh. Pepper,* von G, 3.1.1913; dort wird auch berichtet, daß das Heft gerade von der Druckerei gekommen sei. Das Heft wurde Nr. 15 der Veröffentlichungen der Kommission.

[41] Vgl. auch *Minutes Com,* 10.4.1912. Für das Committee on Literature berichtete bei dieser Sitzung Bischof Ch. B. Brewster über dessen Vorhaben.

[42] GK 5, *G. Wh. Pepper,* von G, 3.1.1913; die Abhandlung ist als Heft 16 der Veröffentlichungen erschienen.

[43] Vgl. *Minutes Com,* 10.4.1912; GK 3, *A. C. A. Hall,* von H. E. W. Fosbroke, 13.9.1912; von G, 14.12.1912; GK 3, *F. J. Hall,* von und an G, 27.11.1912, 3.12.1911; dieses Heft ist Heft 17 der Veröffentlichungen der Kommission.

Schließlich wurde noch ein Vortrag des inzwischen zum Bischof gewählten Mitgliedes der Kommission, Philipp Mercer Rhinelander, über «Union or Unity: Which?» gedruckt[44]. Nach langer Dauer wurden damit Anfang Januar 1913 gleich vier vom Committee on Literature befürwortete Hefte herausgegeben[45].

Bis zu dieser Zeit hatte das Committee on Literature den Rat oder die Mitarbeit von Persönlichkeiten anderer Kommissionen noch kaum gesucht, obwohl z. B. Rev. Smyth als ein wesentlicher Sprecher der Nichtepiskopalisten von Anfang an stark an der Arbeit des Ausschusses Interesse gezeigt hatte[46]. Er hatte auch eine Abhandlung über «The Common Idea of the Church in Protestant Creeds» verfaßt und dem Ausschuß zugeschickt[47]. Doch weil man inhaltlich an verschiedenen Punkten anderer Ansicht war und aus dem Gefühl heraus, man könne dadurch für protestantisch ausgerichtet gehalten werden, lehnte man eine Veröffentlichung ab[48]. Zudem konnte Bischof Hall mit Recht feststellen, daß man sich vorläufig auf Einheit fördernde, die Weltkonferenz empfehlende Schriften – Punkt 1 bis 6 des versuchsweisen Themenplans – zu beschränken habe, weil die Kommission eine Veröffentlichung von theologischen Schriften – wie sie Punkt 7 bis 11 des versuchsweisen Themenplans vorsehen – zurückgestellt habe[49].

Doch gefiel die Zuschauerrolle dem Protestanten Rev. N. Smyth nicht länger. Er betonte, daß die Beteiligung aller nötig sei, wenn das Unternehmen der Weltkonferenz eine gemeinsame Sache sein solle. «The impression of papers will judge the reality of invitation[50].» Nicht, daß er die vorläufig notwendige Führungsrolle der Kommission der Protestant Episcopal Church bestreiten wollte, aber er wollte, daß das Committee on Literature z. B. Repräsentanten verschiedener Kirchen zu Rate ziehe. Mitglieder der Kommission wie Mr. Zabriskie, Professor Fosbroke und Mr. Gardiner stimmten Rev. Smyth darin zu und unterstützten ihn[51]. Sie empfahlen auch, daß das

[44] GK 3, *A. C. A. Hall,* an G, 6.12.1912; 17.1.1913. Es handelt sich um Heft 18 der Veröffentlichungen der Kommission.

[45] Vgl. auch *Minutes Com,* 9.1.1913; dort wird bestätigt, daß diese Hefte gedruckt sind.

[46] GK 6, *N. Smyth,* an G, 10.1.1912.

[47] GK 3, *A. C. A. Hall,* an G, 9.11.1912; dieser Artikel erschien dann in der Zeitschrift *Constructive Quarterly,* Vol. I (1913), S. 227 ff.

[48] GK 3, *A. C. A. Hall,* an H. E. W. Fosbroke, 30.4.1912; GK 3, *F. J. Hall,* von und an H. E. W. Fosbroke, 8.5.1912; 21.5.1912.

[49] GK 3, *A. C. A. Hall,* an G, 17.1.1913; vgl. auch *Minutes Com,* 9.1.1913.

[50] GK 6, *N. Smyth,* an G, 16.2.1913.

[51] GK 3, *F. J. Hall,* von G, 26.11.1912; GK 4, *A. Mann,* von G, 26.11.1912; GK 7, *G. Zabriskie,* an und von G, 1.12.1912; 4.12.1911.

Committee on Literature bald etwas von einem Nichtepiskopalisten als Zeichen des guten Willens veröffentlichen sollte[52].

Außerdem wollte Rev. Smyth mit anderen, daß die Veröffentlichungen auch gegenseitige theologische Information brächten. Er hatte das schon in seinen Vorschlägen, die ihren Niederschlag in Punkt 7 bis 11 des versuchsweisen Themenplans des Committee on Literature gefunden hatten, angedeutet. Ihm ging es darum, daß Wissenschaftler die Ursachen historischer Spaltungen untersuchen sollten und die Ansichten solcher in der Geschichte zusammenstellen sollten, die inmitten von Streit und Kampf den Religionsfrieden zu stiften unternommen hatten. Auch sollten die Veröffentlichungen theologisches Material – z. B. die Stellung verschiedener Kirchen zu bestimmten Fragen – als Information für einzelne und als Grundlage für Gesprächsrunden zur Verfügung stellen. Diesem Wunsch stand man innerhalb der Kommission der Protestant Episcopal Church weithin skeptisch gegenüber. Professor Hall meinte, daß dadurch zu leicht Streit bzw. Einseitigkeit in protestantischer und katholischer Richtung ausgelöst werden könnte[53]. Man versuchte die Spannung zu umgehen, die darin bestand, daß man einerseits unpolemische Artikel veröffentlichen sollte, andererseits aber jede Stellungnahme einen Standpunkt voraussetzte[54], indem man auf die Veröffentlichung theologischer Artikel verzichtete. Zwar versuchte das Committee on Literature den Wünschen entgegenzukommen, indem es durch Professor Hall in einer Art Syllabus «Some Questions on Faith and Order» als Hilfe für Gesprächskreise zusammenstellen ließ. Es sollten dadurch auch andere Kommissionen angeregt werden, ähnliche Schriften vom jeweiligen eigenen Standpunkt aus zu schreiben[55]. Die Mehrheit der Kommission stimmte einer Veröffentlichung jedoch nicht zu, mit der Begründung, die jetzige Aufgabe bestehe allein in einer Aktivierung der Stimmung für Einheit. Sie beschloß vielmehr, daß Rev. Manning und Mr. Gardiner ein Memorandum darüber fertigstellen sollten, welche Art von Schriften die Kommission bei einer solchen Ausrichtung veröffentlichen könnte[56].

[52] GK 3, *A. C. A. Hall,* von G, 14.12.1912; GK 5, *G. Wh. Pepper,* von G, 3.1.1913.

[53] GK 3, *F. J. Hall,* an H. E. W. Fosbroke, 21.5.1912, meinte: «our business, is to facilitate the present work of the Commission in engaging co-operation in preparing for the Conference. Any action that might rouse prejudice against our movement is therefore to be avoided.»

[54] GK 3, *F. J. Hall,* von H. E. W. Fosbroke, 8.5.1912.

[55] *Minutes Com,* 9.1.1913.

[56] *Minutes Ex Comt,* 26.3.1913; GK 5, *G. Wh. Pepper,* von G, 31.3.1913; vgl. auch GK 4, *W. T. Manning,* von und an G, 19.4.1913; 23.4.1913; 28.4.1913; 29.4.1913; 30.4.1913.

Damit waren die Möglichkeiten des Committee on Literature stark eingeschränkt. Veröffentlicht werden konnten solche Schriften, die sich – allgemein gesagt – für christliche Einheit und eine Weltkonferenz für Fragen des Glaubens und der Kirchenverfassung aussprachen. Das Angebot unter diesem Blickwinkel an Rev. Smyth, eine «anthology of eirenic utterances» für den Druck vorzubereiten, wollte dieser darum vorläufig nicht annehmen[57]. Verschiedene andere Vorschläge für eine Veröffentlichung wurden in der Folgezeit abgelehnt. Darunter war ein Vortrag von Bischof Ch. B. Brewster mit dem Titel «The Catholic Ideal», der sich mit dem Kirchenbegriff beschäftigte und wohl für eine Veröffentlichung zu kontrovers erschien[58]. Er wurde jedenfalls nicht vom Committee on Literature zum Druck empfohlen. Lange kursierte auch ein Artikel von Professor Hall über «The Value and Limits of Federation», der aus den Gesprächen zwischen ihm und Rev. Smyth hervorgegangen war, obwohl er ein «extreme statement of the extreme sacerdotal position» darstellte. Auch er wurde nicht veröffentlicht[59]. Auch mit Reden von Bischof Anderson und Bischof Brent beschäftigte man sich[60]. Entsprechend der Ausrichtung wurde als nächste Veröffentlichung «The Conference Spirit» gedruckt, ein von Mr. Gardiner zusammengestellter Artikel, in dem es um die Weise ging, in der man der Einheit näherkomme und eine Weltkonferenz erfolgreich sein könne. Mr. Gardiner hielt es wie die anderen Mitglieder der Kommission für notwendig, daß das Committee on Literature sollte «continue to publish elementary papers seeking to promote a desire for reunion, the comprehension of what reunion really is and of the spirit in which we must approach the Conference»[61]. Die Beschränkung der Publizität auf allgemeine, die Einheit fördernde und zur Weltkonferenz aufrufende Schriften entstand aus der Furcht vor möglicher zu einseitiger Ausrichtung und Stellungnahme. Man wollte vor allem jeden Anschein vermeiden, daß man sich den protestantischen Kirchen mehr zuwende als den katholischen. Auch deshalb wurden eigentlich theologische und kontroverse Themen in den ersten Jahren kaum gedruckt. Allerdings empfand Sekretär Gardiner, daß das Committee on Literature zusammen mit den Kommissionen anderer Kirchen eine Stellungnahme über die wesentlichen Glaubensaussagen, in denen Übereinstimmung herrsche,

[57] *Minutes Com,* 9.1.1913.

[58] GK 3, *A. C. A. Hall,* an G, 17.1.1913.

[59] GK 5, *G. Wh. Pepper,* von G, 3.1.1913; vgl. auch GK 3, *F. J. Hall,* an H. E. W. Fosbroke, 2.5.1912; an A. C. A. Hall, 28.12.1912; GK 3, *F. J. Hall,* von G, 27.11.1912; *Minutes Com,* 9.1.1913.

[60] GK 3, *A. C. A. Hall,* von und an G, 17.1.1913; 20.1.1913.

[61] GK 6, *N. Smyth,* von G, 8.2.1913; vgl. auch GK 4, *A. Mann,* an G, 29.3.1913.

ausarbeiten sollte. Er hielt das Committee on Literature zu der Zeit für den wichtigsten Teil der Kommission, weil es zu theologischer Arbeit anregen könne und weil von ihm empfohlene Veröffentlichungen – die immer durch den Vorspann gekennzeichnet waren, der am 20.4.1911 für die inoffiziellen Veröffentlichungen der Kommission beschlossen worden war – entscheidender Einfluß ausgeübt werden konnte «to establish the policy of the Commission»[62].

2. Kontaktnahme

a) Erste Bemühungen

Als Ergebnis der ersten Kontaktnahmen konnten bei der Veröffentlichung des Report of the Committee on Plan and Scope schon eine Reihe von eingesetzten Kommissionen verschiedener Kirchen aufgeführt werden[63]. Auf Grund der Beschlüsse vom 20. April waren Einladungen verschickt worden. Allerdings hatte es dabei zwischen Bischof Anderson und Mr. Gardiner Schwierigkeiten gegeben.

Nach dem Beschluß der Kommission bildeten der Präsident und der Sekretär ein Komitee, das die Einladungen gemeinsam unterzeichnen und abschicken sollte. Nun wollte Bischof Anderson zunächst nur zu den Bischöfen und Synoden der verschiedenen anglikanischen Provinzen Kontakte aufnehmen, da man am Anfang vor allem die Unterstützung der eigenen, weltweiten Kirchengemeinschaft gewinnen sollte. Dafür wollte er einen Rundbrief drucken lassen. Er war aber dagegen, schon jetzt zu viele protestantische Kommissionen zur Mitarbeit einzuladen, weil «There ist not a shadow of a shadow of hope for favorable action on the part of the Catholic communion if we begin with a lot of Protestant Communions and especially the inferior ones[64].» Demgegenüber drängte der Jurist Gardiner auf eine genaue Durchführung der Beschlüsse der Kommission. Sachlich stimmte er Bischof Anderson zu, daß eine anfängliche Beschränkung der Einladungen auf die anglikanische Kirchengemeinschaft oder bestimmte Kirchen begründet gewesen wäre. Er erinnerte an die von Professor Hall und ihm am 20. April der Kommission vorgelegten Listen, die im Blick auf die Einladungen ausgewählt und unterschieden hatten[65].

[62] GK 3, *A. C. A. Hall,* von G, 10.2.1913.

[63] Vgl. *Report . . .,* Heft 3, S. 12 ff.

[64] GK 1, *Ch. P. Anderson,* an G, 26.4.1911; vgl. auch GK 4, *W. T. Manning,* von G, 1.5.1911.

[65] GK 1, *Ch. P. Anderson,* von G, 4.5.1911; 12.6.1911; GK 4, *W. T. Manning,* von G, 4.5.1911; 5.5.1911.

Doch sei anders beschlossen worden, und man müsse sich jetzt daran halten, daß Einladungen zu senden seien «to those Communions where governing bodies meet before the next meeting of this Commission, suggesting to them the appointment of Commissions to act with us»[66]. Außerdem habe ein Brief an die anglikanischen Bischöfe noch Zeit, weil die Kommission bestimmt habe, zuerst solle nur an die Erzbischöfe und Metropoliten dieser Kirchengemeinschaft geschrieben werden.

Die unterschiedliche Haltung führte bei der Kontaktnahme zu unerfreulichen Spannungen. Bischof Anderson nahm ohne Wissen von Mr. Gardiner Kontakte auf und vertrat die Auffassung, alle offizielle Korrespondenz der Kommission müsse vom Büro des Präsidenten ausgehen[67]. Mr. Gardiner bemängelte die chaotische Situation bei der Korrespondenz. Er hob hervor, daß Briefe im Auftrag der Kommission auch auf mit dem Briefkopf der Kommission versehenem Papier geschrieben werden müßten – woran sich der Präsident nicht hielt – und vor allem, daß die Korrespondenz an einem Ort zentral gesammelt werden müßte. «... I do not see any prospect of efficiency especially as the work grows, unless someone has a complete file of all the important letters written and received[68].» Weil Mr. Gardiner hier eine natürliche Aufgabe des Sekretariats sah, war er der Meinung, daß die Briefe auch vom Sekretariat ausgehen sollten. Im Briefverkehr mit dem Sekretär erweckt Bischof Anderson den Eindruck, daß er Mr. Gardiner wie einen Untergeordneten behandelte, der sich im Zweifelsfalle seinen Anordnungen zu fügen habe. Mr. Gardiner antwortete: «I know of no authority whereby one member of a Committee of two is justified in counting himself in the majority[69].»

Die ganze Art, der Stil und der Ton, verletzten Mr. Gardiner, und er schrieb Bischof Anderson schließlich auch, «a little more consideration and courtesy» sei angebracht. Der Eindruck ist, daß es dem Bischof offensichtlich unangenehm war, zusammen mit einem Laien diese Einladungsbriefe unterzeichnen zu sollen und daß für ihn der Laie in kirchlichen Fragen dem Geistlichen nicht gleichwertig war[70]. Mr. Gardiner muß es überhaupt gespürt haben, daß er als Sekretär der Kommission in seinen Äußerungen von manchen Theologen deshalb nicht ernst genommen wurde, weil er Laie war, denn er schreibt:

[66] Vgl. *Report,* Heft 3, S. 11, Nr. 14.

[67] GK 1, *Ch. P. Anderson,* an G, 5.5.1911.

[68] GK 1, *Ch. P. Anderson,* von G, 1.5.1911; vgl. auch GK 4, *W. T. Manning,* von G, 5.5.1911.

[69] GK 1, *Ch. P. Anderson,* von G, 9.5.1911.

[70] Vgl. dazu GK 4, *W. T. Manning,* an G, 15.5.1911, wo G unterstützt wird, daß die Kommission entschieden habe, der Präsident und der Sekretär sollten «equally sign letters to Archbishops and Bishops of the Anglican Communion».

«... certainly members of the Commission cannot object to receive notices from the man they have chosen as secretary, even though he be only a layman»[71].

Trotz der Spannungen zwischen dem Präsidenten und dem Sekretär[72] wurden jedoch Kontakte aufgenommen. Anfang Mai 1911 wurden Briefe an die Erzbischöfe von Canterbury und York sowie auch an die übrigen Erzbischöfe der anglikanischen Kirchengemeinschaft gesandt[73]. Auch der Brief an alle anglikanischen Bischöfe wurde von Bischof Anderson entworfen, gedruckt und dann verschickt[74]. Im Juni konnte er über die ersten Antworten auf diese Schreiben hin berichten[75]. An die protestantischen Kirchen in den Vereinigten Staaten wurden durch Mr. Gardiner – Rev. Manning dankte ihm ausdrücklich dafür[76] – entsprechend dem Beschluß der Kommission am 20. April 1911 Einladungsbriefe gesandt[77].

Einzelne Kirchen gaben daraufhin Erklärungen ab. So gab die Northern Baptist Convention eine Verlautbarung heraus, die hier festgehalten werden soll:

«Whereas, there exists, we believe, a widerspread feeling among members of all Christian bodies that the divisions of the Church of Christ, while necessary in time past to secure liberty of thought and worship, have largely fulfilled this mission, and that all Christians should now gradually advance to closer forms of co-operation in order to accomplish with economy and efficiency work too great for any single denomination; and Whereas, this growing sense of brotherhood in Christ, surely being realized by all who bear His Name, is, we trust, the manifest working of God in our own day and generation whereby He seeks to heal for His Church the estrangements of former times and restore unto her the unity of the Spirit in the bond of peace; and

Whereas, that great principle of free and personal faith with liberty and conscience in matters of belief and worship, unto which our fathers were made apostles and we their heirs in stewardship, is not in any sense the exclusive possession of Baptists but is the heritage of the whole Christian world: therefore,

Be it resolved, that with readiness to share our apprehension of the truth as it is in Jesus with all His followers, and with both willingness and humility to learn from others any aspects of the way of life which we may not have held in due proportion, we will gladly enter into a Conference of all the Churches of Christ looking toward a more perfect mutual understanding and a clearer insight into the

[71] GK 1, *Ch. P. Anderson,* von G, 10.5.1911.

[72] Vgl. allgemein zu diesen Spannungen GK 1, *Ch. P. Anderson,* von und an G, 27.4.1911; 28.4.1911 (zwei Briefe!); 9.5.1911; GK 4, *W. T. Manning,* von und an G, 1.5.1911; 5.5.1911; 9.5.1911.

[73] GK 1, *Ch. P. Anderson,* von G, 12.5.1911; 20.5.1911; GK 4, *W. T. Manning,* von G, 22.5.1911.

[74] GK 1, *Ch. P. Anderson,* von und an G, 28.4.1911; 12.5.1911; 1.6.1911; GK 4, *W. T. Manning,* von G, 22.5.1911.

[75] GK 1. *Ch. P. Anderson,* von und an G, 9.6.1911; 15.6.1911; 27.6.1911.

[76] GK 4, *W. T. Manning,* an G, 5.5.1911.

[77] Vgl. wiederum *Report,* Heft 2, S. 11.

mind of our Savior; and that we hereby appoint a committee of five as our representatives to act with similar appointees from other Christian bodies in making arrangements for such a proposed Conference.»[78]

Auch die General Assembly der Presbyterian Church in den Vereinigten Staaten verabschiedete eine Stellungnahme folgenden Inhalts:

«Resolved, (1): That the proposal submitted by the Commission of the Protestant Episcopal Church in the U.S., for a World Conference of Christian Churches on Faith and Order, is accepted in the same cordial spirit in which it is presented in the action of the General Convention.

Resolved, (2): That this General Assembly approves emphatically of the requirement that the only Churches invited to participate in the Conference shall be those believing in, obeying and worshipping Jesus Christ as God and Saviour.

Resolved, (3): That this General Assembly entrusts, for the present, the negotiations with a view to this proposed World Conference to the Committee on Church Co-operation and Union, with instructions to decline to discuss as preliminary thereto any questions as to Faith and Order, to adhere firmly to the requirement contained in Resolution No. 2, and to report to the next General Assembly.»[79]

Die im Report on the Plan and Scope aufgeführten Kommissionen wurden auf Grund der informierenden und zur Mitarbeit einladenden Briefe des Sekretärs eingesetzt und stellen erste positive Antworten darauf dar.

b) Die eingesetzten Ausschüsse

Während die schriftlichen Kontakte erste Erfolge brachten, waren die am 20. April eingesetzten Ausschüsse zur Kontaktaufnahme mit anderen Kirchen nach der Ernennung der jeweiligen Mitglieder durch den Präsidenten der Kommission[80] kaum von Bedeutung.

Die Ausschüsse «to communicate with the Roman Catholic Church» und «to report how best to approach Christian Communions for which no special provision has been made» unternahmen nichts, weil ihr Vorsitzender Bischof Kinsman krank war[81]. Das Committee on Roman Catholics, dem wie dem Committee on Literature besondere Bedeutung beigemessen wurde[82], bekam nach dem Rücktritt von Bischof Kinsman erst im Frühjahr 1912 einen neuen Vorsitzenden, Bischof Brewster von Connecticut[83]. Doch zu dieser Zeit wurden die Auf-

[78] WCC, *Watchman* (Boston Massachusetts), 25.5.1911.

[79] *The Churchman,* 10.6.1911, S. 832.

[80] Vgl. GK 1, *Ch. P. Anderson,* an G, 17.5.1911; GK 4, *W. T. Manning,* von G, 22.5.1911; die Namen der Mitglieder der verschiedenen Ausschüsse vgl. *Minutes Com,* 20.4.1911, Anhang.

[81] *Minutes Com,* 10.4.1912.

[82] GK 4, *W. T. Manning,* 10.1.1912.

[83] *Minutes Com,* 10.4.1912.

träge der verschiedenen Ausschüsse ausdrücklich darauf eingegrenzt, daß sie sich über eine jeweilige Annäherung Gedanken machten, jedoch nicht selber Kontakte aufnahmen. Die Vorsicht einer Mehrzahl ließ die Kommission beschließen, daß «Committees appointed to make approaches to other Communions shall, before making formal communication, report to this Commission[84].»

Auch die Ausschüsse, die sich mit den Established National Churches und den Holy Orthodox Eastern Churches beschäftigen sollten, vollbrachten kaum etwas. Am 11. April 1912 hatte Bischof Gailor, der Vorsitzende des Ausschusses für die orthodoxen Kirchen des Ostens ein Gespräch mit Erzbischof Platon, dem Repräsentanten der russisch-orthodoxen Kirche in Amerika, wobei man über gegenseitige Annäherung Gedanken austauschte[85]. Ein Jahr zuvor hatte ein Pfarrer der Protestant Episcopal Church bei einem Besuch Rußlands mit Persönlichkeiten der russisch-orthodoxen Kirche über die geplante Weltkonferenz gesprochen, wobei ihm gesagt wurde: «... the movement would necessarily be slow as there was so much for all to learn»[86].

Anders verhielt es sich allerdings mit dem Committee on Old Catholics. Im Sommer 1911 weilte das Mitglied Rev. Rogers in Europa und sprach dabei auch mit offiziellem Auftrag seines Ausschusses mit Vertretern der Altkatholiken[87]. Das Committee schlug dann vor, eine Deputation zu den Altkatholiken zu schicken und legte einen über Grund und Vorhaben informierenden Brief an deren ersten Repräsentanten, Erzbischof Gerhard Gul von Utrecht, vor, der ins Lateinische übersetzt wurde[88]. Der Brief wurde gedruckt. Den Vorschlag einer Deputation zu den Altkatholiken beantwortete die Kommission so, daß sie der Deputation, die zur Church of England gesandt werden sollte, eine eventuelle Kontaktaufnahme überließ[89]. Ein weiteres Ergebnis der Bemühungen dieses Ausschusses war es, daß im deutschsprachigen Raum als erste und lange Zeit einzige Publikation die Internationale Kirchliche Zeitschrift, ein Organ der Altkatholiken, über die geplante Weltkonferenz und die Arbeit der Kommission der Pro-

[84] *Minutes Com,* 10.4.1912; vgl. auch GK 1, Ch. P. Anderson, von und an G, 12.1.1912; 26.1.1912.

[85] *Minutes Com,* 10.4.1912; GK 3, *F. J. Hall,* von G, 29.3.1912.

[86] *The Living Church,* 2.11.1912, S. 13, Art. «Some Thoughts of Russians on Christian Unity.»

[87] GK 6, *T. B. Rogers,* von und an G, 8.7.1911; 18.7.1911; GK, *Ch. H. Brent,* von und an G, 31.8.1911; 16.12.1911.

[88] *Minutes Com,* 14.12.1911; GK, *Ch. H. Brent,* von G, 20.1.1912; GK 6, *B. T. Rogers,* von G, 24.2.1912.

[89] *Minutes Com,* 10.4.1912; GK 7, *B. Vincent,* von und an G, 13.1.1912; 24.1.1912; der in Englisch geschriebene Brief wurde ins Holländische und Lateinische übersetzt. Er erschien als Heft 13 der Veröffentlichungen der Kommission in lateinischer und englischer Sprache.

testant Episcopal Church berichtete[90]. Kontakte nahm auch das Committee on Conference with the Christian Unity Foundation auf[91]. Die Christian Unity Foundation, an die Mr. Gardiner schon kurz nach seiner Einsetzung als Sekretär geschrieben hatte[92], unternahm als private Gruppe der Protestant Episcopal Church zahlreiche Rundgespräche mit Teilnehmern verschiedener Kirchen. Sie tat das als «a sort of research society collecting information which will require careful consideration in any future step toward church unity». Ein Kongregationalist schrieb deshalb: «Many are watching the work of this Foundation with great interest, and when the time comes it will probably work in active cooperation with the Commission on Faith and Order, and it will, at least, have much valuable data to put before them[93].» Noch dringlicher als anfangs warf das die Frage auf, ob die Arbeit der Foundation nicht das Vorhaben der Kommission gefährden könnte, ob die Foundation der Kommission nicht hinderlich sei und ihre Arbeit beenden sollte[94]. Besonders galt das, nachdem die Kommission zum Verhältnis mit der Christian Unity Foundation erklärt hatte, «that it is of critical importance that no action shall be taken by the Christian Unity Foundation which may conflict or appear to conflict with the work which the General Convention of the Church has entrusted to this Commission; and that the Christian Unity Foundation be particularly requested to refrain from holding conferences with representatives of other Communions which shall bring into discussion, or tend to bring into discussion, those questions which are to be considered at the proposed Conference on Faith and Order»[95]. Doch sah man in der Weiterarbeit der Christian Unity Foundation und deren Veranstaltung von Rundgesprächen mit anderen Kirchen in der Kommission kein Hindernis. Mr. Gardiner meinte, die besondere Aufgabe der Foundation liege gerade darin, «to create an atmosphere favorable to reunion by bringing men of different Communions closer together, so that by cooperating in every direction in which it is possible without compromising any essential principles, they may learn to respect each other and to work in harmony»[96].

[90] Vgl. IKZ (Internationale Kirchliche Zeitschrift) 1911, S. 273 f.; S. 544 f.; IKZ 1912, S. 106 f.

[91] GK 7, *B. Vincent* von und an G, 21.4.1911; 25.4.1911.

[92] S. o. S. 56.

[93] WCC, *The Congregationalist,* 11.11.1911, Art. «The New Interest in Christian Union» von Frederick Lynch; vgl. auch WCC, *Independent New York,* 29.2.1912, Art. «The Christian Unity Foundation».

[94] *Minutes Com,* 9.1.1913; ähnlich fragte auch eine andere kirchliche Organisation, die Church Unity Society, deren Sekretär Rev. Hoodge ebenfalls an die Kommission geschrieben hatte. Vgl. GK 4, *S. Low,* an G, 21.1.1913.

[95] *Minutes Com,* 10.4.1912.

[96] GK 2, *R. F. Cutting,* 7.5.1912.

c) Die Church of England

Daß eine möglichst baldige Unterstützung des Vorhabens durch die Church of England und die gesamte anglikanische Kirchengemeinschaft nötig sei, wenn der Erfolg gewährleistet sein solle, war in der Kommission allgemeine Auffassung. Denn das Verhalten der Church of England «will tend to influence both the Roman and the Orthodox Greek Churches»[97]. Oder mit anderen Worten: «The prestige of our undertaking depends upon our being seen to have the Anglican Communion at our back[98].»

Allerdings erhielten die Erzbischöfe von York und Canterbury, die übrigen Erzbischöfe und Metropoliten und kurze Zeit danach der gesamte anglikanische Episkopat die ersten offiziellen Informationen über die geplante Weltkonferenz verhältnismäßig spät durch die Briefe im Mai/Juni 1911. Ein Großteil der englischen Bischöfe antwortete daraufhin, wenn überhaupt, sehr zurückhaltend und unverbindlich[99]. Schon vorher war im April ein Artikel in der englischen Zeitschrift «The Contemporary Review» erschienen, der anhand der Einsetzungsbeschlüsse über die Kommission und das Vorhaben der Weltkonferenz berichtete. Der Verfasser empfand «the method of discussion» als am problematischsten bei dem Unternehmen. «We hear only of a ‹World Conference›, and of ‹taking personal council›. But wholesale methods of this kind can only bring to a head what has been threshed out beforehand. A World Conference cannot verify references or work out problems of close detail. The real preparation must be by means of books, or by Reports on the scale of books.»[100] Trotz einer vorurteilslosen Berichterstattung war hier ebenfalls Zurückhaltung unverkennbar.

Es entstand der Eindruck, daß es eine große Schwierigkeit darstellen würde, die Church of England zur Teilnahme zu bewegen[101]. Dieser Eindruck wurde verstärkt, als Rev. Rogers von zwei privaten Besuchen beim Erzbischof von Canterbury während seiner Europareise im Sommer 1911 berichtete. Danach meinte der Erzbischof, es gehe bei dem ganzen Vorhaben um die Streitfrage des Kanzeltauschs und «we were treading on thin ice»[102]. Einmal lieferte diese Lage den

[97] GK, *Ch. H. Brent,* an G, 31.8.1911.

[98] GK 3, *F. J. Hall,* an G, 14.10.1912.

[99] GK 5, *J. R. Mott,* von G, 18.12.1911; GK 7, *G. Zabriskie,* von G, 24.9.1911.

[100] *The Contemporary Review,* Vol. 99, April 1911, S. 408 ff.; Zitat S. 411, in einem Artikel von Professor W. Sanday, «The Primitive Church and The Problem of Reunion».

[101] GK 6, *N. Smyth,* von G, 2.9.1911.

[102] GK 6, *T. B. Rogers,* an G, 18.7.1911; GK 4, *W. T. Manning,* 29.7.1911.

hochkirchlichen Mitgliedern der Kommission einen Grund, noch stärker darauf zu achten, daß man sich gegenüber den protestantischen Kirchen zurückhalte und auf deren Mitarbeit vorläufig noch verzichte. Zum anderen begann man deshalb bald an eine Deputation nach Großbritannien zu denken[103]. Außerdem schrieb Bischof Vincent persönliche Briefe an die Erzbischöfe von York und Canterbury[104]. Bei der Sitzung des Planungsausschusses am 25.10.1911 wurden Bischof Anderson und Bischof Vincent für eine Deputation nach Großbritannien als Mitglieder benannt; Rev. Manning sollte von der Kommission noch hinzugefügt werden[105], was diese tat. Außerdem ernannte die Kommission Bischof Brent als viertes Mitglied[106]. Dieser weilte über Weihnachten 1911 erneut in England als Gast des Erzbischofs von Canterbury und besprach mit ihm das Vorhaben der geplanten Weltkonferenz für Fragen des Glaubens und der Kirchenverfassung[107]. Dabei zeigte sich der Erzbischof sehr viel interessierter, wollte aber erst etwas unternehmen, wenn die Deputation nach England komme[108].

Die Deputation brach im Juni 1912 ohne Bischof Brent nach Großbritannien auf[109]. Vom 24.–26. Juni hielt sie sich auf Einladung des Erzbischofs von Canterbury im Lambethpalast auf, wobei wesentlich eine Zusammenkunft am 25. Juni war, zu der der Erzbischof zusammen mit dem Erzbischof von York «a number of distinguished representatives of the Church of England» eingeladen hatte. Wesentliche Ergebnisse der Zusammenkunft, in deren Verlauf das Vorhaben der Weltkonferenz ausführlich dargelegt und diskutiert wurde, waren (1) der Beschluß, daß die Erzbischöfe ein Committee der Church of England einsetzen würden im Interesse der geplanten Weltkonferenz und (2), daß Einladungen an die außer der Church of England in Großbritannien bestehenden Kirchen weder von ihr noch dem zu ernennenden Committee ausgehen sollten, sondern von den jeweiligen verwandten Kirchen in Amerika[110]. Am 27. Juni hatte die Deputation ein Gespräch mit dem Primas und einer Reihe der Bischöfe der Episcopal Church in Schottland in Edinburgh, am 5. Juli unter dem Vorsitz des Erzbischofs von Armagh, dem Primas von Irland, eine Zusam-

103 GK 4, *W. T. Manning,* von und an G, o. D. (Juli) 1911; 8.8. und 28.8.1911.

104 GK 4, *W. T. Manning,* von G, 22.8.1911.

105 *Minutes Ex Comt,* 25.10.1911.

106 *Minutes Com,* 14.12.1911.

107 GK 2, *R. Davidson,* an G, 30.11.1911; 12.2.1912.

108 GK 2, *R. Davidson,* an G, 12.2.1912; GK 4, *W. T. Manning,* von und an G, 20.2.1912; 27.2.1912; *Minutes Com,* 10.4.1912.

109 *Minutes Com,* 10.4.1912.

110 Vgl. das Protokoll dieser Zusammenkunft: Heft 23 der Veröffentlichungen der Kommission, *Report* ... to the General Convention, 1913, S. 8 ff.

menkunft mit verschiedenen irischen Bischöfen in Armagh. Beidemale wurden Aktionen zu aktiver Mitarbeit zugesichert[111].

Neben diesen offiziellen Zusammenkünften hatte die Deputation auch viele Begegnungen mit einzelnen Persönlichkeiten. Bischof Anderson berichtete über einige Begegnungen mit Bischöfen, wobei die Deputation zufällig auch mit dem Erzbischof von Capetown, Südafrika, in der Stadt York zusammentraf, der das Vorhaben der Weltkonferenz bei seiner nächsten Provinzialsynode vorbringen wollte[112]. Rev. Manning hatte ein langes Gespräch mit Bischof Charles Gore, der als einer der einflußreichsten Männer der Church of England galt, und seine Hilfe auf der Grundlage des Gesprächs im Lambethpalast zusagte. Auch verschiedene andere anglikanische Persönlichkeiten sah er, bevor er am 24. Juli die Heimreise antrat[113].

Die Deputation hatte durch den Besuch die anglikanischen Kirchen Großbritanniens zur Zusage der Mitarbeit bewegen können, was ohne die persönliche Begegnung so nicht möglich gewesen wäre[114]. Als besonders eindrücklich empfand Bischof Vincent dabei:

«Much to our surprise, not only was our American initiative in all this plot not resented, but we were cordially assured that just because of our freedom from state trammels and from suspicion of political or any other selfish motive, America is the only place where such an initiative could have been taken with any hope of success[115].»

Auch die Presse berichtete über die Deputation[116].

Am 24. Oktober 1912 schritt der Erzbischof von Canterbury zur lang erwarteten Einsetzung des Committee, was für die ganze anglikanische Kirchengemeinschaft von Bedeutung war. In einem dann veröffentlichten Brief berichtete er über das Vorhaben der geplanten Weltkonferenz und den Besuch der Deputation der Protestant Episcopal Church. Er rekapitulierte das Gespräch und die Beschlüsse der Zusammenkunft vom 25. Juli 1912, betonte die Bedeutung des Unter-

[111] *Minutes Ex Comt,* 29.10.1912; *Minutes Com,* 9.1.1913; vgl. auch *Report...* Heft 23, 1913, S. 10. Die Bischöfe von Schottland beschlossen bei einer Zusammenkunft am 16.10.1912: « (1) That our Bishops agreed to appoint a Commission on the understanding that the Conference would be really world-wide, and would include the great Catholic Communions of the East and West; (2) That the Bishops felt that it would be better for the American Presbyterians to approach the Scottish Presbyterians with regard to the appointment of a Commission than for us to do so.» Vgl. *Minutes Com,* 9.1.1913, Brief des Primas von Schottland an Bischof Anderson vom 18.10.1912.

[112] *Minutes Com,* 9.1.1913.

[113] GK 4, *W. T. Manning,* an G, 17.7.1912.

[114] GK 4, *W. T. Manning,* an G, 26.6.1912.

[115] *Christian Union Quarterly,* Oktober 1912, Nr. 6, S. 7 f., Art. «Church Union» von Bischof Vincent.

[116] WCC, *Virginia Richmond,* 28.7.1912; GK 4, *W. T. Manning,* von G, 5.8.1912.

nehmens und bat die Empfänger des Briefes um Antwort, ob sie in einem dafür einzusetzenden Committee mitarbeiten würden[117]. Auf Grund der Antworten wurde dann das Committee unter dem Vorsitz des Bischofs von Bath und Wells eingesetzt[118].

Diese Tat der Bereitschaft zur Mitarbeit versicherte die Kommission praktisch der Unterstützung der gesamten anglikanischen Kirchengemeinschaft. Denn die Church of England wies natürlicherweise deren Gesamtrichtung[119]. Man schickte darum bald an die anderen anglikanischen Kirchen eine Einladung mit der Bitte um gleiche Mitarbeit[120].

3. Zusammenarbeit

Zweifellos war mit der Sicherung der Teilnahme der Church of England an den Vorbereitungsarbeiten im Herbst 1912 ein Fortschritt erzielt worden. Doch war es ein ebensolcher Fortschritt gewesen, daß auf die im Mai/Juni 1911 von Mr. Gardiner geschickten Einladungen hin fünfzehn Kirchen im Report of the Committee on Plan and Scope genannt werden konnten, die Kommissionen eingesetzt hatten. Vertreter solcher in den Vereinigten Staaten eingesetzten Kommissionen wurden mit der Zeit ungeduldig. Denn die Kommission der Protestant Episcopal Church nahm das Angebot der Bereitschaft zur Mitarbeit nicht auf. Dort wollte man die Einsetzung von Kommissionen, doch eine Aufgabe für sie hatte man vorläufig nicht. Im Report hatte es zwar geheißen, daß «at the earliest moment possible are to act in association with others»[121], doch sträubte sich der Großteil der Kommission gegen Zusammenarbeit vor der Unterstützung des Vorhabens durch die Church of England und auch der großen katholischen Kirchen.

Aus den Reihen der eingesetzten Kommissionen – sie vertraten protestantische Kirchen – wurden aber Gedanken, Ratschläge und

[117] Vgl. den vollen Abdruck des Briefes im *Anhang*, S. 351 f.

[118] Als Mitglieder gehörten dem Committee folgende Persönlichkeiten an: Der Bischof von Bath und Wells. der Bischof von Winchester, der Bischof von Oxford. der Bischof von Ely, der Bischof von Ripon, der Dean von Westminster, der Dean von Wells, Bischof Tucker, D.D., der Master des Selwyn College, Cambridge (Dr. Murray), der Rev. W. H. Frere, D.D., der Rev. William Temple, der Rev. Henry Gee, D.D., der Rev. A. E. Burn, D.D., der Rev. Tissington Tatlow, der Dr. Eugene Stock, der Vizekanzler der Leeds Universität (Dr. M. E. Salder), Professor Beresford Pite, Mr. Athelstan Riley, Mr. Leslie Johnston und Mr. W. W. Seton.

[119] GK 3, *F. J. Hall*, von G, 19.10.1912.

[120] GK 4, *W. T. Manning*, an G, 5.11.1912; 21.11.1912; *Report* ..., Heft 23, 1913, S. 10 f.

[121] Report ..., *Heft 3*, 1911, S. 4.

Pläne vorgelegt. Besonders Rev. N. Smyth zeigte nicht nur für die Tätigkeit des Committee on Literature Interesse, er setzte sich ganz allgemein für das Vorhaben ein. Er befürwortete, daß man eine große gegenseitige Aufklärungs- und Erziehungskampagne starten sollte. Dadurch sollten über die verschiedenen Kirchen angemessene Informationen vermittelt werden. Als Hilfe und Unterstützung einer solchen Kampagne, so dachte er, sollte die Kommission Veröffentlichungen mit theologischem Material herausgeben. Außerdem sollten an bestimmten Orten Rundgespräche veranstaltet werden[122]. Damit diese Vorschläge den Vorsitzenden aller Kommissionen zugeschickt werden könnten, entwarf er dafür einen Brief. Der Sekretär des Presbyterian Board of Foreign Missions, R. E. Speer, besprach sich ausführlich mit Rev. Smyth und schickte ähnliche Vorschläge an das Sekretariat[123]. Durch Rev. Smyth wurde auch das Interesse von John R. Mott an der geplanten Weltkonferenz geweckt[124].

Auf solche Vorschläge ging die Kommission der Protestant Episcopal Church erst ein, nachdem die Laien, die sich abgesprochen hatten[125], darauf drängten. Bei der Sitzung des Planungsausschusses am 25. Oktober 1911 legte Mr. Zabriskie den Entwurf für einen Brief vor, den die Kommission an die Vorsitzenden aller Kommissionen schicken sollte. Der Brief, der in der Substanz dem Vorschlag von Rev. Smyth ähnelte, sollte vor allem die Kommissionen anregen, in ihren Kirchen das Interesse an der Einheit und der Weltkonferenz zu wecken und zu steigern[126]. Für das «interval of waiting», der Zeit der Einsetzung der Kommissionen und dem Moment für «concerted action», wurden dazu Vorschläge gemacht[127]. Dieser Brief kam nach einigen Verbesserungen, vom Präsidenten unterzeichnet, am 6. Januar 1912 heraus[128]. Er erfuhr eine weite Verbreitung. Alle Pfarrer der Protestant Episcopal Church erhielten ihn, auch in kirchlichen Blättern erschien er[129], vielen kirchlichen Führern wurde er gesandt[130]. Bei der gleichen Sitzung trug Mr. Gardiner den Vorschlag vor, in bestimmten Gebieten Zusammenkünfte aller Kommissionen zu veranstalten und

[122] GK 6, *N. Smyth,* an G, 2.11.1911.

[123] GK 6, *R. E. Speer,* von und an G, 6.11.1911; 10.11.1911.

[124] GK 4, *W. T. Manning,* von und an G, 15.11.1911; 20.11.1911.

[125] GK 4, *W. T. Manning,* von G, 10.10.1911; GK 7, *G. Zabriskie,* von G, 24.9.1911.

[126] *Minutes Ex Comt,* 25.10.1911; GK 4, *W. T. Manning,* von G, 9.10.1911; GK 6, *N. Smyth,* von G, 3.11.1911; GK 7, *G. Zabriskie,* an G, 29.8.1911.

[127] Vgl. den Abdruck des Briefes im *Anhang,* S. 316 ff.

[128] *Minutes Com,* 14.12.1911; GK 5, *J. R. Mott,* von G, 18.12.1911.

[129] *Minutes Com,* 14.12.1911; GK, *Ch. H. Brent,* 25.1.1912; GK 4, *W. T. Manning,* von G, 10.1.1912; 1.2.1912.

[130] Vgl. GK 2, *J. Gibbons,* von G, 26.1.1912; GK 2, *R. Davidson,* und GK 4, *K. G. Lang,* von G, 27.1.1912 u.a.

damit das gegenseitige Gespräch zu beginnen[131]. Es sollten ganztägige, möglichst formlose Zusammenkünfte sein, zunächst beherrscht von ausführlicher gemeinsamer Andacht und Gebet. Denn erst die geistliche Gemeinschaft mache ein rechtes gemeinsames Gespräch möglich. Dann könnte man dabei auch über die gegenseitige Information in den verschiedenen Kirchen reden, jedoch sollten keine strittigen Themen behandelt werden[132]. Mr. Gardiner vertrat die Auffassung, solche persönlichen Gespräche seien mehr wert als noch so viele Briefe[133]. Zusammenkünfte dieser Art wurden jedoch kaum durchgeführt. Lediglich in Neuengland trafen sich am 14. Februar 1912 sieben Mitglieder der Kommissionen zu einer privaten Zusammenkunft[134]. Rev. Manning lehnte es ausdrücklich ab, vor einer Abklärung des Verhältnisses der Church of England zur geplanten Weltkonferenz ein solches Treffen durchzuführen[135]. Das geringe Echo auf den Vorschlag veranlaßte die Vorlage eines Briefes in der Sitzung des Planungsausschusses vom 31. Mai 1912, der die Bedeutung solcher Zusammenkünfte nochmals hervorhob und zusammenfaßte[136].

Einige Mitglieder der Kommission hielten private und formlose Treffen von Mitgliedern verschiedener Kommissionen zweifellos für notwendig und nützlich[137], doch der Großteil der Kommission der Protestant Episcopal Church stand allem, was eine Zusammenarbeit mit den anderen Kommissionen bringen konnte, mit großer Vorsicht gegenüber. Immer wurde befürchtet, man könnte zu rasch und einseitig vorwärtsgehen und Fehler begehen[138]. Der Planungsausschuß traf sich monatelang nicht, weil «it seemed wise not to proceed too hastily»[139].

Der Sekretär der Kommission hatte angesichts dieser Situation eine besonders schwierige und verantwortungsvolle Funktion. Einerseits

[131] *Minutes Ex Comt,* 25.10.1911; nach Mr. Gardiner's Plan sollte in den Gebieten Neuengland (unter Bischof Ch. B. Brewster), in New York (unter Rev. Manning) und in Pennsylvania (unter Mr. Pepper) jeweils eine Gruppe zusammenkommen. Vgl. GK 4, *W. T. Manning,* von G, 22.11.1911.

[132] GK 1, *Ch. B. Brewster,* 22.11.1911; 28.11.1911; GK 7, *G. Zabriskie,* von G, 31.8.1911.

[133] GK 7, *B. Vincent,* von G, 9.2.1912.

[134] GK, *Ch. H. Brent,* von G, 15.2.1912.

[135] S. o. S. 79.

[136] *Minutes Ex Comt,* 31.5.1912; vgl. auch GK 5, *Ph. M. Rhinelander,* von G, 2.5.1912; GK 6, N. Smyth, von G, 13.5.1912.

[137] Vgl. Professor Fosbroke: GK 3, *F. J. Hall,* von *H. E. W. Fosbroke,* 8.5.1912. und Bischof Vincent in *Christian Union Quarterly,* Oktober 1912, S. 5 ff., Vortrag über «Church Union».

[138] GK 4, *W. T. Manning,* von G, 9.11.1911; GK 1, *Ch. B. Brewster,* von G, 22.11.1911.

[139] *Minutes Com,* 10.4.1912.

hatte er Interesse an dem Vorhaben zu wecken und zu halten, andererseits hatte er keine Befugnis, konkrete und aktive Zusammenarbeit zu beginnen und zu betreiben. Er versuchte daher durch viele private Briefe, in denen er um Rat fragte oder über Fortschritte berichtete, Persönlichkeiten aus anderen Kirchen oder Kommissionen das Gefühl der Teilnahme an der Vorbereitungsarbeit zu geben. Seine Korrespondenz beschränkte sich dabei auf die Vereinigten Staaten und das British Empire, also weitgehend das anglikanische Einflußgebiet[140]. Mr. Gardiner selber lernte durch solche Korrespondenz neue Gedanken kennen oder empfing Anregungen. Vom Sekretariat aus erschienen außerdem zur Erhaltung des Interesses ab und zu Informationen an die Presse, in denen Fortschritte mitgeteilt wurden[141].

Das Echo auf diese persönlichen Bemühungen des Sekretärs wurde jedoch, je länger die anderen Kommissionen auf eine offizielle Zusammenarbeit warten mußten, zwiespältig. Zwar gab es die hoffnungsvollen Stimmen, die z. B. meinten: «The proposed conference of churches for a frank statement of their differences is full of hope. It is bold, it is original, and if it is done in the right spirit – not with a desire to exalt the differences, but with a willingness to yield the nonessential – it ought to open men's eyes to some of the absurdities of the present state of things.»[142] Oder Rev. Ainslie betonte: «The Lord is leading so that everywhere there ist an awakening on the union of the Church[143].» Doch erhielt Mr. Gardiner auch mehr und mehr skeptische Briefe, in denen das alte Mißtrauen gegenüber der Protestant Episcopal Church auftauchte. Das Gefühl der «exclusiveness of the Protestant Episcopal Church» begann wieder Platz zu greifen und manche Protestanten meinten, die ganze Unternehmung sei rein episkopalistisch und die Kommission auf die hochkirchlichen Kreise der Protestant Episcopal Church hin ausgerichtet, so daß kein wirklicher Fortschritt erwartet werden könne[144]. Angesichts der Zurückhaltung und der Furcht vor Zusammenarbeit wurde gefragt, ob die Protestant Episcopal Church nicht gerade die Einheit hindere und ob sie das Vorhaben überhaupt wirklich ernsthaft verfolge[145]. Mr. Gardi-

[140] GK 4, *W. T. Manning,* an G, 20.11.1912; vgl. auch GK 1, *Ch. P. Anderson,* von G, 14.10.1911.

[141] GK 4, *W. T. Manning,* an G, 19.12.1911; GK 4, *W. T. Manning,* von G, 1.2.1913.

[142] WCC, *American New York,* 1.3.1912, aus einer Predigt des presbyterianischen Pfarrers Dr. Van Dyke am Jahresende 1911/12.

[143] GK 1, *P. Ainslie,* an G, 18.7.1912.

[144] GK 6, *N. Smyth,* an G, 26.12.1912; an H. E. W. Fosbroke, 21.11.1912.

[145] Vgl. GK 1, Rev. *Bradlay,* 24.9.1912; GK 1, Rev. *Brokaw,* 20.11.1912; GK 2, Rev. *Guild,* an G, 3.1.1913; Mr. Gardiner meinte aus der bisherigen Korrespondenz zu sehen, daß die Mehrzahl der Protestanten immer noch überzeugt war, daß «we have not in the least abated our exclusive and supercilious attitude». Vgl. GK 3, *F. J. Hall,* von G, 19.10.1912.

ner mußte laufend darum bitten, daß man Äußerungen innerhalb der Protestant Episcopal Church nicht gleich mit der Protestant Episcopal Church insgesamt oder der Kommission für die Weltkonferenz ineinssetzen sollte[146].

Seine umfangreiche Korrespondenz erforderte von Mr. Gardiner Geduld, Weitsicht und viel Zeit. Er versah das Sekretariat ehrenamtlich und nebenher. Zwar war Bischof Kinsman am 20. April 1911 in seiner Abwesenheit zum Exekutivsekretär gewählt worden[147], aber er trat diesen Posten nie an. Zunächst sah es zwar noch so aus, als würde er die Aufgabe übernehmen. In Gesprächen versuchte man ihn dazu zu bewegen[148]. Seine Diözese unterstützte einstimmig eine Annahme, er selber kritisierte, die Kommission richte sich zu sehr protestantisch aus[149]. Dann wurde er ernsthaft krank, ließ aber die Kommission über seine Entscheidung lange im Ungewissen[150]. Schließlich meinte er, zwischen sich und der Kommission solche Unterschiede festzustellen, daß er im November den Posten ablehnte und auch aus der Kommission austrat[151]. Man gestattete daraufhin dem Sekretär, sich Hilfskräfte zu besorgen, ihnen die Aufgaben zuzuteilen und sie nach seinem Urteil zu entlohnen[152]. Das bedeutete aber keine Erleichterung

[146] GK 2, Rev. *De Schweinitz,* an und von G, 28.6.1911; 29.6.1911.

[147] S. o. S. 80.

[148] GK 4, *W. T. Manning,* von und an G, 15.5.1911; 22.5.1911; 12.6.1911; 16.6.1911.

[149] GK 4, *W. T. Manning,* von G, 19.6.1911.

[150] GK 4, *W. T. Manning,* von und an G, 28.6.1911; o.D. (Antwort auf Brief vom 17.7.1911); 22.8.1911; 28.8.1911; 6.10.1911; 9.10.1911; 19.10.1911; GK 3, *F. J. Hall,* von G, 20.7.1911; 27.7.1911; GK 6, *F. L. Stetson,* von G, 18.7.1911; GK 7, *G. Zabriskie, 1.7.1911; 18.7.1911; 19.10.1911.*

[151] *Minutes Com,* 14.12.1911; an Rev. Manning schrieb Bischof Kinsman, daß nicht nur seine Krankheit, sondern auch sachliche Meinungsverschiedenheiten ihn zum Rücktritt von der Kommission veranlaßten. Schon mit dem Report vom 20.4.1911 stimmte er nicht überein wegen «some of its fundamental assumptions as to the method of approaching the great subject we have undertaken». Er fürchtete, man könne sich bei der Vorbereitung der Weltkonferenz zu sehr auf die amerikanischen Protestanten ausrichten. Er sagte: «I take the aim at a World Conference very seriously, — that sober effort is to be made to pave the way for a really ecumenical Conference, and effort which can only be made by really ecumenical methods. If we are at the outset to adopt these, we must not allow ourselves to be too greatly influenced by the presuppositions of American Protestantism.» (Vgl. *Brentmaterial,* Brief von Bischof Kinsman an Rev. Manning, XIX Trinity 1911). Nach seinem Rücktritt schrieb Bischof Kinsman an Bischof Brent: «I am no longer a member of the Faith and Order Commission. I was ill last year, greatly distressed by big questions and annoyed by too Protestant ways of doing things on the part of some members of the Commission.» (Vgl. *Brentmaterial,* Brief von Bischof Kinsman an Bischof Brent, 8. Oktober 1912). Die Größe und Macht, die er in der römischen Kirche sah, ließen Bischof Kinsman in den folgenden Jahren immer mehr in ihr die eine katholische Kirche erkennen, was er schließlich mit seinem Übertritt besiegelte.

[152] *Minutes Ex Comt,* 25.10.1911.

in der Verantwortung für die Leitung des Sekretariats. Im Jahre 1913 kam daher die Frage eines Exekutivsekretärs wieder auf. Mr. Gardiner sagte, die Arbeit nehme ständig an Umfang und Vielfalt zu, und man brauche dringend einen hauptamtlichen Sekretär. «I have a very heavy burden of work, which I am glad to do, but also a very serious responsibility which I do not think ought to be put on me[153].»

Professor Fosbroke schlug als Exekutivsekretär Bischof Brent vor. Doch fand der Vorschlag nur teilweise Anklang, weil ein Sekretär das Vertrauen der ganzen Protestant Episcopal Church genießen sollte, einem Teil der Mitglieder der Protestant Episcopal Church aber die offenen und wagemutigen Äußerungen von Bischof Brent über Einheit nicht genug Sorgfalt und Verantwortung erkennen ließen[154]. So suchten Rev. Manning und Mr. Gardiner weiter nach einem geeigneten Mann[155].

Der Mangel an Wille zu Zusammenarbeit und die gleichzeitige Notwendigkeit der Einladung dazu bildeten die Spannung, die den Sekretär hauptsächlich belasteten. Einerseits mußte er in der Kommission und in seiner Kirche gegen die Zurückhaltung und ein Selbstbewußtsein, die auf Exklusivität hinausliefen, angehen. Andrerseits mußte er bei Leuten aus anderen Kirchen für mehr Offenheit und Geduld werben. Dabei hatte er das Gefühl, daß die Bereitschaft zu christlicher Einheit und zum Einsatz dafür noch recht gering entwikkelt waren, auch in seiner Kirche. Mr. Gardiner konnte schreiben: «My experience in the last two years has been that there is even in the Church no very general or deep desire for reunion except on the basis of an unconditional surrender to us[156].»

Er fand es deshalb entscheidend, zuerst «an atmosphere» für christliche Einheit zu schaffen. Aus diesem Grunde stellte er das Heft «The Conference Spirit» zusammen, das Anfang des Jahres 1913 gedruckt wurde[157]. Aus diesem Grunde betonte er aber auch, daß seine Kirche, wenn sie auf den Weg zu christlicher Einheit führen wolle, davon nicht nur durch eine letztlich unverbindliche und freundliche Haltung reden dürfe, sondern daß Zeichen ihres guten Willens folgen müßten. Ohne zeichenhaftes Verhalten würden die Sätze von der möglichst frühzeitigen gemeinsamen Vorbereitung der Weltkonferenz, die Betonung der «preliminary action» der Protestant Episcopal Church ihre Kraft verlieren. Darum drängte Mr. Gardiner seine Kirche zu

[153] GK 4, *W. T. Manning,* von G, 24.2.1913; vgl. auch GK 4, *W. T. Manning,* von und an G, 13.2.1913, 15.2.1913.

[154] GK 5, *Ph. M. Rhinelander,* von und an G, 14.2.1913; 17.2.1913; 24.2.1913; so o. S. 68 ff.

[155] *Minutes Ex Comt,* 20.2.1913.

[156] GK 2, R. F. Cutting, von G, 7.5.1912.

[157] Vgl. *The Conference Spirit,* Heft 13.

offizieller Mitarbeit in zwischenkirchlichen Unternehmen, vor allem im Federal Council of Churches[158].

Vom 4. bis 10. Dezember 1912 kam der Federal Council zur zweiten Vierjahresversammlung in Chicago zusammen. Schon längere Zeit vorher hatte Rev. Roberts brieflich gedrängt, die Kommission der Protestant Episcopal Church sollte dazu Vertreter entsenden[159]. Die Protestant Episcopal Church delegierte wie schon früher durch ihre Kommission für soziale Dienste und die für kirchliche Einheit, die die Verbindung zum Federal Council hielten, drei Personen, zu denen nun Bischof Anderson und Mr. Gardiner gehörten[160]. Die beiden Hauptgründe, die innerhalb der Protestant Episcopal Church gegen eine Vollmitgliedschaft angeführt wurden, daß der Federal Council (1) ein ausschließlich protestantischer Zusammenschluß sei, und (2) er die Vielzahl der Kirchen anerkenne, also die Lehre von der einen Kirche durch die der Föderation ersetzt werde[161], versuchte man auszuräumen. Mr. Gardiner hatte dem Sekretär des Federal Council empfohlen, die Verfassung so zu ändern, daß die protestantische Ausschließlichkeit falle[162]. Doch gab es eine solche nach der Verfassung gar nicht. Aus einem Bericht ging hervor, daß «the Roman Catholics and the Greek communions were invited, but they did not accept»[163]. Trotzdem lehnte die hochkirchliche Gruppe in der Protestant Episcopal Church weiterhin eine Teilnahme ab. «Federation implies many churches; unity implies one Church[164].» Mr. Gardiner war über diese Haltung recht unglücklich[165]. Er persönlich wollte jedenfalls im Federal Council mitarbeiten und meinte: «I am quite sure that they are essentially ultra-Protestant, but I have good reasons to hope that they might gradually be brought to a higher view[166].»

Zusammenarbeit war wie die Schaffung von Stimmung für christliche Einheit notwendig, solange man selber nicht die eigenen Grundsätze aufgeben mußte. Beides war notwendig, wollte man Vertrauen

158 GK 2, *F. R. Cutting,* von G, 7.5.1912.

159 *Minutes Ex Comt,* 29.10.1912.

160 *The Living Church,* 21.12.1912, S. 263, Artikel «The Second Quadrennial Meeting of the Federal Council of the Churches of Christ in America» von Bischof Ethelbert Talbot. Vgl. auch GK 3, *F. J. Hall,* an G, 3.12.1912; GK 1, *P. Ainslie,* an G, 27.12.1912.

161 *The Living Church,* 21.12.1912, S. 263 und S. 268 f.; GK 3, *F. J. Hall,* von H. E. W. Fosbroke, 21.12.1912; GK 3, *A. C. A. Hall,* an G, 26.12.1912.

162 GK 4, *Ch. S. Macfarland,* von G, 30.11.1912.

163 *The Living Church,* 21.12.1912, S. 263.

164 *The Living Church,* 28.12.1912, S. 291 f., Kommentar «The Church and the Federal Council».

165 GK 3, *A. C. A. Hall,* von G, 2.1.1913.

166 GK 3, *A. C. A. Hall,* von G, 30.12.1912; vgl. auch GK 4, *W. T. Manning,* an G, 22.1.1913, Beilage.

zwischen den Kirchen begründen, das ein echtes Gespräch über die theologischen Grundunterschiede und einen Weg auf organische Einheit hin möglich machte. Die durch die zurückhaltende und zögernde Haltung entstandene Ungeduld und Skepsis gegenüber der Kommission der Protestant Episcopal Church und das Mißtrauen, daß es ihr letztlich doch um eine Vereinnahmung der anderen Kirchen in die eigene gehe, standen dem genau entgegen. Man entschloß sich deshalb nochmals in einer öffentlichen Stellungnahme der Kommission das Vorhaben zu erklären und besonders herauszustreichen, daß bei der geplanten Weltkonferenz «each participant shall proclaim the faith which is in him, without being called upon to compromise that faith by the acceptance of any resolutions or definitions»[167]. Der Beschluß dafür wurde in der Sitzung der Kommission am 14.12.1911 gefaßt[168], ein Entwurf von Professor Hall wurde ausgiebig am 10. April 1912 diskutiert, und veröffentlicht wurde das sogenannte Official Statement schließlich nach Verbesserungen und Korrekturen durch den Planungsausschuß im Juni[169]. Neues brachte diese Stellungnahme nicht und so konnte Mr. Gardiner auch an Bischof Brent schreiben: «Such a statement, I think would be unnecessary to any one who had read carefully your report to the General Convention and the report of the Committee on Plan and Scope, but there is still a great deal of misunderstanding, and, therefore, it seems desirable to issue another statement, even though it involves some repetition[170].» Er schickte diese Stellungnahme jedoch an alle Pfarrer, deren Kirchen schon Kommissionen eingesetzt hatten und auch römisch-katholische Geistliche in aller Welt[171].

Nach der Rückkehr der Deputation zur Church of England wurde man außerdem für Zusammenarbeit in der Kommission aufgeschlossener, weil bei dem Treffen der Deputation mit den Vertretern der Church of England ausgemacht worden war, daß die sogenannten nonkonformistischen Kirchen in Großbritannien nicht durch die Church of England, sondern durch ihre Schwesterkirchen in den Vereinigten Staaten zur Mitarbeit und Einsetzung von Kommissionen aufgefordert werden sollten.

Nach dem Bericht von Rev. Manning über die Deputation am 29. Oktober 1912 im Planungsausschuß brachte Rechtsanwalt Pepper

[167] *An Official Statement,* Heft 14, S. 4.

[168] *Minutes Com,* 14.12.1911 und 10.4.1912, auch *Minutes Ex Comt,* 10.4.1912.

[169] *Minutes Ex Comt,* 31.5.1912; GK 7, *G. Zabriskie,* an G, 11.5.1912; diese Angaben stehen im Widerspruch zu dem auf der (als Heft 14 der Veröffentlichungen der Kommissionen erschienen) Stellungnahme angegebenen Datum des Erstdrucks 12. April 1912.

[170] GK, *Ch. H. Brent,* von G, 16.12.1911.

[171] GK, *Ch. H. Brent,* von G, 24.10.1912.

– ihn hatte dieser Ausschuß in seiner Sitzung am 25.10.1911 als Mitglied zugewählt[172] – das Gespräch auf die Mitarbeit der anderen Kommissionen. Durch Fragen unter dem Titel «Questions framed to stimulate Thought about the most important Steps which remain to be taken» und einigen daraus formulierten Resolutionen, denen dann zugestimmt wurde, legte er seine Gedanken dar. Danach sollten alle Kommissionen in einem Brief um aktive Mitarbeit gebeten werden, sollten die bisher eingesetzten Kommissionen aufgezählt werden und sollte jeweils nach dem Einfluß auf im Kreis der Kommissionen nicht vertretene Kirchen gefragt werden. Die Kommissionen sollten um ihre Meinung gebeten werden, ob an solche Kirchen sie selber oder die Kommission der Protestant Episcopal Church oder beide zusammen schreiben sollten. Man sollte auch über die Beschlüsse der Deputation und der Vertreter der Church of England informieren. Für die Verschickung des Briefes sollten Bischof Anderson, Rev. Manning und Mr. Gardiner gemeinsam verantwortlich sein. Mr. Pepper begründete seinen Vorschlag eines Briefes und die dadurch mögliche aktive Mitarbeit der verschiedenen Kommissionen bei der Einladung noch nicht vertretener Kirchengemeinschaften so:

«It affords an admirable opportunity to give to Commissions which have been appointed at our request a tangible evidence that we are alive and working, and it puts them in the position of being called upon to do something definite in behalf of the cause. These Commissions at present have come into being at our request, but they have as yet nothing to do, and they are beginning to criticize us for inaction. The instant they are called upon to accomplish a given result, not only will their interest in the enterprise will be increased, but they will be much more tolerant of slow procedure when they are face to face with the obstacles in the way of rapid progress.»[173]

Das Echo auf diesen Brief, der die Teilnahme der Kommissionen in den Vereinigten Staaten bei der Einladung der englischen Schwesterkirchen erfragte, ließ nach seiner Verschickung nicht lange auf sich warten. Die Commission on Christian Union der Presbyterian Church der Vereinigten Staaten wollte, daß der Erzbischof von York den Plan der Weltkonferenz vor der General Assembly der Church of Scotland im Mai 1913 und vor der Pan-Presbyterian Alliance im Juni desselben Jahres in Schottland vertrete. Doch meinte man in der Protestant Episcopal Church, Rev. Roberts sei dazu geeigneter[174]. Die Kongregationalisten und Disciples meinten, die Kommission der Protestant

[172] *Minutes Ex Comt,* 25.10.1911.

[173] *Minutes Ex Comt,* 29.10.1912.

[174] *Minutes Com,* 9.1.1913; GK 5, *G. Wh. Pepper,* von und an G, 11.12.1912; 13.12.1912; 16.12.1912; 19.12.1912.

Episcopal Church sollte die Einladungen an ihre Schwesterkirchen mit einer empfehlenden Bemerkung schicken[175].

Am Ende der Sitzung des Planungsausschusses vom 29. Oktober 1912 wurden frühere Anregungen in einem wesentlich von Mr. Zabriskie und Mr. Gardiner verfaßten Briefentwurf[176] erneut vorgelegt. Er rief zu kleinen, inoffiziellen und lokalen Zusammenkünften auf. Der Ausschuß stimmte ihm zu, und nach einigen Verbesserungen wurde der Brief Ende Dezember 1912/Anfang Januar 1913 verschickt und verbreitet[177]. Auch auf diesen Brief war das Echo recht stark[178]. Doch der Aufruf, die Einladung zur Zusammenarbeit genügte jetzt nicht mehr. Man drängte zur Tat. Besonders Rev. Smyth und Rev. Roberts setzten sich dabei ein. Rev. Smyth, der die Formel prägte, bisher gelte für die anderen Kommissionen bei dem Unternehmen «expectant attention rather than active participation»[179], meinte, klare Fortschritte müßten nun erzielt werden. Er schlug eine gemeinsame Kommission vor. Er warnte davor, daß der Einfluß der High Church Gruppe in der Protestant Episcopal Church das Handeln lähme und schloß eine Krise in dieser Kirche deswegen nicht aus. Auch dürfe das Unternehmen nicht länger zu sehr von den Entscheidungen der Church of England und anderen anglikanischen oder sogenannten katholischen Kirchen abhängig gemacht werden, weil sonst der Eindruck entstehe, es handele sich um ein episkopalistisches Unternehmen[180]. Rev. Roberts dachte ähnlich, Diskussionen über die Kirche und ihre Natur sollten bei der Weltkonferenz stattfinden, auch brauche der Wunsch nach Einheit vor der Einberufung der Konferenz nicht stärker entwickelt zu werden. Auch er betonte: «What is needed, is not discussion, but action[181].» Das Drängen zu Taten war unverkennbar.

4. Die Inter Commission Conference

Zur Tat schritt man, als Mr. Pepper in der ersten Sitzung der Kommission im Jahre 1913 – in der übrigens auch der Planungsausschuß in Exekutivausschuß umbenannt wurde – am 9. Januar den Antrag stellte, eine Zusammenkunft von Vertretern aller in den Vereinigten

175 *Minutes Com,* 9.1.1913.

176 GK 4, *W. T. Manning,* von G, 30.10.1912.

177 *Minutes Com,* 9.1.1913; vgl. den Abdruck des Briefes im *Anhang,* S. 318 f.

178 GK 3, *A. C. A. Hall,* von G, 20.1.1913; vgl. GK 1, *Th. D. Bratton,* an G, 28.12.1912; GK 5, *E. L. Parsons,* 21.12.1912; GK 2, *R. B. Guild,* 3.1.1913 u.a.

179 GK 6, *N. Smyth,* an G, 21.11.1912.

180 GK 6, *N. Smyth,* an G, 5.1.1913; vgl. auch GK 6, *N. Smyth,* an G, 12.2.1913.

181 GK 5, *W. H. Roberts,* an G, 7.1.1913.

Staaten eingesetzten Kommissionen sollte zur Beratung des weiteren Fortgangs der Vorbereitungen einberufen werden:

«Resolved, That an informal conference be held within the next three months between men of various communions in the United States for the consideration of the practical steps which must be taken to bring about the World Conference; the individuals invited to confer to include the Chairmen and Secretaries of existing Commissions and one or more members of the Orthodox Eastern and the Roman Churches[182].»

Über den Antrag setzte eine längere Debatte ein, in deren Verlauf verschiedene andere Vorschläge gemacht wurden. Schließlich wurde der Exekutivausschuß mit der Vorbereitung einer solchen Zusammenkunft beauftragt, auch mit der Aufstellung einer Liste «of matters to be suggested for consideration».

Als Zeichen der Bereitschaft zur Zusammenarbeit hatte die Kommission außerdem zu dieser Sitzung gastweise Rev. Smyth und Rev. Roberts eingeladen[183]. Rev. Smyth hatte der Einladung Folge leisten können und wiederholte in einem Gesprächsbeitrag «to take some decided steps forward, especially to begin the organization now of a joint Commission»[184].

Die nächsten Monate waren bestimmt von der Vorbereitung der Inter Commission Conference, wie diese Zusammenkunft betitelt wurde. Zuerst wurde beschlossen, sie am 8. Mai 1913 in Washington, D.C., zu veranstalten; man kam dann aber in New York zusammen. Bei dem Treffen sollte der Sekretär über das bisher Erreichte einen Bericht geben[185], bei der Frage der weiteren Vorbereitung der Weltkonferenz sollte über die Art der Einberufung und Zusammensetzung gesprochen werden, schließlich sollte über schon vor der eigentlichen Weltkonferenz zu behandelnde Themen nachgedacht werden[186]. Professor Hall betonte besonders, man dürfe keinerlei Entscheidungen fällen, bevor nicht die katholischen Kirchen angemessen vertreten seien, und man müsse bei den protestantischen Kirchen für Offenheit und angemessene Haltung gegenüber den großen katholischen Kirchen eintreten[187]. Um den inoffiziellen Charakter der Zusammenkunft zu betonen und dadurch auch eher eine Teilnahme von römisch-katholischen und orthodoxen Vertretern zu gewährleisten,

[182] *Minutes Com,* 9.1.1913.

[183] GK 6, *N. Smyth,* von Mr. Pepper, 31.12.1912; GK 5, *G. Wh. Pepper,* von G, 4.1.1913.

[184] *Ainsliematerial,* Brief von Rev. N. Smyth, an P. Ainslie, 6.2.1913.

[185] *Minutes Ex Comt,* 4.3.1913 und 26.3.1913; vgl. auch GK 5, *G. Wh. Pepper,* von und an G, 31.3.1913, 23.4.1913.

[186] *Minutes Ex Comt,* 20.2.1913 und 4.3.1913.

[187] GK 3, *F. J. Hall,* an G, 17.3.1913.

wollte man anfangs nichts über das Treffen an die Presse geben[188]. Doch, nachdem durch einen Fehler im Sekretariat in einer Zeitung etwas darüber erschien, wurde eine kurze Notiz für die Presse allgemein fertiggestellt[189]. Als Vertreter der Presbyterianer suchte man den Vizepräsidenten der Vereinigten Staaten, Mr. Marshall, zu gewinnen, was aber nicht gelang[190]. Nach Gesprächen schien es außerdem besser, keine römischen Katholiken einzuladen[191].

Als man sich am 8. Mai 1913 dann im Hotel Astor in New York zusammensetzte, waren 34 Vertreter aus 16 verschiedenen Kirchen anwesend, wobei die Teilnahme eines Vertreters der Church of England, des Rev. T. Tatlow, und der russisch-orthodoxen Kirche, des Rev. A. A. Hotovitsky, besonders bemerkenswert war. Die Kommission der Protestant Episcopal Church repräsentierten Bischof Greer und Rev. Manning – Bischof Anderson war erkrankt – und die vier Laien Mr. Gardiner, Mr. Stetson, Mr. Pepper und Mr. Zabriskie. Zum Vorsitzenden der Zusammenkunft wurde Rev. Manning ernannt. Man kann in dieser Zusammenkunft einen Einschnitt für die Arbeit der Kommission der Protestant Episcopal Church sehen, weil es «the first gathering for joint consideration of the great questions and problems that we have to face together»[192] war und der Sekretär erstmals eine Art Rechenschaftsbericht über die Arbeit der Kommission vorlegte. Zusammen mit dem Bericht an die General Convention 1913 der Protestant Episcopal Church gibt er einen Überblick über das, was in den Jahren 1910 bis 1913 unternommen wurde. Damit bringt er auch eine erste Periode der Vorbereitungsarbeit der Kommission zum Abschluß[193].

Im Bericht vor den Persönlichkeiten, die sich am 8. Mai versammelt hatten, sprach Mr. Gardiner vom Erreichten. Er führte die bisher eingesetzten 22 Kommissionen auf, nannte dann die Kirchen, an die eine Einladung gesandt worden war, von denen aber noch keine Antwort vorlag, und erwähnte die Gespräche, die mit Kardinal Gibbons und Erzbischof Platon geführt worden waren[194]. Der Sekre-

[188] GK 4, *W. T. Manning,* von und an G, 25.2.1913; 27.2.1913.

[189] GK 4, *W. T. Manning,* von und an G, 19.4.1913; 23.4.1913; 30.4.1913.

[190] GK 5, *W. H. Roberts,* von G, 7.3.1913; 12.5.1913; Thomas Riley Marshall war der 28. Vizepräsident der Vereinigten Staaten. Er lebte von 1854 bis 1925. Vgl. mehr über ihn in *The Encyclopedia Americana,* 1962, Vol. 18, S. 327 f.

[191] GK 4, *W. T. Manning,* an G, 30.4.1913.

[192] Rev. Manning in *Conference of Representatives ...,* Printed from a stenographic report not revised by the speakers, S. 6.

[193] Vgl. die beiden Veröffentlichungen der Kommission: *Report* ... to General Convention 1913, *Heft 23,* und The World Conference For The Consideration Of Questions Touching Faith and Order, *A First Preliminary Conference, Heft 24.*

[194] Vgl. Conference of Representatives ..., S. 7 ff.; in Heft 24 der Veröffentlichungen der Kommission, das eine gekürzte Wiedergabe dieser 1. Inter Commission

tär informierte eingehend über die Verschickung von Einladungen, über die Korrespondenz und die Publizität[195], die unter der Verantwortung der Kommission der Protestant Episcopal Church bewerkstelligt worden waren. Zu seinen Ausführungen gehörte auch das Bekenntnis: «It so happens that I am rather ignorant about Sweden and in fact the Continent of Europe and if you could help me with names and adresses I should be grateful[196].»

Nach dem Bericht Mr. Gardiner's und seiner Aufforderung, bei der weiteren Verschickung von Einladungen durch Adressen und Mitteilungen über Kirchengemeinschaften zu helfen, begann das Gespräch des Tages. Einleitend meinte Rev. Manning, daß nach der Deputation zu den anglikanischen Kirchen in Großbritannien, die die Zusicherung der Mitarbeit dieser Kirchen gebracht habe, natürlicherweise der nächste Schritt wäre, auch die anderen Kirchen in England, Schottland und Irland einzuladen. Wie das geschehen solle, darüber sollte man in diesem Kreis sprechen. Rev. Tatlow bemerkte dazu, man sollte auch zu diesen Kirchen eine Deputation schicken, weil das besser als Briefe sei. Ohne das Kommen einer Deputation hätte die Church of England nicht so gehandelt, wie sie es tatsächlich getan habe. Nach dieser Bemerkung äußerte Rev. Smyth einige Gedanken und machte drei Vorschläge. Einmal meinte er, man sollte gerade auch im Blick auf die nonkonformistischen Kirchen in England klarere Informationen über die Art des Vorgehens und die Vorbereitungspläne für die Weltkonferenz herausgeben. Das würde zudem das Interesse steigern. Weiterhin, so betonte er, müßte früher oder später die Methode der Weltmissionskonferenz von Edinburgh aufgenommen werden, nämlich genaue wissenschaftliche Studien zur Vorbereitung der Weltkonferenz, weil der «success of it would depend very largely upon the amount of scholarly preparation for it»[197], wie auch Professor Sanday von Oxford geschrieben hatte. Drittens schlug Rev. Smyth unter Berücksichtigung eines Plans von Mr. Pepper über das, was getan werden müßte und geleistet werden könnte, in Form einer Resolution die Einsetzung eines Beratungsausschusses vor, dem je ein Mitglied der schon bestehenden und noch einzusetzenden Kommissionen angehören sollte und der mit dem Exekutivausschuß der Kommission der Protestant Episcopal Church beratend zusammenarbeiten und Fragen und Studien, die wichtig erschienen, mit vorbereiten sollte[198].

Conference darstellt, wurden diese Angaben nicht aufgenommen, weil sie in Heft 23, *Report* . . . to the General Convention 1913, schon aufgeführt werden.

[195] Vgl. *Conference of Representatives* . . ., S. 19 ff.

[196] Ebenda, S. 23; vgl. *A First Preliminary Conference,* Heft 24, S. 7.

[197] *The Contemporary Review,* Vol. 99, April 1911, S. 411.

[198] *Conference of Representatives* . . ., S. 30 f.

Die Themen des Tages bildeten daraufhin die Frage einer zweiten Deputation nach England zu den nonkonformistischen Kirchen und die Frage eines Beratungsausschusses. Am Vormittag sprach man über eine Deputation. Zugrunde lagen Resolutionen, die Mr. Stetson einbrachte:

«Resolved, That in the judgement of this meeting a deputation of five should be sent at as early a date as possible to confer with the leaders of the Protestant communions in Great Britain and Ireland which have not yet taken action in regard to the world conference movement, to secure their co-operation in the movement, and that this deputation should go in the name of all the Commissions represented at this meeting. Resolved, Further, That a committee of five, with power to add to its number, be appointed by the Chair to confer with the Commission of the Episcopal Church at its next meeting, in regard to the practicability of arranging for such a deputation to go to Great Britain and Ireland.»[199]

Ausführlich debattierte man über die Aufgabe, die Größe und Zusammensetzung und auch den Zeitpunkt der Einsetzung einer solchen Deputation. Schließlich wurde in Anlehnung und Abänderung die Vorlage so gefaßt, daß «a Committee of Five, with power to add to its number, be appointed by the Chair to confer and to arrange with the Commission of the Episcopal Church for such a deputation to go to Great Britain and Ireland»[200].

Am Nachmittag sprach man anhand der Vorschläge von Rev. Smyth über die Einsetzung eines Beratungsausschusses, eines Advisory Committee. Rev. Calkins befürwortete ein solches Committee, weil es eine Hilfe bei der Vorbereitung der Weltkonferenz sein könne. Die geplante Weltkonferenz könne entweder eine große christliche Versammlung werden, in der in einer Art Ausstellung die verschiedensten christlichen Glaubensgrundsätze und Ordnungen gezeigt werden. Aus der Versammlung heraus könnten dann weitere praktische Schritte entstehen. Oder man könnte, wie Rev. Smyth es sich vorstelle, diese Weltkonferenz wie die Weltmissionskonferenz von Edinburgh vorbereiten, so daß sorgfältig ausgearbeitete wissenschaftliche Dokumente zumindest als Diskussionsgrundlage der Konferenz vorgelegt würden. Rev. Calkins, der ebenfalls die zweite Art der Durchführung der Weltkonferenz befürwortete, meinte, bei der Formulierung der Fragen und vielleicht der Einsetzung von Studiengruppen sei ein Advisory Committee von besonderer Hilfe[201]. Ohne längere Diskussion wurden dann folgende Beschlüsse gefaßt:

«Resolved, That an advisory committee be constituted, composed of one representative of each of the commissions already appointed, to be chosen by each of said commissions, to co-operate with the Executive Committee of the Episcopal

[199] *Conference of Representatives . . .*, S. 34.
[200] Ebenda, S. 49.
[201] Ebenda, S. 59 ff.

Commission in promoting any preliminary preparation for the work of convening the World Conference[202].»

«That the Commissions which may be appointed by other Communions be invited to appoint representatives on this advisory committee[203].»

Der dritte Vorschlag von Rev. Smyth, der sich mit der Weise der Zusammenarbeit des Advisory Committee mit dem Exekutivausschuß der Kommission der Protestant Episcopal Church beschäftigte, wobei – Rev. Calkins hatte es besonders erwähnt – dafür theologische, wissenschaftliche Studien und Dokumente genannt wurden, löste eine längere Diskussion aus. Eine Gruppe wollte gar nichts über die Weise der Zusammenarbeit bestimmen, andere wollten die wissenschaftliche Bemühung begrenzen, wieder andere hielten von «studies and statements» wenig oder legten Wert darauf, daß der neue Ausschuß – auch General Committee genannt – nur beraten solle und die Führung und Entscheidung vorläufig weiterhin der Kommission der Protestant Episcopal Church überlassen bleibe. Auch Rev. Manning betonte, man müsse behutsam und wohlüberlegt vorwärtsgehen und er halte das, was Rev. Calkins wolle, für verfrüht. Jetzt gehe es darum, die Grundlage der Weltkonferenz zu erweitern, d. h. die Kirchen Großbritanniens, dann des europäischen Kontinents und des Ostens einzuladen. Die Bewegung müsse wirklich weltweit sein, bevor man zuviel tue «in the way of centralizing a Christian organization and have scholars begin to study the questions».[204] In der Diskussion tauchte die Schwierigkeit auf, die in der Vorbereitungsarbeit ein dauerndes Problem darstellte: einerseits mußte man ins theologische Gespräch eintreten, wollte man einander näher kommen, andrerseits wollte man das theologische Gespräch nicht vor der Weltkonferenz selber einsetzen lassen.

Rev. Smyth zog diesen dritten Vorschlag für einen Beschluß schließlich zurück[205] mit der Begründung, daß der von einem Dreierausschuß während der Zusammenkunft verfaßte Bericht über das Treffen seine Wünsche noch besser wiedergebe. Der Bericht wurde dann vorgetragen und anschließend einstimmig angenommen. Er lautete:

«1. That the true ideal of the World Conference is of a great meeting participated in by men of all Christian churches within the scope of the call, at which there shall be consideration not only of points of difference and agreement between Christians, but of the values of the various approximations to belief characteristic of the several churches.

2. That while organic unity is the ideal which all Christians should have in their thoughts and prayers, yet the business of the commissions is not to force any

[202] Ebenda, S. 30 und 70.
[203] Ebenda, S. 30 und 70.
[204] Ebenda, S. 78.
[205] Ebenda, S. 86.

particular scheme of unity, but to promote the holding of such a conference as is above described.

3. That in order that the World Conference may have a maximum value, the questions there to be considered shall be formulated in advance by committees of competent men representative of various schools of thought, these committees to be appointed at as early a date as is consistent with assurance that their truly representative character cannot be successfully challenged.

4. That among the subjects for joint consideration by the Executive Committee of the Episcopal Commission and the General Committee of the Episcopal Commission and the General Committee appointed at this meeting are the following;
First: What questions must be considered before it can be decided how the World Conference shall be convened, what its membership shall be, and when and where it shall assemble.
Second: How such prior questions can best be considered and answered.
Third: How the matters for consideration by the World Conference shall be ascertained and referred to the committees which are to study them, and how and when those committees shall be appointed.

5. That the Secretary be directed to send copies of the record of to-day's meeting, and the text of all resolutions adopted, to all those who have been in attendance at this meeting and to all who were invited but who have failed to attend.»[206]

Mit der Verabschiedung dieses Berichts näherte sich diese erste Zusammenkunft von Vertretern verschiedener Kommissionen zur Vorbereitung der Weltkonferenz ihrem Ende. Wenn das Advisory Committee damit auch nur beratende Funktion hatte, so war doch ein Anfang zur Zusammenarbeit gemacht worden. Auch der Beschluß zur Entsendung einer nichtepiskopalistischen Deputation zu den nonkonformistischen Kirchen in England war ein Zeichen für den Beginn von Zusammenarbeit. Zum Schluß bekundete der russisch-orthodoxe Geistliche, Dean Hotovitsky, in freundlichen Worten seine Sympathie[207], und ein weiterer Redner wies auf die im Juni des Jahres in Aberdeen, Schottland, stattfindende Zusammenkunft der Pan Presbyterian Alliance hin. Rev. Manning ernannte den Fünferausschuß, der sich mit der Zusammensetzung der Deputation nach England zu beschäftigen hatte und gleich anschließend an das Treffen zusammentrat. Man gedachte auch des erst kurz vorher verstorbenen Mr. J. P. Morgan, der durch seine finanzielle Unterstützung viel für die Bewegung getan hatte, bevor mit einem Gebet und Liedvers das Treffen beschlossen wurde[208].

[206] *Conference of Representatives* ..., S. 87 f. Der Bericht wurde von Rev. Smyth, Rev. Remensnyder und Mr. Pepper verfaßt.

[207] Ebenda, S. 88 ff.

[208] *Conference of Representatives* ..., S. 90 ff.

IV

Zusammenarbeit – Hoffnungen und Schwierigkeiten in den Jahren bis 1916

1. Maßstäbe

Das Echo auf die Inter Commission Conference am 8. Mai 1913 war allgemein freundlich. Der Beschluß über die Einsetzung eines Advisory Committee, auch der Vorschlag, eine Deputation von Persönlichkeiten, die nicht der Protestant Episcopal Church angehörten, zu den nichtanglikanischen Kirchen in Großbritannien zu schicken, erweckten Interesse. Weithin war man der Meinung, daß die Zusammenkunft einen Markstein auf dem Weg zu weiterer Zusammenarbeit abgab. Der lutherische Pfarrer Junius B. Remensnyder[1] sagte nach dem Treffen: «If ever it were true that the Protestant Episcopal Church was alone in this Christian Unity plan of a World Conference on the subject, it is not true now. Today's conference places all on a level[2].» Andere dachten ähnlich[3]. Auch Mr. Gardiner empfand: «I think there is every reason to hope that yesterdays meeting makes an epoch in the history of modern Christianity[4].»

Diesen positiven, fast überschwenglichen Urteilen standen allerdings auch kritische Stimmen gegenüber. Vor allem Hochkirchler, wie Bischof A. C. A. Hall, der innerhalb der Protestant Episcopal Church großen Einfluß hatte[5], bedauerten die ihrer Ansicht nach viel zu protestantische Ausrichtung des ganzen Treffens. Bischof A. C. A. Hall kritisierte auch das ihm zu blasse und unpräzise Eingangsgebet, das bei der Zusammenkunft gesprochen worden war[6]. Bekanntgemacht wurden die Ergebnisse der Inter Commission Conference auf zweierlei Weise. Für den inoffiziellen Gebrauch wurde sofort nach dem Treffen am 8. Mai ein stenographischer Bericht gedruckt[7]. Für

[1] Junius Benjamin *Remensnyder* wurde im Jahre 1843 geboren und starb im Jahre 1927. Er war ein bekannter lutherischer Pfarrer in den Vereinigten Staaten von Amerika und wurde im Jahre 1911 zum Präsidenten der General Synod of Evangelical Lutheran churches in the U.S. gewählt. Auch durch Veröffentlichungen trat er hervor. Vgl. *The Encyclopedia Americana*, 1962 Edition, Vol. 23, S. 365.

[2] WCC, *Crisis Boston* (Massachusetts), 28.5.1913, S. 197.

[3] Vgl. GK 4, *W. T. Manning*, an und von G, 23.5.1913, 28.5.1913; *Minutes Com*, 20.5.1913, Bericht von Rev. W. T. Manning.

[4] GK 1, *P. Ainslie*, von G, 9.5.1913.

[5] Vgl. G. L. Richardson, *A. C. A. Hall, ...*, Boston/New York 1932, S. IX.

[6] GK 3, *A. C. A. Hall*, an G, 22.6.1913; *A First Preliminary Conference*, Heft 24, 1913, S. 5 f.

[7] *Conference of Representatives ...*, Hotel Astor (New York), Thursday, May 8 th, 1913. Printed From Stenographic Report Not Revised By The Speakers.

die Öffentlichkeit wurde von einem Ausschuß, dem Rev. Manning, Professor Fosbroke und Mr. Gardiner angehörten, ein gekürzter Bericht vorbereitet[8] und im Herbst 1913 herausgegeben[9].

Daß die Inter Commission Conference großenteils ein ermutigendes und vorwärtsweisendes Echo bewirkte, lag wesentlich mit am Verhalten der Vertreter der Kommission der Protestant Episcopal Church am 8. Mai. Bemerkenswerterweise waren es vor allem Laien, deren Aufgeschlossenheit und Offenheit eine Ebene der Gemeinsamkeit schuf. Ein Anhalten dieser Entwicklung hing nun entscheidend davon ab, wieweit die übrige Kommission der Protestant Episcopal Church diese Haltung übernahm, wieweit sie andere Kommissionen bzw. das Advisory Committee an der Entwicklung beteiligte. Spätestens der erste Bericht, den die Kommission der im Oktober 1913 nach drei Jahren wieder tagenden General Convention vorzulegen hatte, mußte dazu Stellung nehmen. Denn er hatte das Thema des Verhaltens gegenüber anderen Kirchen zu behandeln.

Schon bei den ersten Vorbereitungen eines Berichts im Jahre 1912 meinte Mr. Gardiner, daß die Kommission die Maßstäbe für ihre Arbeit nicht ernst nehme und sie daher von neuem aufzeigen und beherzigen müsse[10]. «God led last General Convention to take a great step forward. We have promptly and practically abandoned the spirit of humility and love which inspired the report to the Convention recommending our appointment.»[11]

Das zögernde und zurückhaltende, gegenüber den Protestanten geradezu mißtrauische Agieren, andererseits ein hastiges und unüberlegtes Beschließen, ließen seiner Ansicht nach den Geist echter Demut und Liebe vermissen. Dieser Geist war aber entscheidend, weshalb Mr. Gardiner forderte, daß die Kommission gerade in ihrem Rechenschaftsbericht frage, ob ihr Verhalten nicht – zu Recht oder zu Unrecht – hinderlich sei im Bemühen «not only to ultimate unity, but to the preparations for and the success of the Conference». Besonders im Blick auf das ständige Argument der Hochkirchler, man könne sich zu sehr nach protestantischer Seite hin ausrichten, fragte er: «How can we expect Rome to abandon its policy of refusing any conference except on the terms of unconditional surrender unless we set her an example? How can we expect Protestants to abandon their divisive confessions while we retain ours?»[12]

[8] *Minutes Com*, 20.5.1913; vgl. auch GK 4, *W. T. Manning*, an und von G, 7.8.1913; 11.9.1913.

[9] *A First Preliminary Conference*, Heft 24, 1913.

[10] GK 4, *W. T. Manning*, von G, 5.8.1912; 7.10.1912; vgl. auch *Minutes Ex Comt*, 31.5.1912.

[11] GK 3, *F. J. Hall*, von G, 19.10.1912.

[12] GK 3, *F. J. Hall*, von und an G, 14.10.1912; 19.10.1912.

Nur der Geist der Demut und Liebe eröffnete Möglichkeiten und führte weiter. Bei der Inter Commission Conference war dieser Geist, der Offenheit und Begegnung, Annäherung und Gemeinsamkeit förderte, vorhanden gewesen. Dieser Geist, der neue Maßstäbe setzte, mußte bei der Vorbereitungsarbeit der Kommission sichtbar werden. Solche Einsicht erwuchs Mr. Gardiner besonders durch seine Tätigkeit als Sekretär.

Seine Korrespondenz ließ ihn erkennen, daß man Mißtrauen abbauen und sich nur da vorurteilsfrei begegnen konnte, wo man jedem ernsthaften Glauben gegenüber zumindest «some element of value» zuzugeben bereit war. Mr. Gardiner war dankbar, wenn ein Korrespondent den Eigendünkel der Vergangenheit nicht nur in der anglikanischen Kirche suchte und entdeckte, und wenn er deren Bemühung um Änderung und Fortschritt anerkannte. Doch war ihm ebenso klar, daß die Kirche der Zukunft – sollte es *eine* Kirche geben – anders aussehen werde als seine Kirche jetzt, auch wenn er überzeugt war, daß die historische Stellung und wesentliche Grundsätze der anglikanischen Kirche bewahrt blieben[13]. Nur da, wo der Geist der Demut und Liebe herrschte, konnte man besondere Werte anerkennen und Gemeinsamkeiten sehen. Nur da konnte gegenseitiges Vertrauen entstehen, konnten Unterschiede ausgehalten und ihre Diskussion friedlich angepackt werden, konnte die Formel «comprehension, not compromise, and unity, not uniformity» verwirklicht werden[14].

Weil ihm der Geist der Liebe und Demut entscheidend war, empfand Mr. Gardiner von Anfang an als Mittelpunkt aller Bemühung um eine Weltkonferenz für Fragen des Glaubens und der Kirchenverfassung die Notwendigkeit des Gebets. Das Gebet erstrebte und bewirkte den Geist der Liebe und Demut, es bildete die Pflanzstätte dafür. Mr. Gardiner betonte: « . . . we must be willing to give ourselves to prayer with new earnestness, recognizing that the great facts of Christianity are vital and equally that the culminating of the atoning work of Christ, in the crucifixion, the resurrection, the ascension and the coming of the Holy Spirit, means that man's highest glory is his opportunity so to surrender himself to God's will that he may share God's purpose and enter his service for the establishment of his kingdom»[15]. Aus dieser Erkenntnis heraus war im Rundbrief an die Pfarrer der Protestant Episcopal Church am 25. Januar 1911 zum Gebet aufgerufen worden[16], hatte die Kommission eine Gebetskarte zusam-

[13] GK 1, *A. J. Brown,* von G, 5.11.1912.
[14] GK 3, *F. J. Hall,* von und an G, 14.10.1912; 19.10.1912.
[15] WCC, *The Houston Chronicle,* (Houston, Texas), 14.2.1912.
[16] Vgl. *Anhang,* S. 315 f.

menstellen lassen[17], waren deren Gebete in den veröffentlichten Heften mitgedruckt worden[18] und hatte das Haus der Bischöfe auf Anregung hin Gebete empfohlen[19]. Auch wenn diese Aktionen wenig Erfolg zeitigten, ließ Mr. Gardiner in der Sache nicht nach. Er veröffentlichte ab und zu in der kirchlichen Presse einen Aufruf, dessen Text lautete:

«I am directed by the Rev. William T. Manning, D.D., chairman of the Executive Committee of the Commission on the World Conference on Faith and Order, to ask your space to repeat the request which has been already made once or twice by the Commission, for the regular and frequent prayers of the Church for the guidance of the Commission in its difficult undertaking, and for the unity of the flock of Christ, and especially for such prayers at the Holy Communion on the first Sunday in each month. The Commission has printed a card containing three prayers for use which, with the other publications by the Commission, may be had free on request to me.»[20]

Er drängte darauf, daß gerade der Bericht an die General Convention mit einem Aufruf zum Gebet eingeleitet wurde, damit der Geist der Liebe und Demut dadurch erkennbar werde. Mr. Gardiner schrieb einen entsprechenden Entwurf[21].

Als ein weiterer Maßstab für den Geist der Liebe und der Demut galt die Bereitschaft zum Gespräch und gemeinsamen Tun. Nur durch gegenseitigen Austausch und gemeinsames Nachdenken von Vertretern verschiedener Kirchen konnten die Hindernisse auf dem Weg zu christlicher Einheit angepackt werden, wurde man zu den eigentlichen Problemen hingeführt. Mr. Gardiner befürwortete den Vorschlag von sogenannten informal conferences, weil schon seine Korrespondenz ihm zeigte, «that a very large part of the thought on the matter, and I speak of Catholics as well as Protestants, is quite superficial»[22]. Schon vor einer Weltkonferenz und bevor Pläne für christliche Einheit entwickelt werden konnten, war solche gemeinsame Bemühung um mehr gegenseitiges Wissen, besseres Verstehen und gemeinschaftliche Arbeit ein Zeichen des notwendigen Geistes der Liebe und Demut. Leider verband sich für manche Hochkirchler mit informal conferences sofort die Vorstellung, daß die Protestant Episcopal Church dabei theologische Kompromisse einging, oder aber sie erwarteten von einer Weltkonferenz nichts. Sie dachten,

[17] Vgl. *Prayers For The Peace And Unity Of The Church,* Gebetskarte.

[18] Vgl. Veröffentlichungen der Kommission.

[19] *Minutes Ex Comt,* 25.10.1911; *Minutes Com,* 9.1.1913; GK 4, *W. T. Manning,* von und an G, 23.9.1911; 6.10.1911; 10.10.1911.

[20] Vgl. *The Living Church,* 21.12.1912, S. 274.

[21] GK 3, *F. J. Hall,* von G, 17.3.1913.

[22] GK 4, *S. P. Matheson,* von G, 21.1.1913.

«the proposed Conference is to be in the nature of a friendly academic debate, representatives from the various bodies setting forth their distinctive positions and listening in turn to statements and counter statements on the part of others. Nothing is to be settled at the Conference and nobody will be expected to change his opinions, but it is hoped that the friendly relations thus established and the mutual respect engendered will somehow hasten the day of ultimate unity. Brother will clasp the hand of brother, there will be great love feast, then all will depart to their respective homes and everything will be quite as before»[23].

Entweder waren ihm die Kontakte zu unverbindlich oder sie waren zu verbindlich. In jedem Falle wurden sie in Frage gestellt. Der Geist der Liebe und Demut, wie er bei der Inter Commission Conference zutage getreten war, zeichnete sich aber durch Offenheit und Vertrauen gegenüber denen aus, die unterschieden waren. Dieser Geist des Anfangs der Kommission zur Vorbereitung einer Weltkonferenz für Fragen des Glaubens und der Kirchenverfassung hatte sich im Bericht an die General Convention zu bestätigen. Maßstäbe für die Arbeit hatte er zu setzen.

Ein erster Entwurf für den Bericht lag der Kommission am 20. Mai 1913 vor. In achtzehn Punkten wurde die bisherige Vorbereitungsarbeit dargestellt, wie sie Mr. Gardiner am 8. Mai bei der Inter Commission Conference in New York vorgetragen hatte. Auch die Ergebnisse jenes Treffens waren aufgenommen. Wesentlich erschienen jedoch die Punkte 15 und 16 des Entwurfs, von denen der erste die Hauptschwierigkeiten bei der Vorbereitung der Weltkonferenz nannte, «indifference, impatience, and suspicion» und der andere von den «advantages and dangers of local conferences» sprach. Man beschloß, dem Exekutivausschuß die endgültige Ausarbeitung zu übertragen. Anhand verschiedener Entwürfe von Professor F. J. Hall, Rev. W. T. Manning und Mr. R. H. Gardiner stellten daraufhin neben diesen Mitgliedern noch Mr. G. W. Pepper und Mr. G. Zabriskie vom Exekutivausschuß den Bericht bei einem Zusammensein in Mr. Gardiner's Landhaus in Gardiner (Maine) vom 25. bis 28. Juli 1913 fertig[24]. Die endgültige Fassung wurde gleich gedruckt und Anfang September allen Bischöfen und Mitgliedern des Hauses der Abgeordneten rechtzeitig vor der General Convention zugeschickt. Der Bericht wurde auch allen Personen auf der Adressenliste des Sekretariats zugesandt. Äußerlich bemerkenswert ist, daß die Veröffentlichung der Kommission erstmals in normaler Heftgröße gedruckt wurde, während vorher alles in Kleinformat erschien[25].

[23] *The Living Church,* 8.2.1913, S. 519, Leserbrief «Unity and The Proposed World Conference».

[24] *Minutes Ex Comt,* 25.–28.7.1913; vgl. auch GK 4, *W. T. Manning,* von G, 9.6.1913; GK 3, *F. J. Hall,* von G, 3.7.1913.

[25] Vgl. *Report . . .,* Heft 23; vgl. auch GK 4, *W. T. Manning,* an und von G, 3.8.1913; 11.9.1913; GK 7, *G. Zabriskie,* an G, 13.9.1913.

2. Die General Convention 1913 und der Federal Council of Churches

Bei der am 8. Oktober in New York beginnenden General Convention 1913 wurde der Tätigkeitsbericht der Kommission zur Vorbereitung einer World Conference on Faith and Order zur Kenntnis genommen, sie selber wurde entlastet und bestätigt. In den Verhandlungen wurde jedoch kaum über die Arbeit der Kommission gesprochen, ihr Bericht erschien merkwürdigerweise später auch nicht im Journal dieser General Convention, was Mr. Gardiner nicht weiter störte, weil die Berichte im Anhang des Journals der General Convention normalerweise «pretty safely buried» seien[26]. Indirekt wurde aber die Kommission für eine Weltkonferenz sehr bedeutsam bei dieser General Convention. Denn ein Antrag, den Mr. Gardiner nicht als Sekretär der Kommission, sondern als Einzelner und Delegierter des House of Deputies einbrachte, löste eine leidenschaftliche Diskussion aus.

Der Antrag handelte von Zusammenarbeit. Mr. Gardiner, der mit Bischof Anderson und Bischof Talbot als Vertreter der Protestant Episcopal Church im Dezember 1912 am Vierjahrestreffen des Federal Council of Churches in Chicago teilgenommen hatte und selber in dessen Exekutivausschuß gewählt worden war, war der Meinung, die Protestant Episcopal Church sollte das «semiofficial» Verhältnis in ordentliche Beziehungen umwandeln. Mr. Gardiner wußte, daß viele Leute beim Federal Council Föderation und christliche Einheit verwechselten und «to strengthen Federation may be to interpose an obstable to unity. But danger is outweighed by active cooperation with them. Cooperation would be a long step toward the unity we have in mind»[27]. Weil die Voraussetzung für jedes Vorwärtskommen auf dem Wege zur Einheit gegenseitiges Verstehen auf Grund gegenseitiger Bekanntschaft sei, sollte die Protestant Episcopal Church mit dem Federal Council zusammenarbeiten. Dabei werde keinerlei Aufgabe von irgendwelchen Grundsätzen gefordert, war Gardiner's Meinung. Er brachte deshalb am 23. Oktober, einem Donnerstag, eine Resolution im House of Deputies mit dem Ziele voller Mitgliedschaft im Federal Council ein. Sie lautete:

«Whereas, The Federal Council of Churches of Christ in America exist for the prosecution of work that can be done better in union than in separation; and Whereas, Representation in the Federal Council is obtained by any religious body on the approval of the purpose and plan of the Council, which is: To mani-

[26] GK 4, *W. T. Manning*, von und an G, 18.3.1914; 20.3.1914.
[27] GK 6, *F. L. Stetson*, von G, 16.9.1913.

fest the essential oneness of Christian Churches of America, in Jesus Christ as their Divine Lord and Saviour, and to promote the spirit of fellowship and co-operation among them; and

Whereas, The Federal Council is precluded by its Constitution from drawing up a common creed or form of government or of worship, or in any way limiting the full autonomy of the Christian bodies adhering to it; therefore be it Resolved, The House of Bishops concurring, that the Protestant Episcopal Church approves the purpose and plan of the Federal Council and authorizes the Commission of the General Convention on Christian Unity and on Social Service to send to the Federal Council such number of delegates as this Church is entitled to under Section V. of the Constitution of the Federal Council.»[28]

Bei der Vorlage der Resolution betonte Mr. Gardiner, daß man vor drei Jahren das Abseitsstehen der eigenen Kirche bei der Einsetzung einer Kommission zur Vorbereitung einer Weltkonferenz bedauert habe. Inzwischen habe diese Kommission andere Kirchen zur Mitarbeit bei der Vorbereitung eingeladen, und diese hätten zustimmend geantwortet. Sie würden aber zurückfragen, ob auch die Protestant Episcopal Church bei der gemeinsamen Verwirklichung praktischer Pläne mitzutun bereit sei. Die Haltung der Protestant Episcopal Church gegenüber dem Federal Council bilde immer wieder einen Anstoß. Er führte aus, was der Federal Council wolle und schloß mit dem Appell, seiner Resolution zuzustimmen. Er unterstrich, daß die Frage der Mitgliedschaft der Protestant Episcopal Church im Federal Council «is a crucial test of the declaration at last General Convention about our grief for our aloofness in the past»[29].

In der Aussprache[30] über den Antrag Mr. Gardiner's wehrte sich Rev. Manning gegen eine Entscheidung in dieser Frage und empfahl überraschend, die ganze Angelegenheit an die Kommission für eine Weltkonferenz weiterzuleiten. Mr. Pepper widersprach diesem Ansinnen energisch, weil die Kommission dadurch in eine schwierige und für ihre Arbeit hinderliche Lage komme. Die Kommission habe nämlich nur eine Aufgabe: die World Conference vorzubereiten und zustandezubringen. In der lebhaften Debatte wurden Argumente für und gegen den Antrag vorgebracht. Starken Einfluß übte das von Mr. Pepper vorgetragene Votum aus, in dem er den Antrag unterstützte, nachdem er sorgfältig die Verfassung des Federal Council untersucht hatte und in ihr keine einem Beitritt hinderlichen Paragraphen entdeckte.

Rev. Rogers und andere führten die schon früher gebrauchten Argumente an, daß jede Art von Federation organische Einheit verhin-

[28] *The Living Church,* 1.11.1913, S. 18; vgl. auch *The Living Church,* 8.11.1913, S. 18.

[29] GK 6, *F. L. Stetson,* von G, 18.9.1913.

[30] Vgl. *The Living Church,* 1.11.1913, S. 18 f.

dere und die Glaubensunterschiede so hintanstelle, daß sie im Grunde nicht ernst genommen würden. Gerade im Gegensatz dazu erkenne die Kommission für eine Weltkonferenz diese Unterschiede ausdrücklich an und wolle ohne irgendeine vorherige Bindung der Beteiligten darüber reden. Die Argumente der Gegner des Antrags ließen sich in drei Punkten zusammenfassen. Erstens waren sie der Meinung, der Federal Council begrenze seine Mitgliedschaft auf protestantische Kirchen, nehme daher die römisch-katholische Kirche nicht auf und sei deshalb einseitig. Zweitens glaubten sie, der Federal Council habe ein Glaubensbekenntnis formuliert, das inhaltlich nicht einmal die Inkarnation klar anerkenne. Schließlich identifizierten sie den Federal Council mit allen anderen Föderationen in den Vereinigten Staaten, die jedoch teilweise ganz andere Grundsätze hatten und auch Juden und Unitarier einschließen konnten[31].

Mr. Gardiner versuchte, diese Bedenken gegenüber dem Federal Council zu zerstreuen. Er betonte, es gehe bei seinem Antrag nicht um eine allgemeine Stellungnahme zur Frage von Federation, sondern um ein Ja zum konkreten Federal Council, der zum Zwecke sozialer, sittlicher und industrieller Wohlfahrtstätigkeit organisiert sei. Er trug die Präambel zur Verfassung des Federal Council vor, in der es heißt: «Whereas, In the providence of God, the time has come when it seems fitting more fully to manifest the essential oneness of the Christian Churches of America in Jesus Christ as their Divine Lord and Saviour, and to promote the spirit of fellowship, service and cooperation among them, the delegates to the Interchurch Conference on Federation ... recommend the following Plan of Federation ...»[32]. Er versuchte, den Satz, der Federal Council habe ein Glaubensbekenntnis formuliert, zu widerlegen, indem er aus dessen Verfassung den eindeutigen Satz zitierte: «It has no authority to draw up a common creed or form of government or of worship, or in any way to limit the full autonomy of the Christian bodies adhering to it[33].» Doch hatte Mr. Gardiner den Eindruck, daß die Gegner seines Antrags gar nicht zuhörten. Denn er beschrieb als seine Erfahrung bei der Diskussion: «I read from the Constitution of the Federal Council certain statements. It was quite evident that I was reading from a book, because it had a red cover; I held it up high and had to change my glasses, which made a little delay. I had hardly left the platform before men were up making statements as to the Federal Council which were di-

[31] GK 4, *F. Lynch,* von G, 3.11.1913; GK 4, *Ch. S. Macfarland,* von G, 24.10.1913; GK 3, *A. C. A. Hall,* von G, 18.11.1913.

[32] *The Christian Union Quarterly,* July 1917, S. 41 f.: The Progress of Federation Among the Churches, von Ch. S. Macfarland.

[33] Ebenda, S. 42.

rectly opposed to the statements I had read from its Constitution.»[34]

Als Ergebnis der Aussprache im House of Deputies wurde allerdings der Antrag von Rev. Manning abgelehnt und die Resolution Mr. Gardiner's mit großer Mehrheit leicht verändert angenommen[35]. Das House of Bishops verweigerte jedoch seine notwendige Zustimmung, womit die Verabschiedung der Resolution zu Fall gebracht wurde. Damit war die Protestant Episcopal Church auch weiterhin im Federal Council nicht volles Mitglied. In den folgenden Wochen und Monaten löste diese Entscheidung lebhafte Diskussionen und verschiedenartige Stellungnahmen aus.

Die Hochkirchler innerhalb der Protestant Episcopal Church begrüßten die Ablehnung des Antrags. Sie wollten ihren Widerstand gegen den Eintritt der Protestant Episcopal Church in den Federal Council theologisch verstanden wissen und gruppierten ihn um die Formel in der Präambel des Federal Council «to manifest the essential oneness of the Christian Churches of America in Jesus Christ as their Divine Lord and Savicur». Mit dieser Formel gebe sich der Federal Council eine bestimmte theologische Grundlage, ein Bekenntnis, das mehr verlange als einfache Zusammenarbeit auf sozialem Gebiet und das Andersdenkende ausschließe. Es werde nämlich die Vielzahl der Kirchen anerkannt und die eine heilige, apostolische, katholische Kirche gleichsam abgelehnt. Vor allem das Sprachrohr dieser Gruppe, The Living Church, erklärte immer wieder, eine Annahme von Mr. Gardiner's Resolution hätte bedeutet «a direct acceptance of the principle of many Churches of equal authority and none of divine authority, as opposed to the principle of one living Catholic and Apostolic Church, and it would undoubtedly be so construed by the whole Christian world had it passed». Was daher nach dieser Sicht eine Annahme des Antrags für Folgen gehabt hätte, wurde ebenfalls beschrieben: « ... it would have embarrassed our relations with other branches of the Anglican Communions, that it would hopelessly have repelled all Eastern Communions, and that it would have made our work in behalf of the World Conference on Faith and Order, otherwise than as an ultimate Protestant mass meeting, wholly impossible. Indeed only the prompt disavowal and expressed opposition of Dr. Manning, president of the Commission in that behalf, saves the Commission on a World Conference from serious criticism. And we feel it right to say with the utmost frankness, that if influential members of that Commission shall deem it their duty to revolutionize the position of this Church as a first step toward entering the Conference,

[34] GK 3, *A. C. A. Hall*, von G, 12.12.1913.

[35] *The Living Church*, 1.11.1913, S. 19; vgl. auch GK 4, *Ch. S. Macfarland*, von G, 27.10.1913.

the end of unanimous support of the movement toward that end is at hand»[36].

Demgegenüber bedauerten viele Stimmen innerhalb und außerhalb der Protestant Episcopal Church die Ablehnung des Antrags und erwarteten teilweise auch Schwierigkeiten für die Arbeit der Kommission für eine World Conference. Dem Kommissionsmitglied Rev. Parsons war die Entscheidung des House of Bishops schwer verständlich[37]. In The Churchman konnte man lesen, daß die Kommission «will now be confronted with the necessity of persuading the Christian world that this Church is honest and sincere in promoting a world conference on unity»[38]. In verschiedensten Blättern und Zeitschriften erschienen kritische Artikel und Berichte zur Entscheidung der General Convention[39]. In The Continent, einer in Chicago herausgegebenen presbyterianischen Zeitschrift, erschien unter der Überschrift «Episcopalians not ready to practice unity» eine für viele gültige Bemerkung über die offensichtliche Spannung: «Protestants of all other denominations will regret that the late General Convention of the Protestant Episcopal Church adjourned without making the slightest degree of progress toward any practical cooperation with other Christian bodies in any religious ministry. Yet the church vigorously reemphasized its much advertised invitation for other denominations to join it in a general conference on Christian unity.»[40] Der Secretary des Federal Council, Charles S. Macfarland, versuchte den Unterschied zwischen der Aufgabe des Federal Council und dem Unternehmen der World Conference herauszustellen: «Federal unity is simple co-operation in the common task without reference to questions of faith and order[41].» Gleichzeitig schnitt er wohl erstmals die Frage des Verhältnisses von theologischer und praktischer Bemühung um christliche Einheit an, das später die Gemüter der Bewegungen für Life and Work and Faith and Order so beschäftigte, indem er

[36] Vgl. *The Living Church,* 1.11.1913, S. 4: in The Close of the Convention, Kommentar; vgl. auch *The Living Church,* 8.11.1913, S. 39 ff.; The Essential Oneness, Kommentar; *The Living Church,* 3.1.1914, S. 327 f.: Christian Co-operation, Kommentar; *The Living Church,* 10.1.1914, S. 361 f.: Federation Misinterpreted, Kommentar; u.a.

[37] GK 5, *E. L. Parsons,* an G, 26.12.1913.

[38] Vgl. *The Living Church,* 27.12.1913, S. 292: in The Church and The Federal Council; vgl. auch WCC, Band VI, *The Churchman,* 13.12.1913: The House of Bishops and The Federal Council.

[39] Vgl. WCC, Band V (Ende) und Band VI (Anfang).

[40] WCC, Band VI, *The Continent,* Chicago (Illinois) 6.11.1913.

[41] *Christian Union Quarterly,* Januar 1914, S. 80; in The Federal Unity Of The Churches As Related To The Movement For Christian Unity, von Ch. S. Macfarland.

fragte: «For all the movements towards Christian unity, our Christian Unity Foundations, our proposed Conference on Faith and Order, our Christian Union Commissions, we should have the profoundest sympathy and should feel the largest hope. Must not, however, the things which they seek be preceded by a unity of action and service which is founded upon simple, mutual faith and trust?»[42]

Mr. Gardiner empfand das Ergebnis der Abstimmung über seinen Antrag anspornend und vorwärtsweisend. Wenn auch das House of Bishops nicht mitgezogen hatte, so zeigte seiner Ansicht nach die Abstimmung im House of Deputies doch «an increasing disposition on the part of the Protestant Episcopal Church to enter into cordial relations with its brethren»[43]. Zwar hatte ihn das überraschende Votum von Rev. Manning in eine unangenehme Lage gebracht – durch dessen Antrag war seine Resolution mit der Kommission für eine World Conference in Zusammenhang gebracht worden, was er hatte vermeiden wollen – doch ließ sich Mr. Gardiner auf eine Kontroverse nicht ein[44]. Er hielt seinen Antrag für im Einklang mit den Beschlüssen der Lambethkonferenz vom Jahre 1908, von denen er ausgegangen war[45], und konnte die Argumente gegen seinen Antrag nicht recht verstehen[46].

Als Mitglied des Exekutivausschusses des Federal Council arbeitete Mr. Gardiner weiterhin mit. An dem vom 3. bis 5. Dezember 1913 in Baltimore stattfindenden jährlichen Treffen des Federal Council nahm er teil. Man versuchte dort die Entscheidung der General Con-

[42] Ebenda, S. 83.

[43] GK 4, *F. Lynch,* von G, 3.11.1913.

[44] GK 4, *W. T. Manning,* von G, 16.12.1913; vgl. auch GK 5, *G. Wh. Pepper,* von G, 22.12.1913.

[45] GK 3, *A. C. A. Hall,* von und an G, 18.11.1913; 24.11.1913; 30.11.1913; 2.12.1913; 8.12.1913. Das Thema des 11. Ausschusses der 5. Lambeth-Konferenz im Jahre 1908 lautete: Reunion. Im Vorspann zu den Beschlüssen heißt es zur Frage der Vorbereitung von Einheit u.a.: «This preparation must be made by individuals in many ways, by co-operation in moral and social endeavour and in promoting the spiritual interests of mankind, by brotherly intercourse, by becoming familiar with one another's characteristic beliefs and practices, by the increase of mutual understanding and appreciation.» (S. 314) In der 76. Resolution heißt es dann: «Every opportunity should be welcomed of co-operation between members of different Communions in all matters pertaining to social and moral welfare of the people.» In der 78. Resolution ging es darum, daß «the constituted authorities» der verschiedenen anglikanischen Teilkirchen, wo sich die Möglichkeit bietet, Treffen und Zusammenkünfte mit Vertretern anderer christlicher Kirchen veranstalten sollten «for common acknowledgement of the sins of division, and for intercession for the growth of unity». Diese Resolutionen bildeten die Grundlage für Mr. Gardiner's Antrag. Vgl. *The 6 Lambeth-Conferences 1867–1920,* ed. by Lord Davidson of Lambeth, S. 331 ff.

[46] Vgl. The Churchman, 3.1.1914, Federation, von R. H. Gardiner; vgl. auch GK 5, E. L. Parsons, an G, 16.1.1914.

vention zu erklären[47]. Mr. Gardiner selber schlug vor, daß der Federal Council betont jede Verantwortung für local federations ablehne und damit auch den Unterschied eindeutig mache «between those who accept Incarnation as the foundation of all life and the only permanent inspiration and those, who regard Christianity simply as an ethical system»[48]. Auch deswegen betonte wohl der Exekutivausschuß in seinem Statement of Principles in Baltimore ausdrücklich: «There is, however, no organic relation between the Federal Council and State or Local Federations, and it can assume no responsibility for the constituency of such federations or the form which they may take, or indeed any responsibility, except so far as they may carry out the principles and the policy of the Council[49].» Ebenso empfahl Mr. Gardiner, der Federal Council sollte auch die römisch-katholische Kirche in die Liste der in der Verfassung genannten Kirchen einschließen und die Orthodoxen in den Vereinigten Staaten zur Mitarbeit einladen[50]. Auch bei der Beschaffung von finanziellen Mitteln für den Federal Council in der Protestant Episcopal Church setzte sich Mr. Gardiner ein. Man hatte in Chicago im Jahre 1912 einen Beitrag versprochen, und als länger nichts unternommen wurde, schlug er Mr. Low als Vorsitzenden eines Ausschusses dafür vor[51]. Dieser schickte einen Rundbrief aus. Einzelne Spender sollten den Beitrag der Protestant Episcopal Church aufbringen[52]. Mr. Gardiner arbeitete gerne im Exekutivausschuß des Federal Council mit und war von seinen Erfahrungen dort sehr angetan: «I have been deeply impressed with the way in which members of different Communions get to understand and appreciate each other at meetings of the Federal Council or of its Executive Committee. It has been a valuable education to me and I confess that it has sometimes made me wonder whether they do not pos-

[47] Vgl. *Annual Report* of the Federal Council ... 1913, S. 60 f.

[48] GK 4, *Ch. S. Macfarland,* von G, 24.10.1913.

[49] *Christian Union Quarterly,* July 1917, S. 45: The Progress of Federation Among The Churches, von Ch. S. Macfarland.

[50] GK 4, *Ch. S. Macfarland,* von G, 27.10.1913; GK 4, *S. Matthews,* von G, 8.12.1913, vgl. auch einen Brief Gardiner's dazu an den geschäftsführenden Ausschuß des Federal Council: in *Annual Report* des Federal Council of Churches 1914, S. 85.

[51] GK 6, F. L. Stetson, von G, 16.9.1913.

[52] Vgl. Material im Union Theological Seminary (ungeordnet) zur Bewegung für Glauben und Kirchenverfassung, *Brief von S. Low an Rev. Rockland T. Homans,* 21.10.1913, in dem er als Vorsitzender dieses Ausschusses schreibt. Darin wird die Bedeutung des Federal Council hervorgehoben, betont, daß die Protestant Episcopal Church nur «semiofficially represented in the Council» sei und daß finanziell daher gelte: «The Church has no funds from which any appropriation could be made for this work and it was understood that this would be provided for by voluntary gifts from churchmen.» Vgl. auch GK 5, *G. Wh. Pepper,* von G, 22.12.1913.

sess a more intense and practical devotion to Our Lord's spirit and purpose than we do.»[53]

Der persönliche Einsatz von Mr. Gardiner und seine Mitarbeit im Federal Council ist wohl mit der Grund dafür, daß die Entscheidung über die Resolution durch die General Convention beim Federal Council verständnisvoll aufgenommen wurde. Ein Brief des Präsidenten des Federal Council, Shailer Matthews, beleuchtete diese Tatsache: «I think that those of us in the office of the council understand the situation as it has been explained to us by representative Bishops. I am afraid, however, that the action is likely to be misunderstood by those who are not so well posted. – But we must all work together for our common cause, and I am sure that, out from what seems to many of us a serious mistake on the part of the Bishops, good will come.»[54]

3. Die Deputation zu den nichtanglikanischen Kirchen Grossbritanniens

Die Inter Commission Conference am 8. Mai 1913 hatte beschlossen, daß bald eine nichtepiskopalistische Deputation zu den nichtanglikanischen Kirchen Großbritanniens im Auftrage der Kommission der Protestant Episcopal Church für die Weltkonferenz aufbrechen sollte. Das Committee of Five, das bei der Zusammenkunft zur Beratung des Exekutivausschusses der Kommission der Protestant Episcopal Church eingesetzt worden war, hatte sich gleich im Anschluß an das Treffen in New York auf eine Empfehlungsliste von Persönlichkeiten für eine solche Deputation geeinigt und schickte diese Liste an Rev. Manning[55]. Dieser trug die Empfehlungen der Kommission der Protestant Episcopal Church am 20. Mai in ihrer Sitzung vor[56], woraufhin ein Unterausschuß zur Benennung von fünf

[53] GK 3, *A. C. A. Hall,* von G, 8.12.1913; vgl. auch GK 5, *W. H. Roberts,* von G, 11.12.1913; GK 1, *R. W. Brokaw,* von G, 13.4.1914; GK 6, *B. T. Rogers,* von G, 31.3.1914.

[54] Vgl. *The Living Church,* 27.12.1913; S. 292: The Church and the Federal Council of Churches, Kommentar. – Shailer Matthews, Professor of Historical and Comparative Theology, wirkte seit 1914 an der Universität von Chicago, seit dem Jahre 1908 als Dean der theologischen Fakultät. 1933 trat er in den Ruhestand. Er wurde im Jahre 1863 geboren und starb 1961. Er hatte viele Ehrenämter inne und bekleidete von 1912–1916 das Amt des Präsidenten des Federal Council. Vgl. *Who was who,* 1941–1950, S. 774.

[55] *Conference of Representatives ...,* S. 92. Zum Committee of Five gehörten: Bishop Hamilton (Methodist), Rev. P. Ainslie (Disciples), Rev. Rhoades (Baptist), Prof. Walker (Congregationalist), Mr. Jessup (Presbyterian).

[56] Vgl. Report of the Committee of Five, in *Conference of Representatives ...,* S. 94 ff.

Persönlichkeiten für die Deputation bestimmt wurde, dem Rev. Manning, Mr. Low und Mr. Stetson angehörten. Dem Vorschlag des Unterausschusses stimmte die Kommission zu. Sie faßte folgende Beschlüsse:

«Resolved, That this Commission approves and authorizes the appointment of five persons to constitute a deputation as recommended by the Conference with other Commissions on May 8 to visit Great Britain and Ireland, and there to present to the Christian Communions other than the Anglican the principles and the purposes underlying and animating the resolutions adopted by the General Convention of the Protestant Episcopal Church appointing this Commission to join with other Christian Communions in arranging for a World Conference upon questions of Faith and Order, and that the Chairman of the Conference has authority to fill vacancies.
Resolved, That the expenses of such deputation be defrayed from the funds of this Commission, and that the Treasurer of this Commission be and here-by is authorized to audit and pay the same, with power to make such advances on account there of as he deems proper.
Resolved, That the following gentlemen be and hereby they are appointed to constitute such deputation they having power to select their own Chairman and Secretary and Treasurer, with the request that upon their return from Great Britain they will submit a report suitable for publication and for circulation among the several Christian Communions.
Rev. Dr. Newman Smyth
Rev. Bishop Hamilton
Rev. Dr. John Henry Jowett
Rev. Dr. Williams H. Roberts
Rev. Dr. Peter Ainslie
Resolved, That the Rev. Tissington Tatlow is requested to act in association with the deputation and to render such assistance as he can.»[57]

Die für die Deputation benannten Mitglieder wurden vom Sekretär sofort informiert[58]. Die Frage war dann, ob man schon bald in den Monaten Juni/Juli oder erst später im Jahr ab Oktober zu dieser Mission aufbrechen wolle. Schließlich beschloß man am 14. Oktober 1913 in New York, Anfang des Jahres 1914 nach Großbritannien zu gehen. Man empfand diese Zeit als besonders günstig für eine weite Aufmerksamkeit[59]. Allerdings konnten Rev. Jowett und Bischof Hamilton dann an der Deputation nicht teilnehmen. Zwar versuchte man, besonders Bischof Hamilton als Vertreter der Methodist Episcopal Church zur Teilnahme zu bewegen, doch seine Entscheidung war bis zuletzt offen. Familiäre Gründe hinderten ihn an der Reise,

[57] *Minutes Com,* 20.5.1913.

[58] Vgl. *Ainsliematerial,* Brief G an P. Ainslie, 21.5.1913.

[59] GK 5, *W. H. Roberts,* an G, 20.10.1913; vgl. auch GK 7, *G. Zabriskie,* an G, 24.10.1913; vgl. auch *Ainsliematerial,* Briefe *N. Smyth* an P. Ainslie, 2.6.1913; 1.8.1913; 17.8.1913.

und ein Ersatz ließ sich nicht finden[60]. So bestand die Deputation schließlich aus Rev. Smyth, Rev. Roberts und Rev. Ainslie. Rev. Smyth wurde zum Vorsitzenden, Rev. Roberts zum Schatzmeister bestimmt[61].

Am 30. Dezember 1913 brach die Deputation von New York zu ihrer Reise auf. Am Abend des 7. Januar erreichte sie London, wo wie in ganz England bei ihrer Ankunft die sogenannte Kikuyu-Affäre beschäftigte. «We found all England astir over the Kikuyu-affair. Whole pages of the dailey papers were consumed with it. It was the absorbing topic of conversation everywhere.»[62]

Seit dem Jahre 1908 bemühten sich im britischen Ostafrikagebiet[63] eine Anzahl von Missionsgesellschaften um den Zusammenschluß in der Art einer Federation – ähnlich wie das im Federal Council of Churches in Amerika geschehen war. Bei der Konferenz in Kikuyu im Jahre 1913, an der auch die anglikanischen Bischöfe von Uganda und Mombasa teilnahmen, wurde wieder ein Plan für eine Federation beraten. Den Abschluß bildete ein Gottesdienst, bei dem der Bischof von Mombasa an alle Teilnehmer das Abendmahl austeilte. Teilweise auch aus dem Mißverständnis, man habe schon feste Beschlüsse über eine Federation gefaßt, beschuldigte daraufhin der hochkirchliche Bischof von Sansibar seine beiden benachbarten Kollegen der Häresie, klagte sie beim Erzbischof von Canterbury an und forderte ihre Verurteilung[64]. In dieser – durch die Frage nach Federation ausgelösten – heiklen Situation erreichte die Deputation England. Zwar hielt sich die Deputation völlig aus dem Streit in dieser Angelegenheit heraus, doch empfand sie, daß diese Kontroverse in besonderer Weise den Boden für ihre Mission bereitete. «It not only gave to our mission greater publicity, but also it set the message of the World Conference, by contrast against the dark cloud of controversy, in a very favorable and commanding position and light; so that what might have been to us, if we had planned it, the most inopportune moment for our mission, proved to be the moment of God's providence[65].» Die sogenannte Kikuyu-Affäre beschäftigte die Church of England und die ganze

[60] GK 3, *J. W. Hamilton,* an G, 6.12.1913; 11.12.1913; 18.12.1913; 3.1.1914; *Minutes Ex Comt,* 19.11.1913; 10.12.1913; vgl. auch GK 4, *W. T. Manning,* von und an G, 1.12.1913; 2.12.1913.

[61] GK 5, *W. H. Roberts,* an G, 20.10.1913.

[62] *Vgl. The Christian Work and Evangelist,* 7.2.1914, S. 181: The American Deputation in England, von P. Ainslie.

[63] Der Staat Kenia schließt heute dieses Gebiet ein.

[64] Vgl. G. K. A. Bell, *Randall Davidson,* Archbishop of Canterbury, Band 1, Oxford University Pess, 1935, S. 690 ff.; vgl. auch Weltkirchenlexikon, Keuz-Verlag, Stuttgart 1960, S. 675.

[65] Vgl. The World Conference for the Consideration of Questions Touching Faith and Order, *Heft 27,* S. 12; vgl. ähnlich auch P. Ainslie, in *The Christian Work and Evangelist,* 7.2.1914, S. 181: The American Deputation in England.

anglikanische Welt durch Jahre und wurde durch den Consultative Body of the Lambeth-Conference und die Stellungnahme des Erzbischofs von Canterbury im Jahre 1915 zu einer Klärung gebracht[66].

Am ersten Tag ihres Aufenthaltes stellte sich die Deputation vor allem der Presse. Die Interviews verschafften der Deputation eine weite Publizität[67]. Den Vertretern der nichtanglikanischen Kirchen Englands begegnete die Deputation erstmals am Abend des 9. Januar 1914, an dem der National Council of the Evangelical Free Churches ihr zu Ehren ein Bankett im Hotel Metropole (Whitehall Rooms) in London veranstaltete. Zusammen mit dem Nachdruck eines Artikels aus The Times, der im Dezember zur Vorbereitung auf die Deputation erschienen war[68], war die Einladung an über 100 Kirchenführer des nichtanglikanischen England geschickt worden, und es waren so viele bekannte Persönlichkeiten versammelt, daß ein Berichterstatter schrieb: «It would be easier to name the front rank men who were absent from the large party at the Hotel Metropole than to mention those present[69].» Die Begrüßung durch den Gastgeber an diesem Abend, Sir Joseph Compton-Rickett[70], und den Sekretär des National Council of Evangelical Free Churches, Rev. F. B. Meyer[71], war herzlich. Beide betonten jedoch, daß Denominationen nicht aufgegeben werden könnten, weil die Verschiedenheit der Menschen wohl solche erforderten[72].

Im Verlaufe des Abends sprachen die Mitglieder der Deputation, wobei sie ihre Aufgabe unterteilten. Rev. Smyth berichtete mehr über die Entstehung der Bewegung, ihre Notwendigkeit und Verheißung, während Rev. Roberts genauer von der bisherigen Vorbereitungszeit und der Aufgabe der geplanten Weltkonferenz sprach[73]. Rev. Ainslie behandelte in seinen Ausführungen die Bedeutung und Möglichkeit

[66] Vgl. auch *The Living Church,* 22.5.1915; S. 132, Kikuyu.

[67] Vgl. *The Christian Work and Evangelist,* 14.2.1914, S. 204: The American Deputation in England, von P. Ainslie; vgl. auch P. Ainslie, in The World Conference for the Consideration ..., *Heft 27*, S. 23 f.

[68] Vgl. *The Times,* 12.12.1913: Christian Union; vgl. auch *Ainsliematerial.*

[69] *The Christian Work and Evangelist,* 14.2.1914, S. 204: The American Deputation in England, von P. Ainslie.

[70] Sir Joseph Compton-Rickett (1847—1919) war ein prominentes Mitglied der kongregationalistischen Kirche in England. Vgl. *Who was who,* 1916—1928, S. 218.

[71] Frederick Brotherton Meyer wurde im Jahre 1847 geboren. Er starb im Jahre 1929. Er war baptistischer Pfarrer und stand vom Jahre 1904 bis 1920 der National Federation of Free Churches als Präsident vor. Vgl. *Who was who,* 1929—1940, S. 935.

[72] Vgl. *Ainsliematerial,* The Christian World, Towards Reunion, ein Bericht über die Deputation und das Bankett.

[73] Vgl. *Ainsliematerial,* The Christian World, Towards Reunion, ein Bericht über die Deputation und das Bankett, ferner *The Christian Work and Evangelist,* 14.2.1914, S. 204; The American Deputation in England, von P. Ainslie.

christlicher Einheit in biblischer Sicht[74]. Diese Aufgabenteilung behielt die Deputation während ihrer gesamten gemeinsamen Reise bei. Unterstrichen wurden die Ausführungen jeweils durch eine vorbereitete Erklärung über die World Conference, die gedruckt und von den Mitgliedern der Deputation unterzeichnet und ausgehändigt wurde[75]. Sie war von Mr. Gardiner vorbereitet worden, «not only to be read beforehand but to be kept after your meetings as a sort of memorandum»[76]. Die über die Entstehung und Entwicklung der Bewegung für eine World Conference informierende Erklärung schloß mit einem Appell zur Mitarbeit und Beteiligung. «Representing our American Churches, in the humility and teachableness, yet also in the clarifying vision and passion of this supreme purpose, we are here desiring your counsels and seeking your cooperation. We devoutly trust that in the way thus opening before us, we may be led on through some providential simplification of our present problems until we shall come to an ultimate manifestation of the essential oneness of the Lord's disciples, so real, so vital, and so dynamic, that the world may see and believe in its Christ from God.»[77] Auf die Darlegungen der Deputation und ihre Aufforderung zur Teilnahme bei der Vorbereitung einer Weltkonferenz für Glauben und Kirchenverfassung hin antworteten an diesem Abend drei bekannte «English Free Churchmen», Rev. J. H. Shakespeare, Rev. P. T. Forsyth und Rev. Scott Lidgett[78]. Sie alle äußerten sich von dem Vorhaben angetan. Durch ihre gemeinsame zustimmende Haltung entstand der Eindruck, daß dieser Abend «a new epoch in British Non-conformism» bedeuten könne[79]. Die Tage nach diesem Bankett verbrachte die Deputation damit, den Einladungen einzelner Kirchen und Gruppen der britischen nichtanglikanischen

[74] Commission on Christian Union of the Disciples of Christ, Heft 3: Christian Union: The Task of this Generation, von P. Ainslie. Es handelt sich um eine Wiedergabe seiner Ansprache am 9.1.1914.

[75] Statement concerning the World Conference of all Christian Churches, by the Deputation from the American Churches.

[76] GK 6, *N. Smyth,* von G, 26.12.1913.

[77] Statement Concerning the World Conference of all Christian Churches, by the Deputation from the American Churches.

[78] John Howard Shakespeare (1857–1928) war baptistischer Pfarrer und übte in seiner Kirche wichtige Funktionen aus. Darüber hinaus galt er als sehr geschätzter und führender Vertreter der Free Churches in England. Vgl. *Who was who,* 1916 bis 1928, S. 950. Peter Taylor Forsyth (1848–1921) war Theologe und als führender Kongregationalist in England bekannt. Vgl. *Who was who,* 1916–1928, S. 369 f. John Scott Lidgett (1854–1953) war Pfarrer der Wesleyan Methodist Church und Mitherausgeber der Zeitschrift Contemporary Review (seit 1911). Er hatte viele kirchliche Ehrenämter inne. Vgl. *Who was who,* 1951–1960, S. 660.

[79] *The Christian Work and Evangelist,* 14.2.1914, S. 204: The American Deputation in England, von P. Ainslie.

Kirchen Folge zu leisten und in Gesprächen über die geplante Weltkonferenz eingehender zu informieren.

Einen weiteren Höhepunkt ihrer Reise bildete für die Deputation der Aufenthalt in Edinburgh, der Hauptstadt Schottlands. Am Nachmittag des 16. Januar 1914 traf dort die Deputation im Church House der presbyterianischen Staatskirche, der Church of Scotland, bei einem Empfang mehr als 150 Vertreter praktisch aller Kirchengemeinschaften Schottlands[80]. Vertreter der Presbyterian Church of Ireland hatten sich ebenfalls eingefunden.

Nach einer freundlichen Begrüßung stellten die drei Teilnehmer der Deputation Ursprung, Entwicklung und Ziel des geplanten Vorhabens einer Weltkonferenz in bewährter Teamarbeit dar. Natürlicherweise sprach in dieser Umgebung Rev. Roberts am ausführlichsten. Denn unter den Presbyterianern war er bekannt und genoß allgemeine Wertschätzung als früherer Präsident des Pan Presbyterian Council und durch zahlreiche Besuche. Schon beim General Council der Reformed Churches der Welt vom 18. bis 27. Juni 1913 in Aberdeen (Schottland) hatte er den Plan einer Weltkonferenz für Fragen des Glaubens und der Kirchenverfassung vorgetragen und die Zustimmung dieser Versammlung erreicht[81]. In seiner jetzigen Rede betonte er die Bedeutung der Laien für diese Bewegung. «If the ministers are not prepared their people are, and our laymen, especially our influential and prominent laymen, let it be clearly understood, are favourable to every movement which means closer relationship of the Christian churches one to another[82].» Auch Rev. Smyth unterstrich die Bedeutung der Laien bei der Einsetzung der Kommission, als er in seinen Ausführungen sagte: «They had upon that Committee, I think, the most influential laymen in the Episcopal Church of North America. I want to give the laymen credit for their due share in the inauguration in this mission[83].» Als eigentlicher Zweck der Weltkonferenz wurde hervorgehoben «to take a step toward unity, by ascertaining the differences between the churches. These being ascertained, the barriers to unity will be clearly visible»[84].

Von großem Nutzen war es für die Deputation, Rev. Smyth als Chairman zu haben. Sein Name war auf Grund der Bücher, die er

[80] Vgl. Second meeting ..., *Heft 27,* S. 18; vgl. auch *Minutes Com,* 29.1.1914.

[81] *Minutes Com,* 20.5.1913; vgl. Proceedings of the X. General Council of the Alliance of Reformed Churches, holding the Presbyterian system, Edinburgh 1913, S. 38, 161 und 216.

[82] GK 8, *Second Faith and Order Deputation of Great Britain ...*

[83] Ebenda.

[84] *The Christian Work and Evangelist,* 28.2.1914, S. 272: The American Deputation Among the Scottish Churches, von P. Ainslie; vgl. auch Second meeting ..., *Heft 27,* S. 11.

veröffentlicht hatte, bekannt. Immer wieder bedeutete das während der Reise eine spürbare Hilfe. «It has been one of the most pleasing experiences that whenever Dr. Smyth is introduced, or an address of response follows his, there are highly praise worthly references to his books, especially his earlier books, which were sign boards to many amid the confusion of Biblical criticism many years ago. It has served as a fine introduction to the work of the deputation, making Dr. Smyth so eminently fitted for its chairmanship.»[85]

Nach den Ausführungen der gesamten Deputation, nach Antworten auf das Gehörte und der Besprechung sich daran anschließender Fragen faßten die Teilnehmer des Empfangs im Church House folgenden Beschluß: «The meeting desires, further, to express hearty good wishes for these brethren in their abundant labors for the welfare of the Christian church[86].»

An den übrigen Tagen hatten Rev. Smyth und Rev. Ainslie neben wenigen gemeinsamen vor allem auch einzeln Begegnungen mit Persönlichkeiten und Kirchenführern – Rev. Ainslie traf z. B. noch mit den Quäkern, den Disciples und den Moravians zusammen[87], Rev. Smyth war zu Gast beim Bischof von Oxford, Charles Gore[88], und dem Erzbischof von Canterbury[89]. Dann beendete die Deputation bei einem Abschiedsempfang ihre Bemühungen für eine Weltkonferenz unter den Nichtanglikanern Großbritanniens. Dabei wurde beschlossen, daß Rev. A. E. Garvie[90], Rev. F. B. Meyer und Rev. J. Scott Lidgett die Kommissionen zusammenrufen sollten, nachdem solche auf den Synoden der verschiedenen Kirchen während des Frühjahrs und Sommers eingesetzt worden seien. Die Einsetzung von Kommissionen zur Vorbereitung einer Weltkonferenz wollten alle Vertreter ihren Kirchen empfehlen. Als nächsten Schritt nahm man sich dann vor: «An advisory committee will then be organized to confer with the Archbishop Committee of the Church of England and with the Commission of the Protestant Episcopal Church in America[91].»

Die Deputation zu den nichtanglikanischen Kirchen Großbritan-

[85] *The Christian Work and Evangelist,* 28.2.1914, S. 272: The American Deputation Among the Scottish Churches, von P. Ainslie.

[86] Ebenda, S. 272 f.

[87] *The Christian Work and Evangelist,* 14.3.1914, S. 337: The American Deputation Still Among the Non-Anglicans, von P. Ainslie.

[88] Vgl. Second meeting..., *Heft 27,* S. 8; GK 6, *N. Smyth,* an G, 14.2.1914.

[89] Vgl. Second meeting..., *Heft 27,* S. 9.

[90] Alfred Ernest Garvie wurde im Jahre 1861 geboren und starb im Jahre 1945. Als kongregationalistischer Pfarrer und Professor wurde er in viele wichtige Ehrenämter berufen. Vgl. *Who was who,* 1941–1950, S. 423.

[91] *The Christian Work and Evangelist,* 21.3.1914, S. 370: The American Deputation at Oxford and Cambridge and the Farewell Banquet in London.

niens hatte während ihres Aufenthaltes auch Begegnungen mit Anglikanern. Sie traf Hochkirchler bei einer Zusammenkunft mit der im Jahre 1857 gegründeten Association for the Promotion of the Unity of Christendom, «to unite in a bond of intercessory prayer members both of the clergy and laity of the Roman Catholic, Greek and Anglican communions», an der auch Vertreter der Anglican and Eastern Orthodox Churches Union, die im Jahre 1906 gegründet wurde, «(a) to promote mutual sympathy, understanding and intercourse, and (b) to promote and encourage action and study furthering reunion», und der Anglican and Old Catholic Union teilnahmen[92]. Sie wurde von den Leuten der Broad Church party, die sich in der Churchmen Union sammelten, eingeladen. Die Churchmen Union war 1896 «for the advancement of liberal religious thought» gegründet worden. Sie betonten «wide fellowship» und unterstützten «friendly relations between the Church of England and all other Christian bodies»[93].

Vor allem aber traf die Deputation am 29. Januar mit dem Archbishops Committee der Church of England zusammen. Die entscheidende Bedeutung dieser Zusammenkunft war die, daß die Deputation dadurch die Kontaktaufnahme zwischen der Church of England und den Free Churches in die Wege leitete. Kontakte hatten bis jetzt noch nicht stattgefunden. Das Archbishop's Committee war am 7. Juli 1913 in der historischen Jerusalem Chamber in der Westminster Abbey zu seiner ersten Sitzung zusammengekommen. Man informierte sich vor allem über die Inter Commission Conference vom 8. Mai in New York anhand des unkorrigierten Berichts und der Erzählungen von Rev. T. Tatlow, der in dieser Sitzung auch zum Sekretär gewählt wurde. Man beschloß, sich vorläufig aufmerksam, aber abwartend zu verhalten. Kontakte zu den Free Churches schienen schwierig zu sein, vor allem wegen der sogenannten Welsh Church Disestablishment and Disendowment Bill, die von den Nonkonformisten besonders unterstützt wurde. In diesem Gesetz ging es um die Abschaffung der Kirche von England als Staatskirche in Wales und ihrer dadurch in Verlust gehenden Privilegien, da sie in diesem selbst- und tradi-

[92] Second meeting..., *Heft 27,* S. 8; The Christian Work and Evangelist, 7.3.1914, S. 305: The Christian Unity Deputation and the Anglican Church, von P. Ainslie. Die «Association» hatte der Kommission ein Hilfsangebot gemacht, die Anglican und Eastern Orthodox Church Union am 23.10.1913 einen Beschluß gefaßt. Vgl. *Minutes Com,* 29.1.1914; vgl. auch The Anglican and Eastern-Orthodox Churches Union, Fifth Report, Oct. 1912–Sept. 1914, London 1914, S. 48 f.: The World Conference on Faith and Order.

[93] Second meeting..., *Heft 27,* S. 9; The Christian Work and Evangelist, 7.3.1914, S. 305: The Christian Unity Deputation and the Anglican Church, von P. Ainslie.

tionsbewußten Gebiet nicht mehr die Mehrheitskirche bildete[94]. Die Unterstützung dieser Gesetzesvorlage durch die Nonkonformisten schuf viel Bitterkeit[95]. Der Bischof von Bath und Wells, Vorsitzender des Archbishop's Committee, hielt eine längere Ansprache, in deren Verlauf er hervorhob, daß eines der ersten Dinge sein müsse «a greater amount of intercourse between those who are unfortunately too much separated from each other». Er stellte unter anderem fest, daß sein Committee eine theologische Besinnung noch nicht begonnen habe, erwähnte aber die unter Anglikanern allgemein anerkannten theologischen Inhalte, die auch deren Mittelstellung unter den Kirchen zum Vorschein brächten. Er betonte jedoch den Willen des Committees zu theologischer Bemühung und sagte dazu: «What we want to do is to study each other's position, to make clear our own, to find out and make the most of the ground we occupy in common together and humbly to seek the guidance and fellowship of God's Holy Spirit ...». Um dazu Kontakte zu den Free Churches aufnehmen zu können, bat er die Deputation um Hilfe: « ... it would be a help to us if you, Reverend Sirs, when the right moment has come for it, can put us into communication with those whom you have already visited and who you have reason to think would be glad to have such intercourse»[96]. In ihrer Antwort auf diese Rede des Vorsitzenden des Archbishop's Committee erklärte die Deputation daraufhin, daß sie nach den Zusammenkünften und Besprechungen mit den nichtanglikanischen Kirchen Großbritanniens sagen könnte, daß diese Kirchen «earnest desire to confer together with you concerning those fundamental religious problems in the same desire and spirit which you so nobly expressed in your address to us»[97], und sie gerne Kontakte vermitteln würde. In einer längeren Diskussion wurden verschiedene Fragen angeschnitten und freimütig besprochen.

Daß die Deputation das völlige Nebeneinander der Church of England und der Free Churches durch ihre Zusammenkunft mit dem Archbishop's Committee durchbrechen konnte und dadurch Hoffnung auf ein neues Verhältnis geschöpft werden konnte, das war das Historische dieser Begegnung. Schon bei der Zusammenkunft sagte es die Deputation: «We are non-Episcopal clergymen, representing the Protestant Episcopal Church, as well as the other American com-

[94] Vgl. G. K. A. Bell, *Randall Davidson,* Archbishop of Canterbury, Bd. I, Oxford University Press 1935, S. 640 ff.

[95] GK 4, *G. W. Kennion,* an G, 12.7.1913.

[96] Vgl. GK 4, *G. W. Kennion,* an G, 12.3.1914; vgl. auch den vollen Wortlaut der Rede im *Anhang,* S. 352 ff.

[97] *The Christian Work and Evangelist,* 7.3.1914, S. 306: in The Christian Unity Deputation and the Anglican Church, von P. Ainslie.

munions; and it seems to us that our presence here in conference with the Archbishop's Committee of the Church of England is itself a fact of more significance than anything we may say or do[98].» Rev. Ainslie beschrieb den Wandel, der sich in den Beziehungen zwischen Staatskirche und Freikirchen anbahnte und den die Deputation mit bewirkte. «The non-Anglicans have expressed themselves cordially relative to their desire for cooperation with the Church of England, and in no non-Anglican conference have we heard any remarks other than those of courtesy toward and fraternity for the Church of England. On the other hand the Church of England, in its expressions to us, has been quite as gracious relative to the non-Anglicans. We have been glad to bear these messages from one to the other, and this is a far more delicate matter than anything that exists in America[99].» Die Deputation trat am 1. Februar von London aus die Rückreise an und landete in New York am 10. Februar[100].

Nach der Rückkehr gab die Deputation Berichte und versuchte ihre Erfahrungen auszuwerten. Am 22. Februar berichtete Rev. Smyth in einem Gottesdienst in New Haven[101]. Besonders glücklich war er über die Vermittlerrolle, die die Deputation zwischen der Church of England und den nonkonformistischen Kirchen hatte übernehmen können. Smyth meinte: «Whatever further results may follow in the Lord's good will for His church, at least we were like engineers who throw the first light wire across a stream to be bridged; and then the heavier cables can be stretched, and the whole work of bridge-building be afterwards completed.» Ihre offiziellen Berichte hatte die Deputation am 10. März dem Exekutivausschuß der Kommission der Protestant Episcopal Church und am 12. März vor dem Advisory Committee zu geben. Die Frage war, was auf Grund der Versicherungen bei den Begegnungen mit den nonkonformistischen Kirchen Großbritanniens, daß sie bald Kommissionen einsetzen würden, und der Möglichkeit eines beginnenden Gesprächs zwischen der Church of England und den dortigen Free Churches für die weitere Vorbereitungsarbeit empfohlen werden müßte[102].

Rev. Smyth meinte: «Some decided action seems to be demanded to

[98] *The Christian Work and Evangelist,* 7.3.1914, S. 306: in The Christian Unity Deputation and the Anglican Church, von P. Ainslie.

[99] *The Christian Work and Evangelist,* 7.3.1914, S. 305: in The Christian Unity Deputation and the Anglican Church, von P. Ainslie; vgl. auch GK 1, *P. Ainslie,* an G, 4.4.1914. Weil dieses Verhältnis schwierig und «delicate» war, wurde auch wenig darüber an die Presse gegeben.

[100] Second meeting..., *Heft 27,* S. 10.

[101] *Ainsliematerial,* Bericht im New Haven Journal Courier, 23.2.1914: Rev. Dr. Smyth On Church Unity. Vgl. auch GK 6, *N. Smyth,* von G, 28.2.1914.

[102] GK 6, *N. Smyth,* 14.2.1914; *Ainsliematerial,* N. Smyth an P. Ainslie, 25.2.1914.

enable the proposed World Conference to meet the present opportunity and to command the situation both abroad and at home[103].» Er besprach sich auch mit Mr. J. R. Mott, der wie die Deputation gastweise zur Sitzung des Exekutivausschusses der Kommission der Protestant Episcopal Church am 10. März eingeladen war. Rev. Roberts mußte sich entschuldigen lassen[104]. In dieser Sitzung wurden nach der Verlesung des Berichts der Deputation durch Rev. Ainslie, der ihn weitgehend selber verfaßt hatte[105], konkrete Vorschläge unterbreitet.

Der Entwurf für einen «Appeal for a Truce of God» wurde von Rev. Smyth vorgelegt. Der Gedanke war, durch einen solchen Aufruf die Bedeutung der geplanten Weltkonferenz angesichts des in Großbritannien entfachten Interesses, angesichts der Kikuyu-Affäre und der Hoffnung auf Gespräche zwischen der Church of England und den Free Churches darzustellen. Es sollte erneut betont werden, daß Verheißung allein auf «conference, not controversy» ruhe[106]. Dem Exekutivausschuß lag von Mr. Pepper, mit dem Rev. Smyth vorher korrespondiert hatte, ein anderer Entwurf vor. Deshalb wurde beschlossen, die Verfasser der beiden Entwürfe und Bischof Weller sollten die Vorlagen nochmals beraten. Das führte dazu, daß Rev. Smyth seinen Entwurf völlig überarbeitete[107].

Rev. Ainslie hielt es gerade nach den Erfahrungen der Deputation für wesentlich, in allen Teilen der Vereinigten Staaten Leute verschiedener Kirchengemeinschaften im Interesse der Weltkonferenz zusammenzubringen. Er schlug die Ausarbeitung eines systematischen Plans für «informal sectional conferences» vor. Die Anregung wurde aufgenommen, und ein weiterer Ausschuß, dem er, Rev. Smyth und Bischof Weller angehörten, sollte bis zur nächsten Sitzung des Exekutivausschusses einen Entwurf formulieren[108].

Der Exekutivausschuß beschloß außerdem, daß Rev. Smyth und Rev. Ainslie eine Erklärung für die Presse vorbereiten sollten. Sie erschien als Bulletin Nr. 5. Ferner wurde Rev. Smyth gebeten, in Zusammenarbeit mit dem Sekretär in persönliche Korrespondenz mit den Teilnehmern bei den verschiedenen Zusammenkünften in Großbritannien zu treten[109].

[103] Vgl. GK 6, *N. Smyth,* an G, 3.3.1914, Anhang.

[104] Vgl. GK 5, *W. H. Roberts,* von G, 5.3.1914.

[105] Second meeting . . . , *Heft 27,* S. 4 ff.

[106] *Minutes Ex Comt,* 10.3.1914; vgl. auch *Ainsliematerial,* N. Smyth an P. Ainslie, 28.2.1914.

[107] GK 6, *F. L. Stetson,* von und an N. Smyth, 13.3.1914, 14.4.1914; GK 4, *C. G. Lang,* von G, 18.4.1914.

[108] *Minutes Ex Comt,* 10.3.1914; GK 1, *P. Ainslie,* an G, 5.3.1914; *Ainsliematerial,* Brief N. Smyth an P. Ainslie, 4.3.1914.

[109] *Minutes Ex Comt,* 10.3.1914.

Das Advisory Committee tagte am 12. März[110]. Im Mittelpunkt stand wiederum der offizielle Bericht der Deputation zu den nicht-anglikanischen Kirchen in Großbritannien, der ergänzt wurde durch die persönlichen Eindrücke ihrer Mitglieder. Nochmals wurden die Anregungen, die schon den Exekutivausschuß der Kommission der Protestant Episcopal Church am 10. März beschäftigt hatten, vorgetragen. Rev. Smyth legte den zusammen mit Bischof Weller neu gestalteten Entwurf für einen «Call for a Truce of God» vor, der die Zustimmung des Advisory Committee erhielt. In einer kurzen Sitzung sprach sich auch der Exekutivausschuß dafür aus, und die Veröffentlichung wurde beschlossen. Unter dem Datum des 21.3.1914 wurde daraufhin der von Rev. Manning und Mr. Gardiner im Auftrag des Advisory Committees unterzeichnete Aufruf als hektographierter Rundbrief verschickt[111]. Er wurde auch in der Presse gedruckt[112].

Ausführlich wurde über den Vorschlag von Rev. Ainslie, sogenannte small conferences oder local conferences für Mitglieder der verschiedenen Kirchen auf örtlicher Ebene durchzuführen, gesprochen[113]. Besonders hervorgehoben wurde, daß dabei nicht Fragen, die vor die Weltkonferenz kommen sollten, behandelt werden dürften, sondern ausschließlich der Plan der Weltkonferenz und seine Durchführung. Mr. J. R. Mott gab für solche Zusammenkünfte, die er sehr befürwortete, zahlreiche Hinweise[114]. Beschlüsse wurden nicht gefaßt, nachdem Rev. Manning mitgeteilt hatte, daß der Exekutivausschuß der Kommission der Protestant Episcopal Church schon einen Ausschuß mit der Ausarbeitung eines Plans für local conferences beauftragt habe[115].

Rev. Smyth erinnerte in diesem Zusammenhang auch an seinen Vorschlag, irenische Literatur herauszugeben. Bei der Bemühung um die Schaffung einer Atmosphäre, die dem Problem christlicher Einheit und der Weltkonferenz gegenüber offen sei, könne solche Literatur erzieherisch wirken. Eine Reihe von Gesprächspartnern in englischen Universitäten hätten sich daran interessiert gezeigt. Rev. Roberts meinte dagegen, man solle mit der Herausgabe von Literatur wie auch mit der Veranstaltung von Zusammenkünften auf örtlicher Ebene vorsichtig sein, weil auch irenische Gespräche leicht in theologische Polemik ausarten und damit für die geplante Weltkonferenz hemmend sein könnten. Er befürwortete vielmehr, nicht länger un-

[110] Vgl. Second meeting ..., *Heft 27,* S. 3 ff.

[111] Vgl. hektographierter Rundbrief «To Our Brethren in Every Land, Greeting», 21.3.1914; vgl. auch Second meeting ..., *Heft 27,* S. 39 ff.

[112] Vgl. GK 4, *W. T. Manning,* von und an G, 13.3.1914; 23.3.1914; 24.3.1914; 25.3.1914; 26.3.1914; GK 4, *W. T. Manning,* an N. Smyth, 21.3.1914.

[113] Vgl. Second meeting ..., *Heft 27,* S. 25.

[114] Ebenda, S. 34 ff.

[115] Ebenda, S. 22.

verbindlich zu denken und zu planen, sondern das Interesse an der Weltkonferenz dadurch zu steigern, daß man Datum und Ort zumindest für eine Vorkonferenz festsetzte. Er schlug aus diesem Grunde eine Konferenz für das Jahr 1917 vor[116]. Nach längerer Aussprache beschloß man «that the question of holding a Preliminary Conference in 1917 be put on the docket for the next meeting of the Advisory Committee»[117].

Am Ende der Beratungen am 12.3.1914 sprach das Advisory Committee der Deputation zu den nichtanglikanischen Kirchen in Großbritannien und vor allem dem Organisator der Reiseroute in Großbritannien, Rev. T. Tatlow, seinen Dank für die Bemühungen aus[118]. Durch die Deputation war erstmals Zusammenarbeit zwischen den Kommissionen praktiziert worden. Daß solche Gemeinsamkeit bei der Vorbereitung für eine Weltkonferenz verwirklicht wurde, bildete ein Gegengewicht zum Verhalten der Protestant Episcopal Church gegenüber dem Federal Council und zu den Erfahrungen mit den Anglikanern bei der Kikuyu-Affäre, die auch in den Vereinigten Staaten verfolgt wurde. Diese Deputation zeigte an, daß die Protestant Episcopal Church bei der Vorbereitung der geplanten Weltkonferenz die Mitarbeit aller wollte.

4. Weitere Bemühungen im Interesse der Weltkonferenz

Neben der Vorbereitung im Zusammenhang mit der Deputation zu den nichtanglikanischen Kirchen in Großbritannien ging die Arbeit des Sekretärs und der Kommission der Protestant Episcopal Church weiter. Die Korrespondenz des Sekretärs wurde immer umfangreicher. Eigene Information und Information anderer wurde immer bedeutsamer. Bei der Vorbereitung des Berichts für die General Convention 1913 hatte Mr. Gardiner es deshalb bedauert, daß Bischof Anderson Nachrichten und Informationen der von ihm erhaltenen Briefe kaum weiterleitete, auch schon vor einem längeren Krankheitsurlaub, den er im Frühjahr 1913 von seiner Diözese nehmen mußte[119]. Das Wissen über den Stand der Vorbereitungsarbeit konnte dadurch leicht ungenau werden[120].

Mr. Gardiner und andere versuchten zu informieren. Mr. Gardiner

[116] Second meeting . . . , *Heft 27,* S. 20 ff.

[117] *Ainsliematerial,* Hektographiertes Protokoll, 12.3.1914.

[118] Vgl. *Ainsliematerial,* Hektographiertes Protokoll, 12.3.1914; vgl. außerdem Second meeting . . . , *Heft 27,* S. 30 f.

[119] Vgl. *Minutes Com,* 20.5.1913.

[120] GK 4, *W. T. Manning,* von G, 15.5.1913; 9.6.1913; GK 3, *F. J. Hall,* an G, 30.6.1913; 3.7.1913.

selber wurde von Mr. J. R. Mott und Rev. T. Tatlow als Gast zur Konferenz der World Student Christian Federation am Lake Mohonk eingeladen[121]. Bei der jährlichen nationalen Tagung der Church Clubs seiner Kirche in Boston und Cambridge unter dem Thema «Christian Unity» sprach er über die Weltkonferenz[122]. Rev. N. Smyth und Rev. W. T. Manning unternahmen gemeinsam eine bemerkenswerte Reise nach Halifax (Canada) im Interesse der Weltkonferenz[123]. Professor H. E. W. Fosbroke traf in Toronto mit dem anglikanischen Erzbischof von Sydney zusammen[124]. Bischof Ch. P. Anderson sprach bei verschiedenen Veranstaltungen[125].

Bei all diesen und vielen ähnlichen Unternehmungen sollte die Information dazu dienen, das Interesse an der Weltkonferenz durch persönliche Darlegung und Explikation zu fördern. Das gleiche Ziel verfolgte die Publizitätsarbeit, von der nicht abgegangen wurde. Immer wieder erschienen in der Presse Notizen über die Weltkonferenz oder Berichte über Stellungnahmen dazu[126]. Ab November 1913 gab das Sekretariat in unregelmäßigen Abständen Bulletins heraus, die der Öffentlichkeit immer wieder die Bewegung für eine Weltkonferenz und deren Fortschritt ins Bewußtsein rufen sollten[127].

Die Veröffentlichungen der Kommission waren außerdem nach wie vor von Bedeutung. In der Sitzung der Kommission wurde am 20. Mai 1913 ein Bericht des Exekutivausschusses über Ausrichtung und Ziel der Veröffentlichungen gutgeheißen, in dem es hieß: «The fundamental principles of our undertaking, its limitations and its possibilities, the great need of unity, the sin and loss of disunion, the necessity of prayer, and the importance of a more thorough knowledge, on the part of each Communion, of the positions of the other Communions, should be stated again and again, in different ways and by different minds, so that they may be more fully established and more thoroughly understood[128].» Für die Arbeit des Committee on Literature galt danach «for the present, at any rate, it will be better to publish short essays or addresses, seeking to develop the desire for union and expounding its nature»[129].

[121] Vgl. *World Student Christian Federation,* Report of the tenth conference held at Lake Mohonk, June 2–8, 1913; vgl. auch GK 4, *W. T. Manning,* von G, 9.6.1913.

[122] Vgl. WCC, *Globe Boston* (Massachusetts), 2.5.1913.

[123] Vgl. *Minutes Com,* 14.5.1914; GK 4, *W. T. Manning,* an G, 23.4.1914; GK 6, *N. Smyth,* an G, 5.5.1914.

[124] Vgl. GK 4, *W. T. Manning,* von G, 9.6.1913.

[125] Vgl. *Minutes Com,* 29.1.1914.

[126] Vgl. WCC, überall; vgl. *Minutes Ex Comt,* 10.12.1913.

[127] Vgl. Bulletins im *Anhang,* S. 326 ff.

[128] Vgl. *Minutes Com,* 20.5.1913.

[129] GK 1, *P. Ainslie,* von G, 23.5.1913.

Es kam darum vor allem zu grundsätzlichen und dokumentarischen Veröffentlichungen. Eine Liste der eingesetzten Kommissionen wurde gedruckt, der Bericht an die General Convention wie auch der über die Inter Commission Conference wurden veröffentlicht[130]. Vor theologisch oder inhaltlich engagierten Publikationen scheute man zurück. Auf einen Vorschlag von Rev. P. Ainslie für ein Buch, in dem «each Communion set forth its spirit toward Christian Union rather than its doctrinal position» wollte die Kommission nicht eingehen[131]. Ein Artikel von Professor F. J. Hall, der die Möglichkeit zu Kontroversen in sich zu bergen schien, wurde ebenfalls nicht veröffentlicht[132]. Selbst der Druck des Berichts der kongregationalistischen Kommission an deren National Council of Congregational Churches[133], der als Geste den anderen Kommissionen gegenüber und Zeichen für die Bereitschaft zu Veröffentlichungen auch nichtepiskopalistischer Verfasser gedacht war[134], löste sofort Bedenken aus. Nach dem Erscheinen wies die Kommission auf Antrag von Rev. Rogers den Sekretär an, alle noch vorhandenen Exemplare mit der Standardbemerkung versehen zu lassen «that this Commission is not responsible for any statement or opinion expressed in any paper which it deems worthy of publication»[135]. Außerdem äußerte die Kommission ihre Kritik auch dadurch, daß sie ausdrücklich vermerkte, das Committee on Literature solle fortan keine Berichte anderer Kommissionen ohne die Genehmigung der ganzen Kommission drucken lassen[136]. Die beherrschende Stellung der Hochkirchler in der Kommission zeigte sich in solchem Verhalten, und man konnte die Schwierigkeiten erkennen, die innerhalb der Kommission vorhanden waren. Mr. Gardiner hielt dieses Verhalten für rückständig. «That is a kind of Protestant mind which always seeks defects and something to protest against. A truly catholic mind seeks for the best and for what can be commended. This catholic attitude should we have.»[137]

Der Bericht über Ausrichtung und Ziel der Veröffentlichungen

[130] Vgl. Heft 21, 23 und 24 der Veröffentlichungen der Kommission.

[131] *Minutes Com,* 20.5.1913; vgl. GK 1, *P. Ainslie,* von G, 23.5.1913.

[132] GK 3, *F. J. Hall,* von G, 23.6.1913; GK 3, *A. C. A. Hall,* von G, 23.6.1913. Es handelt sich um den Artikel «An Anglican Position Constructively Stated», den Professor Hall dann in «Constructive Quarterly», 1913, S. 522 ff. veröffentlichte.

[133] Vgl. Heft 25 der Veröffentlichungen der Kommission.

[134] Vgl. Beschluß des Executive Committee, *Minutes Ex Comt,* 10.12.1913.

[135] Minutes Com, 29.1.1914; GK 7, *B. Vincent,* von G, 2.2.1914.

[136] *Minutes Com,* 20.1.1914.

[137] GK 7, *B. Vincent,* von G, 2.2.1914. Noch deutlicher stellt Mr. Gardiner an anderer Stelle dar, was katholische Haltung für ihn bedeutet: « . . . the true Catholic spirit is constructive, not controversial, seeking the element, large or small, of permanent value in the opinions held by others and endeavoring out of that to build

und ein «digest of letters», eine Zusammenfassung von Ansichten aus Mr. Gardiner's Korrespondenz, die man der Kommission vortrug, fanden nicht über die Kommission hinaus Verbreitung und wurden nicht gedruckt[138]. Andere Vorschläge für den Druck wurden mit verschiedenen Begründungen ebenfalls nicht ausgeführt[139]. Lediglich ein Vortrag, der von einem gewissen Rev. L. M. A. Haughwout an Rev. Manning geschickt worden war[140], wurde schließlich gedruckt. Einige Stellen, wie die Behandlung des Ost-West Schismas im 11. Jahrhundert oder der Abschnitt über uniformity und continuity wurden verändert, um römische Katholiken und Orthodoxe nicht zu verletzen[141].

Vor der Neubildung legte das Committee on Literature nach der General Convention des Jahres 1913 einen abschließenden Bericht in der Sitzung der Kommission am 29. Januar 1914 vor[142]. In der Diskussion bemängelte Mr. Gardiner, daß das Committee nicht aktiv genug gewesen sei und bedauerte, daß bis jetzt nur Artikel von Mitgliedern der Protestant Episcopal Church herausgegeben worden waren[143]. Auch war er der Meinung, man hätte schon längst Artikel veröffentlichen müssen, die als Inspiration und Grundlage der ganzen Bewegung die Inkarnation herausstellten[144].

Dem vom Exekutivausschuß eingesetzten neuen Committee on Literature gehörten Bischof Rhinelander als Vorsitzender, Professor Fosbroke als Sekretär und Rev. Mann, Professor Hall, Mr. Low, Mr. Pepper und Mr. Gardiner als Mitglieder an. Ihnen wurde aufgetragen «to consider the advisability of creating a body of correspondents, both in this country and abroad, whose counsel and co-operation may be sought whenever matters of exceptional importance present themselves for decision»[145]. Das neuernannte Committee on Literature tagte erstmals am 10. März 1914 in New York[146]. Dabei stellte es einen Arbeitsplan auf, der dem Exekutivausschuß am gleichen Tag vorgelegt und von ihm gebilligt wurde[147]. Er lautet:

up the complete structure of Faith. That, of course, is only a restatement of the injunction not to search for motes in the eyes of our brethren». Vgl. GK 6, *J. H. Shakespeare*, von G, 18.4.1914.

138 *Minutes Com*, 20.5.1913; GK 4, *W. T. Manning*, an und von G, 8.8.1913; 9.8.1913.

139 Vgl. Report des Committee on Literature, *Minutes Com*, 29.1.1914.

140 GK 4, *W. T. Manning* an G, 19.7.1913; 21.7.1913; vgl. A World Movement for Christian Unity, *Heft 26*, von Rev. Leffered M. A. Haughwout.

141 GK 4. *A. Mann*, von G, 4.8.1913; 13.11.1913; GK 3, *A. C. A. Hall*, 7.2.1914.

142 *Minutes Com*, 29.1.1914.

143 GK 3, *A. C. A. Hall*, von und an G, 16.11.1913; 18.11.1913.

144 Vgl. GK 3, *A. C. A. Hall*, von G, 15.12.1913.

145 *Minutes Ex Comt*, 12.2.1914.

146 Vgl. GK 6, *N. Smyth*, 4.3.1914.

147 Vgl. *Minutes Ex Comt*, 10.3.1914; vgl. auch GK 7, *T. Tatlow*, von G, 18.4.1914.

1. That the Committee's first duty is to secure the preparation of such literature as shall interpret the Conference conception to the world.
2. That this includes:
   a) An adequate survey of the present divisions of Christendom.
   b) A clear statement, in view of the survey, of the necessity of the Conference method.
   c) A study of the Incarnation as the only basis and principle of Unity.
   d) An exposition in particular of the difficulties that beset the understanding by any one person of both the Sacramental and the non-Sacramental points of view.
   e) A study of why it is that the conditions in the mission field tend to Unity and that those at home do not.
3. That this does not include any attempt to formulate questions for discussion.
4. That for the carrying out of this programme the Committee recommends the creation of a body of correspondents, in accordance with the resolution passed at the last meeting of the Executive Committee, and asks for power to select such correspondents[148].

Trotz der von der Kommission angeordneten Begrenzung bei den Publikationen zeigt dieser Arbeitsplan doch die Bedeutung des Committee on Literature für die Vorbereitung der Weltkonferenz an[149]. Das Committee on Literature ernannte sogenannte Corresponding members[150]. Gemäß seinem Arbeitsplan wollte es auf Vorschlag von Mr. Pepper hin eine Abhandlung «An Adequate Survey of the Present Divisions of Christendom» herausbringen. Professor Fosbroke setzte sich mit Rev. Bliss, der im Bureau of the census in Washington, D. C., beschäftigt war und auch am Census Report des Jahres 1906 mitgearbeitet hatte, in Verbindung. Dieser war bereit, eine solche Arbeit zu übernehmen[151].

Das Committee on Literature beschäftigte sich auch mit der Frage des Gebets, dessen zentrale Stellung bei den Bemühungen der Kommission Mr. Gardiner noch immer vermißte[152]. Verschiedene Vor-

[148] *Minutes Ex Comt,* 10.3.1914.

[149] Vgl. GK 1, *P. Ainslie,* von G, 20.4.1914; vgl. auch GK 6, *F. L. Stetson,* von G, 1.5.1914.

[150] Vgl. GK 6, *N. Smyth,* von und an G, 6.5.1914; 8.5.1914; vgl. außerdem GK 1, *E. Bliss,* 3.4.1916 (siehe dort die Namen der Corresponding members).

[151] Vgl. GK 1, *E. Bliss,* von und an Fosbroke, 22.4.1914; 23.4.1914.

[152] *Minutes Com,* 29.1.1914.

schläge für Gebete waren gemacht worden, und Mr. Gardiner schrieb an alle Bischöfe der Protestant Episcopal Church des Inhalts, ob sie die früher von der Kommission vorgeschlagenen Gebete in ihrer Diözese freigegeben hätten, ob sie gestatteten, daß man diese Gebete mit der Bitte um regelmäßigen Gebrauch an alle Gemeindepfarrer schicke, und ob sie beides unterstützen würden, sollte das erstere noch nicht geschehen sein[153]. 72 Bischöfe antworteten auf den Brief mit Zustimmung, weshalb dem Sekretär erlaubt wurde, diese Aktion allen anglikanischen Kirchen vorzuschlagen und auch bei den nichtanglikanischen Kirchen anzufragen, «whether there is any way in which this Commission can be of service in promoting earnest and regular prayer for Christian Unity and the guidance of the preparations for the Conference»[154].

Das neuernannte Committee on Literature brachte als erste Veröffentlichung im Zusammenhang mit der Deputation zu den nichtanglikanischen Kirchen in Großbritannien das dokumentarische Heft 27 heraus, in dem der Bericht darüber, der Rundbrief «To Our Brethren in Every Land, Greeting» und das Protokoll der Sitzung des Advisory Committee am 12.3.1914 zu lesen waren[155].

Mr. Gardiner, der durch einen Beschluß des Exekutivausschusses bei den dreitätigen Beratungen im Juli 1913 in Gardiner (Maine) mit der Verschickung von Einladungen zur Einsetzung von Kommissionen im Namen der Kommission beauftragt worden war, empfand das Verhalten der Hochkirchler immer wieder als ärgerlich. Ihre ständige Forderung, auf die katholischen Kirchen in gleicher Weise wie auf die protestantischen zuzugehen, hielt er für Papageiengeschrei, weil sie praktisch nichts täten, «to secure cooperation of Catholics – Romans, Anglican, Orthodox»[156]. Die durch die Inter Commission Conference und die Deputation zu den nichtanglikanischen Kirchen in Großbritannien möglich gewordene gegenseitige Beratung brachte aber Anregungen.

Am 19. November 1913 wurde das Advisory Committee erstmals zu einer Sitzung nach New York eingeladen[157]. Dabei wurde über getrennte oder gemeinsame Finanzierung der weiteren Vorbereitungsarbeit und über die Schritte gesprochen, die der Formulierung der Fragen, die vor die eigentliche Weltkonferenz kommen sollten, vorauszugehen hätten. Der Exekutivausschuß der Protestant Episcopal Church empfahl, vorläufig noch jeweils eigene Finanzierung vor-

[153] *Minutes Ex Comt*, 19.11.1913.
[154] *Minutes Com*, 29.1.1914.
[155] Vgl. Second meeting . . . , *Heft 27*.
[156] GK 3, *F. J. Hall*, von G, 14.3.1914.
[157] Vgl. Bulletin Nr. 1, im *Anhang*, S. 326 f.

zunehmen[158] und jeweils Ausschüsse zu ernennen zur Überlegung der «steps necessary to be taken before the subjects to be considered at a World Conference can be formulated, and also to take into consideration what questions of Faith and Order are regarded by us as appropriate to be considered by the Conference for the accomplishment of the purpose stated in the preamble to the resolution under which this Commission was appointed». Das Advisory Committee debattierte über die Vorschläge und verabschiedete entsprechende Beschlüsse, in denen die verschiedenen Kommissionen zur Mitarbeit aufgefordert wurden[159]. Für eigene Überlegungen setzte der Exekutivausschuß der Protestant Episcopal Church eine Arbeitsgruppe mit Professor F. J. Hall, Bischof Ph. M. Rhinelander und Mr. G. Wh. Pepper ein[160]. Diese Arbeitsgruppe legte ihren ersten Bericht im Januar 1914 vor. Er wurde ausführlich im Exekutivausschuß debattiert[161] und zur Weiterarbeit an die Gruppe zurückgewiesen[162]. Gemeinsame Arbeit wurde auch in der Arbeitsgruppe geleistet, die den Gedanken von Rev. Ainslie eines systematischen Plans für «informal sectional conferences» weiter verfolgen sollte[163]. Diese Gruppe konnte außer den Hinweisen in der Sitzung des Advisory Committees am 12.3.1914 auch den Rundbrief «To All Our Brethren» zu Rate ziehen, der im November 1912 zu local conferences aufgefordert hatte. Sie mußte die Sorge mancher Leute gegen solche Zusammenkünfte beachten und besonders «lest they should provoke controversy»[164]. Auch die Gedanken von Mr. J. R. Mott waren Rev. Ainslie bei der Ausarbeit des Plans wichtig[165]. Für Rev. Ainslie waren solche local conferences vor allem wegen der Erfahrung wichtig: «The great difficulty is that Christians of one communion do not know those of another, and we have all sorts of false ideas about each other. These conferences are going to lift the clouds that separate us in many instances and make us see each other and understand each other better.»[166] Am 14. Mai 1914 trug er für den Ausschuß den Entwurf, der vor allem von ihm verfaßt wurde, für Local American Conferences, Including the U.S. and Canada, Preparatory To The World Conference on Faith and Order

[158] Vgl. GK 6, *F. L. Stetson,* von G, 18.9.1913; GK 6, *F. L. Stetson,* an G, 4.6.1914; GK 7, *G. Zabriskie,* an G, 9.5.1914; Zabriskie und Stetson sind gegen eine gemeinsame Kasse, während Mr. Gardiner sie befürwortet.

[159] Vgl. *Bulletin Nr. 2,* Anhang, S. 327 f.

[160] *Minutes Ex Comt,* 19.11.1913.

[161] *Minutes Ex Comt,* 13.1.1914.

[162] *Minutes Com,* 14.5.1914.

[163] *Minutes Ex Comt,* 10.3.1914; vgl. GK 1, *P. Ainslie,* von G, 13.3.1914.

[164] GK 1, *P. Ainslie,* von G, 13.3.1914.

[165] Vgl. A First Preliminary Conference, *Heft 24,* S. 34 ff.

[166] Vgl. GK 1, *P. Ainslie,* an G, 18.3.1914.

der Kommission vor[167]. Es wurde beschlossen, der Exekutivausschuß sollte darüber beraten und dann allen Mitgliedern der Kommission und des Advisory Committee in U.S. und Canada berichten[168]. Schon am Nachmittag dieses Tages kam der Exekutivausschuß zusammen. Der von Rev. Ainslie der Kommission vorgelegte Entwurf wurde Bischof Weller und Professor Fosbroke zur Prüfung und Bearbeitung übergeben. In der nächsten Sitzung sollten sie die Ergebnisse dann vorlegen[169].

Die Unternehmungen waren hoffnungsvolle Anzeichen für eine stärkere und gemeinsame Vorbereitungsarbeit. Allerdings war dabei das Verhältnis der Kommission der Protestant Episcopal Church zu den anderen Kommissionen beziehungsweise zum Advisory Committee nicht geklärt. Es hing mehr oder weniger vom Wohlwollen und Verhalten der Protestant Episcopal Church ab, deren Kontrolle feststand. Daher galt: «A good many feel we keeping them entirely in our hand speaking of a joint undertaking[170].» Damit eine echtere Mitbeteiligung aller Kommissionen hergestellt werde, meinte Gardiner, werde wohl das Advisory Committee immer mehr zum Exekutivausschuß werden müssen[171]. Mit seiner Kommission war Mr. Gardiner nicht sehr zufrieden. Die Mehrzahl der Mitglieder sehe weder die Größe der Aufgabe noch die Verantwortung, die man habe[172]. Das Interesse an der Weltkonferenz nehme mehr und mehr zu, aber ein großer Teil der Kommission verstand nach Mr. Gardiner's Ansicht nicht, daß das hieß: «The more general the interest, however, the more important it is that our Commission should recognize that our undertaking requires the most careful thought and the sacrifice of everything to this work of the Commission[173].»

5. Stand der Vorbereitungsarbeit vor dem Kriegsausbruch 1914

a) Allgemeines

Der Besuch der Deputation im Jahre 1912 hatte die Mitarbeit der Church of England bewirkt. Daß das eingesetzte Archbishop's Com-

[167] *Minutes Com,* 14.5.1914; dort ist der ganze Bericht abgedruckt.

[168] *Minutes Com,* 14.5.1914.

[169] *Minutes Ex Comt,* 14.5.1914.

[170] GK 6, *F. L. Stetson,* von G, 1.5.1914.

[171] GK, *Ch. H. Brent,* von G, 29.4.1914; GK 6, *F. L. Stetson,* von G, 1.5.1914.

[172] GK 7, *G. Zabriskie,* von und an G, 30.4.1914; 1.5.1914; GK 6, *F. L. Stetson,* 1.5.1914.

[173] GK, *Ch. H. Brent,* von G, 29.4.1914.

mittee zunächst kaum bemerkt wurde, hatte gute Gründe. Der zum Sekretär gewählte Rev. T. Tatlow schrieb: «Our committee has not yet found its feet. This will probably take some time. We are a very mixed lot of men representing as we do elements in the Church which do not often work together, so that if we are going to hold together we shall have to move very slowly.»[174] Weil die verschiedenen anglikanischen Richtungen, die in dem Committee vertreten waren, sich zuerst untereinander zusammenfinden sollten, hatte man für das Advisory Committee aus der Sorge heraus keine Mitglieder benannt, die Anglikaner könnten sonst in verschiedenem Sinne reden. Diese in der Protestant Episcopal Church als Affront empfundene Entscheidung wurde jedoch rückgängig gemacht, als Mr. Gardiner erklärte, daß «the Advisory Committee is simply a plan for ensureing greater patience and caution, by showing our brethren the numerous problems to be solved and by obtaining from time to time their advice and suggestions»[175]. Die Mitteilungen des Advisory Committee wurden dem Vorsitzenden und Sekretär des Archbishop's Committee zugesandt. Die Zusammenkunft der Deputation zu den nichtanglikanischen Kirchen in Großbritannien Anfang des Jahres 1914 mit dem Archbishop's Committee eröffnete als neuen Schritt Kontakte zwischen Anglikanern und Freikirchen in diesem Gebiet.

In die Liste der Kirchen, die Kommissionen ernannten, konnten von den protestantischen immer mehr aufgenommen werden[176]. Die Bulletins berichteten darüber[177]. Wesentlichen Anteil hatte an der Einsetzung solcher Kommissionen in Großbritannien die Deputation zu den nichtanglikanischen Kirchen. In den Vereinigten Staaten war es besonders schwierig, mit den untereinander sehr zersplitterten Lutheranern in Kontakt zu kommen[178]. Sonst schwang bei der Einsetzung von Kommissionen vielfach die Frage mit, ob die Protestant Episcopal Church nicht letztlich alle Vorbereitung für eine Weltkonferenz selber machen wolle[179]. Bemerkenswert war das Interesse der kleinen Kirche der Moravians. Diese hatte Beziehungen nach Europa und ihrem historischen Zentrum Herrnhut. Die Generalsynode der Kirche, die im Jahre 1914 vom 14. Mai bis 13. Juni stattfand, tagte in Herrnhut. Einer der amerikanischen Delegierten, Bischof Leibert, wollte dort die Sache der Weltkonferenz vortragen. Auf seine Anre-

[174] GK 7, *T. Tatlow,* an G, 22.8.1913.

[175] GK 7, *T. Tatlow,* von G, 15.12.1913; vgl. auch GK 7, *T. Tatlow,* von und an G, 14.1.1914; 10.2.1914; 30.3.1914.

[176] Vgl. List of Commissions ..., *Heft 21;* die verschiedenen Auflagen geben jeweils den neuesten Stand wieder.

[177] Vgl. Bulletins im *Anhang,* S. 326 ff.

[178] GK 4, *W. T. Manning,* von G, 14.4.1913.

[179] GK 3, A. C. A. Hall, von G, 12.5.1914.

gung hin schickte man deshalb eine Einladung zur Mitarbeit an die deutsche Provinz der Kirche, die Herrnhuter Brüdergemeinde. Als Ergebnis verabschiedete die Generalsynode auf Initiative von Bischof Leibert hin am 11. Juni 1914 in vier Sprachen folgende Erklärung:

«In Erwägung, daß die Brüderkirche (Unitas Fratrum) seit ihrem Entstehen danach getrachtet hat, die Kinder Gottes in allen Kirchen zu vereinigen und das Testament des Herrn, «daß sie alle eins seien», in ihrem Teil immer völliger erfüllen zu helfen, nimmt Generalsynode, als Vertretung der Brüderkirche in Europa und Amerika und ihrer Missionsgebiete in allen Erdteilen, gern davon Kenntnis, daß eine Weltkonferenz aller Kirchen und Gemeinschaften, die sich zu unserm Herrn Jesus Christus als Gott und Heiland bekennen, vorbereitet wird und daß auch die Brüderkirche eingeladen ist. Generalsynode bekennt sich zu dem Ziel dieser Weltkonferenz, eine Annäherung und gegenseitige Anerkennung der christlichen Kirchengemeinschaften herbeizuführen, und erklärt sich völlig damit einverstanden, daß unsere Provinzialsynoden und Provinzialbehörden sich an der Vorbereitung einer solchen Weltkonferenz beteiligen.»[180]

Anders als zu den protestantischen Kirchen brachten die Kontakte zu den sogenannten katholischen Kirchen wenig Fortschritte. Außer mit den Altkatholiken bestanden in dieser Richtung keine festen Kontakte. Nachdem schon vorher die Mitglieder der altkatholischen Kirche durch die regelmäßigen Berichte in der Internationalen Kirchlichen Zeitschrift über die geplante Weltkonferenz unterrichtet worden waren, wurde beim 9. internationalen Kongreß der Altkatholiken in Köln im Jahre 1913 die Einladung zur Einsetzung einer Kommission überbracht. Von der Kommission war Rev. Rogers zur Aufnahme von Kontakten mit Bischof Hodur von der Polish National Church in Amerika, die sich im Jahre 1909 der altkatholischen Kirche anschloß[181], bestimmt worden[182]. Er schlug nach einem Gespräch für diese Aufgabe Bischof Hodur und einen Begleiter – Rev. A. A. Müller, Chicago – vor; der Exekutivausschuß stimmte dem Vorschlag zu[183], und Rev. A. A. Müller konnte mit Unterstützung von Bischof Hodur bei einer Bischofszusammenkunft während des vom 9. bis 12. September 1913 tagenden Kongresses die Einladung vortragen «to appoint a commission to co-operate with the Protestant Episcopal and other Christian Commissions in preparing the World Conference on Faith and Order»[184]. Die Antwort darauf war: «Bishop Herzog moved that the invitation be favorably acted upon, and a resolution unanimously prevailed authorizing Bishop Moog to ap-

[180] GK 2, *De Schweinitz,* an G (von Bischof Leibert), 18.2.1915, Beilage.

[181] Vgl. *Polish National Catholic Church,* in Gründler, Lexikon der Christlichen Kirchen und Sekten, II. Band, Wien/Freiburg/Basel, Abschnitt 2102.

[182] *Minutes Com,* 20.5.1913.

[183] *Minutes Ex Comt,* 25.–28.7.1913.

[184] IKZ 3 (1913), S. 574; vgl. auch GK 4, *W. T. Manning* an G, 29.7.1913.

point such commission and representative there of[185].» Der leitende altkatholische Bischof Moog setzte eine Kommission ein[186], worüber Rev. Manning ein Schreiben der Konferenz der altkatholischen Bischöfe erhielt[187].

Durch die Einsetzung der altkatholischen Kommission war die erste Kommission auf europäischem Boden ernannt worden. Dahin vor allem mußte sich die Vorbereitungsarbeit erstrecken, nachdem in den ersten Jahren praktisch die Mitarbeit von Nordamerika, der Anglikaner in aller Welt und der Protestanten in den meisten der Englisch sprechenden Länder gesichert worden war[188]. Dorthin mußte man sich wenden, wenn man mit den sogenannten katholischen Kirchen – den orthodoxen und der römisch-katholischen – feste Beziehungen aufnehmen wollte. Die wenigen Informationen über Europa[189], die General Convention der Protestant Episcopal Church und die Deputation zu den nichtanglikanischen Kirchen in Großbritannien waren der Grund, daß man erst Anfang des Jahres 1914 an die Vorbereitung einer Deputation auf den europäischen Kontinent ging[190].

b) Deputation nach Europa

Am 10. März 1914 wurde vom Exekutivausschuß eine aus Bischof Anderson, Bischof Rhinelander und Bischof Brent bestehende Deputation ernannt[191], am 12. März wurde Rev. Manning hinzugefügt[192]. Eine Teilnahme von Bischof Brent kam nicht zustande[193]. Dafür ernannte der Exekutivausschuß am 14. April Mr. J. R. Mott, mit dem sich Mr. Gardiner ausführlich im Blick auf die Deputation nach Europa besprochen hatte, wegen seiner Welterfahrenheit und Kenntnis Europas und des Vorderen Orients zum Mitglied der Deputation[194]. Doch konnte er auf Grund eigener schon festgelegter Pläne ebenfalls nicht teilnehmen[195]. Das hochkirchliche Mitglied der Kom-

185 Vgl. *The Living Church,* 19.11.1913, S. 155 ff.: Ninth International Old Catholic Congress, von Rev. A. A. Müller.

186 Vgl. IKZ 4 (1914), S. 245; vgl. auch *Minutes Ex Comt,* 10.12.1913.

187 GK 4, *W. T. Manning,* an G, 30.9.1913; vgl. auch *Minutes Ex Comt,* 19.11.1913.

188 GK, *Ch. H. Brent,* von G, 29.4.1914.

189 GK 4, *W. T. Manning,* von G, 9.8.1913.

190 GK 4, *W. T. Manning,* an G, 20.1.1914; GK 1, *Ch. P. Anderson,* von G, 24.2.1914; *Minutes Ex Comt,* 12.2.1914.

191 *Minutes Ex Comt,* 10.3.1914.

192 *Minutes Ex Comt,* 12.3.1914.

193 GK, *Ch. H. Brent,* an und von G, 14.3.1914; 16.3.1914; 15.4.1914; 22.4.1914.

194 *Minutes Ex Comt,* 14.4.1914; vgl. auch GK 4, *W. T. Manning,* von G, 30.3.1914.

195 GK 5, *J. R. Mott,* an G, 17.4.1914; GK 4, *W. T. Manning,* an G, 23.4.1914; GK 3, *A. C. A. Hall,* von G, 10.6.1914.

mission, Bischof A. C. A. Hall, beschwerte sich über die Berufung eines Nichtepiskopalisten in die Deputation und war deshalb erfreut, daß am 14. Mai die Kommission Bischof Brewster (Connecticut) als Mitglied der Deputation bestimmte[196].

Außer der Zusammensetzung der Deputation war die sachliche Vorbereitung bedeutsam. Die Deputation auf den europäischen Kontinent sollte vor allem die orthodoxen Kirchen und die römisch-katholische Kirche, die sogenannten katholischen, offiziell und persönlich über die geplante Weltkonferenz informieren. «... the time has now come when, in accordance with the instructions laid upon us, the Catholic World must be definitely and formally notified of the movement or these Communions will have the right to feel that they have not been shown due consideration and that they have not been given opportunity to participate in the movement from its beginning»[197]. Der Stand der Beziehungen zu diesen Kirchen hatte Ausgangspunkt für die Aufgabe der Deputation zu sein.

1. Orthodoxe

Zu den Orthodoxen waren in den ersten Jahren persönliche Beziehungen geknüpft worden. Vor allem zur russisch-orthodoxen Kirche, deren Erzbischof für Amerika seinen Wohnsitz in New York hatte, geschah das. Mit Erzbischof Platon beriet Rev. Manning auch darüber, ob das Vorhaben der geplanten Weltkonferenz der Heiligen russischen Synode nicht durch das englische Archbishop's Committee unterbreitet werden sollte. Nachdem Erzbischof Platon diesen Gedanken unterstützt hatte, trat Bischof Anderson auf Beschluß der Kommission der Protestant Episcopal Church mit dem Archbishop's Committee über die Frage in Kontakt, wie man sich am besten den Führern der russischen und der griechischen Kirche nähere und wie man am ehesten ihre Mitarbeit gewinne[198]. Der Vorsitzende des Archbishop's Committee forderte jedoch dazu auf, daß die Kommission der Protestant Episcopal Church selber mit Erzbischof Platon über die Frage der Einsetzung einer Kommission der russischen Kirche spreche.

Die persönlich freundliche Haltung von Erzbischof Platon und die Teilnahme von Dean Hotovitzky als Vertreter der russisch-orthodoxen Kirche an der Inter Commission Conference machten eine offizielle und formelle Handlung dringender. Deshalb beschloß die Kom-

196 *Minutes Com,* 14.5.1914; vgl. auch GK 3, *A. C. A. Hall,* an G, 4.6.1914.
197 GK 7, *T. Tatlow,* von G, 21.5.1914.
198 Vgl. *Minutes Com,* 9.1.1913.

mission am 20. Mai 1913, daß eine Deputation baldmöglichst die Holy Governing Synod of the Holy Orthodox Church of Russia und die anderen orthodoxen Kirchen des Ostens besuchen sollte[199]. Mit der Ausführung des Gedankens kam man aber nicht vorwärts. Anfang des Jahres 1914 erinnerte Bischof Anderson erneut daran, daß man die Mitarbeit gewinnen müsse. «By our neglect to extend an invitation we may create an atmosphere quite unconsciously in which it is impossible for Romanists and Orientalists to work[200].» Gleichzeitig erkannte man, daß dem russischen Patriarchen eine Einladung nur zusammen mit dem Patriarchen von Konstantinopel überbracht werden dürfe, und überlegte, ob nicht ein besonderer Ausschuß Kontakte mit den Patriarchen in Konstantinopel, Jerusalem, Antiochien und Alexandrien beginnen sollte[201].

Eine Hilfe bedeutete in dieser Lage, daß Erzbischof Platon nach siebenjähriger Tätigkeit als Führer der russisch-orthodoxen Kirche Amerikas und mit ihm Dean Hotovitzky nach Rußland zurückkehrten. Bei der Verabschiedung des Erzbischofs in der russisch-orthodoxen Kathedrale St. Nicolas in New York war auch Rev. Manning anwesend. Erzbischof Platon wurde dabei besonders gewürdigt als der Mann, der die russisch-orthodoxe Kirche in Beziehung zu anderen Kirchen gebracht habe. Er habe «co-operation with other Christian Churches for a better understanding» angestrebt[202]. Diese Haltung und die persönliche Beziehung erleichterten die Vorbereitung des Besuchs einer Deputation in Rußland. Zudem waren die Eindrücke von Erzbischof Platon im Blick auf Amerika und besonders die Protestant Episcopal Church sehr positiv. «Everywhere I have been received with the greatest consideration, especially from the heads of the Episcopal Church, with whom I have been privileged to establish a close understanding[203].»

Auf Empfehlung von Erzbischof Platon hin wurden nun, als man die Vorbereitung einer Deputation nach Europa in Angriff nahm, an bedeutende Persönlichkeiten der russischen Kirche Briefe geschrieben[204]. Außerdem ließ man sich von Mr. J. R. Mott und vor allem von Rev. Sebastian Dabovitch, dem Archimandriten der Serbian Church,

[199] Vgl. *Minutes Com,* 20.5.1913.

[200] GK 1, *Ch. P. Anderson,* an die Kommission, 27.1.1914.

[201] Vgl. *Minutes Com,* 29.1.1914; außerdem GK 1, *Ch. P. Anderson,* von G, 24.2.1914.

[202] *The Constructive Quarterly 2* (1914), S. 554; in The Departure of Archbishop Platon, von Charles Johnston.

[203] *The Living Church,* 1.8.1914, S. 468; Russian Archbishop Foresees Church Union.

[204] Vgl. GK 4, *W. T. Manning,* an G, 24.10.1914, Anhang; vgl. auch Report of Progress, *Heft 30,* S. 10.

über die Kirchen des Ostens informieren und holte Ratschläge ein. Rev. Dabovitch stellte eine Liste aller östlichen orthodoxen Kirchen und der wichtigsten Persönlichkeiten zusammen und legte dem Exekutivausschuß am 14. Mai 1914 auch einen Vorschlag für die Reiseroute der Deputation vor[205].

2. *Römisch-katholische Kirche*

Auch zur römisch-katholischen Kirche beschränkten sich die durchaus vorhandenen Beziehungen in den ersten Jahren vorwiegend auf den persönlichen und privaten Bereich. Bei den ersten Besuchen von Bischof Kinsman und Rev. Manning bei Kardinal Gibbons in Baltimore und von Rev. Manning bei Kardinal Farley in New York verhielten sich die Kardinäle «non committal but distinctly interested and friendly»[206]. Daß römische Katholiken über christliche Einheit zu predigen begannen, erklärte man damit, daß «we are making an impression upon them»[207]. Deutlich war, daß gute und ständige Kontakte zu wichtigen römisch-katholischen Persönlichkeiten nötig waren, wollte man diese Kirche zur Mitarbeit an dem Vorhaben gewinnen. Darüber entstand die erste Schwierigkeit in der Kommission. Sollte der am 20. April 1911 verabschiedete Arbeitsplan nicht auch römischen Katholiken zugeschickt werden? Das eingesetzte Committee to communicate with the Roman Catholic Church unternahm nichts. Weder Bischof Kinsman noch Rev. Manning wollten wegen dieser Frage nochmals Kardinal Gibbons aufsuchen, und beide sträubten sich gegen eine Verschickung des Berichts an römisch-katholische Pfarrer[208]. Mr. Gardiner dagegen – unterstützt von den Laien Mr. Stetson und Mr. Zabriskie – meinte, dieser Bericht sei eine gute Grundlage für eine erneute Begegnung mit Kardinal Gibbons. Man komme dadurch (1) in besseren Kontakt mit ihm, (2) übergehe ihn nicht und gebe ihm das Gefühl eines Beraters und (3) könne ihn bitten, sich bei den römisch-katholischen Blättern und unter seinen Priestern vielleicht für Gebete um christliche Einheit einzusetzen[209]. Offensichtlich war außerdem, daß jede Zurückhaltung gegenüber der römisch-katholischen Kirche immer zugleich eine stärkere protestantische Ausrichtung bei der Vorbereitungsarbeit für die Weltkonferenz bedeute. Teilweise wurde das als vorteilhaft empfunden. Die Anschauung war

[205] *Minutes Ex Comt,* 14.5.1914.
[206] GK 4, *W. T. Manning,* an G, 31.5.1911.
[207] GK 1, *Ch. P. Anderson,* von G, 12.5.1911.
[208] Vgl. GK 4, *W. T. Manning,* an G, 26.6.1911; vgl. auch GK 4, *W. T. Manning,* von und an G, 17.7.1911; Antwort darauf, o.D., Juli 1911.
[209] Vgl. GK 4, *W. T. Manning,* von G, 21.6.1911 und 28.6.1911.

dann: « . . . if we make a strong Protestant combination, the Roman Church can see that they must deal with the movement»[210].

Der Sekretär suchte gleichfalls gute und ständige Kontakte nach allen Seiten und so auch zur römisch-katholischen Kirche. Er schickte den Bericht des Planungsausschusses an Kardinal Gibbons[211] und erhielt eine freundliche Antwort[212]. Er war der Meinung: «If we are to make any progress we must avail ourselves of every opportunity to get into close relationship with the Cardinal[213].» Deshalb suchte Mr. Gardiner am 2. Oktober 1911 – Mr. Stetson, Mr. Zabriskie und Mr. Pepper hatten zugeraten – Kardinal Gibbons auf. Er wurde freundlich empfangen und berichtete über die Begegnung an Mr. Stetson: «The advice was most satisfactory and showed a deep anxiety to further a project which you and I have most deeply at heart. I met seldom a more thorough understanding of the fact that our project is fundamental and that all who desire the things eternal must foster it in any possible way[214].» Am 26. Oktober hatte er auf Vorschlag des Kardinals hin eine zweite Audienz, in der ausführlicher über die geplante Weltkonferenz gesprochen wurde, ohne daß jedoch etwas Verbindliches von einem der Gesprächspartner gesagt wurde[215]. Gardiner versuchte, den Kardinal zu interessieren, indem er ihn mündlich und schriftlich informierte und um Rat fragte, zum Beispiel, ob er der englischen Übersetzung des Gebets aus dem römischen Meßbuch, das auf die Gebetskarte und die Rückseite der Veröffentlichungen der Kommission gedruckt werden sollte, zustimmen könne, oder ob er die lateinische Übersetzung der Einsetzungsbeschlüsse der Kommission billigen könne, oder indem er ihm den Plan der Arbeit für das Committee on Literature mit der Bitte um Verbesserungen zuschickte[216]. Mr. Gardiner sprach dem Kardinal zum fünfzigjährigen Priesterjubiläum im Oktober 1911 seine Glückwünsche aus[217] und beschrieb ihn als «a wise and pious man, a statesman quick at the heart of a problem, and filled with the desire and hope for the coming of the kingdom. His advice is cordial and valuable»[218].

Den Report of the Committee on Plan and Scope verschickte

[210] GK 1, *Ch. P. Anderson,* von G, 7.8.1911.

[211] Vgl. GK 2, *J. Gibbons,* von G, 4.8.1911.

[212] Vgl. GK 4, *W. T. Manning,* von und an G, 22.8.1911; 23.8.1911.

[213] GK 6, *F. L. Stetson,* von G, 22.8.1911.

[214] GK 6, *F. L. Stetson,* von G, 2.10.1911; vgl. GK 7, *G. Zabriskie,* von G, 6.10.1911; GK 4, *W. T. Manning,* 6.11.1911.

[215] GK 2, *J. Gibbons,* von und an G, 13.10.1911; 18.10.1911; 31.10.1911; GK, *Ch. H. Brent,* von G, 16.12.1911; GK 6, *N. Smyth,* von G, 3.11.1911.

[216] Vgl. GK 2, *J. Gibbons,* von und an G, 28.9.1911; 1.10.1911; 13.10.1911; 31.10.1911.

[217] GK 2, *J. Gibbons,* von G, 13.10.1911.

[218] GK 5, *G. Wh. Pepper,* von G, 2.10.1911.

Mr. Gardiner auf eigene Verantwortung, nachdem die Auffassungen in der Kommission geteilt waren. Erstmals wurde durch die Verschickung ein größerer römisch-katholischer Kreis über die Weltkonferenz informiert. Mr. Gardiner schickte den Arbeitsplan an alle Kardinäle der römisch-katholischen Kirche und an alle Erzbischöfe, Bischöfe und Geistliche dieser Kirche in den Vereinigten Staaten. Anfang Dezember hatte er das abgeschlossen[219]. Schon bald begann er, eine große Anzahl freundlicher und sympathisierender Antwortbriefe zu erhalten[220].

Bezeichnend für die Briefe war die häufige Betonung des Gebets[221]. Auch wenn zumeist als der einzige Weg zu christlicher Einheit die Rückkehr aller Christen in die römisch-katholische Kirche verstanden wurde, versicherten die Korrespondenten, man wolle beten oder auch Gebete veranlassen[222]. Father James Paul Francis von den Graymoorbrüdern schlug Mr. Gardiner sogar eine Beteiligung an der Church Unity Octave vor[223]. Die Graymoorbrüder – auch bekannt als die Society of the Atonement – bildeten eine Gruppe von zum römischen Katholizismus konvertierten Mitgliedern der Protestant Episcopal Church, die sich in Garrison im Staate New York niedergelassen hatte. Sie gaben eine Zeitschrift «The Lamp» heraus. Im Jahre 1908 hatte ihr Gründer, James Paul Francis, die Church Unity Octave eingeführt[224]. Diese Woche wurde vom 18. Januar, dem Fest des Stuhles Petri, bis zum 25. Januar, dem Fest der Bekehrung des Paulus, abgehalten. Es ging dabei zunächst um die «conversion of the non-Catholics», wofür durch Gebet und Evangelisation gewirkt werden sollte[225]. Mr. Gardiner meinte daher, ein Vorschlag zur Beteiligung käme jetzt noch zu früh. «It seems to me it would be wiser to wait before suggesting any concerted action until we have prepared the ground more thoroughly and can make it with good hope of its being very generally accepted[226].» Father Francis zeigte dafür Verständnis[227].

[219] Vgl. GK, *Ch. H. Brent,* von G, 16.12.1911; 20.1.1912.

[220] Vgl. GK 2, *J. Gibbons,* von G, 26.1.1912; GK, *Ch. H. Brent,* von G, 16.12.1911; 20.1.1912; GK 4, *W. T. Manning,* von G, 10.1.1912.

[221] Vgl. *The Living Church,* 15.11.1913; S. 95, Leserbrief «Prayer for Unity» eines katholischen Geistlichen; vgl. auch GK 6, *A. Spaldak,* an G, 21.3.1913.

[222] Vgl. GK 2, *J. G. Fallize,* an G, 13.12.1911.

[223] Vgl. GK 2, *J. P. Francis,* an G, 6.12.1911.

[224] Vgl. *David Cannon,* S. A., Father Paul of Graymoor, New York, 1951, S. 140.

[225] WCC, *Catholic Union Times, Buffalo,* New York, 4.1.1912; vgl. auch *Rouse/Neill,* Geschichte der ökumenischen Bewegung, Band I, S. 481.

[226] GK 2, *J. P. Francis,* von G, 11.12.1911.

[227] Immerhin konnte im Jahre 1913 in The Living Church Father Francis auf diese Church Unity Octave hinweisen. Vgl. *The Living Church,* 18.1.1913; S. 404,

Aus eintreffenden Briefen konnte Mr. Gardiner auch immer wieder Interesse an der weiteren Entwicklung entnehmen. So bat der Jesuitenpater John Wynne, Mitherausgeber von «The Catholic Encyclopedia», darum, in die Adressenliste aufgenommen zu werden und künftig alle Veröffentlichungen zu empfangen[228]. Der bekannte französische Gelehrte Paul Sabatier[229] betonte das Interesse im französischen und italienischen Episkopat in einem Brief und wollte weitere Informationen bekommen[230].

Daß auch angesichts einer eindeutigen theologischen Stellung Sympathie und Interesse an dem Vorhaben unter römischen Katholiken vorhanden war, das empfand Mr. Gardiner als Fortschritt. Für das vom Committee on Literature eine Zeitlang geplante Symposium der Meinungen über die Weltkonferenz schrieb Kardinal Gibbons einen Beitrag, in dem diese Haltung zum Ausdruck kommt:

> «I have from the very beginning taken a deep interest in this matter, as I prayed always for unity and I sincerely trust that the day is not far distant when we shall all be united. The great evil of our times is the unhappy division existing among the professors of Christianity and from thousands of hearts a yearning cry goes forth for unity of faith and union of churches. This idea of reunion is not new, but it has always failed because there was no common platform to stand on. I heartily join in this prayer for Christian unity, and gladly would surrender my life for such a consummation. Our Lord, Jesus Christ, has pointed out the only means by which this unity can be maintained, viz: by the recognition of Peter and his successors as the Head of the Church.
>
> Let us pray that the day may be hastened when religious dissensions will cease; when all Christians will advance with united front, under one common leader, to plant the cross in every region and win new kingdoms to Jesus Christ.»[231]

Den in Ton und Stil gegenüber der Weltkonferenz freundlichen Stimmen standen jedoch andere gegenüber. In öffentlichen Stellungnahmen zu dem Vorhaben betonten römische Katholiken unmißverständlich die notwendige Ablehnung der Weltkonferenz durch ihre Kirche[232]. Ein herausragendes Beispiel bedeutete der Artikel eines Jesuitenpaters, der feststellte, daß römische Katholiken mit dieser Bemühung um christliche Einheit nichts zu tun haben könnten. Mit dem Vorhaben der Weltkonferenz sympathisierende römische Katholiken gäben sich einer Täuschung hin. «Still, their native kindness has led some Catholics to say nice things about the good intentions of the

Leserbrief «Roman Catholics Praying For Unity»; vgl. auch GK 2, *J. P. Francis,* an G, 13.12.1911.

228 Vgl. GK 7, *J. Wynne,* an G, 16.2.1912.

229 Vgl. RGG, 3. Auflage, Band V, Spalte 1258, Artikel: *Paul Sabatier.*

230 Vgl. GK 6, *P. Sabatier,* an Ch. P. Anderson, 19.7.1913.

231 GK 2, *J. Gibbons,* an Ch. B. Brewster, 20.3.1912.

232 Vgl. z. B. WCC, *Evening Star* (Washington, D.C.), 29.6.1912: A Plea for Christian Unity; WCC, *America* (New York), 3.8.1912: Artikel von E. Spillane, S. J.

leaders of the movement and the desirability of unity, assuming, of course, that their words would be taken in their truest sense, namely, that a good intention will not ensure success in any enterprise about which one goes the wrong way, and that if one really desires Christian unity there is but one way to obtain it, namely, submission to the infallible authority of the Apostolic See. These Catholics cannot be pleased at seeing their delicacy misunderstood by the objects of their kindness, who take occasion from it to claim Catholic support for their movement, and to hint at Catholic participation in it.»[233]

Sowohl die freundlichen wie auch die kritischen Äußerungen auf römisch-katholischer Seite stellten private Meinungen dar. Doch schob sich die Stellung des Papstes und seine Unfehlbarkeit immer stärker als eine unüberwindliche Kluft in den Vordergrund, so daß die Meinung an Boden gewann: «The best way to secure the participation of Rome would be to build up an overwhelmingly strong combination of Protestants[234].» Doch schloß man weiterhin eine Beteiligung der römisch-katholischen Kirche bei der Durchführung der Weltkonferenz ein. Man nahm bei den Veröffentlichungen Rücksicht auf römisch-katholische Empfindungen[235] und achtete auf die anglokatholische Furcht vor Panprotestantismus[236]. Den persönlichen Kontakt zu Kardinal Gibbons ließ Mr. Gardiner nicht abreißen. Er schickte ihm Veröffentlichungen und erbat von ihm Ratschläge[237]. Am 3. Dezember 1913 hatte er wieder eine fünfundvierzigminütige Unterredung mit dem Kardinal in Baltimore, wo er sich als Mitglied des Exekutivausschusses des Federal Council vom 3. bis 5. Dezember bei der jährlichen Sitzung aufhielt[238]. Dabei empfahl Kardinal Gibbons, bei der Formulierung von Fragen für die Weltkonferenz das Apostolische Bekenntnis als Leitfaden zu nehmen. Denn daran ließen sich Übereinstimmungen zeigen und Unterschiede erkennen[239].

Als man Anfang des Jahres 1914 die Deputation auf den europäischen Kontinent und in den Vorderen Orient vorzubereiten begann, wurde die Frage der Mitarbeit der römisch-katholischen Kirche von neuem stark diskutiert. Die Frage war, ob die Mitarbeit der rö-

[233] WCC, *America,* (New York), 14.12.1912: The Protestant Movement for Unity, von H. Woods, S. J.

[234] GK 3, *F. J. Hall,* von G, 14.10.1912.

[235] Vgl. z. B. GK 3, *A. C. A. Hall,* von G, 8.11.1912; GK 3, *F. J. Hall,* von G, 6.11.1912.

[236] GK 3, *A. C. A. Hall,* an G, 9.11.1912.

[237] Vgl. GK 2, *J. Gibbons,* von und an G, 12.2.1912; 9.9.1912; 12.9.1912; 6.12.1913; 14.3.1914.

[238] GK 2, *J. Gibbons,* von und an G, 26.11.1913; 28.11.1913; 6.12.1913; vgl. auch GK 5, *W. H. Roberts,* 11.12.1913, von G.

[239] GK 5, *G. Wh. Pepper,* von G, 3.12.1913.

misch-katholischen Kirche zu dieser Zeit möglich sei oder nicht. Was sollte die geplante Deputation unternehmen? Ein Teil der Kommission, besonders die Hochkirchler meinten, man müsse jetzt die Mitarbeit gewinnen. Andernfalls könnte leicht eine Lage entstehen, in der die Vorbereitungen so weit gediehen seien, daß der römisch-katholischen Kirche dadurch eine Teilnahme unmöglich werde. Der Sekretär hielt diese Aufforderung für Gerede, weil die so Sprechenden praktisch nichts zur Sicherung einer Mitarbeit getan hatten. Er verwies auf seine Arbeit: «I am in correspondence with a good many 100 Roman Catholics all over the world and I have availed myself of every possible opportunity to call upon them personally and get into personal relations[240].»

Auf protestantischer Seite erwartete man vom Besuch einer Deputation in Rom mit einer Einladung zur Mitarbeit an einer Weltkonferenz nur eine Absage. Von seinen Erfahrungen her warnte Rev. N. Smyth vor «fruitless flirtation with Rome», was vielleicht einige Anglokatholiken befriedige und bei manchen protestantischen Kirchen Auswirkungen in der Haltung gegenüber dem Vorhaben habe, aber in keiner Weise die Ziele des Vatikans beeinflusse. Er befürwortete den Kontakt mit den amerikanischen Kardinälen, weil dadurch noch keine Entscheidung Roms gefallen wäre. Rev. Smyth meinte: «... nothing but words can be looked for in that direction; our policy seems clear, to keep on our part the door open while not pressing them so far as to compel them to slam it in our face»[241].

Eine solch passive Haltung gegenüber Rom lehnte Mr. Gardiner ab, weil zur Vorbereitung der Weltkonferenz sowohl Katholiken wie Protestanten eingeladen werden müßten. Weil wahre Einheit alle Christen einschließen müsse, sei es eine Verpflichtung auch gegenüber den römischen Katholiken «to make every effort to reach them»[242]. Allerdings teilte auch Mr. Gardiner die Ansicht, daß eine Deputation in Rom zum gegenwärtigen Zeitpunkt keine Einladung zur Mitarbeit aussprechen könne oder eine Ablehnung riskiere, weil die dortigen Kräfte sehr antiprotestantisch eingestellt seien. Sie könne «only inform about plans and progress»[243]. Mr. Gardiner stimmte dem von Rev. Ainslie vorgeschlagenen Weg der Einladung zur Teilnahme Roms zu: «It seems to me that the programme of bringing the Protestants into closer co-operation and then securing the

[240] GK 3, *F. J. Hall,* von G, 14.3.1914; vgl. auch GK 1, *Ch. P. Anderson,* an die Kommission, 27.1.1914.

[241] GK 6, *N. Smyth,* an G, 17.2.1914; vgl. auch GK 6, *N. Smyth,* an G, 3.3.1914; 29.3.1914; 1.4.1914; 4.4.1914; 5.5.1914.

[242] GK 6, *N. Smyth,* von G, 3.4.1914; vgl. auch GK 6, *N. Smyth,* von G, 30.3.1914; 3.4.1914.

[243] GK 1, *P. Ainslie,* von G, 15.4.1914.

co-operation of the Eastern Church, would present a front to the Roman Catholic Church that would compel them to consider a proposal of peace[244].»

Bei der Vorbereitung für eine Deputation nach Europa wollte man den Vatikan deshalb nur offiziell über die Bewegung für eine Weltkonferenz unterrichten. Das begrüßte Kardinal Farley bei einem Gespräch, das er mit Rev. Manning am 24. März 1914 führte[245]. Er wie Kardinal Gibbons wollten in Rom empfehlend auf die Deputation hinweisen[246]. Auf persönlicher Ebene sollte die Deputation bedeutende Persönlichkeiten informieren, weshalb Mr. Gardiner bei interessierten römischen Katholiken in Europa anfragte, ob sie die geplante Deputation empfangen würden. Bejahende Antworten trafen ein[247].

3. Vor dem Aufbruch

Auf dem Hintergrund der bestehenden Beziehungen zu den Orthodoxen und zur römisch-katholischen Kirche stellte die Deputation nach Beratungen im Exekutivausschuß am 14. Mai 1914 bei einer Zusammenkunft am 29. und 30. Mai einen vorläufigen Reiseplan auf[248]. Er sah die Ankunft der Mitglieder der Deputation am 1. September in London vor. Von dort aus war die Reise über Holland, Dänemark, Schweden, Norwegen und Finnland nach Rußland geplant. Von hier wollte man über Berlin, Prag, Wien, Budapest, Bukarest und andere Städte nach Konstantinopel aufbrechen. Über Athen, Jerusalem, Alexandrien sollte die Reise nach Italien weitergehen, wo man Anfang Dezember in Rom einzutreffen hoffte. Frankreich und die Schweiz sollten nicht aufgesucht werden[249].

Nach dieser Zusammenkunft bereitete sich die Deputation auf die Abreise vor. Man sammelte Empfehlungsschreiben, von denen das bedeutsamste vom amerikanischen Präsidenten Woodrow Wilson stammte, der auf Anfrage an Rev. Roberts schrieb:

244 GK 1, *P. Ainslie,* an G, 11.4.1914; vgl. auch GK 1, *P. Ainslie,* von G, 15.4.1914; GK 6, *N. Smyth,* von *P. Ainslie,* 3.4.1914.

245 GK 6, *N. Smyth,* von G, 6.5.1914; GK 4, *W. T. Manning,* an G, 18.5.1914.

246 GK 4, *W. T. Manning,* an G, 5.5.1914; GK 6, *N. Smyth,* 6.5.1914, von G.

247 Vgl. z. B. GK 6, *P. Sabatier,* an und von G, 30.1.1914; 14.2.1914; 5.6.1914; GK 2, *J. G. Fallize,* von und an G, 5.6.1914; 15.6.1914; GK 6, *A. Spaldak,* von und an G, 29.5.1914; 11.6.1914; 30.6.1914; GK 5, *D. J. Mercier,* von und an G, 15.7.1914; 21.7.1914; 22.7.1914; GK 5, *Abbé Portal,* an G, 20.7.1914.

248 GK 3, *A. C. A. Hall,* von G, 2.6.1914; GK 1, *Ch. B. Brewster,* an G, 13.6.1914.

249 GK 6, *P. Sabatier,* von G, 5.6.1914; vgl. auch GK 6, *A. Spaldak,* von G, 29.5.1914.

«I have been gratified to learn by your letter of the 5th instant that a delegation representing the American churches will go to Europe next August in connection with the ‹World Conference on Faith and Order›. It is especially pleasing that our churches will be represented by divines so eminent as Bishops Rhinelander and Anderson, and the other gentlemen you mention. May I ask you to be good enough to make known to them and through them to the World Conference, my entire sympathy with the great object of the Conference which looks to unity among all Christian churches? Sincerely yours,

Woodrow Wilson.»[250]

Aus England, von wo die Deputation ihre Mission beginnen wollte, lag eine Einladung des führenden Laien der katholischen Erneuerungsbewegung in der anglikanischen Kirche, Lord Halifax[251], vor. Dieser Einladung wollte man Folge leisten. Briefe nach Rom sollten erst nach dem Gespräch mit diesem «Fachmann» gesandt werden. Dagegen wurden an die russisch-orthodoxe Kirche die notwendigen Einführungsbriefe abgeschickt[252].

Die anderen Kommissionen wurden bei der Vorbereitung der Deputation kaum zu Rate gezogen. Sie wurden über das Vorhaben nur wenig unterrichtet, weil Rev. Manning meinte, man würde sonst zu viele Ratschläge bekommen[253]. Doch entstand dadurch wieder das Gefühl von Nichtbeteiligung und erhielt die Frage neue Nahrung, ob sich die Kommissionen weiterhin passiv verhalten sollten. Von neuem betonte Rev. Smyth: «Men want to know not only how to confer, but what they can confer about[254].» Erst vor seiner Abreise nach Europa schickte Mr. Gardiner den Vorsitzenden der verschiedenen Kommissionen am 17. Juni noch eine Information zu, die über die geplante Deputation berichtete[255].

Das Sekretariat leistete überhaupt die wesentliche Arbeit bei der Vorbereitung der Deputation. Mr. Gardiner verschickte jetzt vor allem nach England und auf den europäischen Kontinent Veröffentlichungen der Kommission[256]. Nachdem in der deutschen Zeitschrift «Die Reformation» ein Artikel über die Weltkonferenz erschienen war, kamen aus diesem Raum Anfragen nach Literatur[257]. Die große Zahl deutscher Pfarrer, die ihn überraschte, hielt den Sekretär von

[250] GK 5, *W. H. Roberts,* an G, 18.6.1914, Beilage; vgl. auch GK 5, *W. H. Roberts,* an und von G, 6.4.1914; 27.6.1914; WCC, June 19th, 1914.

[251] Vgl. *Weltkirchenlexikon,* Handbuch der Ökumene, von H. Littell und H. H. Walz (Hrsg.), Stuttgart 1960, Spalte 523: Charles Lindley Wood Halifax.

[252] Vgl. GK 4, *W. T. Manning,* an G, 13.6.1914.

[253] Vgl. GK 4, *W. T. Manning,* an G, 23.4.1914.

[254] GK 6, *N. Smyth,* an G, 28.5.1914.

[255] Vgl. GK 4, *W. T. Manning,* von G, 19.6.1914.

[256] Vgl. GK 7, *G. Zabriskie,* von G, 26.5.1914.

[257] Vgl. *Die Reformation,* XIII. Jahrgang, 10. Mai 1914, S. 218 f.: «Eine Weltkonferenz für die Einheit der Kirche», von Professor Dr. A. Lang.

seinem ursprünglichen Plan ab, an sie alle Literatur zu schicken[258]. Von seiner starken Korrespondenz berichtete er Anfang Juni, als er das Bulletin Nr. 6 herausgab. Es informierte über die an einem normalen Tag eingehende Post[259].

Am 20. Juni trat Mr. Gardiner eine Reise nach England an, die ihn aus familiären und geschäftlichen Gründen den ganzen Sommer in Europa verbringen ließ. Nach seiner Ankunft in England, wo er sich einen ganzen Monat aufhielt, war er auch für die Deputation rege tätig. Er nahm sofort briefliche Kontakte nach verschiedensten Richtungen auf[260]. Er traf mit bedeutenden Persönlichkeiten zusammen[261] und sammelte Informationen, die er in Briefen an die Deputation nach Amerika sandte[262]. Wo Mr. Gardiner für die Deputation etwas tun konnte, nahm er es in Angriff. Bei seinen Unterhaltungen hatte er immer wieder den Eindruck, daß von vielen Leuten die geplante Weltkonferenz für «far the most important matter before the Christian World»[263] gehalten werde.

Die Reiseroute von Mr. Gardiner sollte von England aus über Frankreich nach Konstanz führen, wo vom 2. bis 4. August die erste internationale Konferenz für Frieden und Freundschaft geplant war, bei der über die Zusammenarbeit der europäischen und amerikanischen Kirchen gesprochen und «international goodwill» gefördert werden sollte[264]. Auf Vorschlag der Commission on Peace and Arbitration des Federal Council of Churches hatte Mr. Gardiner dazu eine persönliche Einladung erhalten, der er Folge leisten wollte, weil «It would give me an opportunity to talk up the World Conference[265].» Von dort beabsichtigte er, nach Venedig weiterzureisen und

[258] Vgl. GK 7, *G. Zabriskie,* von G, 21.5.1914.

[259] Vgl. *im Anhang,* S. 332 ff.

[260] Vgl. z. B. nach Deutschland (GK 6, *F. Siegmund-Schultze,* an G, 23.7.1914); zur griechisch-orthodoxen Kirche (GK 1, *H. Alivisatos,* von und an G, 15.7.1914; 31.7.1914); zu römisch-katholischen Persönlichkeiten (GK 5, *D. J. Mercier,* von und an G, 15.7.1914; 21.7.1914; 6.8.1914; GK 5, *Abbé Portal,* an G, 20.7.1914) und nach Holland (GK 1, *Ch. H. Brewster,* von G, 24.7.1914).

[261] Zum Beispiel mit dem Erzbischof von Canterbury (GK 7, *T. Tatlow, an G,* 27.6.1914) und dem Bischof von Oxford, Ch. Gore (GK 1, *Ch. B. Brewster,* von G, 16.7.1914).

[262] GK 4, *W. T. Manning,* von G, 28.6.1914; 7.7.1914; GK 1, *Ch. B. Brewster,* (Durchschläge an die anderen Mitglieder der Deputation), von G, 16.7.1914; 24.7.1914.

[263] GK 1, *Ch. B. Brewster,* von G, 16.7.1914; vgl. auch GK 1, *E. H. Bliss,* von G, 21.7.1914.

[264] Vgl. GK 4, *F. Lynch,* an G, 8.5.1914; vgl. auch The Churches of Christ in America and International Peace, presented by Rev. Ch. S. Macfarland at the Church Peace Conference Constance, Germany, August 2, 1914. Printed by The Church Peace Union, S. 39.

[265] GK 1, *P. Ainslie,* von G, 11.6.1914.

um den 2. August nach London zurückzukehren. Hier hoffte er, sich noch vor seiner Rückkehr nach Amerika mit den inzwischen eingetroffenen Mitgliedern der Deputation besprechen zu können[266].

Am 2. Juli brach Mr. Gardiner nach Frankreich auf. Während seines kurzen Aufenthalts in Paris verbrachte er einen Abend mit dem durch seine Bemühungen um christliche Einheit bekanntgewordenen Abbé Portal[267]. Ende Juli 1914, als sich über Europa die düsteren Wolken eines kommenden Weltkrieges zusammenbrauten, kam Mr. Gardiner als einer von 120 Delegierten in Konstanz an. Am 1. August brach der Krieg aus. Daraufhin tagten die eingetroffenen Teilnehmer – nicht mehr alle hatten Konstanz erreicht – am 2. August in drei Sitzungen. Am 3. August brachte ein Zug unter dem besonderen Schutz des deutschen Kaisers und des badischen Großherzogs die Konferenzteilnehmer nach Holland[268]. In London, wo ein Großteil der Delegierten am 4. August eintraf, versammelte man sich nochmals zu einer Sitzung. Trotz der Schwierigkeiten bei der Durchführung dieser Konferenz für internationalen Frieden vollbrachte man eine Tat von großer Bedeutung: «The great achievement of the conference was the making of itself a permanent institution under the name of the ‹World Alliance of the Churches for International Good Will›[269].»

Auch Mr. Gardiner befand sich in dem Sonderzug von Konstanz nach Holland. Er schrieb, daß er «barely got to England with the loss of my baggage and my summers correspondence which last was very valuable»[270]. Kaum, daß er aus Deutschland herausgekommen war, meldete er allen Leuten, die er erreichen konnte und mit denen er für die Deputation versuchsweise Termine ausgemacht hatte das, was er auch an Rev. Manning telegraphierte: «Deputation trip impossible[271].» Der Kriegsausbruch hatte die Deputation im letzten Augenblick verhindert. Ob sie einige Wochen oder einige Monate später aufbrechen konnte? Man rechnete durchaus damit, doch es sollte Jahre dauern[272].

[266] Vgl. GK 1, *Ch. B. Brewster,* von G, 24.7.1914; GK 1, *P. Ainslie,* von G, 11.6.1914.

[267] GK 5, *F. Portal,* an und von G, 20.7.1914; 30.7.1917.

[268] Vgl. *Ökumenische Rundschau,* 13. Jahrgang, Oktober 1964, Heft 4, S. 347 ff.: Vor 50 Jahren: Weltbund für Internationale Freundschaft der Kirchen. Vgl. Rouse/Neill, Band II, S. 140–143.

[269] *The Living Church,* 7.11.1914, S. 16, «The Peace Conference at Constance», von Rev. F. Lynch; vgl. auch *The Living Church,* 22.8.1914, S. 563 «The Peace Conference Held in Switzerland».

[270] GK 1, *Ch. B. Brewster,* von G, 13.8.1914.

[271] GK 4, *W. T. Manning,* an R. W. Brown, 7.8.1914.

[272] Vgl. GK 1, *Ch. B. Brewster,* an G, 3.8.1914.

6. Der Kriegsausbruch

Allgemein war man über den Kriegsausbruch bestürzt. «How terrible beyond all expressions this outbreak of barbarism is!», äußerte Rev. Manning[273]. Noch vor seiner Rückkehr nach Amerika verfaßte Mr. Gardiner ein Bulletin über den Stand der Vorbereitungsarbeit bis zum Kriegsausbruch. Er schickte es Rev. Manning zur Korrektur und wollte es möglichst bald nach seiner Rückkehr herausgeben[274]. Unter dem Datum des 15. September 1914 erschien dieses Bulletin Nr. 7[275], das eine Art Rechenschaftsbericht darstellte. Die entscheidende und allgemeine Erfahrung bei Kriegsausbruch war für die an der Vorbereitung für eine Weltkonferenz Beteiligten die Ohnmacht der in sich gespaltenen Christenheit angesichts einer solchen Situation. Rev. Manning schrieb: «The outbreak of the war burned into our souls the weakness of a divided Christianity. We saw that, as a power to preserve peace among men, the Church did not seriously count. Its voice was not heard speaking unitedly and clearly for those principles of justice and righteousness upon which alone peace can rest. Its influence in the hour of the world's crisis was negligible[276].»

Für die Vorbereitungsarbeit der Weltkonferenz verlangte die neue Lage auch neue Überlegungen. Sollte man einfach abwarten oder sollte man sich auf dem amerikanischen Kontinent verstärkt für das Vorhaben einsetzen? Was sollte man tun? Mr. Gardiner betonte vor allem die Chance, die jetzt für die Vorbereitung der Weltkonferenz vorhanden sei. Er empfand diese Lage als «providential» und hoffte, daß die Lage die Notwendigkeit einer Weltkonferenz der Christen noch deutlicher mache und daß man sich zeitlich und sachlich vielmehr um eine gute Vorbereitung der Weltkonferenz im zugänglichen Bereich bemühen würde, nachdem vorläufig die «world wide plans have to be suspended»[277]. Er schrieb: «I think the suspension may be good for our project if we will now take time for the careful thought and efficient planning, which we have hitherto neglected, and this dreadful war will make men eager for every kind of peace and make us see that only Christ can rule the world[278].» Zu den vernachlässigten Dingen gehörte seiner Meinung nach das Nachdenken über die entscheidende Bedeutung des Gebets und die Frage der sogenannten local conferences. Das Interesse an der Weltkonferenz müsse bei den

[273] GK 4, *W. T. Manning,* an G, 2.9.1914.

[274] Vgl. GK 4, *W. T. Manning,* von G, 19.8.1914.

[275] Vgl. im *Anhang,* S. 334 f.

[276] *W. T. Manning,* The Call to Unity, New York, 1920, S. 1 f.

[277] GK 5, *W. H. Roberts,* von G, 21.9.1914.

[278] GK 1, *Ch. B. Brewster,* von G, 13.8.1914; vgl. auch GK 4, *W. T. Manning,* von G, 5.9.1914.

Geistlichen erheblich verstärkt werden, Literatur und Veröffentlichungen müßten mehr verbreitet werden, das Verhältnis zwischen dem Exekutivausschuß, der Kommission, dem Advisory Committee und den anderen Kommissionen müsse deutlicher herausgestellt werden und die Zusammenarbeit sollte erweitert werden. Schließlich betonte er, daß die Frage eines vollamtlichen Sekretärs immer noch auf ihre Lösung warte[279]. Auch die Erfahrung während seines Aufenthaltes in Europa, daß das Vorhaben der Weltkonferenz sehr ernst genommen wurde und man die Entwicklung in Amerika verfolgen wollte, ließen ihn für eine verstärkte Weiterarbeit plädieren. Zudem gab seiner Ansicht nach der Krieg in Europa den Amerikanern die Möglichkeit, selber zusammenzufinden und nach dem Krieg ein Beispiel zu geben «for real peace and for that Christian Unity which alone can effectively proclaim the gospel of the Prince of Peace»[280]. Dieser Haltung, der die Lage eine Chance war und die verstärkte Vorbereitungsarbeit wollte, stimmten protestantische Führer wie Rev. Ainslie und Rev. Roberts zu[281], der schrieb: «I regard the war as a reason for continuance of the work of preparation. We should go forward with the work, without reference to difficulties and obstacles, with increasing faith in God[282].»

Dagegen befürworteten innerhalb der Kommission vor allem die hochkirchlichen Vertreter eine «marking time». Nachdem man in protestantischer Richtung in den U.S.A. schon so viel getan und erreicht habe und die Verhältnisse in Europa vorläufig keine Fortschritte in katholischer Richtung zuließen, empfahlen sie bis zum Abschluß des Krieges ein zuwartendes Verhalten der Kommission[283]. Bevor man nicht von neuem Vorstöße in katholischer Richtung unternehmen konnte, sollte auch mit den Protestanten nichts weiter unternommen werden.

Beide Verhaltensweisen wirkten nach Kriegsausbruch auf die weitere Vorbereitung ein. Ihre Spannung erschwerte die Arbeit. In der Kommission der Protestant Episcopal Church zeigte sich das in der Sitzung am 3. Dezember 1914. Obwohl verschiedene Unterausschüsse Berichte vortrugen, die gegenwärtige Möglichkeiten und die Verantwortung aufzeigten, hatte der Sekretär den Eindruck, daß der Großteil der Kommission das gar nicht aufnehme. Auch persönlich fühlte er, daß seine Bemerkungen und Gedanken kaum zur Kenntnis ge-

[279] Vgl. GK 1, *P. Ainslie,* von G, 1.9.1914; GK 5, *G. Wh. Pepper,* von G, 10.9.1914.
[280] GK 7, *R. H. Weller,* von G, 28.9.1914; GK 7, *G. Zabriskie,* von G, 9.9.1914.
[281] Vgl. GK 1, *P. Ainslie,* an G, 14.9.1914.
[282] GK 5, *W. H. Roberts,* an G, 18.9.1914.
[283] Vgl. *Minutes Com,* 3.12.1914, Bericht des Exekutivausschusses; GK 7, *R. H. Weller,* von G, 10.12.1914.

nommen wurden und man allgemein die Sache zu wenig ernst nehme. «The distressing thing to me about the Commission meetings is that there is so much haste and confusion that it is impossible for anyone to know what is going on ... The practice of the Commission of paying no attention to the reports of the Committees destroys the value of subcommittees and is the reason for disintegration of the Commission[284].» Als Ergebnis dieser Sitzung konstatierte Mr. Gardiner daher zu wenig Einsatz, zudem Mißtrauen gegenüber zu starker Betätigung nach protestantischer Seite hin und die Verabschiedung einer «do-nothing-policy».

Die gefaßten Beschlüsse schienen dem Sekretär Recht zu geben. Der von Rev. P. Ainslie am 10. März 1914 dem Exekutivausschuß vorgeschlagene Plan für local conferences, der dann von Rev. Ainslie, Bischof Weller und Professor Fosbroke ausgearbeitet wurde, lag zwar vor, doch wurde entschieden, daß er nochmals mit Bischof Hall durchzugehen sei und dann allen Mitgliedern des Exekutivausschusses und der Kommission zugeschickt werden sollte[285]. Als Ausschuß, dem Bischof Hall seine Änderungswünsche unterbreiten konnte, wurden Bischof Weller, Professor Fosbroke und Bischof Hall selber bestimmt[286]. Schon früher hatte der Exekutivausschuß in seiner Sitzung vom 8. Oktober den Entwurf genehmigt. Der Entwurf sagte jedoch Mr. Gardiner und Professor Fosbroke nicht zu, weil diese Zusammenkünfte mehr «for prayer than discussion» da sein sollten[287]. Mr. Gardiner schrieb einen erneuten Entwurf auf Grund der Erkenntnis beider: «It seems to us that the thing of vital importance now is a call to real prayer and an earnest and vigorous effort to spread a new doctrine and practice of real prayer[288].» Er verwandte bei der Abfassung des neuen Entwurfs vor allem einen Artikel aus der International Missionary Review[289]. Diesen Entwurf hatte Bischof Weller gutgeheißen[290]. Er war vom Exekutivausschuß zur Vorlage vor der Kommission angenommen worden[291]. Nun taktierte die Kommission in der Sitzung am 3. Dezember von neuem und fällte keine Entscheidung über den Plan.

Ähnlich erging es der Arbeit des Committee on Literature, für das Professor Fosbroke einen Bericht vortrug, der ebenfalls hauptsächlich

[284] GK 1, *Ch. P. Anderson,* von G, 6.1.1915.

[285] Vgl. *Minutes Com,* 3.12.1914; dort ist der ganze Plan abgedruckt.

[286] Vgl. *Minutes Ex Comt,* 3.12.1914; vgl. GK 3, *A. C. A. Hall,* an R. H. Weller, 9.12.1914.

[287] GK 1, *P. Ainslie* an G, 14.9.1914.

[288] GK 7, *R. H. Weller,* von G, 27.10.1914.

[289] *IMR,* Oktober 1914, S. 625 ff.: The War and Missions, von J. H. Oldham.

[290] Vgl. GK 7, *R. H. Weller,* an G, 29.10.1914.

[291] Vgl. *Minutes Ex Comt,* 5.11.1914; vgl. auch *Minutes Ex Comt,* 8.10.1914.

von Mr. Gardiner abgefaßt war[292] und die Notwendigkeit weiterer und vermehrter Veröffentlichungen hervorhob.

Über den Essay von Rev. Bliss «A Survey of the Present Divisions of Christendom» war noch nicht entschieden worden[293]. Bei einer Sitzung des Committee on Literature am 12. November hatte man über Veröffentlichungen, beispielsweise über eine Rede von Rev. A. J. Brown, anhand der festgelegten Regeln beraten[294]. Man hatte überlegt, ob der Druck einer Bibliographie über die Frage der Einheit in Europa lohnend wäre[295]. Auf eine Empfehlung hin hatte das Committee durch Professor H. B. St. George für den gottesdienstlichen Gebrauch eine Gebetssammlung zusammenstellen lassen und ergänzt[296].

Der Bericht betonte ganz allgemein die notwendige Aufgabe zu publizieren, den Wunsch nach Einheit zu stärken und in Schriften vor allem das Verhältnis Protestantismus und Katholizismus, die Frage des Glaubensbekenntnisses und die Bedeutung der Inkarnation zu behandeln[297]. Vorschläge dazu waren vorhanden[298]. Wiederum faßte die Kommission keine Beschlüsse. Mr. Gardiner hatte den Eindruck, daß praktisch ein Vorschlag von Rev. Manning angenommen worden sei, «that we should not publish anything more», was die Arbeit des Committee on Literature lähmen mußte[299]. Rev. Manning gab während der Sitzung einen abschließenden Bericht über die Vorbereitungen der geplanten Deputation nach Europa, die ihre Reise nicht hatte antreten können. Man setzte eine neue Deputation ein, zu deren Mitgliedern Bischof Anderson, Bischof Brewster, Bischof Rhinelander, Rev. Manning und Mr. Pepper zählten[300]. Die allgemeine Stimmung der Kommission war, daß man sich bis zum Kriegsende nicht mehr mit Einladungen beschäftigen sollte oder höchstens an bestimmte Kirchen formale Schreiben verschicken sollte[301].

Der einzige Beschluß der Kommission, der die Möglichkeit von Aktivität einschloß, war die Annahme eines Vorschlags, nach dem der Sekretär brieflich sämtliche Bischöfe der Protestant Episcopal Church

[292] Vgl. GK 7, *T. Tatlow,* von G, 14.12.1914.

[293] *Minutes Ex Comt,* 8.10.1914.

[294] Vgl. GK 1, *A. J. Brown,* von G, 12.11.1914.

[295] Vgl. GK 3, *F. J. Hall,* von G, 18.11.1914.

[296] Vgl. *Minutes Com,* 3.12.1914.

[297] Vgl. *Minutes Com,* 3.12.1914, Bericht des Committee on Literature.

[298] Vgl. z. B. GK 5, *Ph. M. Rhinelander,* von G, 9.12.1914; GK 3, *F. J. Hall,* von und an G, 7.12.1914; 12.12.1914.

[299] GK 5, *Ph. M. Rhinelander,* von G, 9.12.1914; vgl. auch GK 6, *F. L. Stetson,* von G, 9.12.1914.

[300] Vgl. *Minutes Com,* 3.12.1914. Vgl. den Bericht Rev. Mannings, außerdem *Minutes Ex Comt,* 8.10.1914.

[301] Vgl. GK 5, *Ph. M. Rhinelander,* von G, 9.12.1914; GK 7, *R. H. Weller,* von G, 10.12.1914.

bitten sollte, ihre Pfarrer aufzufordern «to hold a service on the Sunday after Ascension Day, 1915, with special prayers and a sermon on behalf of the World Conference movement and of Christian Unity»[302]. Für die Vorbereitung sollte er die Dienste des Sekretariats anbieten. Der Plan war von einer durch den Exekutivausschuß bestimmten Gruppe, der Rev. Mann, Rev. Manning und Mr. Pepper angehörten, vorgelegt worden. Wesentlicher Gedanke war, durch öffentliche Gottesdienste an möglichst vielen Orten zu gleicher Zeit mit einer Predigt und Fürbitte für die Einheit das Interesse an der Weltkonferenz zu fördern[303]. Mr. Gardiner wollte durch den Exekutivausschuß versuchen, auch möglichst verschiedene andere Kommissionen, zumindest in den Vereinigten Staaten, zur gleichzeitigen Abhaltung solcher Gottesdienste in ihren Kirchen zu bewegen[304]. Doch bedeutete das eine weitere Betätigung in protestantischer Richtung.

Das abwartende und passive Verhalten der Kommission schien Mr. Gardiner ein Zeichen für den fehlenden conference spirit zu sein. Am Ende des Jahres 1914 betonte er in die allgemeine Lethargie hinein die Wichtigkeit der Förderung des conference spirit, auch wenn das zunächst nur in protestantischer Richtung möglich sei, weil da die Kirchen Kommissionen eingesetzt hätten. «The most important element of effective work would be the development of the real conference spirit in America ... Our Commission itself has no notion of the conference spirit[305].» Der Kriegsausbruch durfte seiner Ansicht nach keinesfalls die Vorbereitung der Weltkonferenz in einen Wartestand versetzen, sondern das weltweit geweckte Interesse mußte erhalten bleiben[306]. Wo sich die Möglichkeit dazu bot, sollte auf «vigorous action» nicht verzichtet werden[307].

7. Die Kommission

Die Aktivität der Kommission der Protestant Episcopal Church war nach Kriegsausbruch gering. Indessen gab es weitere Bemühungen um Kontakte und Zusammenarbeit mit anderen Kommissionen, für die sich vor allem Laienmitglieder einsetzten. An dem Plan für local conferences hatte der Unterausschuß nach der letzten Kommis-

[302] *Minutes Com,* 3.12.1914.

[303] Vgl. *Minutes Ex Comt,* 5.11.1914.

[304] Vgl. GK 3, *F. J. Hall,* von G, 15.12.1914.

[305] GK 7, *R. H. Weller,* von G, 7.1.1915; GK 3, *F. J. Hall,* von G, 28.12.1914.

[306] Vgl. GK 7, *R. H. Weller,* von G, 31.12.1914; GK 7, *G. Zabriskie,* von G, 28.12.1914.

[307] Vgl. GK 3, *F. J. Hall,* von und an G, 19.12.1914; 28.12.1914; GK 5, *G. Wh. Pepper,* von G, 16.12.1914.

sionssitzung das Interesse verloren. Er wurde nicht weiter verfolgt[308]. Doch empfahl Rev. N. Smyth bei der ersten Sitzung des Exekutivausschusses im Jahre 1915, an der er als Gast teilnahm, nun sogenannte small conferences in jeder Diözese, zu der die Bischöfe der Protestant Episcopal Church einladen sollten «ministers and laymen of various communions to consider the present opportunity»[309]. Er wollte besonders, daß Christen angesichts der Krise der Gegenwart gemeinsam darüber nachdachten, ob nicht der Ruf zur Bemühung um Einheit dringlich an sie gestellt sei. Der Vorschlag löste eine Diskussion aus, in der besonders Mr. Zabriskie und Mr. Pepper seine Durchführung unterstützten. Schließlich faßte der Exekutivausschuß einen Beschluß, der mit einem von Rev. Manning und Mr. Gardiner unterzeichneten Brief an alle Bischöfe der Protestant Episcopal Church gesandt wurde und lautete:

«Representing the Commission charged with the duty of promoting a World Conference on Faith and Order, this Committee earnestly requests the Bishops of this Church, each in his own Diocese, to convene as soon as practicable a meeting of ministers and laymen, influential in their several Communions, to consider whether the present World crisis is not a call to Christian people to do whatever may be required in order that Christianity may speak with the power of a united voice[310].»

Eine ganze Anzahl von Bischöfen lud daraufhin zu solchen Zusammenkünften ein, deren Ziel besseres gegenseitiges Verständnis war[311]. Sachlich wollten diese Zusammenkünfte dasselbe wie der Plan der local conferences erreichen, nach dem Rev. Ainslie und die Disciples of Christ arbeiteten[312]. Auf protestantischer Seite wurde der Sinn solcher conferences teilweise in Frage gestellt[313]. Der Grund war vor allem Skepsis gegenüber der Protestant Episcopal Church und ihrer Gesprächsbereitschaft. Der Eindruck war noch immer vorhanden, daß diese Kirche sich exklusiv verhalte und zu eigener Veränderung nicht bereit sei[314].

Die Einsetzung eines hauptamtlichen Exekutivsekretärs hatte die Kommission noch nicht zustande gebracht. Jetzt beschäftigte diese

[308] Vgl. GK 3, *A. C. A. Hall,* von G, 4.3.1915.

[309] *Minutes Ex Comt,* 14.1.1915.

[310] *Minutes Ex Comt,* 14.1.1915.

[311] Vgl. GK 4, *S. Mather,* von G, 25.2.1915; vgl. auch GK, *Ch. H. Brent,* an G, 6.3.1915; GK 4, *A. Mann,* von G, 25.2.1916; GK 6, *N. Smyth,* von und an G, 8.2.1915; 21.2.1915; GK 7, *R. H. Weller,* von und an G, 5.2.1915; 25.3.1915; *Minutes Com,* 8.4.1915.

[312] Vgl. GK 1, *P. Ainslie,* von G, 25.8.1915; vgl. auch GK 1, *P. Ainslie,* von und an G, 2.9.1915; 7.9.1915.

[313] Vgl. GK 3, *A. C. A. Hall,* an G, 27.2.1915.

[314] Vgl. WCC, *The Continent* (Chicago, Illinois), 26.8.1915; vgl. auch GK 1, *R. W. Brokaw,* an und von G, 26.2.1915; 2.3.1915; 12.3 und 17.3.1915.

Frage wieder stärker und trat erneut in den Vordergrund. Der Exekutivausschuß benannte Bischof Weller, Rev. Manning und Mr. Pepper nach Kriegsausbruch als Vorschlagskomitee[315]. Für eine gezielte Kampagne in den USA schien ein vollamtlicher Sekretär nötig, der viel auf Reisen sein konnte. Die immer umfangreichere Vorbereitungsarbeit zusammen mit den durch die vielen Sprachen bedingten Schwierigkeiten bei der Korrespondenz erforderte das außerdem. Mr. Gardiner befürwortete, einen Theologen zum Sekretär zu ernennen, weil er den Eindruck nicht los wurde, die Geistlichen in der Kommission schätzten einen Laien in dieser Position nicht. Er schrieb zu der Frage: «I am more and more convinced of the inexpediency of having only one Secretary and he a layman and, moreover, unable to do much travelling[316].» Nach Monaten des Überlegens und Wartens wählte der Exekutivausschuß im Auftrag der Kommission am 16. Juni aus einer Reihe von Kandidaten[317] einen hauptamtlichen Sekretär[318]. Doch die anfänglichen Hoffnungen[319] wurden zerschlagen, als der Gewählte Anfang September das Angebot ablehnte[320]. Die Frage eines Exekutivsekretärs wartete weiter auf eine Lösung[321].

Nur über wenige Veröffentlichungen hatte die Kommission während des Jahres 1915 zu befinden. An dem von Mr. Pepper angeregten «Survey of the Present Divisions of Christendom» arbeitete Rev. E. M. Bliss weiter. Er wollte Ende des Jahres seine Aufgabe beendet haben[322]. Zwei weitere Veröffentlichungen standen zur Debatte. Beide wurden gedruckt. Im Zusammenhang mit den vorgeschlagenen «small conferences» sollte von dem Begründer der englischen Society of Sacred Heart, Rev. Herbert Kelly, eine Abhandlung erscheinen[323].

[315] Vgl. *Minutes Ex Comt,* 8.10.1914; GK 4, *W. T. Manning,* von und an G, 20.10.1914; 24.10.1914.

[316] GK 3, *A. C. A. Hall,* von G, 22.1.1915; vgl auch GK 7, *G. Zabriskie,* von und an G, 28.1.1915; 29.1.1915; 2.2.1915; GK 6, *F. L. Stetson,* von G, 25.3.1915; GK 1, *Ch. P. Anderson,* von und an G, 12.5.1915; 15.5.1915; GK 4, *W. T. Manning,* von G, 11.6.1915.

[317] Vgl. die Namen: *Minutes Ex Comt,* 4.11.1914 und *Minutes Com,* 3.12.1914.

[318] Vgl. *Minutes Ex Comt,* 16.6.1915; sein Name lautete Rev. Craig Stewart aus Chicago. Vgl. auch *Minutes Com,* 8.4.1915; 15.6.1915.

[319] GK, *Ch. H. Brent,* von G, 22.6.1915; GK 4, *W. T. Manning,* von und an G, 28.6.1915; 30.6.1915.

[320] Vgl. GK 6, *C. Stewart,* an G, 30.8.1915.

[321] Vgl. *Minutes Com,* 2.12.1915.

[322] Vgl. GK 5, *G. Wh. Pepper,* von und an G, 25.10.1915; 27.10.1915; GK 3, *F. J. Hall,* von und an G, 28.12.1915, 31.12.1915.

[323] Herbert Hamilton Kelly wurde im Jahre 1860 geboren und arbeitete nach seiner Weihe im Jahre 1884 mehrere Jahre als anglikanischer Pfarrer. Seit 1890 widmete er sich seinem Lebenswerk, der Ausbildung von jungen Männern zum Dienst in seiner Kirche. Vor allem unbemittelten Leuten sollte die Möglichkeit zum Studium eröffnet werden, um dem Mangel an Geistlichen in den Missionslän-

Mr. Gardiner war auf ihn aufmerksam geworden durch Artikel in The Living Church und vor allem durch die Veröffentlichung seines Buches «The Church and Religious Unity» im Jahre 1913, das die Ergebnisse jahrelanger Forschung über die Unterschiede zwischen Anglikanern und Freikirchlern in England vorlegte[324]. Eine Korrespondenz begann, in deren Verlauf Rev. Kelly um die genannte Abhandlung gebeten wurde[325]. Diese lag der Sitzung der Kommission am 11. Februar 1915 vor und fand deren Billigung. Ein Ausschuß, dem Professor Hall, Mr. Zabriskie und Mr. Gardiner angehörten, sollte sie überarbeiten. Dieser Ausschuß, der auch den Titel «The Object and Method of Conference» festlegte, konnte die Abhandlung dann zum Druck und zur Verbreitung freigeben[326]. Mr. Gardiner schrieb im Blick auf die «small conferences» an Rev. Kelly: «Your paper would be exactly what should be presented to the Bishops by way of suggestion as to the management of the conferences and to the conferees to warn them off the rocks on which I fear many of the conferences will split[327].» Die überarbeitete Veröffentlichung wurde Anfang April 1915 gedruckt und an alle Adressen der Liste des Sekretariats geschickt[328]. Wesentlich ging es in dieser Schrift darum «to consider the concrete forms and conditions under which a friendly discussion can go forward usefully, and at what points the controversial danger is especially liable to come in»[329]. Die Schrift erhielt verschiedentlich Lob[330]. Mit der anderen Schrift wollte man eine Sammlung herausgeben, in der Formen und Gebete für öffentliche Gottesdienste und private Fürbitte im Interesse christlicher Einheit und der Weltkonferenz angeboten werden sollten. Der Gedanke dazu entstand durch den Vorschlag des römisch-katholischen Theologen A. Spaldak, der

dern abzuhelfen. Im Seminar der von ihm gegründeten Society of Sacred Mission, in der Armut, Ehelosigkeit und Gehorsam erwartet und befolgt wurden, sollten sich nur Beste und Fähigste zur Ausbildung für den Dienst Christi sammeln. H. H. Kelly leitete die Society of Sacred Mission von 1893–1910. Die Brüderschaft ließ sich im Jahre 1903 auf einem Landsitz an der Trent bei Newark, England, nieder und nannte ihn Kelham. Rev. Kelly wirkte von 1913 bis 1919 als Professor am Theology College Ikebukuro, Tokyo. Er starb im Jahre 1950. Vgl. *Who was who,* 1941–1950, S. 626; *M. Speiser,* H. H. Kelly, Über die Wiedervereinigung katholischer und protestantischer Christenheit, in Festschrift Paul Speiser-Sarasin, Basel, 1926, S. 175 ff.

324 Vgl. GK 3, *H. H. Kelly,* an G, 7.4.1913.

325 Vgl. GK 3, *H. H. Kelly,* an und von G, 7.10.1914; 3.11.1914; 31.12.1914.

326 Vgl. *Minutes Com,* 11.2.1915.

327 GK 3, *H. H. Kelly,* von G, 29.1.1915.

328 Vgl. GK 7, *G. Zabriskie,* von G, 12.2.1915; 23.2.1915; GK 3, *F. J. Hall,* von und an G, 14.2.1915; 16.2.1915; GK 1, *R. W. Brokaw,* von G, 6.4.1915.

329 Vgl. The Object, *Heft 28,* S. 6.

330 Vgl. GK 5, *E. L. Parsons,* an G, 9.6.1915; GK 3, *A. C. A. Hall,* an G, 18.4.1915; *Minutes Com,* 2.12.1915.

tägliche Fürbittegottesdienste für christliche Einheit empfohlen hatte: «Ad studium pacis et concordiae inter christianos restituendae excitandum et fovendum magni videtur interesse preces publicas cotidianas institui, quibus fideles eam rem a Deo petant, id igitur a singularum ecclesiarum administratoribus impetrandum esse censes[331].» Bei einer Zusammenkunft des Committee on Literature am 12. November 1914 wurde beschlossen, das gesammelte Material von dem am hochkirchlichen theologischen Seminar Nashotah House als Professor wirkenden Rev. Howard B. St. George bearbeiten und ordnen zu lassen[332]. Dieser vollendete seine Aufgabe bis zur Sitzung der Kommission am 11. Februar 1915[333]. Auch für diese Sammlung wurde ein Ausschuß ernannt, der sie überprüfen und dann zum Druck und zur Verbreitung freigeben sollte[334]. Dem Ausschuß gehörten Bischof Rhinelander, Professor Hall, Mr. Zabriskie und Mr. Gardiner an. Die Sammlung sollte eine Hilfe sein im Blick auf den besonderen Gottesdienst für die Weltkonferenz und christliche Einheit am Sonntag nach dem Himmelfahrtsfest, dem 16. Mai 1915[335]. Der Aufruf dazu hatte ein lebhaftes Echo ausgelöst[336]. Doch leider konnte die Sammlung, die den Titel «Manual of Prayer» erhielt, nicht rechtzeitig dafür ausgeliefert werden. Zwar war sie Anfang März überarbeitet worden, aber erneute Änderungen verzögerten den Druck[337]. Schließlich wurde die Schrift, in der auf Wunsch von Professor St. George dessen Gebete mit Anonymous oder Modern gekennzeichnet waren[338], erst verschickt[339], nachdem am 5. Mai das letzte Ausschußmitglied seine Billigung erteilt hatte. Bedauerlicherweise konnte das «Manual of Prayer» deshalb in dem Gottesdienst weithin nicht verwandt werden. Gerade die Veröffentlichung dieser Schrift schien Mr. Gardiner zu bestätigen, wie notwendig sehr viel ausgiebigere und intensivere Information und Publizität über die Weltkonferenz sei. Denn die Nachfrage nach dieser Schrift, die den Interessierten und Informierten für die geistliche Vorbereitung der Weltkonferenz eine Hilfe sein wollte, war sehr gering, « . . . there have been only three or four hundred extra copies

[331] GK 6, *A. Spaldak,* an G, 21.3.1913; vgl. auch GK 6, *H. B. St. George,* von G, 8.12.1914.

[332] Vgl. GK 6, *H. B. St. George,* von G, 12.11.1914.

[333] Vgl. GK 6, *H. B. St. George,* an G, 8.1.1915.

[334] Vgl. *Minutes Com,* 11.2.1915.

[335] Vgl. *Minutes Com,* 3.12.1914; GK 4, *W. Lawrence,* von G, 29.4.1915.

[336] Vgl. GK 4, *S. Mather,* von G, 25.2.1915.

[337] Vgl. GK 6, *H. B. St. George,* von und an G, o.D.; 9.3.1915; 18.3.1915; 22.3.1915; GK 3, *A. C. A. Hall,* von G, 6.5.1915; GK 2, *R. Calkins,* von und an G, 17.3.1915; 20.3.1915.

[338] Vgl. GK 7, *G. Zabriskie,* von G, 29.3.1915.

[339] Vgl. Manual of Prayer, *Heft 29.*

ordered and most of them were ordered from China and England»[340]. Die einzigen offiziellen und numerierten Veröffentlichungen der Kommission im Jahre 1915 bildeten die Schriften Nr. 28 und Nr. 29.

Das Verhältnis zur Christian Unity Foundation stellte ein weiteres Thema dar, das die Kommission auch noch nach Kriegsausbruch beschäftigte. Der von der Kommission beauftragte Ausschuß, der am 20. Mai 1913 einen Bericht vorlegte[341], hatte nach weiteren Kontakten unter dem Vorsitz von Mr. S. Low den Eindruck, daß die von der Christian Unity Foundation durchgeführten Zusammenkünfte mit den Vorbereitungsarbeiten für eine Weltkonferenz nicht kollidieren würden, wenn diese private Organisation von Mitgliedern der Protestant Episcopal Church ihre Eigenverantwortung immer betone[342]. Dagegen hob Mr. Gardiner die Schwierigkeiten hervor, die entstünden, weil die Christian Unity Foundation in der Presse dauernd mit der Kommission für die Weltkonferenz verwechselt werde. Während die Kommission für eine Weltkonferenz bei ihren privaten conferences ein besseres gegenseitiges Kennenlernen zum Ziel habe, was vor allem durch gemeinsames Gebet und Suche nach Gemeinsamkeiten und Unterschieden geschehen solle, versuche die Christian Unity Foundation in ihren Zusammenkünften mit Gliedern anderer Kirchen über theologische Streitpunkte zu reden und die Diskussionen jeweils möglichst mit einer für die Öffentlichkeit bestimmten Erklärung zu beenden, wodurch Kontroversen unvermeidlich seien. Mr. Gardiner fragte sich, ob dadurch nicht eher der Denominationalismus als die Bemühung um christliche Einheit gefördert werde[343].

Nachdem der Sekretär der Christian Unity Foundation an die Kommission die Frage gestellt hatte, ob seine Organisation ihre Selbständigkeit aufgeben und sich der Kommission sozusagen als Hilfstruppe unterordnen sollte, wurde für die Beratungen darüber am 10. März 1914 vom Exekutivausschuß ein neuer Ausschuß bestimmt, dem Rev. Manning, Mr. Zabriskie, Mr. Stetson und Mr. Low angehörten[344]. Dieser Ausschuß traf sich mit einem Ausschuß der Christian Unity Foundation am 4. Mai 1914 «to confer as to the work of the Church Unity Foundation, and to consider how an affiliation could be brought about between the two organizations»[345]. Das Ergebnis war die Feststellung, daß die bisherige Tätigkeit der Christian oder Church Unity Foundation – ihre Abhandlungen über einzelne Deno-

340 GK, *Ch. H. Brent,* von G, 20.11.1915.

341 Vgl. *Minutes Com,* 20.5.1913.

342 Vgl. GK 4, *S. Low,* an G, 22.5.1913, Anhang; vgl. auch *Minutes Com,* 29.1.1914.

343 GK 4, *S. Low,* von G, 23.5.1913.

344 *Minutes Ex Comt,* 10.3.1914.

345 *Minutes Ex Comt,* 11.2.1915.

minationen (research-work) und ihre Zusammenkünfte mit Vertretern verschiedener Denominationen – bedeutsam gewesen sei[346]. Die Vorschläge einer engeren Verbindung blieben im Gespräch, doch entschied man nichts[347], und die Church Unity Foundation führte weiter ihre eigenen Zusammenkünfte durch[348].

Die in der Sitzung der Kommission nach Kriegsausbruch neugebildete Deputation für die Reise nach Europa sollte zum frühest möglichen Zeitpunkt aufbrechen. Die schon geführte Korrespondenz wurde studiert und Material über die einzelnen Länder der geplanten Reiseroute gesammelt[349]. Am Anfang des Jahres 1915 schickte der Sekretär seine wegen des Besuchs der Deputation mit Schweden geführte Korrespondenz an Bischof Anderson und betonte, der Brief an Erzbischof N. Söderblom vom 27.5.1914 entspreche in der Substanz allen Briefen, die er zunächst in die verschiedenen Länder gesandt habe[350].

In der Sitzung des Exekutivausschusses am 14. Juni 1915 beschloß man, die jetzigen Möglichkeiten einer Deputation zu erkunden «to approach the Pope and the Churches in the neutral nations in Europe and the East about the World Conference»[351]. Wenn irgend möglich, sollte bald die Deputation aufbrechen[352]. Mr. Gardiner meinte, die Aufgabe der Deputation könne durchaus inoffiziell und von einzelnen, die weder Geistliche noch Mitglieder der Protestant Episcopal Church sein müßten, ausgeführt werden. Doch wesentlich sei eine persönliche Kontaktaufnahme, um das Interesse an der Weltkonferenz in Rom, in Rußland, bei den orthodoxen Kirchen des Ostens und unter den protestantischen Kirchen Skandinaviens zu begründen und zu vertiefen[353]. Es kam auch der Gedanke auf, die Deputation könne eine Hilfe für den Papst bei der Bemühung um Weltfrieden darstellen und dadurch sein Interesse an der Weltkonferenz sichern. Daß christliche Einheit, beziehungsweise die Weltkonferenz und der Weltfrieden unbedingt zusammengehören, setzte man dabei voraus[354].

[346] Vgl. *Minutes Ex Comt,* 11.2.1915.

[347] Vgl. *Minutes Ex Comt,* 11.3.1915; vgl. auch GK 7, *G. Zabriskie,* an und von G, 23.1.1915; 28.1.1915; 29.1.1915.

[348] Vgl. WCC, *Christian Work* (New York), 12.6.1915; «Discussions of Christian Unity», von F. Lynch. Vgl. auch «*The Christian Union Quarterly*», *April 1915,* S. 229 f.: Facing the Barriers, Kommentar.

[349] Vgl. GK 4, *W. T. Manning,* von und an G, 5.9.1914; 24.10.1914; GK 1, *Ch. P. Anderson,* von und an G, 9.12.1914; 14.12.1914.

[350] Vgl. GK 1, *Ch. P. Anderson,* von G, 6.1.1915.

[351] *Minutes Ex Comt,* 14.1.1915.

[352] Vgl. GK 3, *A. C. A. Hall,* von G, 22.1.1915.

[353] Vgl. GK 7, *B. Vincent,* von G, 4.6.1915; vgl. auch GK 6, *F. L. Stetson,* von G, 14.7.1915.

[354] Vgl. GK 4, *W. T. Manning,* von G, 23.8.1915; GK 7, *G. Zabriskie,* von G, 19.8.1915.

Aber trotz des Bewußtseins, daß eigentliche Information über die Weltkonferenz nur mündlich zu erreichen war, lag die Möglichkeit einer Deputation im Sommer 1915 im Dunkeln[355]. Bischof Rhinelander trat in der Sitzung der Kommission am 15. Juni 1915 von der Deputation zurück[356].

Nach Kriegsausbruch mußte sich die Kommission auch von neuem mit der Abgrenzung beschäftigen, an wen Einladungen zu der Weltkonferenz geschickt werden sollten und an wen nicht. Die Frage wurde dadurch aktuell, daß die als die Church of the New Jerusalem organisierten Swedenborgianer[357] um die Einladung zur Einsetzung einer Kommission für die Weltkonferenz baten[358]. Als die Kommission in der Sitzung vom 14. Mai 1914 über das Ersuchen entscheiden sollte, war deutlich, daß diese Gemeinschaft an die Gottheit Christi glaubte und damit der Einsetzungsformel der Kommission Genüge leistete, daß sie aber die Trinität ablehnte[359]. Die Kommission faßte einen Beschluß, in dessen Sinn der Sekretär auf die Bitte antworten sollte: «Resolved, That in the judgement of this Commission it would not be in furtherance of the essential purpose of this Commission to include within its invitations any religious body which, according to the understanding of this Commission, does not accept our Lord Jesus Christ as God and Saviour in the sense implied in the terms of the resolution of the General Convention appointing this Commission[360].» Damit war festgestellt, daß die Swedenborgianer nach dem Eindruck der Kommission nicht in den Rahmen der Kirchen gehörten, die «our Lord as God and Saviour» bekannten, doch war keine endgültige ablehnende Entscheidung ausgesprochen[361]. Bischof Hall protestierte auch sofort gegen eine Ablehnung der Teilnahme der Swedenborgianer an der Weltkonferenz, weil sie die Gottheit Jesu Christi anerkennten, die Frage der Trinität aber gerade ein Problem sei, das vor die Konferenz kommen solle. Der Sekretär versuchte, für die Haltung der Kommission neben der theologischen Schwierigkeit vor allem die kleine Mitgliederzahl dieser Gemeinschaft und die Wirkung einer positiven Entscheidung auf andere Kirchen geltend zu machen[362].

Die unbefriedigende Antwort an die Swedenborgianer erforderte eine neue Beratung, wo die Grenzen für Einladungen zu ziehen seien.

[355] Vgl. GK 7, *G. Zabriskie,* an und von G, 13.8.1915; 19.8.1915; 23.8.1915.

[356] Vgl. *Minutes Com,* 15.6.1915.

[357] Vgl. RGG, 3. Auflage, Band VI, Sp. 536 f., Art.: *Swedenborgianer.*

[358] Vgl. GK 3, *H. C. Hay,* an G, 4.5.1914; vgl. auch GK 3, *H. C. Hay,* an und von G, 8.12.1913; 10.12.1913.

[359] Vgl. GK 3, *F. J. Hall,* an und von G, 23.4.1914; 27.4.1914.

[360] *Minutes Com,* 14.5.1914.

[361] Vgl. GK 3, *H. C. Hay,* von G, 15.5.1914.

[362] Vgl. GK 3, *A. C. A. Hall,* an und von G, 28.5.1914; 2.6.1914; 4.6.1914; 10.6.1914.

Außerdem hatte auch Professor Wilfried Monod[363] als Präsident der Union Nationale des Eglises Réformées in Frankreich gefragt, ob sie zur Mitarbeit bei der Vorbereitung der Weltkonferenz eingeladen werden könnten[364]. Dort besaß man kein schriftliches Glaubensbekenntnis, sondern nur «a simple avowal of faith in Jesus Christ as the Son of the Living God»[365]. Diese Aussage sprach aber nicht eindeutig von der Gottheit Christi. Die Frage war, ob für eine Teilnahme an der Weltkonferenz ein eindeutiges schriftliches Glaubensbekenntnis nötig war? Mr. Gardiner war der Meinung, daß nach der Einsetzungsresolution der Kommission nur solche Kirchen eingeladen werden sollten, die «have a definite Creed of Confession of Faith», und «which recognize the Deity of our Lord». Daß die Disciples und die Kongregationalisten, die kein schriftliches Glaubensbekenntnis hatten, trotzdem bei der Vorbereitung der Weltkonferenz mitarbeiteten, war dadurch möglich, daß «the simultaneous action of the 3 Communions (1910) seemed to be distinctly Providential»[366].

In der Sitzung der Kommission am 3. Dezember 1914 wurde die Beratung der Frage einer Einladung an die Swedenborgianer zur Teilnahme einem aus Bischof Ch. B. Brewster, Professor F. J. Hall und Professor H. E. W. Fosbroke bestehenden Ausschuß übertragen[367]. In der Sitzung des Exekutivausschusses am 14. Januar 1915 wurde die Anfrage von Professor W. Monod aus Paris ebenfalls diesem Ausschuß übergeben[368]. In der Kommissionssitzung vom 8. April 1915 legte der Ausschuß seinen Bericht vor und empfahl in beiden Fällen die Ablehnung einer Beteiligung, weil die Frage der Inkarnation nicht klar beantwortet sei[369]. Die Kommission war nach wie vor der Meinung, man sollte diese Kirchengemeinschaften auf Grund der Basis der Weltkonferenz einladen und ihnen die Entscheidung selber überlassen. Teilweise bedauerte man in der Kommission, daß nicht von Anfang an das nicänische Bekenntnis als theologische Grundlage bestimmt worden war. Sekretär Gardiner wollte diese Kirchen mit Rücksicht auf die protestantischen Kirchen, die daran Anstoß nehmen würden, nicht einladen[370]. Eine endgültige Entscheidung fällte

[363] Vgl. RGG, 3. Auflage, Bd. IV, Sp. 1104, Art.: *Wilfried Monod.*

[364] Vgl. BK 2, *W. Monod,* an G, 4.3.1914.

[365] GK 5, *W. H. Roberts,* 17.3.1914.

[366] GK 4, *A. Mann,* von G, 28.10.1914; vgl. auch BK 2, *W. Monod,* von G, 21.4.1914.

[367] Vgl. *Minutes Com,* 3.12.1914.

[368] Vgl. *Minutes Ex Comt,* 14.1.1915.

[369] Vgl. *Minutes Com,* 8.4.1915; dort ist der Bericht ganz abgedruckt. Vgl. auch GK 3, *F. J. Hall,* von und an G, 20.1.1915; 25.3.1915; GK 2, *H. E. W. Fosbroke,* an G, 7.1.1915.

[370] Vgl. GK 5, *E. L. Parsons,* an und von G, 9.6.1915; 19.6.1915.

die Kommission nicht. Dagegen fiel eine klare Entscheidung über die Mitarbeit missionarischer Organisationen. Einem Antwortschreiben des Sekretärs, in dem er dem Sekretär des National Missionary Council von Indien antwortete, daß die Weltkonferenz nur mit organisierten Kirchen Kontakte aufnehme, wurde vom Exekutivkomitee zugestimmt[371].

8. Die Tätigkeit des Sekretärs

Die vorsichtige und eingeschränkte Tätigkeit, das Entscheidungen möglichst umgehende Verhalten der Kommission nach Kriegsausbruch verärgerten den Sekretär. Der Zustand erregte ihn so, daß er ernsthaft seinen Rücktritt ins Auge faßte: «If the do-nothing policy is to be continued I don't see why I should continue in a position where I should be merely eating my heart out with disappointment over the failure to prosecute a promising effort[372].» Nur dank der Bemühungen verschiedener Mitglieder der Kommission, die Mr. Gardiner's Bedeutung bei der weiteren Vorbereitung für eine Weltkonferenz erkannten, ließ er von seinem Vorsatz ab[373]. Ohne Zweifel bildete er in der Kommission den zur Tat drängenden Motor. Gerade angesichts des Krieges betonte er die Notwendigkeit einer vital Christianity, wenn die Lage gebessert werden sollte. «If we will preach and practise ourselves a vital Christianity, we shall have some hope of reaching a unity which will be the ground and inspiration for international peace and social and industrial righteousness, and we can then go to work after the war is over with a united force[374].» Wenn eine vital Christianity entstehen sollte, mußte das denominationelle Denken und Verhalten auch bei der Vorbereitung der Weltkonferenz aufhören. Nur durch Kontakte, durch gegenseitiges Vertrauen, durch das Gespräch miteinander und gemeinsame Bemühungen konnte man in der Frage der Einheit Fortschritte erzielen und an kontroverse theologische Fragen herantreten.

Auf diesem Hintergrund tat er das für ihn Mögliche. Es erstreckte sich vor allem auf den Bereich der Korrespondenz. Ende des Jahres

[371] Vgl. *Minutes Ex Comt,* 14.10.1915; GK 1, *H. Anderson,* an und von G, 1.6.1915; 18.10.1915.

[372] Vgl. GK 5, *Ph. M. Rhinelander,* von G, 9.12.1914; GK 1, *Ch. P. Anderson,* von G, 14.12.1914; GK 3, *F. J. Hall,* von G, 7.12.1914; 28.12.1914; GK 6, *F. L. Stetson,* 9.12.1914.

[373] Vgl. GK 3, *F. J. Hall,* an G, 12.12.1914; GK 5, *Ph. M. Rhinelander,* an G, 24.12.1914; GK 6, *F. L. Stetson,* an G, 11.12.1914; GK 5, *G. Wh. Pepper,* an G, 14.12.1914.

[374] GK 4, *A. Mann,* von G, 28.10.1914; vgl. auch GK 3, *F. J. Hall,* von G, 7.12.1914.

1914 waren im Sekretariat zwischen 40 000 und 50 000 Briefe aus aller Welt und allen Konfessionen eingegangen, was Mr. Gardiner darauf hinweisen ließ, daß mit dem darin zum Ausdruck kommenden weltweiten Wunsch nach Einheit zumindest ein Anfang für die Durchführung der Weltkonferenz und ihrer Methode gemacht worden sei. Der Blick auf die Korrespondenz stimmte ihn hoffnungsvoll: «I am getting a good many encouraging letters from various parts of the world and I am not without hope that we may wake up in the U.S.A. and go to work more vigorously than ever[375].» Die Briefe aus aller Welt, auch aus Europa mit Ausnahme Deutschlands und Österreichs – in Deutschland hatte Mr. Gardiner vor dem Kriegsausbruch mit etwa 40 Persönlichkeiten Kontakt aufgenommen[376] – bestätigten ihn in dem Gedanken, daß «only the visible unity of the Church of Christ can make His law of peace and righteousness and love obligatory throughout the world»[377]. Daß dabei von entscheidender Bedeutung die Aktivität aller Mitglieder der verschiedenen Kirchen sei, daß es deshalb für die Sache der Weltkonferenz die große Schar der Laien zu gewinnen gelte, das betonte Mr. Gardiner unablässig. Denn die Kirchenführer allein konnten wenig vollbringen[378]. Er trat aus diesem Grunde auch für die Aufnahme von Frauen in die Kommission seiner Kirche ein[379].

Regelmäßige und intensive Fürbitte und Gebet für die Weltkonferenz blieb eine grundlegende Bemühung des Sekretärs. Nur davon erhoffte er wirklichen Fortschritt, darin fand er Mut angesichts enttäuschender Erfahrungen. «Don't get discouraged about the World Conference. I am perfectly certain that God is guiding the movement however much we hinder His purpose[380].» Nach dem Aufruf für den Gottesdienst am 16. Mai 1915, in dem für Einheit und die Durchführung der Weltkonferenz Fürbitte geleistet werden sollte, gestattete die Kommission Mr. Gardiner in der Sitzung am 2. Dezember 1915, den Bischöfen der Protestant Episcopal Church einen Brief zu schicken, in dem er anfragen wollte, ob sie selber ihren Pfarrern schreiben oder ihm gestatten würden, in einem erneuten Brief zu bitten «to hold special services of intercession for Unity»[381]. Über die Fürbittegottesdienste schrieb der Sekretär:

[375] GK 1, *P. Ainslie,* von G, 15.12.1914; vgl. auch GK 7, *R. H. Weller,* von G, 31.12.1914; GK 7, *G. Zabriskie,* von G, 18.12.1914.

[376] Vgl. GK 4, *C. G. Lang,* von G, 23.11.1915.

[377] GK 7, *R. H. Weller,* von G, 13.7.1915; vgl. auch GK 4, *S. Mather,* von G, 15.8.1915; GK 7, *B. Vincent,* 5.8.1915.

[378] Vgl. GK 7, *R. H. Weller,* von G, 13.7.1915.

[379] Vgl. *Minutes Ex Comt,* 14.10.1915.

[380] GK 2, *P. De Schweinitz,* von G, 10.11.1915.

[381] *Minutes Com,* 2.12.1915.

«The idea is that wherever possible a weekly service of intercession for Unity be held. It was thought that where daily morning and evening prayer is dready said, it might be possible to give one of those services each week the special character of a service of intercession for Unity.

We are gradually securing in the U.S. the practice of special intercession for Unity at the Holy Communion, particularly on the first Sunday of each month, the prayer oftenest used being the first printed on some of our pamphlets, ‹O Lord Jesus Christ›, translated from the Roman Mass.

We have asked our Bishops in the U.S. to recommend the suggestion to their clergy, and I am happy to say that a number of them have already complied with on request.

We had hoped that the Manual of Prayer would be to contain valuable suggestions for such a service.

... It is our hope that even if such services are attended at first only by two or three, they would be of value in securing gradually the general recognition that only by the visible Unity of the Church of Christ can His reign of peace and righteousness and love be established, and that only by earnest and regular prayer can we be enabled to reach that visible Unity....»[382]

Der Aufruf zum Gebet war gezielt und auf die Fürbitte für die Einheit aller Christen, wie sie bei der Weltkonferenz zusammenkommen sollten, ausgerichtet. Eine Teilnahme an der Gebetswoche der World Evangelical Alliance, die jeweils am Anfang des Jahres gehalten wurde und bei der die Einigung der protestantischen Christen im Mittelpunkt stand, wurde deshalb nicht unterstützt. Überhaupt wollte man mit dieser für zu einseitig gehaltenen Bewegung nicht in Verbindung gebracht werden[383].

Die umfangreiche Kontaktaufnahme und Korrespondenz des Sekretärs erstreckte sich nach Kriegsausbruch in verschiedener Richtung. Da der persönliche Kontakt mit Rom zunächst nicht möglich war, begann Mr. Gardiner nun schriftlich Beziehungen anzuknüpfen. Seine persönlichen Kontakte mit römischen Katholiken in den USA hielt er aufrecht. Besonders mit Father Aurelio Palmieri[384] pflegte er regen Austausch. Dieser nahm geradezu die Funktion eines Beraters in römisch-katholischen Angelegenheiten wahr[385]. Am 4. Dezember 1914 besuchte Mr. Gardiner den Jesuitenpater John Wynne[386], den er auch

[382] GK 7, *T. Tatlow,* von G, 17.1.1916.

[383] Vgl. GK 4, *W. T. Manning,* von G, 19.6.1914.

[384] Aurelio Palmieri, OESA, wurde am 4. Mai 1870 in Savona geboren und starb am 18. Oktober 1926 in Rom. Er lebte längere Zeit in den Vereinigten Staaten und wurde vor allem durch seine orientalischen Studien bekannt. Vgl. *Enciclopedia Cattolica,* Band IX, 1952, Città Del Vaticano, Sp. 660: Aurelio Palmieri.

[385] Vgl. GK 3, *F. J. Hall,* von und an G, 18.11.1914; 21.11.1914; vgl. auch *G. Zabriskie,* von G, 14.12.1914.

[386] John Joseph Wynne (1859–1948), S. J., wirkte in den USA als Historiker und Mitherausgeber von «The Catholic Encyclopedia», vgl. A Dictionary of North American Authors..., compiled by W. Stewart Wallace, Toronto, 1951, S. 521.

im Auftrag des Committee on Literature um Mitarbeit als korrespondierendes Mitglied fragte. Während des Gesprächs sagte Father Wynne seine Mitarbeit zu. Ein Besuch am gleichen Tag bei Kardinal Farley vermittelte Mr. Gardiner die Erkenntnis, daß der Kardinal an die Begegnung mit Rev. Manning im Jahre 1911 keine Erinnerung besaß, über die geplante Weltkonferenz so gut wie nichts wußte und auch nicht sonderliches Interesse daran zeigte[387]. Diese Erfahrung unterstützte die Ansicht, daß das Interesse römisch-katholischer Kirchenführer erst wachse, wenn man in Rom als dem Zentrum über das Vorhaben der Weltkonferenz Bescheid wisse[388]. Das bewirkte sofort die Frage, ob man in Rom überhaupt Interesse finde, wenn nicht schon der Großteil der Christenheit hinter dem Unternehmen stehe[389].

Mr. Gardiner informierte auf jeden Fall den Vatikan schriftlich über die Weltkonferenz und schickte am 2. November 1914 einen ersten Brief an Kardinal Pietro Gasparri, den Kardinalstaatssekretär[390]. Durch die Antwort entstand der erste direkte Kontakt zwischen der Kommission und Rom. Mr. Gardiner war davon angetan[391], schickte eine Abschrift der Korrespondenz auch an Kardinal Gibbons, der vor allem auch das Latein der Briefe des Sekretärs bewunderte[392]. Der Wert der Briefe lag nicht so sehr im sachlichen Inhalt, als in der Form und dem Stil; es wurde nicht so unabdingbar und eindeutig wie sonst gesagt, daß ohne Unterwerfung unter Rom keinerlei Weiterkommen möglich sei[393]. Rev. Smyth empfand das allerdings als «skillful but not honest»[394]. Immerhin wurde dieser Briefwechsel für so bemerkenswert gehalten, daß er allen Bischöfen der anglikanischen Kirche und den Mitgliedern des Advisory Committees ausgehändigt werden sollte. Mr. Gardiner bat den Kardinal dazu um Erlaubnis, die ihm auch gegeben wurde[395]. Der Sekretär informierte den Exekutivausschuß und die Kommission über die Korrespondenz[396]. Durch die Kommission wurde der Sekretär dann beauftragt, die Korrespondenz mit Kardinal Gasparri allen anglikanischen Bischöfen gedruckt zu schicken und dabei festzustellen, daß es sich im Augenblick um eine

[387] Vgl. GK 3, *F. J. Hall*, von G, 7.12.1914; GK 1, *Ch. P. Anderson*, 14.12.1914.

[388] Vgl. GK 3, *F. J. Hall*, an G, 12.12.1914.

[389] Vgl. GK 7, *R. H. Weller*, von G, 10.12.1914.

[390] Vgl. RGG, 3. Auflage, Band II, Sp. 1203: Art.: *Pietro Gasparri.*

[391] Vgl. GK 4, *S. Mather*, von G, 25.2.1915; GK 3, *A. C. A. Hall*, von G, 22.1.1915.

[392] Vgl. GK 2, *J. Gibbons*, von und an G, 1.3.1915; 3.3.1915.

[393] Vgl. GK 6, *N. Smyth*, von G, 7.5.1915; GK, *Ch. H. Brent*, an G, 17.5.1915; GK 1, *B. Brewster*, an G, 30.7.1915.

[394] Vgl. GK 6, *N. Smyth*, an und von G, 29.3.1915; 31.3.1915.

[395] Vgl. GK 7, *G. Zabriskie*, von G, 23.2.1915; GK 7, *R. H. Weller*, von G, 23.3.1915; GK 5, *G. Wh. Pepper*, von G, 5.5.1915.

[396] Vgl. *Minutes Ex Comt*, 11.5.1915; *Minutes Com*, 15.6.1915.

vertrauliche Information handle[397]. Ende Juli 1915 wurde die Korrespondenz verschickt[398].

Durch die Kontaktnahmen von Mr. Gardiner – schriftlich und mündlich – bestanden vor allem Verbindungen in römisch-katholischer Richtung. Von den erhaltenen etwa 1000 Briefen römischer Katholiken hatte er jeden beantwortet. «I have made it a point to answer every Roman Catholic letter received and in that way I am in more or less touch with a number of them[399].» Allerdings wußte auch er keine klare Antwort auf die Frage, ob es besser sei, möglichst schnell eine Deputation nach Rom zu schicken, oder ob man zuerst den Protestantismus und die östlichen Kirchen gewinnen sollte, um dann das Interesse Roms an der Weltkonferenz zu sichern. Er betonte jedoch gegenüber der mit der Geschichte begründeten Skepsis von Rev. Smyth, nach der Rom höchstens mit der Weltkonferenz spiele, man dürfe nicht einfach eine Zusammenarbeit Roms mit der Weltkonferenz auf Grund der Erklärung von Papst Leo XIII. ausschließen. Papst Benedict XV. könnte weitergeschritten sein! «At any rate he spoke politely of us through Cardinal Gasparri. For my own part, and I am quite sure that I can speak for almost every member of the Commission, we shall be by no means satisfied until we have exhausted every reasonable effort to secure the co-operation of Rome . . . »[400]. Einzelne Zeichen von Interesse auf römisch-katholischer Seite stärkten seine Zuversicht[401]. So erfreute ihn das Erscheinen eines Artikels über die Weltkonferenz in der Zeitschrift der spanischen Dominikaner «La Ciencia Tomista», der im ganzen freundlich abgefaßt war und den Willen zum Gespräch ausdrückte[402].

Auch der Besuch zu den orthodoxen Kirchen war durch den Kriegsausbruch vereitelt worden. Angesichts des Krieges mußte Mr. Gardiner an Professor H. Alivisatos schreiben: «Meanwhile something may be done by correspondence[403].» Brieflich und in den USA mündlich wollte Mr. Gardiner jetzt persönliche Kontakte in dieser Richtung erhalten und vertiefen. In Amerika war der Nachfolger von Erzbischof Platon eingetroffen. Bei der Begrüßung des neuen Erzbischofs

[397] Vgl. *Minutes Com,* 15.6.1915.

[398] Vgl. GK, *Ch. H. Brent,* von G, 22.6.1915; vgl. auch GK 7, *R. H. Weller,* von G, 13.7.1915; vgl. ebenfalls den Abdruck der Korrespondenz im *Anhang* S. 360–365.

[399] GK 7, *R. H. Weller,* von G, 7.1.1915.

[400] GK 6, *N. Smyth,* von G, 19.11.1915; vgl. auch GK 6, *N. Smyth,* 18.11.1915.

[401] Vgl. GK 7, *G. Zabriskie,* von G, 27.11.1915; vgl. auch GK 4, *S. McBee,* an G, 6.10.1915.

[402] Vgl. *La Ciencia Tomista,* tomo XII, 1915, Anhelos de unidad, von Padre Corbato; GK 1, *Ch. B. Brewster,* von G, 17.11.1915; GK, *Ch. H. Brent, von G, 20.11.1915.*

[403] GK 1, *H. Alivisatos,* von G, 14.9.1914; vgl. auch GK 1, *H. Alivisatos,* an G, 22.10.1914.

Evdokim am 10. Juni 1915 durch die Anglican and Eastern-Orthodox Churches Union betonte dieser den Wunsch nach Zusammenarbeit und christlicher Einheit. «He emphasized his belief that Christians should confer with one another so as accurately to ascertain their common grounds of belief rather than dwell on their points of difference[404].» Über diese Stellungnahme von Erzbischof Evdokim war Mr. Gardiner erfreut[405]. Drei Artikel in führenden russischen Zeitschriften bestätigten ihm diese Haltung und zeigten auch an, daß in Rußland die Frage der Weltkonferenz aufgenommen und debattiert wurde. Zwei Artikel, die von Sergius Troitzky am 4. und 11. April 1915 in der Zeitschrift «Tserkonyia Viedomosti» erschienen, ließ der Sekretär unter dem Titel «One flock and one Shepherd» für den privaten Gebrauch übersetzen und drucken[406]. Ein dritter Artikel des russischen Erzbischofs Antonius war eher ablehnend verfaßt[407]. Rev. Manning, der die russische Diskussion interessant fand, versprach sich jedoch wegen der Kriegssituation nicht viel davon in nächster Zeit[408].

Doch wollte man zur Verstärkung der Diskussion in Rußland an alle russischen Bischöfe einen Brief schreiben. Die Kommission beauftragte damit den Exekutivausschuß[409]. Dort trug Mr. Gardiner in der Sitzung vom 14. Oktober 1915 einen Entwurf vor. Vor der Verschickung eines solchen Briefes sollte jedoch der russische Erzbischof gefragt werden, ob er einen solchen Brief befürworte und wer ihn unterzeichnen solle[410]. Rev. Manning, dem Mr. Gardiner eine Abschrift des Briefentwurfs schickte[411], hatte am 9. November ein längeres Gespräch mit Erzbischof Evdokim, wobei er feststellen mußte, daß dieser von der geplanten Weltkonferenz keinerlei Ergebnisse erwartete[412]. Sekretär Gardiner hatte wegen des beabsichtigten Briefes auch an Erzbischof Platon geschrieben und noch keine Antwort erhalten[413]. Eine Entscheidung konnte daher in der Sitzung der Kommission am 2. Dezember 1915 noch nicht gefällt werden[414].

[404] *The Living Church,* 19.10.1915, «Anglicans great the Russian Archbishop», S. 281.

[405] Vgl. GK 4, *W. T. Manning,* von G, 21.6.1915.

[406] Vgl. *Minutes Com,* 15.6.1915; vgl. auch GK 7, *R. H. Weller,* von G, 13.7.1915; GK 7, *G. Zabriskie,* von G, 27.11.1915.

[407] Vgl. GK, *Ch. H. Brent,* von G, 22.6.1915; GK 4, *W. T. Manning* von und an G, 19.7.1915; 22.7.1915; St. James Day.

[408] Vgl. GK 4, *W. T. Manning* an G, 20.8.1915.

[409] Vgl. *Minutes Com,* 15.6.1915.

[410] Vgl. *Minutes Ex Comt,* 14.10.1915.

[411] Vgl. GK 4, *W. T. Manning,* von G, 25.10.1915.

[412] Vgl. *Minutes Com,* 2.12.1915.

[413] Ebenda.

[414] Ebenda.

Durch die Einsetzung einer Kommission im Jahre 1913 waren die Beziehungen zu den Altkatholiken als einziger katholischer Kirche bestimmt. Durch die ständigen Kontakte des Sekretariats wurde in der Internationalen Kirchlichen Zeitschrift regelmäßig über die Vorbereitungsarbeit für die Weltkonferenz berichtet. Zum Altkatholikenkongreß, der im Jahre 1916 in Bern stattfinden sollte, wurde eine Vertretung der Kommission eingeladen[415].

Die in England angeknüpften Kontakte zeitigten zunächst keine sichtbaren äußeren Fortschritte. Nach Kriegsausbruch traf sich im Oktober 1914 erstmals ein Ausschuß, dem Mitglieder des Archbishops Committee und Vertreter der Free Churches angehörten. Als Ergebnis dieser Sitzung arbeitete man während der folgenden Monate an einer Erklärung «on the fundamental questions at issue between the Church of England and the Free Churches»[416]. Anfang Februar 1915 fand ein zweites Treffen statt[417]. Schließlich wurde das Ergebnis dem gesamten Archbishops Committee und allen Vertretern der Kommissionen der Free Churches am 29. Oktober 1915 zur Billigung vorgelegt. Mit einigen angebrachten Verbesserungen wurde das Dokument angenommen und der Druck beschlossen[418]. Sekretär Gardiner war dem Dokument gegenüber skeptisch. Er fragte, ob die Autoren der Weltkonferenz nicht einen zu protestantischen Stempel aufdrückten und ob das Dokument nicht hinderlich sei für die Weltkonferenz «as it anticipates the discussions, preliminary and final, of the World Conference». Er meinte zudem, daß es inhaltlich vielleicht zu sehr auf den englischen Gesichtskreis ausgerichtet und beschränkt sei[419]. Immerhin konnte man in England über das Verhältnis der anglikanischen Staatskirche und der Freikirchen zu jener Zeit die Meinung lesen: «The Free Churches are supplementary to the Church Established; in all probability Protestantism is supplementary to Catholicism[420].»

Auch mit protestantischen Kirchen und nach den verschiedensten Erdteilen führte der Sekretär seine Korrespondenz. Dabei war es schwierig mit den Lutheranern in Kontakt zu kommen[421]. Ihr Interesse wollte man aber gewinnen, vor allem auch wegen der mögli-

[415] Vgl. *Minutes Ex Comt,* 14.10.1915.

[416] GK 3, *A. C. A. Hall,* von G, 4.3.1915.

[417] Vgl. GK 7, *T. Tatlow,* von und an G, 4.11.1914; 22.11.1914.

[418] Vgl. Abdruck im *Anhang,* S. 355 ff.; vgl. auch GK 7, *T. Tatlow,* an G, 6.7.1915; 1.12.1915.

[419] Vgl. GK 7, *T. Tatlow,* von G, 22.12.1915; 17.1.1916.

[420] R. F. Horton, The Church of England, Established and Free, in *Contemporary Review,* London (England), November 1915, S. 600 ff.

[421] Vgl. GK 4, *W. T. Manning,* von G, 14.4.1913; vgl. auch GK 5, *E. Norelius,* an G, 11.4.1911.

chen Auswirkung in Europa[422]. Die Lutheran Synod South zeigte durch ihren Präsidenten Rev. John Morehead solches Interesse[423]. Auch mit der German Lutheran Synod versuchte man Kontakte herzustellen[424]. Mr. Gardiner bedauerte die Exklusivität der lutherischen Kirchen, obwohl er ihr Bestehen auf «a definite and positive belief» schätzte. Denn seine Erfahrung war: «Most of them will not even meet to confer with us about the preparations for the World Conference[425].» Durch seine Korrespondenz wurden weitere Kommissionen ernannt wie die der South India United Church[426]. Im Jahre 1915 ernannte die anglikanische Kirche in Japan, Nippon Sei Kokwai, eine Kommission, mit der Mr. Gardiner Kontakt zu halten versuchte[427]. Ebenso korrespondierte Mr. Gardiner mit der anglikanischen Kirche in Südafrika[428].

Unterstützt wurde die Korrespondenz des Sekretärs und seine Information über die Weltkonferenz durch Berichte und die Bulletins. Bulletin Nr. 8, das unter dem Datum des 7. April 1915 erschien[429], und Bulletin Nr. 9, das unter dem Datum des 22. Juni 1915 herauskam[430], sollten Interesse wecken und den jeweiligen Stand der Vorbereitung vermitteln. Zwar hielt Mr. Gardiner sie nicht für wertvoll, und er meinte, sie gäben «only a very scanty idea of what is going on»[431], doch wurden sie gelesen[432]. Auch lieferte der Sekretär Material für Artikel in Zeitschriften und Zeitungen über die Kommission und ihre Aufgabe im Rahmen der Vorbereitung einer Weltkonferenz für Fragen des Glaubens und der Kirchenverfassung[433].

9. Die North American Preparatory Conference

a) Die Vorbereitung

Nach der Rückkehr von Großbritannien hatte Rev. Roberts vor

[422] Vgl. GK 7, *B. Vincent,* von und an G, 6.5.1914; 16.12.1914.

[423] Vgl. GK 1, *Ch. P. Anderson,* von und an G, 9.12.1914; 14.12.1914; 18.12.1914.

[424] Vgl. GK 1, *Ch. P. Anderson,* von und an G, 1.7.1915; 7.7.1915; GK 4, *W. T. Manning,* von und an G, 10.8.1915; 13.8.1915; 20.8.1915; 23.8.1915; 28.8.1915; 30.8.1915; GK 7, *B. Vincent,* von G, 29.4.1913.

[425] GK 1, *R. W. Brokaw,* von G, 6.4.1915.

[426] Vgl. GK 1, *J. J. Banninga,* an G, 12.11.1915.

[427] Vgl. GK 1, *C. H. Boutflower,* an und von G, 17.3.1915; 24.8.1915; 21.9.1915; vgl. auch *Minutes Ex Comt,* 14.10.1915.

[428] *Minutes Ex Comt,* 13.1.1914.

[429] Vgl. im *Anhang,* S. 335 f.

[430] Vgl. im *Anhang,* S. 336 f.

[431] GK 7, *T. Tatlow,* von G, 20.7.1915.

[432] Vgl. z. B. GK, *Ch. H. Brent,* an G, 17.5.1915.

[433] Vgl. *Minutes Ex Comt,* 14.10.1915.

dem Advisory Committee in der Sitzung am 12. März 1914 den Vorschlag für eine Vorkonferenz in den U.S.A. im Jahre 1917 gemacht[434]. Nach dem Kriegsausbruch beauftragte der Exekutivausschuß Bischof Rhinelander, Rev. Manning und Mr. Pepper mit Rev. Roberts über die «feasibility of his suggestion of a preliminary conference in 1917» zu sprechen[435]. Nach einem Gespräch in Philadelphia machte Rev. Roberts den modifizierten Vorschlag, das Advisory Committee auf den 7. April 1915 zur Besprechung der Veranstaltung einer allgemeinen Konferenz von Vertretern der verschiedenen Kommissionen einzuladen. Der Zweck der Konferenz solle sein «to consider what steps should now be taken in order that the World Conference movement may take the fullest advantage of the situation which will exist at the close of the war»[436]. Der Exekutivausschuß hielt den Vorschlag für «a most profitable one» und lud das Advisory Committee zum 7. April 1915 ein[437].

Bei dieser Zusammenkunft erläuterte Rev. Roberts den Sinn einer solchen Konferenz «as a means of promoting acquaintance and fellowship and of affording opportunities for expeditions and satisfactory discussions of the plans of the conference» und beantragte die Durchführung einer North American Preparatory Conference. Er schlug außerdem vor, auch den Kirchen in anderen Ländern ähnliche nationale Konferenzen zu empfehlen und ihnen das eigene Programm, wenn es vorbereitet sei, zu schicken. Das Advisory Committee sprach sich für diese Vorschläge aus[438]. Eine wesentliche Begrenzung war, daß solche national conferences nicht über Fragen von Glauben und Kirchenverfassung sprechen sollten, sondern ausschließlich über die vor der eigentlichen World Conference durchzuführenden Aufgaben. Mit der Vorbereitung des Plans für eine solche Konferenz wurde die Kommission der Protestant Episcopal Church beauftragt. Das Ergebnis wollte das Advisory Committee gerne nochmals bedenken.

Außer dem Vorschlag von Rev. Roberts beschäftigte diese Sitzung des Advisory Committee auch die Frage, wie man am klarsten die theologischen Unterschiede zwischen den Kirchen, die vor die Weltkonferenz kommen müßten, herausfinden könne. Man bat den Exekutivausschuß «to consider the most effective as well as expeditious method of procedure to secure statements from the Commissions associated in the promotion of the World Conference concerning the questions of Faith and Order to be submitted for the deliberation of

[434] S. o. S. 143 f.
[435] *Minutes Ex Comt*, 14.1.1915.
[436] *Minutes Ex Comt*, 11.3.1915; vgl. auch *Minutes Com*, 8.4.1915.
[437] Vgl. *Minutes Ex Comt*, 11.3.1915.
[438] GK 7, *G. Zabriskie*, von G, 9.4.1915; vgl. auch *Minutes Com*, 8.4.1915.

the World Conference»[439]. Er sollte auch gleich mit dem Sammeln solchen Materials beginnen, wenn er es für gut hielt.

Arbeitspapiere über die nächsten Schritte der Vorbereitung einer Weltkonferenz, die von Mr. Zabriskie[440] und Rev. Smyth[441] stammten, wurden vom Advisory Committee an den Exekutivausschuß weitergegeben. Das Advisory Committee hatte sowieso gegenüber der Kommission der Protestant Episcopal Church nur beratende Funktion. Verbindliche Entscheidungen konnten nur dort gefaßt werden. Nachdem aber die Kommission in ihrer Sitzung am 8. April 1915 die Vorschläge des Advisory Committee aufnahm[442], konnten sie weiter verfolgt werden.

Rev. Manning, Mr. Pepper und Mr. Gardiner entwarfen im Auftrag des Exekutivausschusses einen Plan und ein Programm für die North American Preparatory Conference[443]. Rev. Manning, der als Vorsitzender der Gruppe den ersten Entwurf abzufassen hatte, erfragte bei einer Reihe von Mitgliedern des Advisory Committee deren Meinungen[444]. Mr. Pepper besprach sich mit Rev. Smyth und Professor W. Walker, der an der Yale University Kirchengeschichte lehrte[445]. Er schickte wie Mr. Gardiner die Gedanken an Rev. Manning[446]. Die Schwerpunkte Mr. Gardiner's waren nicht neu. Einmal betonte er die Notwendigkeit menschlicher und geistlicher Gemeinschaft bei der North American Preparatory Conference, weshalb viel Zeit für private Gespräche eingeplant werden sollte und gemeinsame Andachten und Gebete zentrale Bedeutung haben sollten. «We have not taken God in the movement yet. We have no idea of surrendering our wills to His. Success seems impossible to us and it will be till we let God lead us[447].» Daneben schien ihm Aufklärung und Information über Themen und Methoden der Arbeit entscheidend zu sein, weil noch immer viele falsche Vorstellungen herrschten. Die Frage nach dem Verhältnis von Order und Faith, das Problem der Inkarnation

439 *Minutes Ex Comt,* 11.2.1915.

440 Vgl. GK 7, *G. Zabriskie,* an die Kommission, 21.4.1915; Beilage: Draft of steps next to be taken.

441 Vgl. GK 7, *G. Zabriskie,* von G, 6.5.1915.

442 Vgl. *Minutes Com,* 8.4.1915.

443 Vgl. *Minutes Ex Comt,* 8.4.1915; vgl. auch GK 4, *W. T. Manning,* von und an G, 9.4.1915; 10.4.1915.

444 Vgl. GK 4, *W. T. Manning,* von und an G, 12.4.1915; 13.4.1915; 14.4.1915; 15.4.1915.

445 Vgl. GK 6, *N. Smyth,* an G, 3.5.1915; vgl. auch Dictionary of American Biography, edited by Dumas Malone, Band XIX (Troye-Wentworth), London 1936, S. 366 f.: Williston Walker.

446 Vgl. GK 5, *G. Wh. Pepper,* von G, 5.5.1915.

447 GK 5, *G. Wh. Pepper,* von G, 18.6.1915; vgl. auch GK 1, *P. Ainslie,* von G, 25.8.1915; GK 6, *N. Smyth,* von G, 11.8.1915.

als einziger Grund von Einheit, das Wesen und die Notwendigkeit von Gebet im Blick auf christliche Einheit, die rechte Gesprächshaltung, das Wesen des Glaubens oder der Unterschied zwischen den grundlegenden Tatsachen des christlichen Glaubens, niedergelegt in den historischen Bekenntnissen und unseren Anschauungen oder Meinungen – diese Themen waren seiner Meinung nach unter anderem zu behandeln. Schließlich trat er dafür ein, den Entwurf von Mr. Zabriskie bei dieser Konferenz zu beraten und so gemeinsam zu weiteren Schritten zu kommen[448].

In der Sitzung des Exekutivausschusses am 11. Mai 1915 gab Rev. Manning einen Überblick über den Stand der Vorbereitung[449]. Nach der Sitzung sandte Mr. Gardiner einen Programmentwurf an Mr. Pepper. Dieser wollte allerdings kein theologisches Thema bei der Konferenz behandelt wissen, etwa die Frage der Inkarnation, «the fundamental theory upon which the World Conference is to be conducted», während für Mr. Gardiner nicht nur die Schaffung und Pflege einer freundschaftlichen Atmosphäre im Vordergrund stand, sondern auch das Aufzeigen dessen, auf was man zuarbeiten wolle «to reunite all Christians in the one living Body of the one Lord»[450]. Unter den Hochkirchlern stellte man den Nutzen und Sinn der North American Preparatory Conference gänzlich in Frage. Man begründete das vor allem damit, daß durch die Kriegslage eine wirklich repräsentative Teilnahme nicht gewährleistet sei[451] und befürwortete die Haltung «of doing nothing about the World Conference until the European war is over»[452].

Ein von Rev. Manning der Kommission am 15. Juni 1915 vorgelegter Entwurf «on Plan and Programme für the North American Preparatory Conference» wurde gebilligt und vom Advisory Committee in einer Sitzung am 16. Juni beraten[453]. Dabei wurde ein Ausschuß unter dem Vorsitz von Mr. Pepper eingesetzt, dem sieben Mitglieder angehörten und der das Programm der North American Preparatory Conference im einzelnen zusammenstellen sollte[454]. Die Kommission wollte auch, daß Dr. J. R. Mott sprechen sollte «making clear the

[448] Vgl. GK 5, *G. Wh. Pepper,* von G, 18.6.1915; vgl. auch GK 4, *W. T. Manning,* von G, 20.4.1915; 28.4.1915; GK 5, *W. H. Roberts,* von G, 30.9.1915.

[449] Vgl. *Minutes Ex Comt,* 11.5.1915.

[450] Vgl. GK 5, *G. Wh. Pepper,* von und an G, 18.5.1915; 21.5.1915.

[451] Vgl. GK 6, *B. T. Rogers,* von und an G, 25.5.1915; 28.5.1915; 19.8.1915; 26.8.1915; GK 7, *G. Zabriskie,* von G, 9.4.1915.

[452] GK 5, *G. Wh. Pepper,* von G, 25.10.1915.

[453] Vgl. *Minutes Com,* 15.6.1915: Dort ist der «Report of the Executive Committee on Plan and Programme for the North American Preparatory Conference» abgedruckt.

[454] Vgl. *Minutes Ex Comt,* 14.10.1915.

need of including both Catholic and Protestant» und beauftragte den Sekretär, sich persönlich mit ihm in Verbindung zu setzen[455]. Obwohl zu dieser Zeit über die North American Preparatory Conference noch nichts in der Öffentlichkeit bekannt werden sollte, erschienen in verschiedenen Zeitungen Meldungen darüber. Rev. Smyth hatte geplaudert[456]. Das Sekretariat sandte den vorläufigen Plan für die Konferenz nach der Fertigstellung an alle eingesetzten Kommissionen außerhalb der Vereinigten Staaten, um ihnen die Möglichkeit einer eigenen Beurteilung zu geben. Der Sekretär befürwortete auch nach der Verabschiedung des endgültigen Programms durch den Exekutivausschuß, dieses wiederum noch vor der Konferenz allen Kommissionen mit der Bitte um Stellungnahme zu schicken, um ihnen das Gefühl der Beteiligung zu geben[457]. Nach den Sitzungen im Juni verschickte Mr. Gardiner die Einladungen zur North American Preparatory Conference mit den notwendigen Informationen darüber, vor allem dem Tagungsort Garden City in der Nähe New Yorks[458]. Der von Rev. Manning ausgedrückten Befürchtung, daß bei der Konferenz ein gemeinsamer Abendmahlsgottesdienst, dem man sich widersetzen müsse, angeregt werden könnte, widersprach Mr. Gardiner[459].

In der Folgezeit wurde vor allem der Entwurf von Mr. Zabriskie über die nächsten Schritte debattiert. Nach seiner Vorlage im Exekutivausschuß am 14. Januar 1915, in der Sitzung der Kommission am 11. Februar und vor dem Advisory Committee am 7. April wurde der Plan, den der Sekretär vervielfältigte und verschickte, ausführlich in der Sitzung des Exekutivausschusses am 11. Mai 1915 behandelt. Ein verbesserter Entwurf wurde zur Vorlage vor der Kommission angenommen[460]. Nach weiterer Beschäftigung, auch mit den Vorschlägen von Rev. Smyth, sollten Rev. Manning und Rev. Smyth unter der Führung von Mr. Pepper den Entwurf nochmals durchgehen[461]. Mr. Pepper stellte nun ein Programm auf.

Bei der Zusammenstellung des Programms hatte Rev. Smyth den Eindruck, daß Mr. Pepper nur den Entwurf Mr. Zabriskie's für die weiteren Schritte berücksichtige. Dort hielt er aber einzig den Gedan-

455 Vgl. *Minutes Com,* 15.6.1915.

456 Vgl. GK 4, *W. T. Manning,* von und an G, 21.6.1915; 28.6.1915; 30.6.1915; GK 5, *W. H. Roberts,* von G, 6.10.1915.

457 Vgl. GK 4, *W. T. Manning,* von G, 28.7.1915; GK 6, *N. Smyth,* von G, 28.7.1915.

458 Vgl. GK 4, *W. T. Manning,* an G, 10.8.1915; GK 7, *G. Zabriskie,* an G, 6.7.1915.

459 Vgl. GK 4, *W. T. Manning,* an und von G, o.D.; 1.9.1915; 4.9.1915.

460 Vgl. *Minutes Ex Comt,* 11.5.1915. Dort ist der angenommene Entwurf voll abgedruckt.

461 Vgl. *Minutes Com,* 15.6.1915; GK 4, *W. T. Manning,* 28.8.1915.

ken für gut, daß die Kommission der Protestant Episcopal Church nicht mehr länger die ausschließliche Kontrolle der Vorbereitung der Weltkonferenz haben sollte. Deshalb schickte er seinen Entwurf nochmals in einer vereinfachten Form[462]. Rev. Ainslie, der die Entwürfe von Mr. Zabriskie und Rev. Smyth hatte, wollte diesen bewegen, seine Vorschläge in das Programm Mr. Pepper's einzuarbeiten, in dem sie schon vorkämen. Die Betonung von Rev. Smyth, daß allgemeine Unterstützung für die Weltkonferenz in Amerika zu schaffen von größter Bedeutung sei, hielt er für richtig[463]. Er meinte: «Our progress throughout the nation is now rather indefinite and largely unknown in a very general way[464].» Eine Verständigung kam nach einer Aussprache zwischen Mr. Zabriskie und Rev. Smyth zustande. Mr. Zabriskie, dem vor allem die allumfassende, eigentliche Weltkonferenz bei seinem Entwurf vor Augen stand, und Rev. Smyth, dem es vor allem um einen Versuch, die amerikanischen Kommissionen zur Vorbereitungsarbeit zu bekommen, ging, wollten nach dem Gespräch einander vor der North American Preparatory Conference unterstützen[465].

Bei der Sitzung des Exekutivausschusses am 14. Oktober 1915 wurden von Mr. Pepper Fortschritte bei der Vorbereitung mitgeteilt[466]. Am 1. November tagte der Siebenerausschuß, wobei nochmals das Programm der North American Preparatory Conference beraten wurde. Eine Formulierung von Rev. Smyth übernehmend, sollte über das «what», das «why» und das «how» der Weltkonferenz gesprochen werden. Rev. Roberts schlug drei Referate von kirchlich verschieden geprägten Persönlichkeiten vor. Er schlug ebenfalls einen Bericht des Sekretärs über das Ausmaß der Bewegung vor[467]. Der Programmentwurf wurde der Kommission am 2. Dezember 1915 vorgetragen[468]. Kleine Veränderungen wurden noch vorgenommen[469]. Von den 190 eingeladenen Persönlichkeiten hatten 73 eine Zusage gegeben. Vertreter der römisch-katholischen Kirche oder von orthodoxer Seite wollten nicht teilnehmen. Im Gespräch, das Rev. Manning am 9. November 1915 mit dem russisch-orthodoxen Erzbischof Evdokim führte, erwartete dieser von der geplanten Weltkonferenz im Blick auf Einheit so wenig, daß man ihn gar nicht erst um die Teilnahme an der North

[462] Vgl. GK 6, *N. Smyth,* an G, 2.8.1915; 7.8.1915; vgl. auch A suggested Simplification of the Proposed Plan.

[463] Vgl. GK 1, *P. Ainslie,* an G, 2.9.1915.

[464] GK 1, *P. Ainslie,* an G, 13.9.1915.

[465] Vgl. GK 7, *G. Zabriskie,* an G, 27.12.1915.

[466] Vgl. *Minutes Ex Comt,* 14.10.1915.

[467] Vgl. GK 5, *G. Wh. Pepper,* an G, 25.10.1915; 27.10.1915; 4.11.1915.

[468] Vgl. GK 5, *G. Wh. Pepper,* an G, 30.11.1915.

[469] Vgl. *Minutes Com,* 2.12.1915.

American Preparatory Conference bat[470]. Auch Kardinal Gibbons wollte eine Einladung nicht annehmen[471]. Als Berichterstatter wurde vom Exekutivkomitee am 2. Dezember ein Redakteur der Protestant Episcopal Church, Dr. Wells, bestellt[472]. Außer ihm sollten keine Presseleute eingeladen werden[473].

b) Die sogenannte Panama-Affäre

Die Vorbereitung für die North American Preparatory Conference wäre beinahe umsonst gewesen. Die ganze Arbeit für eine Weltkonferenz wurde nämlich durch eine Zerreißprobe über der sogenannten Panama-Affäre bedroht. Vom 10. bis 19. Februar 1916 sollte in Panama die erste Missionskonferenz für den gesamten lateinamerikanischen Kontinent stattfinden. Obwohl diese Konferenz in keinerlei organisatorischer Verbindung zur World Missionary Conference in Edinburgh im Jahre 1910 stand, ähnelte die Art der Vorbereitung und die Durchführung doch sehr jener Konferenz[474]. Alle Missionsgesellschaften, die auf diesem Kontinent arbeiteten, waren eingeladen «for the honest investigation of the problems of missionary work in Latin America and for full, brotherly conference as to how the needs of Latin America can be most effectively met by the Gospel of Christ»[475]. Nun hatte der Board of Missions der Protestant Episcopal Church, zu dessen 48 Mitgliedern unter anderem auch Bischof Weller und Rev. Manning gehörten, in seiner Sitzung am 12. Mai 1915 mit Mehrheit eine Teilnahme beschlossen. Rev. Manning hatte dagegen gestimmt.

Größere Aufmerksamkeit erregte die Entscheidung des Board of Missions dadurch, daß die anglokatholischen Kreise der Protestant Episcopal Church zum Sturm dagegen ansetzten. Als einer der Hauptsprecher gehörte Rev. Manning dazu, der meinte: «The Latin America Conference represents a movement with which we ought not to be connected and a policy to which the Board of Missions has no right

[470] Vgl. Protokoll des Gesprächs, *Minutes Com,* 2.12.1915; vgl. auch *Minutes Ex Comt,* 14.10.1915.

[471] Vgl. GK 4, *W. T. Manning,* an G, 30.12.1915; *Minutes Ex Comt,* 14.10.1915.

[472] Vgl. *Minutes Ex Comt,* 2.12.1915.

[473] Vgl. *Minutes Com,* 2.12.1915.

[474] Vgl. *W. R. Hogg,* Ecumenical Foundations, S. 173 f.; *R. P. Beaver,* Ecumenical Beginnings, S. 145 ff.; K. S. Latourette, A History . . ., Band VII, S. 172, vgl. *The Living Church,* 20.11.1915; S. 79, Kommentar und *The Living Church,* 4.12.1915; S. 159 Kommentar.

[475] *The Living Church,* 3.7.1915, S. 357 f.; Leserbrief «The Panama Conference».

whatever to commit this Church.» Denn diese Konferenz sei «wholly Protestant in aim and principle, its spirit is also unmistakably hostile to the Roman Catholic Church». Aus dieser Behauptung folgerte er, (1) daß das Denken dieser Konferenz nur auf einen Teil, nicht auf die Gesamtheit der Christenheit ausgerichtet sei, und (2) daß die Konferenz pan-protestantisch orientiert sei und sich die Protestant Episcopal Church deshalb nicht daran beteiligen sollte[476]. Dieser Haltung schlossen sich andere hochkirchliche Persönlichkeiten an, die ebenfalls der Kommission Faith and Order angehörten, so Bischof Gailor[477], Bischof Weller[478] und Bischof Hall[479]. Auch Bischof Rhinelander teilte die Ansicht von Rev. Manning[480].

Obwohl die Entscheidung der Protestant Episcopal Church über die Teilnahme des Board of Missions an der Panama-Konferenz nichts mit der Kommission für eine Weltkonferenz zu tun hatte, war sie doch durch die ablehnende Haltung einiger ihrer wichtigsten Mitglieder in Mitleidenschaft gezogen. Vor allem die Laien bedauerten das Verhalten Rev. Manning's, so Mr. Stetson[481], so Mr. Zabriskie[482], Mr. Low[483] und Mr. Gardiner[484]. Einmal sahen sie gerade eine Aufgabe darin, römische Katholiken mit in das Gespräch in Panama zu bekommen. Zum anderen war ihnen klar, daß die Haltung der Protestant Episcopal Church und besonders der Mitglieder der Kommission zur Panama-Konferenz unter den Protestanten auch das Urteil über die Möglichkeiten für eine Weltkonferenz bildete. Sie versuchten darum Rev. Manning von seiner Haltung abzubringen[485]. Auch versuchte man, den hochkirchlichen Kreisen die falsche Vorstellung über die Konferenz, die weder antikatholisch ausgerichtet sein wollte noch irgendeine verbindliche Entscheidung für irgendwelche Kirchen fällen konnte, vor Augen zu führen. Der Missionsbischof der Protestant Episcopal Church in Kuba betonte: «We are to

[476] *The Living Church,* 12.6.1915, S. 241: The Board of Missions and the Panama Conference», von W. T. Manning.

[477] Vgl. *The Living Church,* 5.6.1915, S. 206, «The Panama-Conference», Leserbrief von Bischof Gailor.

[478] Vgl. *The Living Church,* 26.6.1915; S. 320, «Fond Du Lac on the Panama Conference».

[479] Vgl. *The Living Church,* 26.6.1915; S. 320, «Bischof Hall on the Panama Conference».

[480] Vgl. GK 5, *Ph. M. Rhinelander,* an G, 20.9.1915.

[481] Vgl. GK 6, *F. L. Stetson,* an G, 22.9.1915.

[482] Vgl. GK 7, *G. Zabriskie,* an G, 21.6.1915.

[483] Vgl. GK 4, *S. Low,* an G, 2.10.1915.

[484] Vgl. GK 7, *G. Zabriskie,* von G, 22.6.1915.

[485] Vgl. GK 4, *W. T. Manning,* von G, 7.9.1915; GK 7, *G. Zabriskie,* von und an G, 21.9.1915; 29.9.1915; GK 6, *F. L. Stetson,* von G, 24.9.1915.

take counsel together there, learning from each other how to carry on our work better, and how to bring the force of united Christianity to bear on our common problems[486].» Doch die Ansichten blieben unverändert[487]. Rev. Manning verfaßte einen Brief an die Mitglieder der Kommission, den der Sekretär verschicken sollte[488], gab aber in der Sache nicht nach[489].

Immerhin erreichten die Hochkirchler, daß der Board of Missions der Protestant Episcopal Church am 13. Oktober – einen Tag vor einer Sitzung des Exekutivausschusses – noch einmal über die Teilnahme an der Panama-Konferenz beriet und abstimmte. Obwohl Rev. Manning und Bischof Weller als Mitglieder dabei nochmals ihre Argumente vorbringen konnten, entschied man sich mit 26 gegen 13 Stimmen für die Sendung einer Delegation. Die Art und Weise des Verhaltens von Rev. Manning, der unter anderem vom Board of Missions zurücktreten wollte[490], erregte nach dieser Entscheidung solchen Anstoß, daß Sekretär Gardiner schrieb: «I feel strongly that Manning has injured us very seriously – perhaps not so much by his actual vote on the Panama matter as by the way of handling the question[491].»

Unter den amerikanischen Protestanten löste das Verhalten ernsthaften Zweifel an der Glaubwürdigkeit auch des Vorhabens der Weltkonferenz aus. Es schien offensichtlich zu sein, daß innerhalb der Kommission der Protestant Episcopal Church die «pseudokatholische» Gruppe bestimmend wirkte, deren Blick man für allein auf Rom hingerichtet hielt und der der Protestantismus im Grunde gleichgültig zu sein schien[492]. Rev. Smyth betonte im Blick auf die Vorbereitung der Weltkonferenz, daß die eigentliche Frage jetzt die sei, ob die alleinige Verantwortung dafür «if longer continued by the group of pseudo-Catholic ecclesiastics leaves us any ground at all to stand on upon which we can enter in conference»[493]. Diese Frage

[486] *The Living Church,* 10.7.1915; S. 387, «The Bishop of Cuba on The Panama-Conference»; vgl. auch *The Living Church,* 3.7.1915; S. 357 f. The Panama-Conference, Leserbrief von Mr. Stirling.

[487] Vgl. Kommentare in: *The Living Church,* 11.9.1915; S. 683 ff. «Preparing for the Panama Congress», *The Living Church,* 18.9.1915, S. 175 ff. «The Church and the Panama Congress».

[488] Vgl. GK 6, *F. L. Stetson,* von G, 21.9.1915, Beilage. Vgl. auch GK 7, *G. Zabriskie,* von und an G, 21.9.1915; 25.9.1915; 28.9.1915.

[489] Vgl. GK 4, *S. Low,* von G, 6.10.1915.

[490] Vgl. GK 4, *A. Mann,* an G, 2.11.1915; *The Living Church,* 6.11.1915; S. 3 f. «The Saddest Are These: It Might Have been», Kommentar.

[491] GK 1, *Ch. B. Brewster,* von G, 17.11.1915.

[492] Vgl. GK 6, *N. Smyth* an G, 19.11.1915; GK 1, *F. Q. Blanchard,* an und von G, 9.12.1915; 14.12.1915; GK 5, *Ph. M. Rhinelander* von G, 22.11.1915.

[493] GK 6, *N. Smyth,* an G, 15.11.1915.

wurde auch dadurch besonders aktuell, daß Bischof Brewster seine anfängliche Erlaubnis für Predigten von kongregationalistischen Pfarrern in Kirchen der Protestant Episcopal Church während der in New Haven stattfindenden Tagung des National Council of Congregational Churches wieder zurückgezogen hatte – nach Meinung von Rev. Smyth auf Veranlassung von Rev. Manning hin. Bei dieser Tagung herrschte die Stimmung vor, daß «the Anti-Protestant group in the Episcopal Church are using the World Conference and humbugging us»[494]. Um diesen öffentlichen Eindruck ging es Rev. Smyth und anderen dem Vorhaben der Weltkonferenz wohlgesonnenen Protestanten vor allem. Smyth stellte fest: «The management by the Commission has lost the confidence of a very large part of its constituency, and many who have been most earnest and loyal in support of it are now reluctantly coming to the conclusion that it is time and money wasted to endeavour to do anything further with the Episcopal Church[495].» Der Eindruck des Buhlens um Rom in der Protestant Episcopal Church und der Zurückhaltung, wenn nicht gar Gleichgültigkeit gegenüber den Protestanten mußte aufhören. Das war nur durch eine neue Verteilung der Verantwortung für die Vorbereitung der Weltkonferenz möglich, so daß das «management of the World Conference truly representative» wurde. Auf protestantischer Seite schien daher das beste Verhalten zunächst zu sein, passiv zu bleiben und abzuwarten[496]. Rev. Smyth hob hervor, es gehe um das weitere Interesse der nichtepiskopalistischen Kirchen an der Weltkonferenz[497]. Sekretär Gardiner stellte dazu fest, daß er nicht die Haltung von Rev. Manning vertrete und es nicht für richtig halte, die Haltung einzelner mit der einer ganzen Kommission gleichzusetzen und für die Haltung einer Minderheit im Board of Missions der Protestant Episcopal Church eine andere Kommission verantwortlich zu machen. Doch in der Sache konnte Mr. Gardiner die Erregung unter den Protestanten über die Hochkirchler verstehen[498]. Verschiedene Mitglieder der Kommission versuchten zu beruhigen und zu beschwichtigen[499]. Doch der Versuch wurde erschwert durch die Veröffentlichung eines Arti-

494 GK 6, *N. Smyth,* an G, 18.11.1915; vgl. GK 6, *N. Smyth,* an und von G, 15.11.1915; 17.11.1915; *The Living Church,* 6.11.1915; S. 14 «Congregationalists speak in New Haven Churches».

495 GK 6, *N. Smyth,* an G, 8.12.1915.

496 Vgl. GK 6, *N. Smyth,* an G, 15.11.1915; 19.11.1915; 20.11.1915; GK 7, *G. Zabriskie,* an G, 27.12.1915; 17.11.1915; GK 6, *N. Smyth,* an G, 6.12.1915.

497 Vgl. GK 6, *N. Smyth,* an G, 8.12.1915; 12.12.1915.

498 Vgl. GK 6, *N. Smyth,* von G, 17.11.1915; 19.11.1915; 23.11.1915; vgl. *Ch. H. Brent,* von G, 20.11.1915.

499 Vgl. Mr. Gardiner, Bischof Ch. B. Brewster, Mr. Zabriskie; vgl. GK 7, *G. Zabriskie,* an G, 19.11.1915.

kels von Rev. Manning im Dezember 1915, in dem er unter dem Thema «The Protestant Episcopal Church and Christian Unity» nochmals warnte vor einem «utilitarian point of view» und das traditionelle hochkirchliche Verständnis von Kirche und Amt herausstellte, das der Annahme einer Lehre von den Kirchen, der Gleichwertigkeit der Ämter und Austeilung der Sakramente weichen müßte, wenn man die Grundlage anerkenne, «on which Federation in this country is based, and on which union of religious work in the Mission fields is proposed»[500]. Diese erneute öffentliche Rechtfertigung seiner Entscheidung gegen eine Teilnahme bei der Panama-Konferenz klang für Protestanten so, als solle damit auch eine «sacerdotal control» der Weltkonferenz-Bewegung ausgesagt werden. Rev. Smyth drückte in Briefen an verschiedene Mitglieder der Kommission sein Befremden aus[501]. Mr. Gardiner empfahl, den Artikel nicht so wichtig zu nehmen[502].

Die Durchführung der North American Preparatory Conference, zumindest die erfolgreiche, war auf jeden Fall in Gefahr. Erst eine schriftliche und mündliche Aussprache zwischen Rev. Smyth und Mr. Zabriskie ließ Hoffnung aufkommen. Sie behandelten ausführlich den Entwurf Mr. Zabriskie's über die nächsten Schritte, der einen natürlichen Übergang der Führung bei der Vorbereitung der Weltkonferenz von der Kommission der Protestant Episcopal Church auf einen gemeinsamen Ausschuß vorsah und es vermied, die Führung abrupt als «display of lack of confidence» der Kommission zu entreißen. Man war sich einig über die Bedeutung der Kommission der Protestant Episcopal Church für die Vorbereitungsarbeit und die Notwendigkeit der Beteiligung aller Kommissionen und der Prüfung ihrer Ratschläge[503]. Mr. Zabriskie[504] stimmte auch zu, zuerst mit den Protestanten zu konferieren und dann Katholiken und Orthodoxe ins Gespräch zu ziehen. Das entscheidende Ergebnis der Aussprache war die Erkenntnis, daß die Protestant Episcopal Church bei der North American Preparatory Conference vor allem Wahrhaftigkeit und Ehrlichkeit bei ihrer Bemühung um die Weltkonferenz unter Beweis stel-

[500] Vgl. The Protestant Episcopal Church and Christian Unity, von W. T. Manning, in «*The Constructive Quarterly*», 1915, Band III, S. 679 ff.; vgl. auch GK 6, *N. Smyth,* an G, 5.12.1915.

[501] Vgl. GK 7, *G. Zabriskie,* an und von G, 21.11.1915; 22.11.1915; GK 6, *N. Smyth,* an und von G, 6.12.1915; 8.12.1915; 12.12.1915; GK 7, *R. H. Weller,* von G, 22.12.1915; GK 6, *F. L. Stetson,* von G, 27.12.1915.

[502] Vgl. GK 6, *N. Smyth,* von G, o.D. Nr. 75; 11.12.1915; GK 3, *F. J. Hall,* von G, 31.12.1915.

[503] Vgl. GK 6, *N. Smyth,* an und von G, 11.12.1915; 6.12.1915; GK 7, *G. Zabriskie,* an Rev. Smyth, 28.11.1915; GK 7, *G. Zabriskie,* an und von G, 22.11.1915; 27.12.1915.

[504] Vgl. GK 7, *G. Zabriskie,* an G, 23.11.1915; 24.11.1915.

len müsse[505]. Doch wie war das möglich, wenn die Hochkirchler jede föderative oder missionarische Zusammenarbeit vermieden wissen wollten, wenn sie kein gemeinsames mehrheitlich protestantisches Komitee wollten, weil dieses Beschlüsse fassen konnte, die das Interesse der katholischen Teile der Christenheit an der Weltkonferenz beeinträchtigen konnten, wenn sie von der North American Preparatory Conference nicht mehr als unverbindliches Gespräch und Stärkung des Interesses erwarteten[506]. Wie sollte zwischen solcher Passivität und dem Drängen nach Aktion vermittelt werden?

Sekretär Gardiner verzichtete nach Beratschlagung mit anderen Laien der Kommission auf eine Teilnahme am Panama-Kongreß, zu dem er persönlich eingeladen worden war, um die Kommission nicht noch weiter in den Streit hineinzuziehen[507]. Gleichzeitig stellte er fest, daß seiner Meinung nach die Kommissionen und das Advisory Committee bis jetzt nicht genügend an der Vorbereitungsarbeit beteiligt worden seien. Aus organisatorischen Gründen wollte er jedoch die ganze Verantwortung nicht einem gemeinsamen Ausschuß übertragen und meinte: «Zabriskie's plan, if adopted, will give them their due and reasonable share in the management, but that the main control of the enterprise will stay in our hands[508].» Für wesentlich erachtete er, daß man nicht immer wieder neu die eigene Katholizität gegenüber den Protestanten betone, dabei aber weder mit der römisch-katholischen Kirche noch mit den Orthodoxen in bessere Kontakte komme[509].

c) Die Konferenz

In einer von Verdächtigung und Empfindlichkeit erfüllten Atmosphäre begann am Dienstagabend, den 4. Januar 1916, die North American Preparatory Conference in der nördlich von New York an der Ostküste der Vereinigten Staaten gelegenen, um diese Zeit sehr ruhigen Ferienstadt Garden City[510]. Man tagte dort bis zum Nachmittag des 6. Januar. Etwas über 60 Teilnehmer waren anwesend, von denen 15 der Protestant Episcopal Church angehörten. Die übrigen Vertreter von 15 eingesetzten Kommissionen waren teilweise bedeutende und bekannte Persönlichkeiten des amerikanischen Kirchenle-

[505] Vgl. GK 4, *A. Mann,* an G, 11.12.1915.

[506] Vgl. GK 3, *F. J. Hall,* an G, 28.12.1915.

[507] Vgl. GK 6, *F. L. Stetson,* von und an G, 22.12.1915; 23.12.1915; 27.12.1915; GK 7, *G. Zabriskie,* von und an G, 23.12.1915; 29.12.1915.

[508] GK 3, *F. J. Hall,* von G, 31.12.1915.

[509] Vgl. ebenda.

[510] Vgl. Report of the Executive Committee on Plan and Programme for the North American Preparatory Conference, in: *Minutes Ex Comt,* 15.6.1915.

bens[511]. Sie beschäftigte von Anfang an das Thema der Tage: die weitere Vorbereitung der Weltkonferenz.

Als Einstieg gab am ersten Abend Sekretär Gardiner einen umfassenden Bericht über das bisher Erreichte und den Stand der Vorbereitungsarbeit[512]. Aus seiner Darstellung der Bemühungen, die durch den Kriegsausbruch wesentlich beschränkt worden waren, ging hervor, daß 75 Kirchen und Kirchengemeinschaften eigene Kommissionen oder Komitees eingesetzt hatten, und daß «we have secured the cooperation of substantially all the important Communions in the world except those on the Continent of Europe and the Roman Catholic and Holy Orthodox Eastern Churches.»[513] Der Sekretär informierte über die Schriften, die Bulletins und sonstige Veröffentlichungen der Kommission, auch solche über die Kommission und ihre Vorbereitungsarbeit in Artikeln verschiedener Zeitschriften[514]. Dabei erwähnte er aus seiner Korrespondenz besonders den Briefwechsel mit dem Vatikan und las die Briefe von Kardinal Gasparri vor[515], die in der Presse ein großes Echo auslösten. Überschriften wie «Pope joins U.S. Clergy in Move for Unity» oder «Pope sends Plea for Church Unity», Kommentare und Bemerkungen dazu konnte man in den Zeitungen lesen[516]. Mr. Gardiner betonte auch vor dieser Versammlung die Bedeutung des Gebets und des Einsatzes aller Mitglieder der verschiedenen Kirchen, also vor allem der Laien, für die geplante Weltkonferenz. An die notwendige Geduld erinnerte er eindringlich. Man könne nicht schon jetzt eine äußere Wiederherstellung der Einheit im Blick haben, sondern müsse sich zunächst bemühen um «the loving and sympathetic and truly catholic consideration of the points of difference which now keep Christians in hostile camps.»[517] Aus diesem Grunde gelte es die gemeinsame Grundlage zu erkennen und den Unterschied zwischen Einheit und Einförmigkeit festzuhalten. Man müsse die Unterschiede gemeinsam erarbeiten und feststellen. Diese mühevolle Aufgabe und die Beteiligung aller christlichen Kirchen daran empfand Mr. Gardiner als die entscheidende, wenn das Evangelium vom Reich Jesu Christi gehört werden solle. Eindringlich formulierte er auf dem Hintergrund des Kriegsgeschehens für die Über-

[511] Vgl. die Namen sämtlicher Teilnehmer in *The Living Church,* 8.4.1915, S. 833: The Garden City Conference, von B. W. Wells.

[512] Vgl. Report by the Secretary of the Progress made in the World Conference Movement, in *Heft 30,* S. 7 ff.

[513] *Heft 30,* S. 7.

[514] Vgl. ebenda, S. 11 ff.

[515] Vgl. ebenda, S. 12 ff.; vgl. auch *Anhang,* S. 360 ff.

[516] Vgl. WCC, u.a. *Examiner* (Chicago, Illinois), 5.1.1916; *Sun,* New York, 5.1.1915; American (New York) 6.1.1916.

[517] *Heft 30,* S. 16.

legungen dieser Konferenz am Schluß seiner Rede, die einen starken Eindruck hinterließ: «A distracted Europe, a self-complacent America, and a divided Christendom which can speak only with uncertain voice – the unceasing thought of these must set the tone of our discussions and bring us again and again to our knees[518].» Auch Bischof Anderson erwähnte in einer Eröffnungsansprache die Weltlage, die die Unfähigkeit der gespaltenen Christenheit aufzeige, auf das Weltgewissen einzuwirken, und die darum die Bemühung um christliche Einheit nur noch drängender mache. Er sprach noch einmal von der Methode des persönlichen Kontakts der Vertreter verschiedenster Kirchen, in deren Austausch von Gedanken, gegenseitiger Beratung und gemeinsamem Gebet man ein wesentliches Element bei der Lösung und dem Abbau von Schwierigkeiten sehe. Von dieser Methode erhoffe man, daß sie sich als ein Schritt auf Einheit hin erweisen möchte. Er betonte, daß diese Konferenz eine sectional conference sei, die Weltkonferenz aber, zumindest solange auch nur ein Funken Hoffnung dafür bestehe, sowohl geographisch als auch kirchlich «thoroughly ecumenical», weltweit ausgerichtet bleiben müsse. Er nahm die Bedenken der Hochkirchler auf, als er die Aufgabe des Treffens erneut hervorhob: «This meeting is not a Conference on Faith and Order, but a consultation on ways and means of bringing about a Conference on Faith and Order[519].»

Schon am ersten Abend waren die Vertreter der verschiedenen Kirchen und Kommissionen mit diesen Referaten über den Stand der Vorbereitung und die Aufgabe der Konferenz aus der Sicht der Protestant Episcopal Church informiert. Außerdem wurde an diesem Abend ein geschäftsführender Ausschuß unter dem Vorsitz von Rev. Roberts bestimmt, in dessen Verantwortung die weitere Durchführung und Abwicklung der Konferenz lag[520].

Die Verhandlungen des zweiten Tages wurden wie alle Sitzungen mit einer Andacht eröffnet. Das gemeinsame Gebet und die biblische Besinnung nahmen überhaupt einen hervorragenden Platz ein, so daß auch äußerlich die Bedeutung der geistlichen Durchdringung

[518] *Heft 30,* S. 22; vgl. auch *The Living Church,* 8.4.1915, S. 834: The Garden City Conference von B. W. Wells.

[519] *Heft 30,* S. 23.

[520] Diesem Ausschuß gehörten außer Rev. Roberts an: Rev. Wc. C. P. Rhoades (Baptist), Bischof Ch. P. Anderson und Bischof Ch. B. Brewster (Protestant Episcopal Church), Rev. R. Calkins (Kongregationalist), Rev. J. R. Stevenson (Presbyterianer), Rev. Manhart (Lutheraner), Professor Jones (Society of Friends), Rev. R. Cecil (Presbyterianer), Rev. Good (Reformierter), Rev. J. A. Singmaster (Lutheraner), Mr. F. L. Stetson (Protestant Episcopal Church), und Mr. Gardiner (ex officio). Vgl. *The Living Church,* 15.1.1916, S. 385.

aller praktischen Überlegungen und Beratungen bewußt wurden. Nach der Andacht hielt am 5. Januar der Lutheraner Rev. J. Remensnyder unter dem Thema «The Basis of the Invitation to the World Conference» ein Referat über die theologische Voraussetzung und Grundlage der geplanten Weltkonferenz, das Bekenntnis zu Jesus Christus als «God and Saviour»[521]. Er betonte die Gottheit Christi. «That is, the primary article of our Christian faith is a belief in the Divinity of Jesus Christ, specifically in His divine-human personality – that He was God manifested in the flesh[522].» Er schilderte die Bedeutung der Inkarnation, die den Grund der Erlösung bilde. Er sprach von der Bedeutung der Auferstehung Jesu Christi, durch welche für uns die Auferstehung von den Toten eröffnet sei. Dieser gemeinsame Glaube fordere auch das Bekenntnis zur einen, heiligen, katholischen Kirche, in die die Taufe führt und deren Verheißung das Abendmahl sei. Er vertrat seine Überzeugung, daß es Kirche gäbe, solange es Christen gebe. Doch mahnte er nicht von unveränderlichen «human instituted rites» zu sprechen und erinnerte an die unterschiedlichen Auffassungen in der Ämterfrage. Die gemeinsame geistliche Einheit dürfe bei unterschiedlichen Auffassungen nicht zur Trennung führen, sondern sollte zusammenhalten und zusammenbringen. An das Grundsatzreferat von Rev. Remensnyder schlossen sich vier Voten zu der Frage an, was man nun von einer Weltkonferenz als einen ersten Schritt auf Einheit hin erwarten könne. Der methodistische Bischof Hamilton hoffte vor allem, daß man die Gemeinsamkeiten feststellen und zu einer «common platform» kommen könne. Der Presbyterianer Dr. Moffat empfand die Beratung der Unterschiede für entscheidend, wobei er seine Überzeugung kundtat, daß Spaltungen viel weniger durch Lehrunterschiede – die immer vorhanden sein würden – als durch Fragen der kirchlichen Autorität entstehen würden. Bischof Vincent vertrat den Standpunkt der Protestant Episcopal Church, daß die Weltkonferenz einfach dem besseren gegenseitigen Verstehen als einem ersten Schritt auf Einheit zu dienen solle, wobei kein bestimmtes Verständnis von Einheit vorausgesetzt werde, sondern man sich verlassen wolle auf «the guidance of the Spirit of God in this matter». Ein Baptist, Dr. Main, stimmte seinen Vorrednern bei und fügte hinzu, daß unter den Baptisten ein neues Denken einsetze, indem man jetzt viel mehr von der Kirche gegenüber den Kirchen spreche und erkenne, daß auch die «spiritual

[521] Vgl. diesen Vortrag «The Basic Call For The World Conference On Church Unity», von J. B. Remensnyder in: *The Constructive Quarterly*, 1916, Band IV, S. 151 ff.

[522] Ebenda, S. 152.

unity», die für Baptisten wesentlich sei, einen sichtbaren Ausdruck brauche[523].

Nach dieser Darstellung der gemeinsamen Grundlage der verschiedenen Erwartungen von der Weltkonferenz, wobei die Protestanten mehr erwarteten als die eher zurückhaltenden Vertreter der Protestant Episcopal Church, setzte die praktische Arbeit der Konferenz ein. Im Namen der kongregationalistischen Kommission legte Rev. N. Smyth das von ihm verfaßte Dokument vor, dessen erster Teil sich mit der Grundlage der Weltkonferenz, dessen zweiter Teil sich mit dem, was die North American Preparatory Conference unternehmen könne, beschäftigte[524]. Dann referierte Mr. Zabriskie für die Kommission der Protestant Episcopal Church zwei Vorschläge, deren erster sich allgemein mit der weiteren Vorbereitung der Weltkonferenz[525], deren zweiter sich mit der konkreteren Frage, was man jetzt in Amerika tun könne, befaßte[526]. Nach einer allgemeinen Diskussion, in der festgestellt wurde, daß die Vorlage von Rev. Smyth sich mehr mit den bei der Weltkonferenz zu behandelnden Fragen befasse, während Mr. Zabriskie's Vorlagen vor allem auf die Vorbereitungsarbeit dafür eingingen, wurde dem Vorschlag von Bischof Vincent zugestimmt, zuerst die Vorschläge Mr. Zabriskie's, dann die von Rev. Smyth zu behandeln.

Ausführlich und Punkt für Punkt wurde daraufhin der «Plan of Procedure for the World Conference» von Mr. Zabriskie durchgesprochen. Besonders lang und hitzig wurde über den 11. Punkt, der im endgültigen Dokument als 9. Punkt sehr verändert steht, diskutiert. In ihm standen die für die Beratung vor der Weltkonferenz formulierten Fragenkomplexe zur Debatte, die «there be discussed with a view to ascertain whether the doctrines of Faith and Order which they severally embody stand in the way of an organic union of Christendom ...». Die einen meinten, hierdurch werde die Freiheit bei den Verhandlungen der Weltkonferenz eingeschränkt und man solle den Punkt ganz fallen lassen, andere hielten ihn für nötig, damit der Zweck der Weltkonferenz klar sei. Als ein protestantischer Teilnehmer dann vorschlug, man solle sagen, daß das entsprechende Vorbereitungsgremium der Weltkonferenz zur Beratung «such measures as shall seem best to promote organic union» vorschlagen solle, entstand

[523] Vgl. *The Living Church,* 8.4.1916, S. 835: The Garden City Conference, von B. W. Wells.

[524] Vgl. *The Congregationalist* (Boston, Massachusetts) 20.1.1916, S. 121 f.: The North American Preparatory Conference, Church Unity Meetings in Garden City, von Rev. R. Calkins.

[525] Vgl. *Minutes Ex Comt,* 11.5.1915.

[526] Genaue Unterlagen fehlen. Vielleicht stammt der Entwurf vom Committee der Sieben unter dem Vorsitz von Mr. Pepper.

eine heftige Kontroverse um Sinn und Zweck der Weltkonferenz. Besonders Professor Hall, Rev. Manning, Rev. Rogers und Mr. Zabriskie setzten sich dafür ein, daß die Weltkonferenz keinesfalls über die Frage der Einheit zu sprechen habe, sondern ausschließlich über Fragen von Faith und Order. Sie solle einen Anfang bilden, und dabei solle eben über die Hindernisse, die Faith und Order zwischen die Kirchen bringe, und deren Bedeutung gesprochen werden. Im endgültigen Dokument wurde eine Formulierung von Professor Hall aufgenommen, nach der bei der Weltkonferenz Fragen unter dem Gesichtspunkt behandelt werden sollten «bringing about the most effectual mutual understanding of the existing agreements and differences between Christian communions concerning questions of Faith and Order». Die Diskussion zeigte auf jeden Fall, daß unter den Protestanten ein schnellerer Fortschritt bei der Bemühung um christliche Einheit als unter den vorsichtigen Episkopalisten erwartet wurde. Das wurde auch deutlich, als über den Punkt der Einsetzung eines Council of Commissions, in dem nach dem Vorschlag von Mr. Zabriskie alle Kommissionen entsprechend der Mitgliederzahl der Kirche vertreten sein sollten, gesprochen wurde. Heftige Reaktionen lösten bei einigen Teilnehmern die Äußerungen von Professor Hall aus, der den Council of Commissions keinesfalls an Beschlüsse dieser Konferenz gebunden wissen wollte und dann den Vorschlag einbrachte, «that no action taken by this conference should be considered as in any way limiting the power of the Council of Commissions, when it is appointed to arrange for and conduct the proposed World Conference». Sein Vorschlag wurde ins endgültige Dokument aufgenommen. Doch erweckte diese Neigung zur Unverbindlichkeit immer wieder Argwohn bei Protestanten.

Der zweite Vorschlag, den Mr. Zabriskie vorgelegt hatte, sprach von der Einsetzung eines North American Preparation Committee, das die Arbeit der Kommissionen und Komitees in Nordamerika erleichtern sollte. Ähnliche nationale Ausschüsse bestanden schon in anderen Ländern, zum Beispiel in England. Mr. Zabriskie betonte, daß es nicht darum gehe, eine nordamerikanische Weltkonferenz vorzubereiten, sondern darum, daß in diesem Gebiet eine ganze Reihe von Kommissionen – zum Teil schon fünf Jahre und länger – bestünden und darauf warteten, etwas im Blick auf die Weltkonferenz zu tun. Andererseits sei es Tatsache, daß die Einladungen dem größeren Teil der Christenheit noch nicht überbracht werden konnten und das vorläufig auch nicht geschehen könne. In dieser Situation könne ein North American Preparation Committee hilfreich sein. «In North America some of us now, some of the North American Commissions, are in a position to begin to do something looking toward the World

Conference – not to a North American Conference – and this paper simply is designed to show how something may be accomplished to that end[527].» Der Gefahr eines amerikanischen Eigenlebens, einer Einengung der «ecumenical vision» durch ein North American Preparation Committee wurde widersprochen, weil die Vorbereitungsarbeit sowieso in jedem Teil der Welt selbst organisiert werden müsse, und sie zudem auf die Weltkonferenz ausgerichtet war. Am Ende des Tages wurde die Diskussion über die Vorlagen Mr. Zabriskie's beendet, und dem geschäftsführenden Ausschuß wurden alle Beiträge der Diskussion und die Vorlagen der Verhandlungen übergeben.

Am dritten Tag, dem 6. Januar, wurden zunächst zwei Beschlüsse verabschiedet. Einmal wurde der Kommission der Protestant Episcopal Church aufgetragen, ihre «initial responsibility» für die Einladungen weiterhin wahrzunehmen, zum anderen wurde eine Empfehlung, den Namen des Advisory Committee in Cooperating Committee umzubenennen, angenommen. Es folgte eine Ansprache von Rev. Roberts unter dem Thema «The Open Door Before the Churches».

Die Diskussion wurde dann über die Vorlage von Rev. N. Smyth geführt. Diese Diskussion wurde zu einem Höhepunkt der Konferenz. Wirkte Rev. Smyth durch die Zurücknahme des Teils seiner Vorlage, der sich in der Sache mit den Vorschlägen von Mr. Zabriskie deckte und durch seine anerkennenden Worte für diesen schon versöhnlich, so gaben zur restlichen Vorlage Bischof Anderson, Professor Hall und Rev. Manning umgekehrt unerwartet zustimmende Voten, die beeindruckten. Es entstand eine ausgesprochen harmonische und herzliche Atmosphäre. Rev. Smyth's Vorlage für die Diskussion bestand aus einer Erklärung über die Grundlage der vorgeschlagenen Weltkonferenz und aus Vorschlägen für die Arbeit der North American Preparatory Conference. Er bemerkte dazu, daß seit der ersten Einladung der Protestant Episcopal Church kaum ein Wort ergangen sei, das Standpunkte beziehe und zur Weiterarbeit anrege. Das solle hierdurch geschehen. «This declaration was meant to supply that want, to declare the method, the policy, the order of topics that they had in mind for the World Conference. Reading this, men would say: They have the manliness to face problems and find the answers, if they can.»[528] Durch einige Veränderungen und Verbesserungen wurde im Text die Notwendigkeit einer sichtbaren Kirche stärker betont. So wurde statt von einer spiritually united church von einer united church und statt von den churches of Christ, von der Church of

[527] *Plans for further Procedure* with regard to the World Conference on Faith and Order, S. 20.

[528] *The Living Church,* 8.4.1916, S. 838: The Garden City Conference, von B. W. Wells.

Christ im endgültigen Text gesprochen. Doch im ganzen wurde die Vorlage ohne viel Kritik dem geschäftsführenden Ausschuß übergeben. Es entstand ein Gefühl der Gemeinsamkeit, daß nach einem Bericht dem methodistischen Bischof J. Hamilton vor Bewegung Tränen in den Augen standen[529].

In der Nachmittagssitzung des 6. Januar, der letzten dieser Konferenz, brachte der geschäftsführende Ausschuß dann die von ihm aus den Vorlagen von Mr. Zabriskie, Rev. Smyth und den Vorschlägen von Professor Hall zusammengesetzte Erklärung vor die Konferenz. Sie wurde abschnittsweise verlesen und jeweils diskussionslos angenommen[530]. Ein Beschluß forderte Mr. Gardiner, dem die Teilnehmer für seine mühevolle Arbeit besonderen Dank aussprachen, auf, diese Erklärung über die weitere Vorbereitung der Weltkonferenz den Kommissionen, Komitees oder anderen Vertretern der verschiedenen Kirchen zuzuschicken. Am Ende der North American Preparatory Conference konnte man feststellen, daß sie ein Erfolg gewesen war. Man hatte offen miteinander geredet und gemeinsam klare Pläne für die weitere Vorbereitungsarbeit verabschiedet. Skepsis und Argwohn des Anfangs waren erneutem Vertrauen gewichen. Die Arbeit für eine Weltkonferenz konnte neu weitergehen.

529 Vgl. WCC, *Eagle* (Brooklyn), New York, 6.1.1916.
530 Vgl. den vollen Abdruck im *Anhang*, S. 370 ff.

V

Die Entwicklung vom Jahre 1916 an bis zur Einsetzung eines internationalen Continuation Committee im Jahre 1920

1. Nach der North American Preparatory Conference

Der Verlauf der North American Preparatory Conference und die Ergebnisse erfüllten mit Genugtuung. Die geistliche Gemeinschaft wurde als ungewöhnliche Erfahrung besonders hervorgehoben[1]. In der Tat war es bemerkenswert, daß nach den vorhergehenden unglücklichen Streitigkeiten, die vor allem über dem Panama-Kongreß aufgebrochen waren, die Konferenz in einem Geist des Verstehens und des gemeinsamen Willens zur Weiterarbeit für die Weltkonferenz auseinandergehen konnte. Für die hochkirchlichen Kreise war die aktive Teilnahme von Persönlichkeiten wie Bischof Anderson, Bischof Weller und Rev. Manning an der Konferenz ein Beweis dafür, daß diese durchaus der Meinung waren «to ‹confer› with their Protestant brethren upon serious religious issues»[2]. Ihnen kam es auf die Art, das Wie des Konferierens an. Daß der Panama-Kongreß, der für die Missionsarbeit auf dem lateinamerikanischen Kontinent zu einem Markstein wurde, nicht die richtige Weise sei, wurde von den Hochkirchlern festgehalten, als feststand: «No ‹findings› or ‹declarations or policies› were even proposed for adoption. The Congress was held for a deeper understanding of the intricate problems of the evangelization of Latin America, and for the promotion of friendship and brotherliness[3].» Der Protest gegen den vermeintlich einseitigen, weil nur von protestantischen Teilnehmern aufgesuchten Kongreß wurde in die den in Südamerika arbeitenden Missionaren gestellte Alternative gekleidet: «Are you sent out to propagate the ‹evangelical Christian Church› or the ‹holy Catholic Church›? And which are you engaged in doing?»[4]

Das offene, teilweise heftige, aber entgegenkommende Gespräch bei der North American Preparatory Conference kann man erst ange-

[1] Vgl. auch S. D. Schaff, The Movement Towards Church Unity, in: *The Constructive Quarterly,* Band IV, 1916, S. 224 f.

[2] *The Living Church,* 15.1.1916, S. 375, in: The Garden City Conference, Kommentar.

[3] The Panama-Congress and the Outlook, in: *Homer C. Stuntz,* South American Neighbours, New York, 1916, S. 176.

[4] *The Living Church,* 11.3.1916, S. 660, in: Panama: An After-View, Kommentar; vgl. auch *The Living Church,* 26.2.1916, S. 595 f.: Opening of the Panama-Congress; *The Living Church,* 4.3.1916, S. 631: The Panama Congress; *The Living Church,* 11.3.1916, S. 669: The Panama Congress.

sichts des Verhaltens der Hochkirchler gegenüber dem Panama-Kongreß recht würdigen, besonders wenn man bedenkt, daß es hochkirchliche Stimmen gab, die auch jedes Gespräch über Faith und Order ablehnten und die geplante Weltkonferenz für unnütz hielten, weil es da nichts zu diskutieren gäbe. «Altogether, in its perusal, we find ourselves in a cloud-land of loving, pathetic, but blind idealism which only impresses the reader as he lays it down with the great danger of fatal concessions in the Conference, should it ever take place, from dreamers who meet the active propagandists whose ideals are the destruction of Faith and Order[5].» Solche Anschauungen waren allerdings so extrem wie die unter Protestanten, wonach das Verhalten von Bischof Anderson, Bischof Weller und besonders Rev. Manning gegenüber dem Panama-Kongreß jede Bemühung um christliche Einheit wirkungs- und nutzlos machte[6]. Es traf sicher angesichts der hochkirchlichen Stellung für Protestanten zu, daß «many just laugh at the whole matter and poke fun at us for attempting to go on in the face of such an attitude»[7]. Doch zeigte die North American Preparatory Conference gerade, daß das Gespräch möglich war. Insofern war sie «certainly as successful as we could hope»[8].

Die durch Parteiungen und starre Stellungnahmen ausgelösten Spannungen innerhalb der Protestant Episcopal Church und allgemein zwischen Vertretern des katholischen und protestantischen Lagers bildeten die Dämme, die nur im Gespräch durchbrochen werden konnten. Mr. Gardiner teilte durchaus die anglokatholische Ansicht, daß zwischen conference und co-operation klar zu unterscheiden sei, und co-operation unter Protestanten all zu oft schon mit Einheit gleichgesetzt werde[9]. Doch durfte das Interesse der katholischen Kirchen an Einheit nicht mit der Entfremdung von den Protestanten errungen werden[10], sondern nur durch das offene Gespräch. Die North American Preparatory Conference hatte diese restlose Offenheit, bei der Überzeugungen uneingeschränkt vertreten und Gegensätze ohne Kränkungen und Verunglimpfungen dargestellt und besprochen wurden, zu üben versucht. Man hatte auch nicht nur allgemein von christlicher Einheit gesprochen und die gemeinsamen Bemühungen der co-operation, zum Beispiel im Federal Council und anderen interdenominationellen Organisationen der Vereinigten Staaten, klar

[5] *The Living Church,* 8.4.1916, S. 815: World Conference on Faith and Order, Leserbrief.

[6] Vgl. z. B. GK 2, *W. A. Brown,* an G, 16.8.1916.

[7] GK 2, *P. De Schweinitz* an G, 21.7.1916; vgl. auch GK 2, *P. De Schweinitz,* von G, 25.7.1916.

[8] GK 3, *F. J. Hall,* an G, 8.1.1916.

[9] GK 2, *W. R. Bowie,* von G, 28.11.1916.

[10] GK 3, *F. J. Hall,* von G, 3.7.1916.

unterschieden von dem Fernziel der Weltkonferenz, einer «real and organic union»[11]. Die auf Grund der Herkunft der Teilnehmer bei der Konferenz vor allem von Protestanten geäußerte Vermutung, daß vorläufig «the Protestant bodies only are to take part in the Church unity movement»[12] blieb umstritten.

Das ganze Geschehen stellte für Bischof Brent die Bedeutung von Versöhnung unter den Christen noch mehr in den Vordergrund. Durch die kirchlichen Streitigkeiten empfand er stark die mögliche Mittlerrolle seiner Kirche und bedauerte sehr, daß sie eine durch den Panama-Kongreß eröffnete Chance unnötigerweise «to the dogs of controversy, prejudice and disunion» geworfen habe[13]. Im Blick auf den Krieg und die Lage unter den Christen schrieb er von den Philippinen an Mr. Gardiner: «I do not know that I shall be able to do much, but, when I go home I am going to throw my whole weight and influence, so far as I have any, on the side of reconciliation. I can do it with enthusiasm because I have a clear vision of what might be done even at this juncture, not merely to repair the evil consequences of the controversy of the past few months, but to buy up an opportunity, and a great opportunity it is, created by the bad days in which we live[14].» Das Gespräch der North American Preparatory Conference fortzuführen, konnte auf dem Weg der Versöhnung weiterbringen.

Zunächst wurden über den Ablauf und die Ergebnisse der North American Preparatory Conference verschiedene Veröffentlichungen herausgegeben. Ein stenographischer Bericht über den Verlauf der Konferenz, in dem die Redner ihre Beiträge nicht verbessern konnten, wurde vom Sekretariat an die Mitglieder sämtlicher eingesetzter Kommissionen und Komitees geschickt[15]. Dem Beschluß der Konferenz entsprechend ließ Mr. Gardiner den verabschiedeten Plan für die weitere Vorbereitung der Weltkonferenz und nach einer Besprechung des Exekutivausschusses auch die übrigen angenommenen Erklärungen als ein Dokument unter dem Titel «Plans for further Procedure with regard to the World Conference on Faith and Order» drucken. Ein eigenes Vorwort und Voten, die während der Diskussion von Mr. Zabriskie abgegeben worden waren, fügte er hinzu. Das Heft kam am 17. März 1916 heraus und wurde ebenfalls allen Mitgliedern der

[11] Vgl. WCC, *Christian Work* (New York), 22.1.1916: Christian Unity: Church Union.

[12] S. D. Schaff, The Movement Towards Church Unity, in: *The Constructive Quarterly,* Band IV, 1916, S. 222 f.

[13] Vgl. GK, *Ch. H. Brent,* an G, 3.2.1916; vgl. auch *The Living Church,* 10.6.1916, S. 206: The Panama Congress, Leserbrief von Ch. H. Brent.

[14] GK, *Ch. H. Brent,* an G, 3.2.1916.

[15] Vgl. *Minutes Ex Comt,* 13.1.1916; von diesem Bericht konnte ich bisher kein Exemplar auffinden.

eingesetzten Kommissionen und Komitees zugesandt[16]. Der von Redakteur B. W. Wells angefertigte ausführliche Bericht über die North American Preparatory Conference, den der Sekretär verschiedenen kirchlichen Blättern anbot, erschien in den Wochenblättern der Protestant Episcopal Church auf Kosten der Kommission[17].

Der Exekutivausschuß beauftragte in seiner ersten Sitzung nach der Konferenz von Garden City Rev. Manning, Mr. Zabriskie und Mr. Gardiner Vorschläge zu unterbreiten, wie der Ausschuß das bei der North American Preparatory Conference Gesprochene und Beschlossene unterstützen könne. Aus den Empfehlungen entstand eine weitere Veröffentlichung. Es wurde vorgeschlagen, den Bericht des Sekretärs, die Ansprache von Bischof Anderson – die auch in The Living Church erschien[18] – und als Einleitung die von Rev. Smyth stammenden Abschnitte «Declaration» und «Spiritual Basis» zu drukken. Diesen Vorschlag genehmigte der Ausschuß[19]. Die Referate von Rev. Remensnyder und Rev. Roberts blieben unberücksichtigt, weil sie schon anderweitig erscheinen sollten[20]. Außer solch publizistischer Auswertung riet die Gruppe zu einer baldigen Einberufung des Cooperating Committee – des früheren Advisory Committee – und der Kommission zur Einsetzung des Ausschusses, der Vorschläge für das zu schaffende North American Preparation Committee unterbreiten sollte[21].

Ob in der Protestant Episcopal Church das bei der North American Preparatory Conference Gesprochene und Beschlossene wirklich unterstützt wurde, dafür konnte die im Herbst 1916 tagende General Convention ein Gradmesser sein. Ob die Haltung, die zur Einsetzung einer Kommission zur Vorbereitung der Weltkonferenz für Fragen des Glaubens und der Kirchenverfassung geführt hatte, die Haltung der Vermittlung und der von Bischof Brent geforderten Versöhnung

[16] Vgl. den Wortlaut des Dokuments im *Anhang,* S. 370 ff.; vgl. auch *Plans for further Procedure* with regard to the World Conference on Faith and Order, Printed for the North American Preparatory Conference, A.D. 1916; Report ..., *Heft 31,* S. 15 ff.; *The Living Church,* 25.3.1916, S. 737: Steps Toward World Conference; *Minutes Ex Comt,* 10.2.1916; GK 7, *G. Zabriskie,* von G, 29.2.1916.

[17] Vgl. den Bericht in *The Living Church,* 8.4.1916, S. 833 ff.: The Garden City Conference, Notes and Impressions, by B. W. Wells; vgl. auch *Minutes Ex Comt,* 13.1.1916, 10.2.1916; GK 6, *F. L. Stetson,* von und an G, 24.1.1916; 25.1.1916; 27.1.1916; 28.1.1916.

[18] Vgl. GK 1, *Ch. P. Anderson,* von G, 7.2.1916.

[19] Vgl. North American Preparatory Conference ..., *Heft 30.*

[20] Vgl. Das Referat von Rev. Remensnyder unter dem Titel «The Basic Call for the World Conference on Church Unity» in: *The Constructive Quarterly,* 1916, Band IV, S. 151 ff.; die veröffentlichte Ansprache von Rev. Roberts konnte ich noch nicht auffinden.

[21] Vgl. *Minutes Ex Comt,* 10.2.1916.

in der Protestant Episcopal Church geübt wurde, dafür konnte die General Convention ein Beweis sein. Deshalb schrieb Mr. Gardiner im Blick darauf im Frühjahr 1916 einen Artikel, in dem er seine Kirche fragte:

«Can we not spend these coming months in the practice of the love of each other which Christ commands? If we will He will be free to fill the coming General Convention with courage and wisdom and power to set forward His kingdom. A definite plan has now been adopted to prepare for and convene the World Conference on Faith and Order. Not all the invitations have yet been issued, but that may be providential. The whole world knows of the movement and there is good reason to hope that the whole world will accept the invitations to participate when Europe ceases to be a slaughter-house and the remaining invitations can be issued. *But our sincerity is on trial.* The General Convention of 1910, unanimously and eagerly, expressed its ‹desire to lay aside self-will, and to put on the mind which is in Christ Jesus our Lord›. Many of our brethren of other names, at home and throughout the world, are withholding their earnest support of the World Conference till they see whether we will strive to put on the mind of Christ so that we shall be filled with the love He has for them. Shall we not strive in every way possible to make them see that we, being filled as brethren in the Episcopal Church with that love which is the desire for unity, recognize that we are not sufficient to ourselves and that we need the help of all our brethren, of whatsoever name, to manifest that unity which shall convince the world of Christ? Perhaps even that we need their help for a more complete vision of Him Who is Infinite Truth.»[22]

Fragend und aufrufend ermahnte Mr. Gardiner seine Kirche zu dem Geist, von dem er immer wieder als dem rechten conference spirit sprach.

Der Bericht der Kommission für die General Convention 1916 wurde zunächst von einem Dreier-Ausschuß vorbereitet, dem Rev. Manning, Professor Hall und Mr. Gardiner angehörten[23]. Die Vorlage des Dreier-Ausschusses wurde von der Kommission in der Sitzung am 27. April 1916 besprochen, nachdem sie allen Mitgliedern vervielfältigt zugesandt worden war. Nach ausführlicher Diskussion, bei der auch die Frage der Aufnahme des englischen Ad Interim Report in den Bericht eine Rolle spielte, wurde der Dreier-Ausschuß, dem Bischof Hall hinzugefügt wurde, mit der Fertigstellung des Berichts beauftragt[24]. Um jede erneute Debatte über Kikuyu oder die Panama-Affäre zu verhindern, war Mr. Gardiner gegen eine Verlesung des Berichts vor der General Convention. Er schickte den gedruckten Bericht[25] dem Sekretär des Hauses der Delegierten vor der General Con-

[22] *The Churchman,* 10.6.1916, The New Commandment, von R. H. Gardiner.

[23] Vgl. *Minutes Ex Comt,* 9.3.1916.

[24] Vgl. GK 4, *W. T. Manning,* an G, 2.6.1916; GK 3, *A. C. A. Hall,* von G, 29.7.1916.

[25] Vgl. GK 3, *F. J. Hall,* von G, 3.7.1916; vgl. auch GK 3, *A. C. A. Hall,* von G, 1.5.1916; Report . . . , *Heft 31.*

vention zu. Auch eine Debatte über den Federal Council und das Verhältnis der Protestant Episcopal Church dazu mit den schon bekannten Unterscheidungen von Einheit und Zusammenarbeit und der hochkirchlichen Polemik wollte Mr. Gardiner möglichst vermeiden helfen[26]. Beide Problemkreise brachten seiner Meinung nach nur unnötige Konflikte von neuem zur Sprache und bereiteten dem Geist der Versöhnung unnötige Erschwernisse. Tatsächlich verzeichnete die General Convention 1916, die in St. Louis (Missouri) im Oktober stattfand, keine größeren Schwierigkeiten oder besonderen Höhepunkte. Sie war eine Arbeitskonferenz, die das alltägliche Leben der Kirche für die kommenden Jahre zu bedenken und vorzubereiten hatte und dabei viel Routinearbeit leistete[27].

2. Die Durchführung der Beschlüsse der North American Preparatory Conference

Der wichtigste Beschluß der North American Preparatory Conference war die Aufforderung zur Einsetzung eines North American Preparation Committee, das nur wegen der Kriegslage gebildet werden und in den Vereinigten Staaten die Vorbereitungsarbeit für die Weltkonferenz anleiten sollte[28]. Nach den Vereinbarungen hatte das Co-operating Committee zusammen mit der Kommission der Protestant Episcopal Church einen Ausschuß mit fünf oder mehr Mitgliedern zu bestimmen, der Mitglieder für das North American Preparation Committee benennen sollte. Am 27. April 1916 fand aus diesem Anlaß eine Zusammenkunft statt[29]. Man wählte in diesen Nominierungsausschuß Rev. P. Ainslie, Mr. J. R. Mott, Professor J. R. Stevenson, Rev. J. B. Remensnyder, Rev. L. H. Baldwin, Mr. R. H. Gardiner und als Vorsitzenden Rev. N. Smyth.

Zu Ostern 1916 erschien in der amerikanischen Presse eine Meldung, die eine Konferenz des noch einzusetzenden North American Preparation Committee – das mit anderen ähnlichen Ausschüssen Kontakte pflegen sollte – ankündigte. Man wollte darüber sprechen, was die Kirchen tun könnten, «to substitute among the nations Christian good will for the present suspicions and strifes, and to further the establishment of judicial methods as a means of settling disputes bet-

[26] Vgl. GK 4, *Ch. S. Macfarland,* von G, 26.9.1916.

[27] Vgl. *The Living Church,* 14.10.1916, S. 827 f.: The Church in Convention, Kommentar.

[28] Vgl. GK 3, *A. C. A. Hall,* von G, 3.1.1917.

[29] Vgl. *Minutes Ex Comt,* 10.2.1916; 9.3.1916; *Minutes Com,* 27.4.1916.

ween nations»[30]. Mr. J. R. Mott war wie Mr. Gardiner der Meinung, daß von einer guten Zusammensetzung des North American Preparation Committee viel abhänge. «To my mind there is nothing more important in connection with the whole project than this[31].» Leider konnte Mr. Mott an der ersten Zusammenkunft des Nominierungsausschusses am 8. Mai 1916, bei der Rev. Smyth, Rev. Ainslie und Mr. Gardiner anwesend waren, nicht teilnehmen[32]. Man stellte dabei eine recht unvollständige und versuchsweise Vorschlagsliste zusammen[33]. In einem Rundbrief teilte Mr. Gardiner nach der Sitzung des Nominierungsausschusses den Mitgliedern der Kommission der Protestant Episcopal Church mit, daß er beauftragt worden sei, sich um die Mitarbeit von römisch-katholischen, russisch-orthodoxen und armenischen Vertretern im North American Preparation Committee zu bemühen. Erste Erfolge bei dieser Bemühung teilte er mit, damit «some of the brethren will, I hope, now be able to sleep nights»[34].

Seine Kontakte in katholischer Richtung begann Mr. Gardiner durch Gespräche mit dem armenischen Bischof Seropian[35] und einem armenischen Prälaten, der im episkopalistischen Seminar für Theologie in Cambridge, Massachusetts, studierte, Rt. Rev. Shah Vart. Casparian. Beide erklärten sich zur Mitarbeit bereit[36]. Father John Wynne wurde von Mr. Gardiner ebenfalls um die Mitarbeit im North American Preparation Committee gebeten. Er gab seine Zustimmung und empfahl als weiteres römisch-katholisches Mitglied Professor Edward A. Pace von der katholischen Universität in Washington, D.C., den Mr. Gardiner dann persönlich aufsuchte. Auch er erklärte sich zur Mitarbeit bereit[37]. Diese Zusage empfand Mr. Gardiner als ausgesprochenen Erfolg, weil er «... ensures the truly Catholic character of the North American Preparation Committee, and I think makes it certain that Committee cannot be blocked by any of our lukewarm friends, and sets an example to the rest of the world»[38].

Da das North American Preparation Committee theologisches Ma-

[30] WCC, *Denver Catholic Register,* 1.6.1916.

[31] GK 5, *J. R. Mott,* an G, 5.5.1916.

[32] Vgl. GK 5, *J. R. Mott,* an und von G, 5.5.1916; 11.5.1916.

[33] Vgl. GK 5, *J. R. Mott,* von G, 11.5.1916.

[34] GK 7, *G. Zabriskie,* von G, 17.5.1916.

[35] Mouchegh Seropian, armenischer Bischof, ist genannt unter den Teilnehmern der Konferenz des Christlichen Studentenweltbundes am Lake Mohonk im Jahre 1913. Vgl. *World Student Christian Federation* Lake Mohonk Conference 1913 (June 2–8, Report of the Tenth Conference ..., 1913) S. 469.

[36] Vgl. GK 1, *Ch. P. Anderson,* von G, 5.9.1916; GK, *Ch. H. Brent,* von G, 16.6.1916.

[37] Vgl. GK 7, *G. Zabriskie,* von G, 17.5.1916; GK 7, *R. H. Weller,* von G, 27.5.1916; GK 1, *Ch. P. Anderson,* von G, 5.9.1916.

[38] GK, *Ch. H. Brent,* von G, 16.6.1916.

terial für die Weltkonferenz sammeln sollte, indem es von den einzelnen amerikanischen Kirchen Stellungnahmen über die nach dem jeweiligen Verständnis vorhandenen Gemeinsamkeiten mit anderen Kirchen und den das eigene Kirchenleben bestimmenden Unterschieden beschaffen sollte, versuchte der Sekretär für den Ausschuß qualifizierte Theologen zu gewinnen. Das Sammeln und Zusammenfassen des Materials verlangte solide Fachkenntnisse[39]. Auch Rev. Roberts meinte: «It is important that we should have on the Preparation Committee theologians, ecclesiastics, and other persons fitted to be advisers who can act as mediators, should the need arise[40].»

Am 2. Oktober 1916 – Mr. Gardiner war auf dem Weg zur General Convention in St. Louis (Missouri) – traf er sich in New York mit Rev. Smyth und Rev. Remensnyder vom Nominierungsausschuß[41]. Man befaßte sich nochmals ausführlich mit der Zusammensetzung des North American Preparation Committee, das im Blick auf die Kirchen, die jeweiligen theologischen Richtungen und die verschiedenen Gebiete Nordamerikas repräsentativ sein sollte. Am Abend hatte der Sekretär Gelegenheit, eine Stunde bei Kardinal Farley zu verbringen. Am nächsten Tag traf er den Dean der russisch-orthodoxen Kathedrale in New York, von dem er erfuhr, daß Erzbischof Evdokim sich einverstanden damit erkläre, daß zwei russisch-orthodoxe Priester – deren Namen Mr. Gardiner genannt wurden – im North American Preparation Committee mitarbeiteten. Durch diese Mitteilung war ein weiterer Fortschritt erzielt worden. «We are thus assured of having on that Committee, beside Episcopalians and representatives of all the leading American Protestant churches, Roman Catholics, Russians and Armenians, and I believe it has never happened before in the history of Christianity that a Committee has been composed of representatives of so many different Communions all working together for the same purpose[42].» Doch notwendiger als die Zusammensetzung war, daß das North American Preparation Committee in den Vereinigten Staaten den conference spirit stärker zu propagieren imstande war[43].

[39] Auf diese Weise kam z. B. William Adams Brown mit der Faith- and Order-Bewegung in Berührung. Vgl. GK 1, *W. A. Brown,* von und an G, 29.6.1916; 8.8.1916; 12.8.1916; 16.8.1916. W. A. Brown (1865–1943) wurde international bekannt als Professor für systematische Theologie am Union Theological Seminary, New York, und als einflußreiche Persönlichkeit in der ökumenischen Bewegung. Vgl. *Who was who,* 1941–1950, London 1952, S. 150.

[40] GK 5, *W. H. Roberts,* an G, 22.11.1916.

[41] Vgl. GK 5, *G. Wh. Pepper,* von G, 28.9.1916; GK 7, *T. Tatlow,* von G, 30.10.1916.

[42] GK 7, *T. Tatlow,* von G, 30.10.1916; vgl. auch GK, *Ch. H. Brent,* von G, 16.6.1916; GK 5, *G. Wh. Pepper,* von G, 28.9.1916.

[43] Vgl. GK 4, *S. Mather,* von G, 3.11.1916.

Zwar ließ das allgemeine geringe Interesse an der Weltkonferenz Zweifel an einem Erfolg des Vorhabens aufkommen, doch erklärte sich das Mitglied der Kommission der Protestant Episcopal Church, Mr. S. Mather, bereit, die gesamten Kosten für die erste Zusammenkunft des North American Preparation Committee zu übernehmen, wodurch ein guter Start garantiert war. Daran lag Mr. Gardiner viel, gerade angesichts des Eindrucks, den er Mr. J. R. Mott schrieb: « . . . you and I are the only people who thoroughly recognize the very great practical importance of this matter if Christianity is to endure and be extended»[44]. Immerhin beobachtete er, daß das Interesse an der Weltkonferenz sich bei einzelnen verstärke und das bestätigte in ihm die Überzeugung, daß « . . . it will take almost infinite patience and perseverance, but nothing will ever convince me that the hand of God is not in the movement»[45].

Am 13. Dezember fand das letzte Treffen des Nominierungsausschusses statt. Dabei wurde die Mitgliederliste des North American Preparation Committee abgeschlossen und über den Verlauf der ersten Zusammenkunft, die am 23. und 24. Januar 1917 in Garden City stattfinden sollte, beraten[46]. Um die hundert Persönlichkeiten wurden in das North American Preparation Committee gewählt und zu der Zusammenkunft eingeladen[47]. Ihre teilweise zurückhaltende Reaktion entstand aus der ungeduldigen Frage, ob sich eine Mitarbeit überhaupt lohne, da das Vorhaben außer unverbindlichem Gespräch keine sichtbaren Fortschritte zeige und erwarten lasse[48].

Die zweitägige Konferenz des North American Preparation Committee begann am 23. Januar. Mr. Gardiner unterrichtete die Presse darüber in einem Bulletin am 7. Januar[49]. Die Konferenz begann mit einer gottesdienstlichen Feier, bei der Bischof Weller und Bischof Wilson mitwirkten[50]. Dann wurde der Bericht des Nominierungsausschusses, den Mr. Gardiner und Professor Fosbroke nochmals durchgesehen hatten, vorgelegt. Bei der Durchsicht hatten sie empfunden, man sollte den darin gebrauchten Begriff «ecumenical» mit Rücksicht auf Rom nicht gebrauchen. Rev. Smyth meinte, dieser Wunsch rühre her aus der Buhlerei um Rom unter manchen Episkopalisten. Gleich-

[44] GK 5, *J. R. Mott,* von G, 16.11.1916.

[45] GK 4, *S. Mather,* von G, 14.11.1916.

[46] Vgl. GK 7, *G. Zabriskie,* von G, 21.11.1916.

[47] Vgl. GK 3, *A. C. A. Hall,* von G, 28.12.1916; GK 4, *W. T. Manning,* an G, 27.12.1916; GK 1, *W. A. Brown,* an G, 28.12.1916.

[48] Vgl. GK 2, *P. De Schweinitz,* an G, 29.12.1916.

[49] Bulletin Nr. 10, 7. Januar 1917; vgl. Abdruck im *Anhang,* S. 337 f.

[50] Vgl. WCC, *Tribune* (New York City), Januar 1917. Luther Barton Wilson (1856—1928) wirkte als Bischof der Methodist Episcopal Church. Vgl. *A Dictionary of North American Authors,* compiled by W. Stewart Wallace, Toronto 1951, S. 511.

wohl wollte er nicht um Worte streiten. Aber gerade diese Art habe beispielsweise im Federal Council, wie Rev. Smyth von Rev. Ainslie erfahren hatte, weithin die Meinung geschaffen, daß die Episcopal Church, «as represented at least by those men, cared a great deal more for their recognition by Rome than for all the rest of the Christian Churches, and that this feeling had led many to regard the World Conference as utterly hopeless»[51]. Mr. Gardiner konnte auf solche Vorwürfe nur beständig erwidern, daß «the special opportunity of the Protestant Episcopal Church is to be a mediator between the Roman and Eastern Churches and the body of Protestantism»[52].

Der von den Mitgliedern des Nominierungsausschusses unterzeichnete Bericht stellte vor allem fest, daß

«it has never happened, since Christianity became divided, that members of so many communions have met together, not for controversy, not to assail each other's supposed errors, not to assert in arrogance of self-opinion the truths they severally hold, but, in an earnest, humble, Christ-like spirit, not only so to set forth the precious things of which God has made them stewards that their value may be recognized by the brethren who perhaps do not appreciate them fully, but also to try earnestly each to understand the positions of other Christian communions from which his own has been separated by centuries of religious warfare»[53].

Diesen Versuch wolle man jetzt bei der Vorbereitung der Weltkonferenz für Fragen des Glaubens und der Kirchenverfassung unternehmen. Der Bericht forderte deshalb dazu auf, in den Kirchen Ausschüsse zur Abfassung von theologischen Stellungnahmen einzusetzen, wie es die North American Preparatory Conference 1916 beschlossen hatte. Denn um den Weg für die Weltkonferenz – ein ‹General Council›, wie es die Reformer in der vorreformatorischen Zeit wollten, «as ecumenical as possible» – zu ebnen, sei erforderlich

«of our several communions a thorough reconsideration and mutual comparison of their distinctive positions; we are to search diligently until we find in all our beliefs their real values in religious experience, which are not to be lost. We look to the combined historical and theological scholarship of our several communions to do this indispensable preliminary work. It may not effect, it can prepare the way for, the coming reconciliation of the Churches»[54].

Für die Abfassung der theologischen Stellungnahmen machte Mr. Gardiner in einer kurzen Rede verschiedene Vorschläge, wobei er als wesentlich erneut ein gemeinsames Bekenntnis zur Inkarnation und zur Trinität betonte. Diese Tatsachen bildeten den Grund, von

[51] GK 6, *N. Smyth,* an G, 4.1.1917.

[52] GK 6, *N. Smyth,* von G, 5.1.1917.

[53] *The Living Church,* 24.2.1917, S. 553: The Approaching World Conference on Faith and Order.

[54] Ebenda.

dem aus dann jede Stellungnahme in der notwendig erscheinenden Weise erweitert werden könne[55].

Mr. Zabriskie, der nach ihm vor der Konferenz nochmals über den Grund der Einsetzung dieses North American Preparation Committee sprach und dessen Aufgabe und Stellung im Rahmen der gesamten Vorbereitungsarbeit darstellte, unterstrich die Bedeutung der Abfassung theologischer Stellungnahmen und ihrer Bearbeitung als die hauptsächliche Aufgabe. Als Hilfe empfahl er die Berücksichtigung der historischen Bekenntnisse, besonders des nicänischen[56].

Den Einführungsansprachen, denen die konkrete Lage und die nächstliegende Aufgabe zugrunde lagen, folgten zwei Vorträge, die sich grundsätzlicher und ausführlicher mit der Vorbereitungsarbeit befaßten. Rev. N. Smyth sprach zu dem Thema «The Need of Thorough Preparation»[57]. Die verschiedenen Einigungsversuche vom 16. bis zum 18. Jahrhundert, die fehlgeschlagen waren, zeigten ihm, daß deren Beteiligte jeweils «held a disputation, and not a conference». Im Blick auf die Weltkonferenz versuchte er, von der Geschichte her darum Anregungen für eine gründliche Vorbereitung zu geben. Zunächst bezeichnete er «clarity and charity» als die für echtes Gespräch notwendige Methode. Wo keine Klarheit der Aussagen und gleichzeitig Brüderlichkeit herrschten, da falle man in «a series of attacks and counter attacks». Er empfahl das vergleichende Studium und die «genetische» Methode des Forschens, das heißt bei allen Verschiedenheiten nach dem Ursprung und der Entstehung zurückzufragen. Er erinnerte daran, daß man immer auch die Werte der lebendigen religiösen Erfahrung in den Glaubensweisen in Rechnung stellen müsse. Die Berücksichtigung dieser Methoden hielt er für entscheidend für die Vorbereitungsarbeit, von der er sagte: «The larger and longer educational preparation among all our churches will require many individual efforts, renewed irenic studies, as well as not a few historical and critical publications. It is now much to be desired that the winnowed results of modern scholarship concerning these matters should be gathered up and presented in readable forms to the people[58].» Als konkreten Fall, an dem die Methoden zu bewähren sein würden, nannte er die Frage der Ordination. «It will meet us finally at the World Conference. It is, therefore, quite indispensable that we

[55] Ebenda; vgl. die Vorschläge Mr. Gardiner's im *Anhang*, S. 374 f.

[56] Vgl. *Christian Union Quarterly*, April 1917, S. 24 ff.; The World Conference on Faith and Order, von R. H. Gardiner; vgl. auch WCC, *Tribune*, (New York City), Januar 1917.

[57] Vgl. *The Constructive Quarterly*, Band V, 1917, S. 707 ff.: dort ist der Vortrag von Rev. Smyth unter dem Titel «Preparation for the World Conference» abgedruckt.

[58] Ebenda, S. 714.

should be ready then to set the question of orders in its right place and importance in relation to religious values which are primary or derivative, vital or instrumental[59].» Auch er unterstrich es, daß «all communions are to meet together, for the purposes of conference, on equal footing». Anders gäbe es keine Weltkonferenz. Doch mit diesem Wissen gelte es im eigenen Bereich sich vorzubereiten: «At the meeting here last January the several Commissions announced in unmistakable terms a declaration of the ‹Spiritual Basis of the World Conference›. Without authority to summon the East and the West and all communions of the Dispersion to a General Council, an invitation has gone forth to the ends of the world to unite in a general conference, as ecumenical as the Spirit of Christ may vouchsafe it to become. Upon this foundation, already so broadly and so wisely laid, we are henceforth to build our American part towards its completion.»[60]

Im zweiten Vortrag sprach Rev. R. Calkins über das Thema, das ihn schon lange beschäftigte, den historischen Annäherungsversuch an die Frage der Einheit[61]. In zweierlei Richtungen sollte dieser gehen: einmal sollte er Abschnitte der Kirchengeschichte, in denen Unterschiede ihren Ursprung haben, sorgfältig untersuchen, und andererseits sollte eine historische Erklärung der Ursprünge der unterschiedlichen Gedanken in den Kirchen unternommen werden. Historische und psychologische Erkenntnisse zeigten nämlich – das war seine These – «the entire compatibility of those seemingly opposite ideas of the Church for which the separate communions stand and to which they witness»[62]. Sein Vortrag war ein Appell zu historischer Arbeit.

Den verschiedenen Referaten folgte eine ausführliche Aussprache, bei der es teilweise recht lebhaft zuging. Im Mittelpunkt stand der Vorschlag über die theologischen Stellungnahmen der verschiedenen Kirchen. Man konnte bei der Aussprache einen Vorgeschmack davon bekommen, wie verschiedene Haltungen bei der Weltkonferenz aufeinander treffen würden und was das für Schwierigkeiten bringen würde[63]. Immer wieder wurde darum gebeten, den Stellungnahmen nicht einen kontroversen Charakter zu verleihen. Denn Kontroversen sollten bei der Weltkonferenz auf jeden Fall vermieden werden[64]. Das

[59] N. Smyth, Preparation for the World Conference, in: *The Constructive Quarterly,* Band V, 1917, S. 715.

[60] Ebenda, S. 718.

[61] Vgl. *The Constructive Quarterly,* Band V, 1917, S. 467 ff.: The Historical Approach to the Problem of Church Unity, von R. Calkins. (Vgl. diesen Vortrag später überarbeitet in: N. Smyth, ed. und W. Walker, ed., Approaches Towards Church Unity, New Haven, 1919, S. 74 ff.)

[62] Ebenda, S. 474.

[63] Vgl. GK 1, *W. C. Bitting,* an G, 30.1.1917.

[64] Vgl. Rev. *T. B. Rogers* in WCC, *Tribune* (New York City), Januar 1917.

Ende der Aussprache brachte die Wahl eines Exekutivausschusses[65].

Am Schluß der Konferenz, bei der Bischof Anderson und Rev. Manning nicht anwesend waren, ergriff auch Mr. J. R. Mott das Wort und nannte diese Zusammenkunft und die durch den Krieg entstandene Zusammenarbeit ein gutes Zeichen auf dem Weg zu christlicher Einheit[66]. Der neugewählte Exekutivausschuß des North American Preparation Committee trat schon am 23. Februar 1917 zur ersten Sitzung in New York zusammen. Bischof L. B. Wilson wurde zum Vorsitzenden gewählt, Mr. Gardiner zum Sekretär. Hauptsächlich beschäftigte man sich bei der Sitzung mit den Finanzen und der Öffentlichkeitsarbeit. Den schon alten Vorschlag, für den sich Rev. Smyth auch bei der Zusammenkunft im Januar in Garden City eingesetzt hatte, daß man Veröffentlichungen herausbringen und eine «educational campaign» einleiten solle, nahm man auf. Rev. Smyth wurde zum Vorsitzenden eines Publikationsausschusses gewählt[67]. Außerdem bestimmte man einen Ausschuß zur Durchführung von ‹round table conferences›[68]. Die Arbeit sollte allerdings erst bei Vorhandensein genügender finanzieller Mittel begonnen werden. Die benötigte Summe sollte nicht von der Kommission der Protestant Episcopal Church, sondern gemeinschaftlich aufgebracht werden. Sekretär Gardiner berichtete: «The Commission of the Episcopal church has appropiated 2500 Dollars as a subscription towards a total sum of 10 000 Dollars as a general fund for the expenses of the North American Preparation Committee, payable when 10 000 Dollars shall have been raised or pledged; and the executive committee has voted that 10 000 Dollars is the amount to be secured to enable it to establish its work on an efficient basis. The executive committee of course cannot undertake much work until that sum is raised, so that its publications and the able conferences must be deferred until then.»[69]

Nach den Vorstellungen der North American Preparatory Conference sollte durch die Einsetzung des North American Preparation Committee, durch die Benennung von Vertretern in einen Council of Commissions und in einen theologischen Fachausschuß, den Board of

[65] Vgl. Bulletin Nr. 11, 10.2.1917 im *Anhang*, S. 338 f.; vgl. auch *Christian Union Quarterly*, April 1917: dort werden erstmals Namen von römisch-katholischen Persönlichkeiten in öffentlichen Verlautbarungen als Mitarbeiter genannt.

[66] Vgl. WCC, *Evening Sun* (New York City), 24.1.1917; GK 1, *L. H. Baldwin*, an G, 30.1.1917.

[67] Vgl. GK 6, N. Smyth, an G, 30.1.1917, 17.2.1917; vgl. die Namen der Mitglieder des Ausschusses in *Christian Union Quarterly*, April 1917, S. 26.

[68] Vgl. die Namen der Mitglieder, in *Christian Union Quarterly*, April 1917, S. 26.

[69] *Christian Union Quarterly*, April 1918, S. 26: in «The World Conference on Faith and Order», von R. H. Gardiner; vgl. auch GK 6, *F. L. Stetson*, von und an G, 19.2.1917, 20.2.1917, 28.2.1917, 8.3.1917.

Advisers, dessen Themen auch schon genannt worden waren, die weitere Vorbereitung in gemeinsamer Tätigkeit der Kommissionen der verschiedenen Kirchen geschehen[70]. Der organisatorische Aufbau wirkte dabei recht kompliziert. Der Council of Commissions, dem man die endgültige Vorbereitung der Weltkonferenz übertragen wollte, sollte repräsentativ für die Kirchen sein. Deshalb sollte dafür jede Kirche einen Vertreter und weitere für je 500 000 Mitglieder delegieren. Dem Council of Commissions sollte mit dem Board of Advisers eine Art theologischer Beirat zur Verfügung stehen. Das frühere Advisory Committee und in Garden City umbenannte Cooperating Committee war ausschließlich zur Kontakterleichterung gedacht. Ihm sollten zwei bis drei Vertreter der verschiedenen Kommissionen angehören, mit denen Sekretär Gardiner schnell in brieflichen und mündlichen Kontakt treten konnte, wenn eine Frage oder ein Vorschlag vorlag, der eine Diskussion in den jeweiligen Kommissionen erforderte. Das North American Preparation Committee schließlich bildete einen auf den nordamerikanischen Kontinent beschränkten Ausschuß, der in diesem Bereich die Sache der Weltkonferenz weiter verfolgen sollte, solange der Krieg in anderen Gebieten der Welt, vor allem Europa, die Vorbereitung hinderte[71]. Gemeinsam sollten diese verschiedenen Ausschüsse die Vorbereitung der Weltkonferenz auf der gemeinschaftlichen und thematischen Ebene voranbringen.

Trotz der verheißungsvollen Anfänge unternahm das North American Preparation Committee in den folgenden Jahren praktisch nichts. Der Vorsitzende des Exekutivausschusses des North American Preparation Committee, Bischof L. B. Wilson, weilte nach dem Eintritt der Vereinigten Staaten in den Krieg in Europa, so daß dieser Ausschuß ebenfalls passiv blieb[72]. Als bei einer Sitzung des North American Preparation Committee am 20. Februar 1918 über das mangelnde Interesse an der Weltkonferenz – vor allem unter Protestanten – lamentiert wurde, konnte nur festgestellt werden, daß eine Änderung dieses Zustands durch den Ausschuß selber herbeigeführt werden müsse[73]. In einem Gespräch mit Bischof Wilson am 3. Dezember 1918 betonte Mr. Gardiner diesem gegenüber, daß «... the future of the

[70] Vgl. das von der North American Preparatory Conference verabschiedete Dokument im *Anhang*, S. 370 ff.

[71] Vgl. GK 3, *A. C. A. Hall*, an und von G, 23.12.1916; 28.12.1916; GK 6, *N. Smyth*, an und von G, 1.2.1917; 5.2.1917; 7.2.1917; vgl. auch *The Constructive Quarterly*, Band IV, 1916, S. 223 f.: in S. D. Schaff, The Movement Towards Church Unity.

[72] Vgl. *Minutes Ex Comt*, 13.9.1918.

[73] Vgl. GK 5, *E. L. Parsons*, von G, 21.2.1918; GK 5, *W. H. Roberts*, an G, 9.2.1918; GK 6, *N. Smyth*, an G, 14.2.1918; GK 6, *R. E. Speer*, von G, 2.4.1918.

World Conference movement depends very largely on the North American Preparation Committee, and that that Committee cannot accomplish much unless it has some money to meet expenses»[74]. Doch bekam das North American Preparation Committee keine Bedeutung mehr bis zur Vorkonferenz des Jahres 1920 in Genf.

3. Im Rahmen der Kommission der Protestant Episcopal Church unternommene Weiterarbeit

a) Allgemeines

Die besondere Aufgabe der Kommission der Protestant Episcopal Church blieb weiterhin die formale Vorbereitungsarbeit der Schaffung von Interesse am Vorhaben der Weltkonferenz, die Aufnahme und Pflege von mündlichen und schriftlichen Kontakten und die Verschickung von Einladungen zur Mitarbeit. Allerdings blieb die Kommission während der ganzen Kriegsjahre weitgehend inaktiv[75]. Sie verharrte in abwartender Haltung und umging Entscheidungen. Das bedauerte Mr. Gardiner, besonders auch, nachdem durch das Ergebnis der North American Preparatory Conference für die Arbeit ein neuer Anstoß gegeben worden war. Er betonte, daß für dieses Verhalten der Kommission nur eine Minderheit der Mitglieder verantwortlich sei. Doch seien diese zu den Hochkirchlern gehörenden Mitglieder bei allen Sitzungen anwesend und bildeten so öfters die Mehrheit. Durch vorgeschobene Argumente wie der Forderung nach sparsamem Gebrauch der vorhandenen Gelder und darum der Ablehnung weiterer Veröffentlichungen, oder durch ständige Wortmeldungen verhinderten sie jeden Fortschritt. Er hatte den Eindruck, daß durch diese Taktik das Vorhaben der Weltkonferenz langsam aus dem öffentlichen Bewußtsein verschwinden und dann aufgegeben werden sollte[76]. Bemerkenswerterweise neigten von den Pfarrern der Kommission außer Rev. A. Mann alle der hochkirchlichen Gruppe in der Protestant Episcopal Church zu[77].

Mr. Gardiner beantragte auf Grund dieser Situation bei der Neukonstituierung der Kommission nach der General Convention im Jahre 1916 eine Erweiterung. Doch wurde dieser Antrag abschlägig beschieden. Lediglich für Mr. S. Low, der im September 1916 starb

[74] GK 6, *R. E. Speer,* von G, 27.11.1918.

[75] Vgl. GK, *Ch. H. Brent,* von G, 10.7.1918.

[76] Vgl. GK 6, *F. L. Stetson,* von G, 2.11.1916; GK 5, *G. Wh. Pepper,* von G, 28.9.1916; GK 3, *A. C. A. Hall,* von G, 1.5.1916.

[77] Vgl. GK 7, *G. Zabriskie,* 6.10.1911.

und dessen Verdienste um die Kommission in einem von Bischof Greer und Mr. Zabriskie verfaßten Nachruf festgehalten wurden[78], wählte man Mr. R. F. Cutting[79] nach. Ein anderer Antrag des Sekretärs, die Protokolle der Sitzungen, die bis zum Jahre 1914 gedruckt worden waren, auch weiter drucken zu lassen, wurde von der Kommission ebenfalls abgelehnt[80].

Durch die passive Haltung in der Kommission verlor das Committee on Literature weitgehend seine Bedeutung, und es wurden fast nur noch offizielle Berichte veröffentlicht[81]. Die Aufforderung zu Publikationen von Rev. Smyth bei der North American Preparatory Conference wurde nicht aufgenommen. Seine Meinung, daß vor allem «a series of small books that would have been irenical and illuminating» für die Weltkonferenz hilfreich sei, führte zu keiner Entscheidung, so daß er nur bedauern konnte, daß die Protestant Episcopal Church «has been afraid for various reasons to enter upon any campaign of education and has been unwilling to print articles prepared even by their own number»[82].

Das Gespräch im Committee on Literature wurde noch geführt über das ‹Manual of Prayer›, das bei einer Neuauflage auf die Bitte eines römisch-katholischen Geistlichen hin auch Mitgliedern seiner Kirche gesandt werden sollte. Dafür verfaßte Mr. Gardiner eine Erklärung, die vom Exekutivausschuß genehmigt wurde[83]. Noch immer war keine Entscheidung darüber gefallen, ob der von Rev. Bliss für die Kommission verfaßte ‹Survey of the Divisions of Christendom› veröffentlicht werden sollte. Nach verschiedenen Beratungen[84] unterbreitete das Committee on Literature seinen Vorschlag, über den die Kommission in der Sitzung am 12. April 1917 abstimmte. Man hielt eine Veröffentlichung wegen der theologischen Stellungnahmen, die nun von den einzelnen Kirchen angefertigt werden sollten, nicht mehr für nötig. Zusammen mit einem Entgelt für die Arbeit wurde das Manuskript dem Verfasser zur freien Verfügung zurückgegeben[85].

[78] Vgl. *Minutes Com,* 7.12.1916; *Minutes Ex Comt,* 9.11.1916; GK 7, *G. Zabriskie,* an G, 8.12.1916, Beilage; vgl. auch *The Living Church,* 23.9.1916, S. 370: Death of Seth Low.

[79] Vgl. *Minutes Com,* 7.12.1916; vgl. auch *Minutes Ex Comt,* 9.11.1916; Robert Fulton Cutting (1852–1934) war als Finanzmann, der in vielen öffentlichen, sozialen und kirchlichen Angelegenheiten Verantwortung übernahm, eine bekannte Persönlichkeit. Vgl. *Dictionary of American Biography,* edited by Harris E. Starr, Band XXI, Supplement One (To December 31, 1935), London, 1944, S. 216 f.

[80] Vgl. *Minutes Com,* 27.4.1916.

[81] Vgl. GK 3, *F. J. Hall,* an G, 8.1.1916.

[82] GK 6, *N. Smyth,* an G, 29.1.1917.

[83] Vgl. *Minutes Ex Comt,* 9.11.1916.

[84] Vgl. GK 3, *F. J. Hall,* von G, 3.7.1916; *Minutes Ex Comt,* 9.11.1916.

[85] Vgl. *Minutes Com,* 12.4.1917.

Während die Kommission außer einem Bericht von der North American Preparatory Conference und dem Bericht an die General Convention[86] keine Veröffentlichungen herausgeben ließ, versuchte Mr. Gardiner die Weltkonferenz aus eigener Initiative publizistisch im Gespräch zu halten. In unregelmäßiger Reihenfolge erschienen die Bulletins, in denen er den Stand der Vorbereitungsarbeit und allgemeine Informationen weitergeben wollte[87]. Er verschickte Literatur und regte zur Veröffentlichung von Artikeln, die sich mit dem Vorhaben der Weltkonferenz befaßten, in verschiedensten Zeitschriften und Zeitungen an[88]. Er griff selber zur Feder und schrieb Artikel[89], in denen er den Gedanken der Weltkonferenz zu erklären versuchte. «It should be distinctly understood that the World Conference is not an effort for directly constructive work toward the reunion of Christendom. It is too soon for that. The first thing to do is to remove our ignorance of each other and our prejudices[90].» Aber auch wenn über die Frage notwendiger sichtbarer Einheit noch nicht das Gespräch eingesetzt hatte, betonte Mr. Gardiner: «The visible unity of Christians is the potent evidence necessary to convince the convert mankind to the Lord of life and love[91].» Die Inkarnation als die entscheidende Offenbarung der Liebe Gottes stellte er als die gemeinsame Grundlage für Christen heraus. Seinem Vorschlag allerdings, den Artikel eines römisch-katholischen Theologen, der ihm sehr eindrücklich war, unter dem Titel «Suggestions for a Paper or Discourse on the Significance of the Incarnation for Present World Needs» an die gesamte Adressenliste als Anregung zur Beschäftigung mit diesem Thema zu schicken, lehnte die Kommission ab[92].

Wenn die Kommission bei der Öffentlichkeitsarbeit sich auch im großen und ganzen passiv verhielt, beschäftigte sie sich mit weiteren Kirchen, die an der Vorbereitung der Weltkonferenz teilnehmen wollten, ausführlich. Dabei wurde das Standing Committee on Applications from Religious Bodies bedeutsam, weil sein Urteil das Verhalten gegenüber den meist kleinen und verhältnismäßig unbekannten

[86] Vgl. *Heft 30* und *Heft 31*.

[87] Vgl. die Bulletins im *Anhang*, S. 326 ff.

[88] Vgl. z. B. *Ekklesiastikos Pharos*, Anfang 1916: GK 1, *H. Alivisatos*, an G, 23.3.1916; *Neue Zürcher Zeitung*, 23.4.1916; Kleine Mitteilungen. Der Plan einer kirchlichen Weltkonferenz und einer Kirchenunion.

[89] Vgl. *IKZ*, 1916, S. 56 ff.: «L'union des Eglises et l'initiative américaine de la ‹World Conference›», von R. H. Gardiner; *IKZ*, 1917, S. 60 ff.: «La ‹World Conference› et le Protestantisme Américain», von R. H. Gardiner.

[90] *Christian Union Quarterly*, April 1918, S. 27, in: The World Conference on Faith and Order, von R. H. Gardiner.

[91] Ebenda, S. 30.

[92] Vgl. *Minutes Com*, 5.12.1918; vgl. auch *Minutes Ex Comt*, 13.9.1918; GK 1, *P. Ainslie*, an G, 21.11.1918; GK 5, *Ph. M. Rhinelander*, von G, 13.12.1918.

Kirchengemeinschaften wesentlich beeinflußte. Unter dem Vorsitz von Bischof Hall gehörten ihm Bischof Brewster, Professor Hall, Professor Fosbroke und Mr. Zabriskie an[93]. Der Ausschuß schlug zum Beispiel vor, von der United Christian Conference, der Presbyterian Church in Korea, der (Presbyterian) Synod of the Evangelical Church in Persia und der (Presbyterian) Missionary Synod of the New Hebrides nur die Presbyterian Church in Korea zuzulassen. Die Begründung war, solch kleine abgespaltene Gruppen sollte man eher mit größeren Kirchen der eigenen Konfession als zur selbständigen Beteiligung an der Weltkonferenz ermuntern. Außerdem würde eine Vielzahl solch kleiner Kirchen auf der Liste eine mögliche Teilnahme der großen historischen Kirchen leicht verhindern[94]. Der Ausschuß sprach sich auch dafür aus, die Congregational Church und die Dutch Reformed Church in Südafrika zur Teilnahme aufzufordern[95]. Die Frage der Einladung verschiedener kleiner syrischer Kirchen wurde abschlägig beschieden, weil zunächst die großen Kirchen – die griechische und russische orthodoxe – eingeladen werden müßten, bevor billigerweise diese kleinen Kirchen orthodoxer Tradition zur Teilnahme aufgefordert werden dürften[96].

Die Kommission bemühte sich um die Erfüllung der von der North American Preparatory Conference an alle Kommissionen ergangenen Forderungen. Für den Council of Commissions bestimmte sie nach längerer Zeit als ihre Vertreter Bischof Anderson, Mr. Zabriskie und Professor Fosbroke[97]. Schon viel früher hatten eine Reihe anderer Kommissionen die Vertreter für diesen Council benannt[98].

Zur Abfassung der theologischen Stellungnahme über die Vorstellungen von Faith and Order der Protestant Episcopal Church, die von der North American Preparatory Conference erbeten worden waren, wurde ein Ausschuß mit Professor Hall, Bischof Hall und Professor Fosbroke benannt, der sich selber noch erweitern konnte[99]. Erst bei der Sitzung der Kommission am 6. Dezember 1917 legte Bischof Hall einen Bericht des Ausschusses vor, der vertraulich allen Mitgliedern

[93] Vgl. *Minutes Com,* 27.4.1916; vgl. auch GK 3, *A. C. A. Hall,* von G, 1.5.1916.

[94] Vgl. *Minutes Com,* 12.4.1917.

[95] Vgl. Bericht des Standing Committee, Anhang, in GK 3, *A. C. A. Hall,* an G, 7.6.1917; vgl. zum ganzen auch GK 3, *A. C. A. Hall,* von G, 4.5.1917; 12.5.1917; *Minutes Com,* 14.6.1917; *Minutes Ex Comt,* 3.5.1917.

[96] Vgl. Bericht des Standing Committee, Anhang, in GK 3, *A. C. A. Hall,* an G, 7.6.1917; vgl. auch *Minutes Com,* 6.12.1917; GK 3, *A. C. A. Hall,* an G, 19.7.1917.

[97] Vgl. *Minutes Com,* 6.12.1917; vgl. auch *Minutes Ex Comt,* 10.2.1916.

[98] Vgl. *Minutes Com,* 27.4.1916; dort werden aufgeführt: Society of Friends in America, Disciples of Christ (America), General Synod of the Evangelical Lutheran Church in USA., Methodist Church in Canada, Moravian Church in America (Northern Province), Presbyterian Church in U.S.A.

[99] Vgl. *Minutes Com,* 27.4.1916.

zugesandt wurde[100]. Sie konnten sich dazu äußern. Mr. Gardiner, der den Entwurf für gut hielt, stimmte bei der Diskussion sogar einer Vorrangstellung des Bischofs von Rom zu, wenn sonst ein demokratischer, kirchlicher Aufbau bestimmend wäre. «I still think we might find some way of stating our readiness to recognize some kind of primacy in the See of Rome, provided it was subject to the democratic principle which seems to me to be a part of the Constitution of the Church, so as to safeguard the idea that the Pope might be the mouthpiece, without committing ourselves to the Roman position that he is not only the mouthpiece, but practically the mind[101].» Rev. Parsons empfand demgegenüber den Entwurf für viel zu katholisch ausgerichtet und kritisierte die Zusammensetzung des Ausschusses. Nach dieser theologischen Stellungnahme hielt er es nicht für verwunderlich, wenn die Kommission als Sprachrohr der extrem katholischen Gruppe in der Protestant Episcopal Church angesehen wurde[102]. Ein im Lichte der Diskussion revidierter Text lag der Kommission am 9. April 1918 vor. In ihrer Gesamtheit wurde die Stellungnahme von der Kommission angenommen. Nur einzelne Teile sollte der Ausschuß nochmals überarbeiten, wozu man Änderungsvorschläge schikken konnte[103]. Die endgültige Fassung, die gedruckt und an den Exekutivausschuß des North American Preparation Committee gesandt wurde, nahm die Kommission in der Sitzung am 5. Dezember 1918 an[104].

Auch andere Kirchen arbeiteten an theologischen Stellungnahmen. Als erste Kirchengemeinschaft veröffentlichten die Seventh Day Baptists eine Stellungnahme zu den Fragen von Faith and Order[105]. Weitere Kirchen – so konnte Sekretär Gardiner im April 1917 berichten – hatten zur Abfassung von theologischen Stellungnahmen Ausschüsse eingesetzt[106]. Ende des Jahres 1917 hielt Mr. Gardiner es allerdings für nötig, nochmals alle Kommissionen durch einen Rundbrief an die Abfassung dieser Stellungnahmen zu erinnern. Denn nur wenige waren eingetroffen[107].

[100] Vgl. *Minutes Com,* 6.12.1917; vgl. auch GK 3, *A. C. A. Hall,* von G, 14.12.1917; 18.12.1917.

[101] GK 3, *A. C. A. Hall,* von G, 11.1.1918; vgl. auch GK 5, *E. L. Parsons,* von G, 21.2.1918.

[102] Vgl. GK 5, *E. L. Parsons,* an G, 14.2.1918.

[103] Vgl. *Minutes Com,* 9.4.1918; vgl. den Abdruck der endgültigen Fassung der Stellungnahme im *Anhang,* S. 375 ff.

[104] Vgl. *Minutes Com,* 5.12.1918.

[105] Vgl. The Sabbath Record, 5.3.1917, erwähnt in GK 6, *E. Shaw,* von G, 21.3.1917.

[106] Vgl. *Minutes Com,* 12.4.1917; dort sind sämtliche Kirchengemeinschaften namentlich aufgeführt.

[107] Vgl. GK 1, *L. H. Baldwin,* von G, 6.11.1917.

Daß Mr. Gardiner sich immer wieder darum bemühte, daß ein vollamtlicher Exekutivsekretär eingesetzt würde, sei schließlich angemerkt. Nach der North American Preparatory Conference war sein Gedanke, der Kommission dafür Bischof Brent zu empfehlen. Dieser sollte dann vor allem in den Vereinigten Staaten reisen und Ziel und Methode der Weltkonferenz erklären. Gleichzeitig, so dachte Mr. Gardiner, konnte er die Leitung des North American Preparation Committee übernehmen. Doch bestand bei manchen Mitgliedern der Kommission Mißtrauen gegenüber Bischof Brent auf Grund seiner früheren Äußerungen, die sie für zu gewagt hielten, und Mr. Gardiner schlug ihn mit der Begründung nicht vor: «I have to be pretty careful to be not too vigorous in opposition to the Catholics lest I should lose the very trifling support they are giving to the movement[108].» So wurde erst im Jahre 1918 von der Kommission ein Associate Secretary gewählt, doch der gewählte Kandidat lehnte ab[109]. Daraufhin erklärte sich Rev. Rogers bereit, diese Funktion eine zeitlang auszuüben. Die Kommission ernannte ihn vom 1. März 1919 an bis zur Rückkehr der Deputation nach Europa, der er angehörte, zum Sekretär. Schließlich wurde beschlossen, Mr. Ralph W. Brown, der Mr. Gardiner schon seit dem Jahre 1913 gelegentlich half, dem Sekretär mit einem ordentlichen Gehalt als Assistenten zur Verfügung zu stellen[110].

b) Kontakte zur Vorbereitung der Weltkonferenz

Während die Kommission in den Kriegsjahren kaum Aktivität entwickelte, versuchte Mr. Gardiner die geplante Weltkonferenz immer wieder ins Gespräch zu bringen und in der Vorbereitung dafür Fortschritte zu erzielen. Hat Bischof Brent die Bewegung ins Leben gerufen, so muß man Mr. Gardiner als den getreuen Ekkehard bezeichnen, ohne den die Bewegung für eine Weltkonferenz wahrscheinlich den ersten Weltkrieg nicht überdauert hätte. Zwar würdigte man seinen Einsatz, auch anläßlich der North American Preparatory Conference in Garden City im Jahre 1916: «His activity, in thought and in correspondence, has been simply prodigious. Let the American Church thoroughly appreciate how much we owe to him[111].» Doch

[108] GK 6, *F. L. Stetson,* von G, 2.11.1916; vgl. auch GK 3, *A. C. A. Hall,* von G, 29.7.1916; GK 4, *S. Mather,* von G, 3.11.1916; GK 7, *G. Zabriskie,* von und an G, 30.10.1916 und 31.10.1916.

[109] Vgl. *Minutes Com,* 5.12.1918; *Minutes Com,* 24.4.1919; vgl. auch GK, *Ch. H. Brent,* von und an G, 31.7.1918; 11.9.1918; 15.11.1918.

[110] Vgl. *Minutes Com,* 16.10.1919.

[111] *The Living Church,* 15.1.1916, S. 376, in: The Garden City Conference, Kommentar.

eiferte man ihm nicht nach, der er ehrenamtlich und neben einem voll auslastenden Beruf als Rechtsanwalt her sich für die Weltkonferenz einsetzte.

Seine wesentliche Tätigkeit blieb die Kontaktnahme. Diese Aufgabe führte er gewissenhaft aus. Im Jahre 1918 konnte er schreiben, daß durch die in der ausgedehnten Korrespondenz[112] geknüpften Kontakte trotz des Verhaltens der Kommission in den vergangenen Jahren Fortschritte erzielt worden seien und das Interesse an der Weltkonferenz außerhalb der Vereinigten Staaten vielleicht größer sei als innerhalb[113]. Die Korrespondenz führte er nach allen Himmelsrichtungen, vor allem aber mit Europa und dem Nahen Osten in den Gebieten, die außerhalb der direkten Kriegszone lagen. Da für das Vorhaben der Weltkonferenz die Teilnahme der römisch-katholischen Kirche und der russisch-orthodoxen Kirche äußerst wichtig war, versuchte Mr. Gardiner besonders mit Persönlichkeiten dieser Kirchen zu korrespondieren und Kontakte zu pflegen, soweit es die Kriegslage zuließ. Das Bewußtsein um die Bedeutung der Teilnahme dieser historischen Kirchen war auch der Grund, warum die Kommission während des Krieges immer wieder überlegte, ob es der Augenblick nicht zulasse, eine Deputation nach Rom und nach Rußland zu schicken.

1. Rom

Auf das Verhältnis von römischen Katholiken zur Weltkonferenz hatte die Verlesung der von Kardinal Gasparri im Auftrag des Papstes Benedikt XV geschriebenen Briefe[114] durch Mr. Gardiner bei der North American Preparatory Conference eine gewisse Wirkung. Auch wenn das Echo auf diese Briefe in der Presse und bei den Teilnehmern unterschiedlich war[115], so wurde der Papst im öffentlichen Bewußtsein auf jeden Fall in eine Verbindung zur geplanten Weltkonferenz gebracht. Das empfand man schon als Fortschritt, und zumindest in der Protestant Episcopal Church stimmte man allgemein dem Kommentator zu, der schrieb:

«The letter from the Vatican undoubtedly reads as uncompromisingly Papal as any utterance could easily be. But why should it not? Each body in Christendom

[112] Vgl. GK 6, *F. L. Stetson,* von G, 2.11.1916; *Minutes Ex Comt,* 9.11.1916.

[113] Vgl. GK 4, *S. Mather,* von G, 15.11.1918.

[114] Vgl. im *Anhang,* S. 360 ff.: die Briefe von Kardinal Gasparri vom 18.12.1914 und 7.4.1915.

[115] Vgl. GK 6, *N. Smyth,* an G, 7.1.1916; GK 1, *E. H. Bliss,* an G, 9.2.1916; vgl. auch die Zitate von Vertretern verschiedener Kirchen in: WCC, *American* (New York), 6.1.1916.

must enter the World Conference, if it enters at all, as it is. The Papal Church is the Papal Church. That is part of the problem of unity. The Papacy is a force to be reckoned with. The point is, the Papal Church, without ceasing to be Papal, has deemed it proper to answer with real cordiality, the overture from a non-Papal Church. Is not that something? In view of the history of past centuries, is it not much?»[116]

Aus der Aufgeschlossenheit, die man in den Briefen Kardinal Gasparris feststellte, versuchte man eine größere Offenheit von Papst Benedikt XV gegenüber der Bemühung um christliche Einheit zu erkennen. Vor allem mit Papst Leo XIII wurde er verglichen, der während seines Pontifikats zur Frage christlicher Einheit verschiedentlich Stellung nahm[117]. Ein Urteil lautete: «Everything seems to show that Pope Benedict XV follows the tradition of Leo XIII[118].»

Man muß voraussetzen, daß für die römisch-katholische Kirche in jenen Jahren christliche Einheit nur möglich war durch die Rückkehr aller Christen unter die Herrschaft Roms. Von Interesse sein konnte deshalb allein, wie offen und wie bereit man auf römisch-katholischer Seite angesichts dieses Anspruchs zum Gespräch über die Frage der Einheit war. Daraufhin beobachtete man die Äußerungen des Vatikans. Aufmerksam wurde die Tatsache zur Kenntnis genommen, daß Benedikt XV am 15. April 1916 ausdrücklich zum Gebet für christliche Einheit aufrief[119]. Zwar lag dem Aufruf besonders die Einheit zwischen Rom und den orthodoxen Kirchen des Ostens am Herzen, doch schrieb Father A. Palmieri:

«The Pope begins by calling into the ecumenical fold of the Roman Catholic Church the flock that stands nearest its walls, that is, those members of the Christian family who preserve the largest part of the complete inheritance of the Catholic Faith, who, by preserving their valid priesthood, have not entirely broken their ties with the mystical Body of Christ. But, in a broader sense, his prayer reaches all the scattered Christian denominations, all the peoples who look upon Christ as the shining emblem of their civilization, as the divine legislator of their ethical and social life.»[120]

Schon vorher hatte Benedikt XV in einem apostolischen Brief am 25. Februar 1916 die Abhaltung der in Amerika von den Graymoor-

[116] *The Living Church,* 15.1.1916, S. 367, in: The Garden City Conference, Kommentar.

[117] Vgl. vor allem: *Satis cognitum,* Rundschreiben über die Einheit der Kirche, 29.6.1896.

[118] *The Constructive Quarterly,* Band VI, 1918, S. 210, in: Pope Benedict XV and the Restoration of Unity, von Mgr. Batiffol.

[119] *Acta Apostolicae Sedis,* Annus VIII, Vol. VIII, Die 5 Maii 1916, Num. 5, S. 137 f.: Oratio ad populos christianos orientis cum ecclesia romana iungendos indulgentiis ditatur.

[120] *The Catholic World* (New York City), Februar 1917, S. 616, in: The Prayer of the Pope for Christian Unity and the Eastern Churches, von F. A. Palmieri.

Brüdern eingeführten Church Unity Octave vom 18. bis 25. Januar unterstützt[121] und bemerkenswerterweise dafür das gleiche Gebet aus der römischen Messe empfohlen, das auch bei der Vorbereitung der Weltkonferenz gebraucht wurde[122]. Solch kleine Zeichen schienen das Interesse des Papstes an der Frage der Einheit anzudeuten.

Unter römischen Katholiken war als Wirkung nach dem öffentlichen Bekanntwerden der Korrespondenz mit dem Vatikan ein stärkeres Interesse und eine intensivere Beschäftigung mit dem Vorhaben der Weltkonferenz augenfällig festzustellen. Sogar das Blatt der Graymoor-Brüder, die sich äußerst papsttreu verhielten, konnte sich jetzt eine Teilnahme römischer Katholiken an der Weltkonferenz vorstellen: «If the representatives of the Holy Father should ultimately attend the World's Conference it will be to obey the instructions of Peter himself[123].»

Mr. Gardiner ermutigte diese Lage. Zunächst versuchte er römisch-katholische Vertreter für die Mitarbeit im North American Preparation Committee zu gewinnen. Trotz ihrer Zusage nahmen allerdings weder Father Wynne noch Father Pace an der Zusammenkunft des North American Preparation Committee am 23. und 24. Januar 1917 in Garden City teil. Als Grund gaben beide unvorhersehbare Arbeitsbelastungen an. Ihre Bereitschaft zur Mitarbeit bekundeten sie dadurch, daß sie sich in den Exekutivausschuß des North American Preparation Committee wählen ließen. Father Wynne war bei der Sitzung des Exekutivausschusses am 23. Februar 1917 auch anwesend und beteiligte sich am Gespräch. Mr. Gardiner empfand diese Teilnahme als weiteren Fortschritt und meinte, daß Father Wynne dafür zumindest die Zustimmung seiner direkten Vorgesetzten haben müsse. Im Blick auf eine Teilnahme Roms an der Weltkonferenz war er voller Hoffnung. «Now we have the public and official participation of a Roman Catholic so prominent that it is probable that his participation must have been approved by his superiors[124].»

Eine ähnlich hoffnungsvolle, offenere und freundlichere Haltung des Vatikans in der Frage christlicher Einheit schien ein Interview von Father F. A. Palmieri anzudeuten, das in amerikanischen Zeitungen Anfang des Jahres 1917 Schlagzeilen machte. Father Palmieri hatte auf Grund persönlicher Kontakte zum Vatikan darin gesagt, daß Papst Benedikt XV die unter Papst Leo XIII begonnene Bewe-

[121] Vgl. *David Gannon,* Father Paul of Graymoor, New York, 1951, S. 257 f.

[122] Vgl. WCC, *Denver Catholic Register,* 1.6.1916: Movement for Christian Unity aided by Protestants and Papacy is growing. Roman Notes.

[123] *The Lamp,* Band XIV, Nr. 2, 15.2.1916, Pope Benedict's letter to the Garden City Conference.

[124] GK 6, *F. L. Stetson,* von G, 28.2.1917; vgl. auch GK 1, *L. H. Baldwin,* von G, 28.2.1917; GK 4, *W. T. Manning,* von G, 2.3.1917; GK, *Ch. H. Brent,* von G, 2.3.1917.

gung für christliche Einheit erneuern wolle. Er berichtete von der bald darauf in Rom unter Vorsitz von Kardinal Niccolo Marini[125] eingesetzten Congregatio pro Ecclesia Orientali, die sich mit der Frage der Einheit zwischen Rom und den orthodoxen Kirchen des Ostens befassen sollte[126]. Es hieß auch, das Interesse des Papstes an der Frage christlicher Einheit sei mit durch die von der Protestant Episcopal Church ausgegangene Bemühung und den Fortschritt bei der Vorbereitung einer Weltkonferenz für Fragen des Glaubens und der Kirchenverfassung angeregt worden[127].

Diese Meldungen bestärkten die zuversichtlichen Hoffnungen. Bischof Brent sagte in einer Predigt kurz vor der Abreise nach Europa, wo er als leitender Geistlicher an der Kriegsfront tätig sein sollte: «Even in the divided church of God there is a gleam. If the newspapers state truly, an honest attempt to bring about church unity is being made where it ought to be made – from within the walls of the Vatican[128].» Mr. Gardiner hielt die Nachrichten von Father Palmieri für bemerkenswert und schrieb: «I have always felt from the beginning that it was by no means impossible that the Pope might ask the Conference to meet at the Vatican. That would be the best way of securing his co-operation, and the attendance by members of Protestant Communions which have hitherto been very hostile to Rome would ensure their going in a conciliatory spirit, for one has to be polite to his host[129].» Diese Gedanken Mr. Gardiner's wurden allerdings bald gedämpft. Nach Gesprächen mit Kardinal Gibbons am 13. Januar 1917[130] und mit Kardinal Farley, die er der Kommission nicht bekannt machte, weil einige der wichtigsten Mitglieder dachten, «a layman ought not to speak to a Cardinal»[131], teilte er Bischof Brent seine Erfahrungen mit:

«Neither Cardinal Farley nor Cardinal Gibbons would admit any knowledge of the facts in the Palmieri interview ... They were both sympathetic, but careful not to give any unclue encouragement. I saw Palmieri and found he thought he was

[125] Niccolo Marini (1843–1923) wurde besonders bekannt als Herausgeber der Zeitschrift «Il Bessarione» und durch seine Beschäftigung vor allem mit den orientalischen Kirchen. Vgl. *Enciclopedia Catholica,* VIII (Mara – NZ), Vatikan, 1952, Sp. 159 f.

[126] Vgl. Motu Proprio, De Sacra Congregatione pro Ecclesia Orientali, 1. Mai 1917, S. 145 ff., in: *Actes de Benoit XV,* Tome Premier (1914–1918), Paris 1924.

[127] Vgl. *The Living Church,* 13.1.1917, S. 357 und S. 368, Pope makes overtures for Unity.

[128] WCC, *Enquirer* (Philadelphia), 8.1.1917: Bishop Brent Indorses Church Unity Plan.

[129] GK 6, *N. Smyth,* von G, 6.1.1917; vgl. auch GK 6, *N. Smyth,* an G, 5.1.1917.

[130] GK 2, *J. Gibbons,* von und an G, 2.1.1917; 4.1.1917.

[131] GK, *Ch. H. Brent,* von G, 8.1.1917.

talking to a local reporter, not having any idea that the secular press would recognize the general public interest in Christian unity and publish his interview all over the country. He apparently had no authority to speak, but he says that his interview is confirmed by letters other than those which I have seen and which came from other clergymen and laymen in Rome.»[132]

Der Eindruck einer freundlichen Gesinnung des Papstes und der römisch-katholischen Kirche gegenüber der Weltkonferenz blieb aber. Mr. Gardiner versuchte deshalb, in römisch-katholische Kreise möglichst ausführliche Informationen über die Weltkonferenz hineinzutragen. Nachdem er einige Zeit einen Artikel in einer französischen römisch-katholischen Zeitschrift hatte unterbringen wollen, veröffentlichte die Zeitschrift «La Revue Hebdomadaire» einen längeren Aufsatz[133]. Zwar beleuchtete der Verfasser das Vorhaben der Weltkonferenz aus der Sicht dessen, der der wahren Kirche der Einheit angehört, doch schrieb er in einem Stil des Wohlwollens und gestand der Weltkonferenz zu: «C'est un esprit chrétien, à n'en pas douter et pour autant qu'on puisse appliquer ces deux mots à une inspiration où la vérité intégrale du christianisme, comme nous l'entendons, n'est pas explicitée. En d'autres termes, il ne manque à cet esprit chrétien que de se formuler dans un acte de foi à la totale vérité catholique. . .[134].» Ein französischer römisch-katholischer Geistlicher hatte an der Weltkonferenz immerhin solches Interesse, daß er sich bei einem Aufenthalt in Amerika im Juli 1917 eingehend bei Rev. Manning und Mr. Gardiner über das Vorhaben informierte[135].

Um die gesamte römisch-katholische Hierarchie erneut über Ziele, Methoden und Fortschritte im Blick auf die Weltkonferenz zu unterrichten, wurde auf Anregung von Mr. Gardiner hin schon Ende des Jahres 1916 eine Erklärung in lateinischer Sprache vorbereitet, die dann von Bischof Hall, Professor Fosbroke und Mr. Gardiner einer kritischen Prüfung unterzogen wurde[136]. Im Februar 1917 wurde die nötige Summe für Druck und Verbreitung bereitgestellt[137]. Im Sommer 1917 wurde diese Abhandlung mit dem Titel «De unione Ecclesiarum» an die römisch-katholische Hierarchie verschickt[138]. Das zahl-

[132] GK, *Ch. H. Brent,* von G, 15.1.1917.

[133] Vgl. *La Revue Hebdomadaire,* 10.3.1917, S. 210 ff.: La «World Conference» et l'Union des Eglises, von J. De Narfon.

[134] *La Revue Hebdomadaire,* 10.3.1917, S. 233, in: La «World Conference» et l'Union des Eglises, von J. de Narfon.

[135] Vgl. GK 4, *W. T. Manning,* von und an G, 21.7.1917; 25.7.1917; GK 5, *J. R. Mott,* von G, 23.7.1917.

[136] Vgl. *Minutes Com,* 7.12.1916.

[137] *Minutes Ex Comt,* 3.2.1917.

[138] Vgl. *Minutes Ex Comt,* 11.10.1917; *Minutes Com,* 6.12.1917; im Jahre 1918 wurde eine Neuauflage der Abhandlung nötig, vgl. *Minutes Com,* 9.4.1918.

reiche und sympathisierende Echo darauf[139] unterstrich den Eindruck der freundlichen Gesinnung in der römisch-katholischen Kirche. Bei der Korrespondenz verwandte Mr. Gardiner dann besonders gerne einen der Weltkonferenz ausnehmend wohlgesonnenen Artikel, der in der Zeitschrift der spanischen Dominikaner «La Ciencia Tomista» erschien[140] und das Gelingen des Vorhabens erhoffte. «Dios quiera que se realice, si ha de ser para triunfo de la verdad y de los ideales cristianos[141].»

Die verschiedenen Erfahrungen ließen in der Kommission Anfang des Jahres 1917 immer wieder die Frage aufkommen, ob jetzt nicht eine besondere Gelegenheit sei, so daß man wegen der Weltkonferenz baldigst in Rom vorsprechen sollte[142]. Auch Mr. Gardiner war der Ansicht: «The iron is pretty hot and if we don't strike it now, we may lose our chance[143].»

Die entscheidende Sitzung der Kommission, in der über die Möglichkeit einer Deputation nach Rom und Rußland beraten wurde, fand am 14. Juni 1917 statt. Rom und Rußland wurden gleichzeitig und gleichwertig behandelt, weil man Schwierigkeiten durch einseitige Unternehmungen vermeiden wollte. In dieser Sitzung hielt Bischof Brent eine Rede. Seine Beobachtungen während des Aufenthalts in Europa – in England und Frankreich – ließen ihn zur Sendung einer Deputation raten[144]. Als Ergebnis der Diskussion wurde eine Deputation eingesetzt, die sich am 3. Juli traf und in zwei Gruppen aufgliederte. Eine Gruppe sollte nach Italien gehen. Ihr sollten die Bischöfe B. Vincent und W. W. Webb[145], Rev. Manning und Mr. Gardiner angehören. Mr. Gardiner wollte als Berater Father A. Palmieri mitnehmen[146]. Man fühlte mehrheitlich wie Bischof Brent und Mr. Gardiner: «There are very many indications that we shall have a favorable reception in Rome. Even if we should fail entirely, the fact that the effort was made would have immense value[147].» Vorbereitungen für die Reise wurden begonnen.

139 Vgl. GK 1, *P. Ainslie,* von G, 26.12.1917.

140 Vgl. *La Ciencia Tomista,* Januar/Februar 1918, S. 5 ff.: El Concilio general de todas las confesiones cristianas, von L. G. A. Getino; vgl. auch GK, *Ch. H. Brent,* von G, 31.7.1918; 15.11.1918.

141 *La Ciencia Tomista,* ebenda, S. 14.

142 Vgl. *Minutes Ex Comt,* 3.2.1917.

143 GK 1, *Ch. P. Anderson,* 1.6.1917; vgl. auch GK 5, *J. R. Mott,* von G, 12.5.1917.

144 Vgl. diese Rede im *Anhang,* S. 382 ff.

145 William Walter Webb (1857–1934) übte seit dem Jahre 1906 die Tätigkeit des Bischofs der Protestant Episcopal Church von Milwaukee (Wisconsin) aus. Vgl. *Who was who,* 1929–1940, London, 1941, S. 1429.

146 Vgl. GK 4, *W. T. Manning,* von G, 5.7.1917; GK 7, *B. Vincent,* von G, 5.7.1917.

147 GK 7, *B. Vincent,* von G, 5.7.1917.

Mr. Gardiner informierte Kardinal Gibbons über die geplante Deputation, und er bat um Empfehlungsschreiben, die dieser versprach[148]. Von Father Wynne erhielt Mr. Gardiner ein Empfehlungsschreiben für den päpstlichen Legaten in den U. S. A., Erzbischof B. Cerretti, mit dem er in Kontakt zu kommen suchte[149].

Doch beschloß man auf Grund der durch den Krieg besonders für eine Deputation nach Rußland schwierigen Lage, die in der Sitzung der Kommission am 20. Juli zur Sprache kam, zunächst auch auf eine Deputation nach Rom zu verzichten[150]. Entsprechende Besprechungen in der Kommission[151], mit Kardinal Farley und Father Wynne, in Korrespondenz mit Kardinal Gibbons[152], und unter den Mitgliedern der Deputation – sie bestand inzwischen aus Bischof Vincent, Bischof Weller, Rev. Parsons und Mr. Gardiner[153] – führten zu der einhelligen Meinung, zunächst inoffiziell an Kardinal Marini zu schreiben, um seine persönliche Meinung zu erfahren «as to whether next winter or spring would be likely to be a propitious time for the Deputation to go to Rome»[154]. Ein entsprechender Briefentwurf wurde vom Exekutivausschuß gebilligt und von Mr. Gardiner abgeschickt.

Anfang Dezember 1917 war von Kardinal Marini noch keine Antwort eingetroffen. In einer Sitzung stellte die Kommission daraufhin fest, daß die Reise von Deputationen gegenwärtig nicht möglich wäre und man sich mit dieser Frage nicht mehr zu befassen brauche, bis die Kommission neue Beschlüsse fassen würde. Die Beziehungen zur römisch-katholischen Kirche erstreckten sich damit bis zum Aufbruch der Deputation im Frühjahr 1919 weiterhin auf schriftliche und persönliche Kontakte. Mr. Gardiner versuchte durch Mitteilungen und Informationen die Verbindung zur römisch-katholischen Hierarchie zu halten. «We are continuing to circulize the Roman hierarchy throughout the world and are getting a good many cordial replies. The fact that most of them wind up by saying that the only road to unity is through Rome does not strike me as a serious obstacle for that

[148] Vgl. GK 2, *J. Gibbons,* von und an G, 10.7.1917; 6.7.1917.

[149] Vgl. GK 2, *B. Cerretti,* von G, 27.7.1917; Bonaventura Cerretti (1872–1933), der im Jahre 1925 zum Kardinal ernannt wurde, trat im Jahre 1902 in den Dienst des vatikanischen Staatssekretariats und wurde als wichtiger Diplomat mit verschiedenen Sondermissionen betraut. Vgl. *Enciclopedia Cattolica,* Band III (Bra-Col), Vatikan 1949, Sp. 1326.

[150] Vgl. *Minutes Com,* 20.7.1917; GK 3, *A. C. A. Hall,* an G, 19.7.1917; GK 6, *F. L. Stetson,* an Mr. Zabriskie, 17.7.1917.

[151] Vgl. Gespräche zwischen Mr. Gardiner, Bischof Rhinelander, Mr. Zabriskie und Mr. Stetson. Vgl. GK, *Ch. H. Brent,* von G, 14.8.1917, GK 6, *F. L. Stetson,* von G, 16.8.1917.

[152] Vgl. GK 2, *J. Gibbons,* von G, 27.8.1917.

[153] Vgl. GK, *Ch. H. Brent,* von G, 16.8.1917; *Minutes Com,* 6.12.1917.

[154] *Minutes Ex Comt,* 11.10.1917.

is what all of us say, especially the Baptists[155].» Der Ausschließlichkeitsanspruch, den die römisch-katholische Kirche nicht alleine erhebe, stellte für Mr. Gardiner kein unüberwindliches Hindernis für eine Beteiligung Roms an der Weltkonferenz dar. Da eine Teilnahme an der Weltkonferenz keinerlei Kompromisse oder die Leugnung irgendeines Glaubensartikels forderte, verließ ihn die Zuversicht nicht, daß Rom sich beteiligen würde. Im April 1918 schrieb er: «of course, no one can speak for the Roman Catholic Church except the Pope, but it is confidently believed that when the matter is officially presented, he will approve of the idea»[156].

2. *Die orthodoxen Kirchen*

Nach dem Kriegsausbruch im Jahre 1914 hatten die Kontakte ähnlich wie zur römisch-katholischen Kirche auch zu den orthodoxen Kirchen weitgehend die Versuche Mr. Gardiner's geprägt, durch persönliche Beziehungen und stetig informierende Korrespondenz das Gespräch über die Weltkonferenz nicht abreißen zu lassen. Seine Bemühungen führten zur Veröffentlichung mancher Artikel in orthodoxen Zeitschriften[157].

Auch nach der North American Preparatory Conference führte Mr. Gardiner auf diese Weise die Vorbereitungsarbeit durch. Außerdem griff er das schon früher geäußerte Vorhaben wieder auf, alle Bischöfe der russischen und der griechischen orthodoxen Kirche über die geplante Weltkonferenz in einem Rundschreiben ins Bild zu setzen. Am 12. April 1917 trug Mr. Gardiner der Kommission einen Ent-

[155] GK, *Ch. H. Brent,* von G, 6.2.1918.

[156] *Christian Union Quarterly,* April 1918, S. 27, in: The World Conference on Faith and Order, von R. H. Gardiner.

[157] Vgl. die schon S. 185 erwähnten Artikel von S. Troitzky im offiziellen Organ der Heiligen Synode in Rußland, *Tzerkovnyia Viedomosti,* und von Erzbischof Antonius von Kharkov in der Zeitschrift des dortigen theologischen Seminars, *Viera i Razum.* Vgl. *IKZ,* Band VII, 1917, S. 61 f., in: La «World Conference» et le Protestantisme Americain. Vgl. außerdem Artikel im offiziellen Organ der theologischen Akademie Petrograd, *Tserkovny Vestnik,* am 28.4. und 30.7.1915 von Professor Gloubokovsky und S. Troitzky; vgl. *M. D'Herbigny,* L'Anglicanisme et l'Orthodoxie greco-slave, Paris, 1922, S. 54. Vgl. Artikel in griechischen Zeitschriften: in *'Εκκλησιαστικὸς Φαρός,* Alexandrien, in der z. B. im 15. Jahrgang, Heft 115, Oktober 1916 ein Artikel von R. H. Gardiner «Die bischöfliche Kirche Amerikas und das Problem der Vereinigung der Christenheit» erschien; vgl. IKZ, Band VII, 1917, S. 325; in *πάνταινος,* Alexandrien, in der z. B. im 8. Jahrgang, Nr. 2, ein Artikel von G. Zacharulis «Einige Worte zum Artikel des Herrn Gardiner» erschien; vgl. *IKZ,* Band VI, 1916, S. 359; in *Τὰ πάτρια* erwähnt in *IKZ,* Band VII, 1917, S. 68, Anmerkung 1. Vgl. auch Hinweise auf Veröffentlichungen in *Minutes Com,* 12.4.1917 und *The Christian Union Quarterly,* Oktober 1918, S. 36 ff.

wurf vor. Der Exekutivausschuß sollte ihn weiter beraten[158]. Am 14. Juni 1917 genehmigte die Kommission die endgültige Fassung des Briefes und nach der Übersetzung in die jeweiligen Sprachen wurde er verschickt[159]. Allerdings erreichten in Rußland wohl wenige Briefe ihre Empfänger. Mr. Gardiner schrieb: «Unfortunately, the upheaval in Russia occurred soon after, so that probably very few, if any, of the letters to the Russian Bishops reached their destination, but replies have been coming in from the Greek Bishops, expressing sympathy and hope for the progress of the movement[160].»

Das Gespräch über die Weltkonferenz in den orthodoxen Kirchen stimmte Sekretär Gardiner auch zuversichtlich im Blick auf eine Teilnahme dieses Teils der Christenheit an dem Vorhaben. Amerikanischen Lesern zitierte er die Meinung, die in der russischen Zeitschrift Khristianskaia Mysl, die in Kiew herauskam, vertreten worden war:

«Mankind dying in carnage, a Christianity which has lost its way, are loudly crying: How long, Lord, how long shall we wait until peace be established between nations and unity among the Churches? Nobody dares deny his share of guilt in what is happening. And in the face of world events and religious conditions, could any Christian decline the appeal to participate in this movement; which is full of mutual confidence and hope, and loyalty to Christ and His Church?»[161]

Im Frühjahr 1917, als man über die Sendung einer Deputation nach Rom beriet, herrschte innerhalb der Kommission der Eindruck vor, man sollte trotz des Krieges nicht nur aus Gleichheitsrücksichten, sondern auch auf Grund des Echos baldigst eine Deputation nach Rußland schicken. Obwohl im März des Jahres der Zar abgedankt hatte und die russisch-orthodoxe Kirche durch die neue und unruhige Lage im Land vor mannigfaltigen innerkirchlichen Problemen stand[162], setzte sich Bischof Brent in seiner Rede in der Sitzung der Kommission am 14. Juni 1917 für eine sofortige Deputation nach Rußland ein[163]. Er war der Meinung, daß eine Deputation gerade in der schwierigen Situation für die russisch-orthodoxe Kirche eine Hilfe bedeuten könnte. Er glaubte auch, daß genügend russische Kirchenführer das Kommen einer Deputation unterstützen würden und schlug als sachkundigen Begleiter den Serben Father Nikolai Velimi-

[158] Vgl. *Minutes Com,* 12.4.1917.

[159] Vgl. *Minutes Com,* 14.6.1917.

[160] *The Christian Union Quarterly,* April 1918, S. 27, in: The World Conference on Faith and Order, von R. H. Gardiner.

[161] *The Christian Union Quarterly,* Oktober 1918, S. 39 f., in: A Russian view of the World Conference, von R. H. Gardiner.

[162] Vgl. *W. Ch. Emhardt,* Religion in Soviet Russia, Milwaukee/London, 1929, S. 3 ff.

[163] Vgl. Bischof Brent's Rede im *Anhang,* S. 382 ff.

rowitz[164], den er in England kennengelernt hatte, vor. Eine Diskussion setzte ein. Mr. G. Wh. Pepper, der wegen beruflicher Verpflichtungen an der Sitzung nicht teilnehmen konnte und wie Bischof Brent sehr für die Sendung sowohl einer Deputation nach Rom wie nach Rußland eintrat, telegraphierte: «The easy course is to wait until things get better but this implies that the Church is not the appointed agency for making things better. The evildays are the Church's opportunity. If we are to lead, we must go forward now[165].» Der Beschluß, eine Deputation zu senden, wurde gefaßt. Nach der Besprechung am 3. Juli[166] war geplant, daß Bischof Brent, der inzwischen nach den Philippinen aufgebrochen war, Bischof Tucker, der die Episcopal Church in Japan leitete, Rev. Rogers und Mr. Zabriskie sich im Fernen Osten treffen sollten, um gemeinsam als Deputation über Sibirien nach Moskau zu reisen[167].

Mr. Gardiner gelang es erst nach längeren Bemühungen nach der Entscheidung der Kommission mit Erzbischof Evdokim am 18. Juni ein Gespräch über dessen Ansicht zur Frage der Sendung einer Deputation nach Rußland zu führen[168]. Dabei gewann Mr. Gardiner den Eindruck, daß Erzbischof Evdokim über die neue Lage in seinem Land und die provisorische demokratische Regierung recht unglücklich war und von einer Deputation dorthin nichts hielt — auch aus dem Grunde, weil die russisch-orthodoxe Kirche nichts mit der Weltkonferenz zu tun haben könne, wenn Rom daran teilnehme[169]. Doch bereitete man die Abreise für die Deputation vor, auch wenn längere Zeit Unklarheit herrschte, ob das Außenministerium der Vereinigten Staaten angesichts der Lage in Rußland Visen und Pässe aushändigen würde[170]. Schließlich führte die Korrespondenz mit dem Assistant Secretary of State, Mr. W. Phillips, dazu, daß er auf Grund einer Unterredung mit Präsident Wilson am 18. Juli mitteilte: «The sending of these deputations to Russia and Greece was taken up recently with the President who came to the conclusion that it would not be desirable for the deputations to proceed at the present time. I could explain to you more fully in an oral conversation than I can do in a let-

[164] Vgl. Angaben über Nikolai Velimirowitz in: *Rouse/Neill,* Geschichte der Ökumenischen Bewegung, 1917—1948, Zweiter Teil, Göttingen, 1958, S. 326.

[165] *Minutes Com,* 14.6.1917.

[166] Vgl. GK, *Ch. H. Brent,* von G, 23.6.1917.

[167] Vgl. GK 7, *G. Zabriskie,* an G, 5.7.1917; GK 4, *W. T. Manning,* von G, 25.7.1917; vgl. auch GK 7, *G. Zabriskie,* von und an G, 16.7.1917, 17.7.1917.

[168] Vgl. GK 2, *S. Dabovitch,* von G, 19.6.1917.

[169] Vgl. GK 5, *J. R. Mott,* von G, 13.8.1917; GK 4, *W. T. Manning,* von und an G, 26.2.1917; 27.2.1917; 17.5.1917.

[170] Vgl. GK 7, *G. Zabriskie,* von und an G, 5.7.1917; 10.7.1917; 14.7.1917; 16.7.1917; 17.7.1917.

ter the conditions in those countries which afford no alternative than the conclusion reached[171].» Daraufhin wurde die Deputation in einer Sitzung der Kommission am 20. Juli abgesetzt[172].

Kaum war dieser Beschluß gefaßt, kam aus England ein Telegramm, in dem dringend zur Reise der Deputation geraten wurde. Mr. Gardiner hatte nach der Sitzung am 14. Juni auch an Mr. Tatlow geschrieben und ihm einen Brief an den von Bischof Brent empfohlenen Father Nikolai Velimirowitz beigelegt. Dieser antwortete nun am 21. Juli 1917 telegraphisch:

«Do not hesitate sending deputation Russia now or never Christianity must settle its own disputes agree with proposal send deputation to Pope expedient deputation should touch London and consult Church leaders when here please to submit to them scheme for international conference of delegates in neutral country will suggest names of Russian divines whose co-operation necessary difficult say whether can accompany deputation to Russia important secure first collaboration of Church authorities of allied countries preliminary conference minor Eastern Churches could be held Cyprus[173].»

Mr. Gardiner wollte vor weiteren Bemühungen jedoch die Meinung von Mr. Mott hören[174]. Dieser befand sich als Mitglied der sogenannten Root-Kommission im Auftrag der Regierung der Vereinigten Staaten in Rußland. Dieser am 12. Mai 1917 vom amerikanischen Außenministerium eingesetzten «Special Diplomatic Mission of the USA. to Russia» gehörten unter Führung des bekannten Politikers Elihu Root[175] neun amerikanische Persönlichkeiten an, die repräsentativ für die verschiedenen amerikanischen Gesichtspunkte waren, «a soldier, a sailor, a manufacturer, a retired capitalist, a banker, a labor leader, a socialist, a religious worker, a New York lawyer»[176].

Der Auftrag der Kommission war, nach der Abdankung des Zaren und der Einführung der Demokratie der eingesetzten Vorläufigen Regierung und dem ganzen russischen Volk die Sympathie und Freundschaft Amerikas zu bekunden. Die Kommission traf am 13. Juni 1917 in Petrograd ein und brach von dort zur Rückreise am 9. Juli 1917 auf[177]. Während ihres Aufenthaltes versuchten die Mitglieder der

[171] GK 5, *W. Phillips,* an G, 18.7.1917.

[172] Vgl. *Minutes Com,* 20.7.1917.

[173] GK 5, *Nikolai* (Velimirowitz), an G, 21.7.1917; vgl. auch *Minutes Com,* 23.7.1917.

[174] Vgl. GK 4, *W. T. Manning,* von G, 25.7.1917; GK 7, *H. R. Weller,* von G, 31.7.1917.

[175] Vgl. *The Encyclopedia Americana,* Band 23, New York/Chicago/Washington, D.C., 1962, S. 686b, Elihu Root.

[176] *Elihu Root,* The United States and the War, The Mission to Russia, Political Addresses. Collected and Edited by Robert Bacon and James Brown Scott, Cambridge 1918, S. 155.

[177] Ebenda, S. 92 ff.

Kommission in zahlreichen Reden, Begegnungen und Gesprächen ihren Auftrag zu erfüllen[178]. Telegraphisch verabredete sich Mr. Gardiner mit Mr. Mott direkt nach dessen Rückkehr am 9. August 1917 in Washington, D. C.[179]. Bei dem Gespräch konnte Mr. Gardiner feststellen, daß Mr. Mott, der auch vor der Holy Governing Synod der russischen Kirche geredet hatte[180], das Vorhaben der Weltkonferenz dem Prokurator der Synode vorgetragen hatte. Von diesem hatte er die inoffizielle Zusicherung der Teilnahme der russisch-orthodoxen Kirche an einer Weltkonferenz erhalten. In zwei Briefen hatte man den Inhalt des Gesprächs festgehalten[181]. Mr. Gardiner war von dem Einsatz Mr. Mott's begeistert und meinte, er habe bei diesem Rußlandaufenthalt «displayed his usual statesmanship and truly Catholic spirit»[182]. Auch Bischof Brent beeindruckte das Vorgehen von Mr. Mott außerordentlich: «I have only this to say, that he has saved the situation. Through the dallying of our Commission, we would have lost the opportunity of pressing the claims of the Conference on the Russian Church at the very moment when it would be most effective, had it not been for the fact that Mott used the opportunity, which in the providence of God put him in Russia at the critical time.»[183]

Am 1. August 1917 versammelte sich die Hl. Synode der russisch-orthodoxen Kirche, zu der auch Erzbischof Evdokim nach Rußland aufgebrochen war[184]. Nachdem viele Priester im Sturz des Zaren eine Befreiung für die Kirche und das Land sahen, obwohl die Kirche sich in den politischen Kämpfen für keine Seite erklärt hatte, ging es bei dieser Synode darum «to discuss and decide the future of the Orthodox Church»[185]. Zur Eröffnung der Synode ließ Bischof Anderson am 28. August 1917 telegraphische Grüße der Kommission zur Vorbereitung der Weltkonferenz übermitteln[186]. Darauf antwortete nach der

[178] Ebenda, S. 98 ff.

[179] Vgl. GK 5, *J. R. Mott,* an G (Telegramm), 5.8.1917; vgl. auch GK 5, *J. R. Mott,* von G, 13.8.1917.

[180] Vgl. *J. R. Mott,* Addresses and Papers, Band VI, New York, 1947, S. 397 ff.: Address at the Great Sobor of the Russian Orthodox Church, Moscow, June 19, 1917.

[181] Vgl. die Briefe vom 5. und 6. Juli 1917 im *Anhang,* S. 368 ff.

[182] GK, *Ch. H. Brent,* von G, 14.8.1917; vgl. auch GK 4, *W. T. Manning,* von G, 10.8.1917.

[183] GK, *Ch. H. Brent,* an G, 4.10.1917.

[184] Vgl. *The Living Church,* 1.9.1917, S. 568: A Letter To The Episcopal Church in America, From The Russian Archbishop In The U.S.; GK 5, J. R. Mott, von G, 23.7.1917.

[185] *The Challenge,* (London), 10.8.1917, S. 227: An Aspect of the Russian Revolution, von N. Velimirovic.

[186] Vgl. den Abdruck im *Anhang,* Bulletin Nr. 18, S. 344 ff.

Wiederherstellung des schon lange Zeit vakanten Patriarchats der von der Synode gewählte neue Patriarch Tikhon[187]. In der Sitzung vom 9. April 1918 konnte die Kommission das Schreiben zur Kenntnis nehmen[188].

Inzwischen hatte sich in Rußland die Lage zugespitzt. Die Bolschewisten hatten die Regierung übernommen, man hörte vom Kampf zwischen ihr und der russischen Kirche. Am 23. Januar 1918 war durch eine Verordnung die totale Trennung zwischen Staat und Kirche ausgerufen worden, und alles kirchliche Eigentum und Einkommen hatte man beschlagnahmt[189]. Für die russisch-orthodoxe Kirche begann eine Zeit der Verfolgung und des Leidens. Trotz dieser Lage wurde die geplante Weltkonferenz in Rußland nicht vergessen, wie Mr. Gardiner feststellen konnte, der durch einen aus Moskau zurückkehrenden Freund im März 1918 «many kind messages from Russians, including the Patriarch Tikhon» erhielt[190]. In ihrer Sitzung am 9. April 1918 gedachte die Kommission der russischen Kirche im Gebet und beauftragte Bischof Anderson, an Patriarch Tikhon erneut einen Brief zu schreiben[191]. Mr. Gardiner war der festen Überzeugung, daß die russisch-orthodoxe Kirche eine Einladung zur Teilnahme an der Weltkonferenz akzeptieren werde, sobald sie von einer Deputation besucht werden könne, wofür allerdings vorläufig keine Aussicht bestand[192].

Persönliche Beziehungen entstanden zur griechisch-orthodoxen Kirche, als im Herbst 1918 der Metropolit von Athen, Meletios Metaxakis, und in seiner Begleitung Professor H. Alivisatos die Vereinigten Staaten besuchten[193]. Bei dieser Gelegenheit begegnete Mr. Gardiner

[187] Vgl. *G. Gloede* (Hrg.), Ökumenische Profile, Band I, Stuttgart 1961, S. 334 ff.: Tychon.

[188] Vgl. den Abdruck im *Anhang*, Bulletin Nr. 18, S. 344 ff.

[189] Vgl. *M. Constantinides*, The Orthodox Church, London, 1931, S. 103 f.

[190] Vgl. *Material des Union Theological Seminary*, New York, ungeordnet, Zeitungsausschnitt: Der Brief von Patriarch Tikhon, der auf den Aufruf von Mr. Gardiner zur Gebetswoche für die Einheit Bezug nimmt, lautet:

«Beloved Brother in Christ: I thank you with all my heart for your kind letter. I shall always fervently pray, at the time fixed by you, for the reunion of Christians, the more so as, from my early youth, I have always prayed for it. At present, in these troubled times when the enemies of Christ are attacking Him with special zeal, it is more necessary than ever for us faithful brethren to unite as much as possible to defend the Christian faith. — Invoking upon you the Benediction of Our Saviour, I beg you to accept my sincerest regards. Your brother in Christ, Moscow, March 1918. Bishop Tikhon.

[191] Vgl. *Minutes Com*, 9.4.1918; vgl. den Brief Bischof Andersons im *Anhang*, Bulletin Nr. 18, S. 345 f.

[192] Vgl. GK 4, *S. Mather*, von G, 15.11.1918.

[193] Vgl. *IKZ*, Band IX, 1919, S. 66 f., in: Anregungen zur Förderung der Kirchlichen Union.

dem Metropoliten am 26. Oktober in New York[194]. Während des Zusammenseins überreichte er dem Metropoliten eine offizielle Einladung für die Einsetzung einer griechisch-orthodoxen Kommission zur Mitarbeit bei der Vorbereitung der Weltkonferenz[195]. Der Kontakt zwischen Professor Alivisatos und Mr. Gardiner war während dieser Wochen so intensiv und freundschaftlich, daß Professor Alivisatos über die Beziehung zu ihm beim Verlassen der USA beglückt sprach[196].

3. England

In England hatte ein Gespräch zwischen dem Archbishops Committee und den Vertretern der Kommissionen der Free Churches eingesetzt. Der sichtbare Ausdruck war jenes Dokument – Ad Interim Report genannt –, dessen Veröffentlichung die Bedenken Mr. Gardiner's deshalb hervorrief, weil seine inhaltliche theologische Bemühung ihm schon die erst für die Weltkonferenz vorgesehene Diskussion vorwegzunehmen schien[197]. Das Archbishops Committee und die Vertreter der Kommissionen der Free Churches trugen diesen Bedenken Rechnung, indem bei einer Zusammenkunft am 16. Februar 1916 beschlossen wurde, daß das Dokument «purely unofficial» sein sollte und deshalb die Verantwortung dafür allein die Unterzeichner als einzelne trügen[198]. Auf diese Weise kam der in England im Rahmen der Vorbereitung für die geplante Weltkonferenz erarbeitete Ad Interim Report im März 1916 als eine öffentliche Erklärung von Einzelpersönlichkeiten heraus[199].

Inhaltlich nahm der Ad Interim Report die Vorstellung von der Katholizität der Kirche, in der die Verschiedenheiten in einer sichtbaren Gemeinschaft zusammengehalten bleiben, auf. Seine wohl beachtenswerteste Aussage im zweiten Teil sprach davon, daß « . . . it is the purpose of our Lord that believers in Him should be, as in the beginning they were, one visible society – His Body with many members – which in every age and place should maintain the communion of saints in the unity of the Spirit and should be capable of a common witness and a common activity»[200]. Zwar konnten die Vertreter der

[194] Vgl. GK 1, *H. Alivisatos,* von und an G, 12.9.1918; 16.9.1918; 2.10.1918; 10.10.1918; 18.10.1918.

[195] Vgl. *Minutes Ex Comt,* 14.11.1918; GK 4, *S. Mather,* von G, 15.11.1918.

[196] Vgl. GK 1, *H. Alivisatos,* an G, 10.11.1918; vgl. auch GK 1, *H. Alivisatos,* von G, 18.10.1918; 7.11.1918.

[197] S. o. S. 186.

[198] Vgl. GK 2, *W. H. Frere,* an G, 11.2.1916; GK 7, *T. Tatlow,* an G, 18.2.1916; *Minutes Ex Comt,* 9.3.1916.

[199] Vgl. den Abdruck im *Anhang,* S. 355 ff.

[200] Abdruck im *Anhang,* S. 356.

Free Churches mit Recht im ganzen Dokument im Blick auf die anglikanische Kirche einen «trend of Christian thought away from the sacerdotal and sacramentarian positions in the Church»[201] feststellen, doch konnten umgekehrt die Anglikaner einen «new, or free Catholicism»[202] in der Haltung der Protestanten entdecken. Die gemeinsame Aussage von Nonkonformisten und Mitgliedern der Church of England, daß es eine sichtbare christliche Gemeinschaft geben müsse, schien die Vorstellung von der Katholizität der Kirche aufzunehmen.

Interessanterweise wurde bei dem kurz nach der Veröffentlichung des Ad Interim Report in Bradford, England, stattfindenden Council of the Evangelical Free Churches der Begriff der Katholizität der Kirche besonders bedeutsam. Der Präsident des Council, Rev. J. H. Shakespeare, der auch den Ad Interim Report mit unterzeichnet hatte, und Dr. Orchard, der vor der Versammlung einen Vortrag hielt, lehnten Spaltungen nur um der Spaltungen willen ab. Beide setzten sich ein für die Notwendigkeit stärkerer Betonung der Katholizität, wobei Rev. Shakespeare als äußeren Anfang eine «federation of the existing Nonconformist denominations» vorschlug[203]. Ein Kommentar über diese Versammlung der protestantischen Kirchen schloß:

> «The Protestant part of Christendom is bound either to become completely and utterly individualist, or to return in a marked degree towards the Catholic conception of the Church. The former is far out of harmony with all the living tendencies of the time that it would involve great loss of influence. We are therefore delighted at the many symptoms in the Free Churches of a growing appreciation of the Catholic idea, which we are sure will tend to strenghten their spiritual power.»[204]

Es schien deutlich, daß das Gespräch zwischen den englischen Kirchen in Gang kam[205].

Über den Ad Interim Report setzte eine Diskussion ein. Hochkirchler meldeten Bedenken an[206]. Besonders ausführlich setzten sich mit dem Dokument die englischen Quäker in einer Erklärung auseinander, durch die Mr. Gardiner zunächst den Ausbruch einer theologischen Kontroverse befürchtete. Doch empfand er das veröffentlichte Statement dann als einen wertvollen Beitrag für das Gespräch[207].

[201] *The Christian Union Quarterly,* Juli 1916, S. 17, in: Christian Unity in England, von P. B. Moncrieff.

[202] *The Living Church,* 17.6.1916, S. 240: Feeling toward Catholicity.

[203] WCC, *Church Times* (London), 17.3.1916: A Catholic Movement.

[204] WCC, *The Challenge* (London), 17.3.1916.

[205] Vgl. WCC, *Church Times* (London), 3.3.1916: Towards Unity; WCC, *The Church of Ireland Gazette* (Dublin), 17.3.1916; Christian Unity.

[206] Vgl. GK 3, *A. C. A. Hall,* an G, 5.8.1916.

[207] Vgl. A Statement of the Quaker Position in regard to the document entitled «Towards Christian Unity», *Brentmaterial;* GK 1, *L. H. Baldwin,* von G, 6.11.1917.

Eine breitere theologische Auseinandersetzung verhinderte außerdem der Krieg.

Die Kommissionen in England wollten nach der Verabschiedung des Ad Interim Report vor Abschluß des Krieges im Blick auf die Weltkonferenz nichts weiter unternehmen. Rev. Tatlow schrieb: «There is an absolute marking time as far as the World Conference movement is concerned at present in the Church of England, . . . »[208]. Sekretär Gardiner trat vor allem dafür ein, daß zwischen England und Amerika die Vorbereitungen für eine Weltkonferenz pari passu vor sich gingen. Er war deshalb gegen eine selbständige und neue Aufnahme theologischer Diskussionen von englischer Seite etwa mit Rom über die Gültigkeit anglikanischer Weihen. «The whole question of Orders must be discussed at the World Conference, and it would seem much more probable that permanent results would be reached if that discussion begins at the beginning and is carried on by representatives of the Roman, Eastern and Anglican Churches and the various Protestant Communions.»[209] Ihm ging es vielmehr um das Bekanntwerden der Weltkonferenz in England, wo auf Wunsch des Erzbischofs von Canterbury lange Zeit in der Presse kaum Nachrichten veröffentlicht wurden, zum Beispiel die Bulletins, weil dieser darüber entstehende Kontroversen befürchtete. Noch im Jahre 1918 gab es in der englischen Presse kaum Informationen über die Weltkonferenz zu lesen[210].

Während in der Öffentlichkeit über die Planung der Weltkonferenz so wenig bekannt wurde, arbeitete ein Unterausschuß des Archbishops Committee und der Kommissionen der Free Churches weiter und brachte im Frühjahr 1918 einen zweiten Bericht über seine theologischen Gespräche heraus, den sogenannten Second Ad Interim Report[211]. Das Dokument beschäftigte sich vor allem mit der Frage des Amtes. Rev. J. H. Shakespeare bemerkte zu seiner Veröffentlichung: «I venture to think that the Report merits a most serious and sympathetic reception, since no inquiry so exhaustive or so hopeful, or under such favorable auspices, is likely to be made again in our time[212].» Er meinte damit die darin über das Episkopat gemachten Äußerungen[213]. Auch Mr. Gardiner, der das Dokument als englische Vorbereitung zu einem erst auf der Weltkonferenz zu behandelnden Thema

[208] GK 7, *T. Tatlow,* an G, 9.10.1916.
[209] GK, *Ch. H. Brent,* von G, 15.1.1917.
[210] Vgl. GK 2, *R. Davidson,* an G, 19.9.1917.
[211] Vgl. den Abdruck im *Anhang,* S. 357 ff.
[212] *The Living Church,* 30.11.1918, S. 145, in: An Approach Toward Unity, von J. H. Shakespeare.
[213] Vgl. den Abdruck im *Anhang,* S. 357 ff.

auffaßte, hoffte doch, daß «it may affect deeply the preparations for the Conference»[214].

Zu persönlichen Gesprächen mit Vertretern Englands bot sich im Frühjahr 1918 Gelegenheit, als der Erzbischof von York, C. G. Lang, Amerika besuchte[215]. Auf Einladung Mr. Gardiner's hin traf er sich auch mit diesem[216]. Außerdem weilte im September desselben Jahres der Bischof von Oxford, Ch. Gore, in Amerika. Er nahm an der Sitzung des Exekutivausschusses der Kommission der Protestant Episcopal Church am 13. September 1918 teil und berichtete dabei über die Arbeit des Archbishops Committee und der Kommissionen der Free Churches in England. Er sprach von einem ausgezeichneten Verhältnis und dem wachsenden Wunsch nach Einheit in England, wovon seiner Ansicht nach die beiden Reports Zeugnis gaben[217].

c) Bemühung um das Gebet

Die Bemühung, vor allem des Sekretärs, von Anfang an, bei den Vorbereitungen der Weltkonferenz zum Gebet als der Mitte aller Versuche von Annäherung und Gespräch aufzufordern, ließ zu keiner Zeit nach. Immer wieder bekräftigte Mr. Gardiner die Notwendigkeit des Gebets und der gemeinschaftlichen Fürbitte. Als während des Krieges besonders durch seine Korrespondenz das Verhältnis der römisch-katholischen Kirche zur Bemühung um christliche Einheit und dem Vorhaben der Weltkonferenz freundlicher zu werden schien, wollte er das gemeinsame Gebet um Einheit zwischen allen Christen fördern. Inzwischen hatte die von Father Paul Francis im Jahre 1908 begründete Church Unity Octave[218], die zunächst nur innerkatholisch zum Gebet für die Rückkehr aller Christen in die römisch-katholische Kirche gedacht war, am 25. Februar 1916 in einem apostolischen Brief durch Papst Benedikt XV in der gesamten römisch-katholischen Kirche Geltung erlangt[219]. Zudem wurde berichtet, daß diese Woche eine immer weitere Beachtung unter römischen Katholiken und Nichtkatholiken finde. Im Organ der Graymoor-Brüder, deren Gründer Father Paul Francis war, wurde betont, daß gemeinsames Gebet weder Unterwerfung noch Kompromisse einschließe. Die unterschiedli-

[214] *Material des Union Theological Seminary,* New York, Zeitungsausschnitt, 10.5.1918, A Great Step Toward Unity, von R. H. Gardiner.
[215] Vgl. *Minutes Com,* 9.4.1918.
[216] Vgl. GK 4, *C. G. Lang,* von G, 11.12.1917; GK, *Ch. H. Brent,* von G, 6.2.1918.
[217] Vgl. *Minutes Ex Comt,* 13.9.1918.
[218] Vgl. *D. Gannon,* Father Paul of Graymoor, New York 1951, S. 140.
[219] Ebenda, S. 257 ff.

chen Auffassungen blieben bestehen. «But pray we all can. And that is the really important thing. The answer to our prayers is in the hands of God[220].»

Auf Veranlassung von Mr. Gardiner hin beschäftigte sich der Exekutivausschuß am 8. Februar 1917 erstmals mit der Frage, ob man nicht die ganze christliche Welt fragen sollte, die Church Unity Octave vom 18. bis 25. Januar als eine Periode des besonderen Gebets für Einheit abzuhalten[221]. In ihrer Sitzung vom 12. April 1917 erteilte die Kommission dann dem Sekretär den Auftrag, «to secure as far as possible the observance of the Octave January 18 to January 25, with the necessary changes to fit the Russian calendar, as a week of prayer for the reunion of Christendom»[222]. Dieser rief daraufhin im Bulletin Nr. 13 zur allgemeinen Beachtung der Church Unity Octave auf[223].

Schwierigkeiten gab es wegen der Weltgebetswoche der Evangelischen Allianz, die seit 1846 in der ersten Januarwoche stattfand. Mr. Gardiner hatte diese Woche nicht gewollt, weil die Veröffentlichungen dazu deutlich antirömische Züge aufwiesen und man dann auf Rom hätte verzichten müssen. Er versuchte den Sekretär der World Evangelical Alliance in London und andere Vertreter dieser Organisation zur Verlegung ihrer Gebetswoche ebenfalls auf die Woche vom 18. bis 25. Januar zu gewinnen, doch wurde das Ansinnen vor allem aus historischen Gründen abgelehnt. Man wollte die seit 70 Jahren bestehende weltweite Gebetswoche nicht aufgeben und meinte, hier sollten eher die römischen Katholiken eine Geste des guten Willens zeigen[224]. Obwohl die dadurch entstehende Doppelung immer wieder Schwierigkeiten bringen sollte, schien Mr. Gardiner die Woche vom 18. bis 25. Januar am ehesten römische Katholiken, Orthodoxe und Protestanten vereinen zu können. Er wollte durch den Vorschlag dieser Woche der römisch-katholischen Kirche entgegenkommen. Gleichzeitig wurde durch die Beteiligung an der Church Unity Octave kein «sacrifice of principle» gefordert. In seiner Korrespondenz schrieb er: «I was rather personally responsible for the selection and I recommended, and the Commission adopted, the week January 18–25 1918[225].» Er korrespondierte wegen der Gebetswoche

[220] *The Lamp* (Graymoor, New York), 15.3.1917, S. 133, in: Friendly Conferences with our Separated Brethren, von E. H.

[221] Vgl. *Minutes Ex Comt,* 8.2.1917.

[222] *Minutes Com,* 12.4.1917.

[223] Vgl. Bulletin Nr. 13 im *Anhang,* S. 340.

[224] Vgl. u.a. GK 2, *H. M. Gooch,* von und an G, 15.5.1917; 26.5.1917; 7.6.1917 (irrtümlich ist dieser Brief auf das Jahr 1918 datiert); 17.7.1917; GK 7, *G. Zabriskie,* von G, 11.7.1917.

[225] GK 3, *W. J. Haven,* von G, 23.7.1917; vgl. auch GK 3, *W. J. Haven,* von und an G, 10.8.1917; 16.11.1917; 22.11.1917.

auch mit Kardinal Gasparri, mit dem Ziele, daß der Papst nochmals eine allgemeine Empfehlung zur Beachtung dieser Gebetswoche herausgäbe[226].

Allgemein war das Echo groß auf den Aufruf Mr. Gardiner's hin. Der Erzbischof von Canterbury sah auch kein Problem darin, daß zwei Gebetswochen abgehalten würden: «It does not seem to me, however, that there is any reason why the plan of your Faith and Order Commission should not take effect as well as the plan of the Evangelical Alliance[227].» Eine große Anzahl von Briefen, die eine Mitarbeit zusagten, erhielt der Sekretär aus zahlreichen Ländern, zumeist allerdings aus Nordamerika und England, wobei er hervorhob, daß gerade auch Protestanten antworteten, «commending the selection of a time likely to be agreeable to Roman Catholics»[228]. Anfang November 1917 ging das Bulletin Nr. 14 ein zweites Mal auf die vom 18. bis 25. Januar 1918 geplante Week of Prayer ein[229]. Im Bulletin Nr. 16 berichtete der Sekretär erfreut über die Beteiligung, die die erste von der Kommission vorgeschlagene Week of Prayer im Januar des Jahres 1918 gebracht habe[230].

Der Erfolg der Gebetswoche ließ die Kommission in ihrer Sitzung vom 9. April 1918 beschließen, daß der Sekretär für das Jahr 1919 erneut zu einer Gebetswoche einladen sollte[231]. Mr. Gardiner tat das in einem Rundbrief[232]. Außerdem stellte Mr. Gardiner auf Grund zahlreicher Anfragen für Vorschläge von Themen zu Meditation und Gebet bei der Week of Prayer ein Heft «Suggestions for the Octave of Prayer for Christian Unity» zusammen. Auf eigene Verantwortung hin ließ er es drucken und verschicken[233]. Schon im Jahre 1918 war in Indien für die Gebetswoche ein vom Bischof von Madras zusammengestelltes Heft gedruckt und verbreitet worden[234]. Mr. Gardiner erwähnte das im Bulletin Nr. 17, das ebenfalls von der Week of Prayer handelte[235].

[226] Vgl. den Abdruck der Korrespondenz im *Anhang,* S. 365 ff.

[227] GK 2, *R. Davidson,* an G, 18.7.1917.

[228] *Minutes Ex Comt,* 11.10.1917; vgl. auch GK 5, *J. R. Mott,* von G, 13.8.1917; GK, *Ch. H. Brent,* von G, 14.8.1917; GK 2, *R. Davidson,* von G, 15.8.1917; GK 4, *C. G. Lang,* an G, 2.7.1917; *Minutes Com,* 6.12.1917.

[229] Vgl. Bulletin Nr. 14 im *Anhang,* S. 341.

[230] Vgl. Bulletin Nr. 16 im *Anhang,* S. 342 f.

[231] *Minutes Com,* 9.4.1918.

[232] Vgl. den Rundbrief vom 10.7.1918 im *Anhang,* S. 321.

[233] Vgl. GK 7, *G. Zabriskie,* von G, 21.5.1918; GK 7, *R. H. Weller,* an G, 7.6.1918; GK 4, *W. T. Manning,* von G, 11.5.1918; 11.11.1918.

[234] Vgl. *Christian Union Quarterly,* Oktober 1918, S. 42 ff.: Octave of Prayer for Unity.

[235] Vgl. Bulletin Nr. 17 im *Anhang,* S. 343 f.

Die Bedeutung des Gebets wurde in immer weiteren Kreisen anerkannt. Mr. Gardiner stellte sie in einem Artikel über christliche Einheit, der nach seinen Worten «pretty much all my ideas on the subject in a condensed form» enthielt, dar[236]. Für Fürbittegottesdienste um Einheit verfaßte er eine Ordnung, zum Nachdenken und Meditieren schrieb er «Notes for Meditation on Christian Unity»[237]. Es war wesentlich sein Verdienst, daß man in der Kommission die Bedeutung des Gebets jetzt allgemein bewußter aufnahm.

Die Kommission beschloß, auch im Jahre 1920 zu einer Gebetswoche für die Einheit der Christen vom 18. bis 25. Januar einzuladen. Ein Ausschuß, dem Bischof Hall, Professor Fosbroke und Mr. Gardiner angehörten, bereitete dafür einen Aufruf, der in den USA und Kanada verbreitet wurde, und ein Heft mit Vorschlägen vor[238]. Mr. Gardiner informierte darüber auch Erzbischof Cerretti und teilte ihm mit: «We have it selected for the special reason for commendment by an Apostolic Brief[239].» Doch nach der durch Rom erfolgten Ablehnung einer Teilnahme an der geplanten Weltkonferenz brachen durch diese Entscheidung weitere Kontakte ab. Ab Ende Juli 1919 verschickte Mr. Gardiner einen von Bischof Anderson, Rev. Manning und ihm für die Kommission gezeichneten «Appeal For Prayer»[240] und ein Heft «Notes for the Octave of Prayer for Christian Unity, January 18–25, 1920»[241].

Mr. Gardiner war von der wachsenden Anerkennung ermutigt, «that only by prayer we can overcome the almost innumerable and insuperable difficulties in the way. True prayer is the grace to submit to the will of God and not to ask Him to make everybody else agree with us»[242]. Schon Anfang des Jahres 1920 war man sich darüber einig, im Jahre 1921 wieder eine Gebetswoche vorzuschlagen. Bischof Rhinelander wurde mit der Vorbereitung eines Vorschlagsheftes dafür beauftragt[243]. Obwohl die Kommission der Protestant Episcopal Church wieder die Zeit vom 18.–25. Januar vorschlug, befürwortete das bei der Vorkonferenz in Genf eingesetzte Continuation Committee, mit Rücksicht auf die Gebetswoche der World Evangelical

[236] Vgl. GK 1, *P. Ainslie,* von G, 11.10.1918; vgl. den Abdruck, *Anhang,* S. 385 f.

[237] Vgl. *Christian Union Quarterly,* Januar 1919, unnumerierte Seite am Anfang, über The Christian Faith und Love and Unity, von R. H. Gardiner.

[238] Vgl. *Minutes Com,* 24.4.1919.

[239] GK 2, *B. Cerretti,* von G, 6.5.1919.

[240] Vgl. den Abdruck im *Anhang,* S. 321 f.

[241] Vgl. das Heft Notes for the Octave of Prayer for Christian Unity, January 18–25, 1920.

[242] GK 1, *Ch. Boutflower,* von G, 27.6.1919; vgl. auch *Minutes Ex Comt,* 15.1.1920.

[243] Vgl. *Minutes Ex Comt,* 15.1.1920.

Alliance, die Woche vor Pfingsten[244]. So wurde im Jahre 1921 die Woche vom 8. bis 15. Juni abgehalten[245].

4. Das Konkordat

Das Mißtrauen unter Protestanten, die daran zweifelten, ob das Interesse der Protestant Episcopal Church an christlicher Einheit so ernsthaft sei, daß die Bereitschaft zum Gespräch über unverbindliche Diskussion hinaus auch zu praktischer Gemeinsamkeit führe, war bei der Vorbereitungsarbeit der Weltkonferenz immer wieder zu spüren. Besonders die sogenannte Panama-Affäre veranlaßte dann Protestanten bei der North American Preparatory Conference und im North American Preparation Committee, stärker auf praktische Beweise der Aufrichtigkeit und des guten Willens der Protestant Episcopal Church bei der Bemühung um die Weltkonferenz für Fragen des Glaubens und der Kirchenverfassung zu drängen. Schon im Jahre 1915 schien sich eine Gelegenheit anzubahnen, um die Protestant Episcopal Church auf die Probe zu stellen.

In der kleinen Ortschaft Lenox in Massachusetts – deren Situation derjenigen in vielen amerikanischen Orten entsprach – bestanden zwei kaum lebensfähige Gemeinden, eine kongregationalistische und eine episkopalistische. Auf Grund der Lage hatten die beiden Pfarrer des Ortes Pläne für eine gewisse Zusammenarbeit «in work and service» entwickelt. Mit diesen Plänen hatten sie sich an den Bischof der Protestant Episcopal Church in der Diözese Massachusetts, Thomas F. Davies, und an die Commission on Church Unity des National Council of Congregational Churches gewandt. Auch Rev. Smyth als Vorsitzender des kongregationalistischen Ausschusses nahm mit anderen zusammen Verbindung zu Bischof Davies auf. Außerdem wandte er sich wegen der Angelegenheit an den Bischof von Connecticut, Ch. B. Brewster, der meinte, die Frage von Zusammenarbeit, wie die Pläne es vorsahen, müsse vor dem Haus der Bischöfe verhandelt werden[246]. Für die Commission on Christian Unity oder Church Unity, die eingesetzt worden war, «first, to receive any overtures from the Protestant Episcopal Church; second, to represent the Congregationalists in the preparation for the proposed World Conference», in-

[244] Vgl. *Minutes Com,* 11.5.1920; GK 5, *Ph. M. Rhinelander,* von und an G, 30.9.1920; 5.10.1920.

[245] Vgl. das Heft «Suggestions For An Octave Of Prayer For Unity During The Eight Days Ending With Pentecost (Whitsunday) Namely, May 8 To 15, 1921».

[246] Vgl. GK 6, *N. Smyth,* an G, 1.1.1915; 2.1.1915.

formierte Rev. Smyth im Herbst 1915 vor dem in New Haven tagenden National Council of Congregational Churches über die Vorschläge der Pfarrer des Ortes, den sogenannten Lenox-Plan. Er berichtete, daß die bisherigen Kontakte der Commission on Christian Unity mit der Protestant Episcopal Church die Bereitschaft zu Gesprächen über die Sache erkennen ließen. «On account therefore of the possible value of this concrete case in the preparation of the matters of faith and order which are to be laid before the World Conference, as well as for its immediate importance in defining our Congregational relations with the Episcopal Church, the committee requested that such a conference be held, and we received from the official representatives of the Episcopal Church an appreciative and cordial response[247].» Allerdings hatte die Kommission der Protestant Episcopal Church für die Weltkonferenz, an die Rev. Smyth geschrieben hatte, sich für eine Beschäftigung mit dem Lenox-Plan für nicht zuständig erklärt und die Angelegenheit an die Commission on Christian Unity der Protestant Episcopal Church weitergeleitet[248]. Rev. Smyth hoffte, daß dieser Ausschuß noch vor der General Convention 1916 weiterführende Gedanken bekanntgeben würde.

Aus dem Lenox-Plan entwickelte jedoch Rev. Smyth einen neuen Vorschlag, der die Einstellung der Protestant Episcopal Church zum kongregationalistischen Amt und dem der anderen protestantischen Kirchen ganz allgemein prüfen wollte[249]. Auf der Fahrt zur Zusammenkunft eines Ausschusses im Interesse der geplanten Weltkonferenz dachte er darüber nach, wie angesichts des Krieges die Soldaten an der Front und in den Lagern kirchlich am besten versorgt werden können. Dabei empfand er, daß «we should send out our chaplains to the front in the name and the power of the whole Church of God at home»[250]. Das führte zu einem Vorschlag an die amerikanischen Kirchen, daß « ... as a war measure, we should put in cantonments, in regiments and on battleships chaplains and ministers, from whatever church they may come, commissioned, not by their own communion only, but by joint ordination or consecration sent forth with whatsoever authority and grace the whole Church of God may confer, bearing no mark upon them but the sign of the Cross. At some single point of vital contact – that or something better than that – the

247 *The Christian Work,* 15.1.1916, S. 86, in: The Congregational Council and the Episcopal Church, von Rev. N. Smyth.

248 Vgl. *Minutes Com,* 8.4.1915.

249 Vgl. GK 6, *N. Smyth,* an G, 27.11.1917; WCC, *Republican* (Springfield), Massachusetts), 1.11.1917: The Unity of the Churches, Rev. N. Smyth of New Haven on the Present Situation.

250 *N. Smyth,* A Story of Church Unity, New Haven, 1923, S. 15.

Church might act as one»[251]. Der Vorschlag wurde von einer großen Anzahl von Persönlichkeiten verschiedener protestantischer Kirchen unterschrieben und als eines der «most important documents sent out in recent years to the Churches in America» bezeichnet[252]. Im Januar 1918 kam er an die Öffentlichkeit. Bald darauf wurde er – zusammen mit einer ausführlichen Einleitung – dem Haus der Bischöfe der Protestant Episcopal Church zugesandt, wo das Verständnis des Amtes die größten Schwierigkeiten im Umgang mit den anderen protestantischen Kirchen aufwarf. Doch gerade von der Protestant Episcopal Church wollte man « ... some more definite indication of what overtures and actual approaches towards unity in the ministry and the worship of the Church may be deemed in your Christian judgement now possible and desirable, ... »[253].

Der Vorschlag löste eine lebhafte Diskussion aus[254]. Zwar hatten nicht alle führenden Protestanten das Memorandum unterschrieben[255]. Doch spürte man in der Protestant Episcopal Church allgemein wie Bischof Brewster von Connecticut, der Rev. Smyth von der Veröffentlichung des Vorschlags hatte abbringen wollen, daß dabei vor allem das praktische Verhalten der Protestant Episcopal Church getestet werden sollte[256]. Mr. Pepper und Mr. Gardiner hatten versucht, die Schwierigkeiten einer Annahme des Vorschlags in ihrer Kirche aufzuzeigen, weil dazu Änderungen in deren Verfassung notwendig seien, was bedeute, daß die Protestant Episcopal Church erst im Jahre 1922 eventuell ihre Zustimmung geben könnte[257]. Mr. Gardiner hielt darum den Vorschlag N. Smyth's für unüberlegt und meinte, er sei «nothing but a short cut»[258].

Am 10. April 1918 lag das Memorandum dem Haus der Bischöfe vor. Das Ergebnis seiner Beratungen war eine völlig ablehnende und für die Verfasser enttäuschende Antwort, für die Bischof Hall verantwortlich zeichnete. Es hieß darin:

«To join in ordaining or commissioning any Army or Navy chaplain appointed by the State or accepted as a volunteer, ‹from whatever church he may come›,

[251] *The Christian Union Quarterly*, Januar 1918, S. 65 f., in: To Our Fellow-Believers in All the Churches; Greetings.

[252] Ebenda, S. 64.

[253] Correspondence With the House of Bishops of the Protestant Episcopal Church, S. 4.

[254] Vgl. GK 6, *N. Smyth*, an G, 14.2.1918.

[255] Vgl. GK 1, Ch. B. Brewster, von G, 29.12.1917; GK 1, *P. Ainslie*, von G, 26.12.1917.

[256] Vgl. GK 1, *Ch. B. Brewster*, an G, 24.12.1917.

[257] Vgl. GK 1, *Ch. B. Brewster*, von G, 29.12.1917; GK 1, *P. Ainslie*, von G, 26.12.1917.

[258] GK 2, *R. Calkins*, von G, 30.4.1918; vgl. auch GK 4, *S. Mather*, von G, 15.11.1918.

would be practically to deny that any truth, including that of the Triune Being of God or of the Incarnation of the Eternal Son, is of real importance or necessity. We would urge by all means refraining from all unnecessary controversy and rivalry in caring for our soldiers and sailors, and the exercise of the greatest possible consideration and co-operation that do not violate convictions and principles; and then the prayerful preparation for the careful and deliberate consideration of questions concerning Faith and Order which now divide us. For such a world conference our commission, appointed several years ago by the General Convention, is working.»[259]

Diese Behandlung des Vorschlags bei allen inhaltlichen Bedenken, die dagegen angeführt werden konnten – verstärkte in den protestantischen Kirchen erneut den Eindruck im Blick auf die Weltkonferenz, «that the Protestant Episcopal Church has no real interest in the movement except as a means of absorbing Protestant Communions»[260]. Die Bemühung um die Weltkonferenz wurde durch diese Antwort des Hauses der Bischöfe empfindlich getroffen[261]. Rev. Smyth fragte zusammen mit Professor Walker: «Have the Bishops forgotten, or have they never heard, that at a preparatory North American Conference for the proposed World Conference on Faith and Order a paper was presented by the Congregational Commission containing the following declarations concerning the Spiritual Basis of Fellowship: ‹The basis of the proposed World Conference is the faith, resting on the Incarnation of the Son of God . . . ?›»[262]. Sie bedauerten vor allem, daß das Haus der Bischöfe den Vorschlag einfach ohne jede Anregung zu weiteren Überlegungen ablehnte. Selbst in hochkirchlichen Kreisen wurde bemerkenswerterweise die Form und Art der Antwort in Frage gestellt, auch wenn man in der Sache dem Haus der Bischöfe beipflichtete[263].

[259] Correspondence With the House of Bishops of the Protestant Episcopal Church, S. 16.

[260] GK, *Ch. H. Brent,* von G, 10.7.1918.

[261] Vgl. *Christian Union Quarterly,* Juli 1918, S. 62 f.: dort heißt es, die Antwort habe das Denken und die Haltung des Hauses der Bischöfe an den Tag gebracht, «their regard for past traditions holds preeminence over the needs of today and the call of the future. It has given the World Conference a big jolt». Vgl. auch GK 2, *R. Calkins,* von und an G, 4.5.1918; 7.5.1918; GK, Ch. H. Brent, 7.5.1918; GK 4, *S. Mather,* von G, 15.11.1918.

[262] Correspondence With the House of Bishops of the Protestant Episcopal Church, S. 18.

[263] Vgl. z. B. *The Living Church,* 11.5.1918, S. 40: « . . . let us frankly admit, as no doubt each of the bishops would recognize, that in a paper so hastily drawn, as of necessity this answer of the House of Bishops to the memorialists, it is quite possible that there are sentences that are not absolutely beyond criticism». In «The Answer of the Bishops to the Memorialists», Kommentar.

Was konnte getan werden, vor allem, nachdem der Vorsitzende des Hauses der Bischöfe auch auf die entsprechende Bitte von Rev. Smyth hin die Einsetzung eines Ausschusses zum Gespräch mit der Begründung ablehnte, er habe dazu keine Befugnis? Gerade die Mitglieder der Protestant Episcopal Church, denen an der Verwirklichung einer Weltkonferenz für Glauben und Kirchenverfassung gelegen war, mußten bemüht sein, die verfahrene Situation zu verbessern. Angesichts der durch die Entscheidung des Hauses der Bischöfe unter den Protestanten in Amerika gegenüber der Weltkonferenz entstandenen Haltung und angesichts der Kriegslage fühlten Bischof Brent und Mr. Gardiner, «that it is time that something really radical should be done». Mr. Gardiner überlegte sich, ob man nicht bei der nächsten General Convention eine Änderung der Verfassung und der Kanones der Kirche beantragen müßte, die eine Behandlung der Frage des Amtes und der gemeinsamen Ordination mit dem Ziel einer Aktion ermöglichten[264].

Die eigentliche Initiative zum Gespräch ergriff Mr. Zabriskie[265]. Obwohl auch er die Schwierigkeiten für eine gemeinsame Ordination der Armeegeistlichen wegen der «canonical arrangements» in der Protestant Episcopal Church betonte, meinte er, daß seine Kirche «should ordain with certain requirements and discipline rules»[266]. Er stellte dafür einen eigenen Plan auf, begann eine Korrespondenz mit Rev. Smyth und besuchte ihn auch in New Haven[267]. Die Kontakte mit Rev. Smyth und anderen Persönlichkeiten[268] führten dazu, daß sich auf Einladung von Mr. Zabriskie eine Gruppe von Persönlichkeiten privat und vertraulich am 29. und 30. Oktober 1918 mit dem Thema «conferring order of priesthood upon ministers of Protestant Churches who have not received Episcopal ordination» beschäftigte[269]. Der Diskussion zugrunde lagen das von Rev. Smyth verfaßte Memorandum, die Korrespondenz zwischen Mr. Zabriskie und Rev. Smyth und ein darauf basierender, von Mr. Zabriskie verfaßter Entwurf für einen neuen Kanon[270]. Das Ergebnis des Gesprächs war der einmütige Wunsch der Teilnehmer, «to give the project a form which shall be acceptable to our Church and ministers of other Communions» und

264 Vgl. GK, *Ch. H. Brent,* von G, 1.6.1918.

265 Vgl. *N. Smyth,* A Story of Church Unity, New Haven, 1923, S. 26.

266 GK 7, *G. Zabriskie,* an G, 12.5.1918.

267 Vgl. GK 7, *G. Zabriskie,* Korrespondenz zwischen Mr. Zabriskie und Rev. Smyth, 8 Briefe, September 1918.

268 Vgl. GK 7, *G. Zabriskie,* an und von G, 19.5.1918; 21.5.1918; 7.7.1918; 11.7.1918.

269 GK 7, *G. Zabriskie,* an G, 20.9.1918.

270 Vgl. GK 7, *G. Zabriskie,* an und von G, 20.9.1918; 10.10.1918; 24.10.1918; 25.10.1918.

so die Einheit zu fördern. Man wollte der nächsten General Convention den Vorschlag von Rev. Smyth vorlegen und einen Kanon, der episkopalistische Ordination von nichtepiskopalistischen Geistlichen ermöglichen sollte, so daß Geistliche anderer Kirchen auch Mitgliedern der Protestant Episcopal Church zum Beispiel das Abendmahl vollgültig reichen konnten. Bis zu einem weiteren Gespräch am 4. Dezember 1918 formulierte Mr. Zabriskie im Lichte der Diskussion den Vorschlag für einen Kanon nochmals neu[271]. Am 11. März 1919 veröffentlichte die Gruppe «Proposals for an Approach towards Unity» mit einem Kanon, der bei der General Convention der Protestant Episcopal Church im Herbst 1919 beraten werden sollte[272].

Die Vorschläge wurden schnell unter dem Stichwort Konkordat bekannt und weit verbreitet. Starken Einfluß hatte bei seiner Abfassung auch der Second Ad Interim Report ausgeübt. Man hoffte, durch das Konkordat die General Convention dazu zu bringen, «to permit the ordination of ministers of other communions without the requirement to become technically Episcopalians»[273]. Der Kongregationalist Professor Walker hob hervor, daß diese Vorschläge, wenn sie von der General Convention gebilligt würden, keine Verschmelzung seiner Kirche und der Protestant Episcopal Church, sondern zunächst nur «a basis of co-operation in those special cases in which co-operation is especially desirable» bedeuteten. Er betonte aber die Notwendigkeit der Annahme der Vorschläge. «If these proposals are now rejected from either side American Congregationalism and Episcopacy will go increasingly divergent paths for at least a generation to come[274].» Bei der ausführlichen Diskussion in The Living Church wurden von hochkirchlicher Seite verschiedene Argumente für und wider das Konkordat vorgebracht[275]. Auch wenn man die mögliche Bedeutung des Konkordats in besonderen Situationen würdigen ließ, und in einem Beitrag als positiv der Wunsch vermerkt wurde, dem «katholi-

[271] Vgl. GK 7, *G. Zabriskie,* an G, 30.10.1918; 8.11.1918.

[272] Vgl. den Abdruck im *Anhang,* S. 379 ff.; vgl. auch GK 7, *G. Zabriskie,* an und von G, 15.2.1919; 17.2.1919; 18.2.1919; 24.2.1919; 19.3.1919.

[273] *Minutes Com,* 24.4.1919; vgl. auch *The Christian Union Quarterly,* Oktober 1919, S. 50 f., Ausschnitte eines Artikels von G. Zabriskie.

[274] *The Living Church,* 19.4.1919, S. 805 f.: A Congregationalist on the Unity Proposals, von W. Walker.

[275] Vgl. *The Living Church,* 7.6.1919, S. 193 f.; 14.6.1919, S. 231 f.; 21.6.1919, S. 268 ff.; 28.6.1919, S. 309 f.: Proposals for an Approach Towards Unity, I–IV, von Rev. H. Kelly; *The Living Church,* 5.7.1919, S. 337 f.; 12.7.1919, S. 379 f.; 19.7.1919, S. 412 f.: The Proposed Congregational Concordat, von F. J. Hall; *The Living Church,* 12.4.1919, S. 782: Leserbrief von Mr. Zabriskie; *The Living Church,* 9.8.1919, S. 519 ff.; The Constitutionality of Proposals for an Approach Towards Unity, von G. Zabriskie.

schen Amtsverständnis» gerecht zu werden[276], stand man den gemachten Vorschlägen im ganzen doch ablehnend gegenüber[277]. Professor Hall hielt eine Änderung des Artikels VIII der Verfassung der Protestant Episcopal Church, nach dem bei der Ordination jede Person dem Bischof zu unterschreiben hatte, «I do solemnly engage to conform to the Doctrine, Discipline, and Worship of the Protestant Episcopal Church ... »[278], für unerläßlich. Einer solchen Änderung, die das Amtsverständnis der Kirche schwächen würde, wollte er aber keinesfalls zustimmen. Demgegenüber befürwortete Bischof Brent, der im übrigen die praktischen Schwierigkeiten für die Durchführung des Konkordats nicht übersah und es nur als eine Übergangslösung verstanden wissen wollte, wie Professor Walker eine Annahme. «I thank God for it and feel that critics should beware of rejecting it without first proposing a better and truer mode of approach. It offers the first clear proposal for union between our and another communion that has occured in our history, so far as I am informed; and I believe, whatever shape it ultimately may take, it has in it a hope and an opportunity that will make glad the City of God.»[279]

Für die Sicherung einer weiteren Mitarbeit der Protestanten bei der Bemühung um die Weltkonferenz schien das Verhalten der General Convention im Herbst 1919 gegenüber dem Konkordat von entscheidender Bedeutung zu sein. Rev. Smyth formulierte es so:

«We may have patience if some actual decisive step is taken. But not to take a clear decisive step forward at this time would be disastrous. If the Convention makes only a declaration of sentiment, or defers the whole matter to future commissions, the result so far as all the rest of us are concerned will be certain. The sincerity of the Protestant Episcopal Church to seek any unity except by absorption will not longer be trusted. All interest of faith in the World Conference, what is left of it, will be lost, and the rest of the churches will go ahead with their plans of reunion regardless any longer of the claims of the episcopate.»[280]

Im Bewußtsein der Lage setzte sich Rev. Manning während der General Convention bei einer Veranstaltung unter dem Thema «Christliche Einheit» für das Konkordat ein und versuchte es in Einklang mit anderen anglikanischen Äußerungen, besonders den Vor-

[276] Vgl. *The Living Church,* 28.6.1919, S. 310 in: Proposals for an Approach Towards Unity, IV, von Rev. H. Kelly.

[277] Vgl. *The Living Church,* 26.7.1919, S. 443 ff.: Finally — What shall we do with the Concordat?, Kommentar; *The Living Church,* 9.8.1919, S. 511 ff.: Our Ecclesiastical Constitution, Kommentar.

[278] *The Living Church,* 19.7.1919, S. 412, in: The Proposed Congregational Concordat, III, von F. J. Hall.

[279] *The Living Church,* 21.6.1919, S. 267: The Imperative of Unity, von CH. H. Brent.

[280] GK 6, *N. Smyth,* an G, 1.10.1919; vgl. auch GK 6, *N. Smyth,* an G, 3.10.1919.

schlägen der Lambeth-Konferenz des Jahres 1908[281], darzustellen. Als den Zweck, dem das Konkordat diene, betonte er: «What we want to do is to bring all Christians and ourselves along with them into the larger life and fellowship of the Catholic Church, and that is what the proposals aim to do[282].» Vor beiden Häusern der General Convention wurden für und wider das Konkordat engagierte Reden gehalten, wobei sich die Mehrheit schließlich für die Annahme der Vorschläge aussprach. Es wurde beschlossen, daß ein gemeinsamer Ausschuß aus Mitgliedern der Protestant Episcopal Church und Kongregationalisten alle noch offenen Fragen im Zusammenhang mit dem Konkordat durchsprechen und der General Convention im Jahre 1922 ein endgültiger Bericht zur Abstimmung vorgelegt werden solle.

Mit dieser Entscheidung hatte die Protestant Episcopal Church das Konkordat grundsätzlich angenommen und für seine endgültige Verabschiedung durch den Vorschlag weiterer zweiseitiger Gespräche die Vorbereitungen eingeleitet[283]. Man konnte von einer «favorable consideration» der Vorschläge bei der General Convention reden[284]. Nach weiterer Diskussion[285] wurde das Konkordat von der General Convention im Jahre 1922 angenommen. Die Verfassung wurde geändert und der vorgeschlagene Kanon mit kleinen Zusätzen angenommen[286]. Doch war der ganze Kanon so theoretisch angelegt, daß danach kein nichtepiskopalistischer Geistlicher ordiniert wurde.

Die jahrelange Beschäftigung mit dem Konkordat wurde in protestantischen Kreisen genau verfolgt. Teilweise empfand man in dem Ergebnis einen Fortschritt. Doch ließen die ständigen Gegensätze in der Protestant Episcopal Church und die unüberwindliche Furcht der Hochkirchler vor einer zu protestantischen Ausrichtung ihrer Kirche[287] das Mißtrauen nicht verschwinden, ob die Protestant Episcopal Church auf dem Weg zu christlicher Einheit überhaupt führen könne. Durch eine Initiative der Presbyterianer, von denen Rev.

[281] Vgl. Archbishop Davidson, *Lambethconferences,* S. 313 ff.

[282] *The Living Church,* 25.10.1919, S. 919: «At a Mass Meeting on Unity, von W. T. Manning.

[283] Vgl. *N. Smyth,* A Story of Church Unity, New Haven, 1923, S. 28 ff.

[284] Vgl. *The Christian Union Quarterly,* Januar 1920, S. 69, in: Bericht über die General Convention.

[285] Vgl. u.a. *The Living Church,* 21.2.1920, S. 527; Bishop Hall on Concordat Legislation; *The Living Church,* 13.3.1920, S. 637 f.: Dr. Manning on the Concordat Movement; *The Christian Union Quarterly,* Juli 1920, S. 63 ff., Kommentare zum Konkordat; *The Christian Union Quarterly,* Januar 1921, S. 221 ff., aus einer Predigt von Rev. Manning.

[286] Vgl. den endgültigen Kanon in *N. Smyth,* A Story of Church Unity, New Haven, 1923, S. 79 ff. Vgl. ebenda, S. 35 ff.: The Action of the Episcopal Convention, 1922, on the Concordat.

[287] Vgl. GK 6, *E. Talbot,* an und von G, 21.11.1919; 22.11.1919; 26.11.1919.

Roberts in Kontakt mit Mr. Gardiner stand[288], wurden die Protestanten im Jahre 1918 selber aktiv. Im Frühjahr 1918 verabschiedete die General Assembly der Presbyterianer in Columbus, Ohio, einen Beschluß, durch den alle protestantischen Kirchen in Amerika «for a conference looking toward organic union» eingeladen wurden. Den Grund zu dieser Einladung bildete der Eindruck, man habe genug über christliche Einheit geredet, jetzt müsse man eine praktische Tat in Angriff nehmen[289].

Die Konferenz wurde am 4. und 5. Dezember 1918 in Philadelphia mit Teilnehmern aus 16 Kirchen abgehalten. Auch Mr. Gardiner nahm daran teil, um seine Sympathie zu bekunden[290]. Als führende Persönlichkeiten traten bei der Konferenz, die methodisch entsprechend den Plänen für die Weltkonferenz für Glauben und Kirchenverfassung vonstatten ging, Rev. Smyth und Rev. Roberts hervor[291]. Wesentlich war, daß alle Teilnehmer «... were inspired by an earnest desire to bring about some kind of an organization whereby the Churches represented could be united into one visible body working and worshipping together in the unity of spirit and the bond of peace»[292]. Das Bekenntnis zu sichtbarer Einheit, deren Notwendigkeit durch die Zusammenarbeit in praktischen Dingen erkannt würde, fand seinen Niederschlag in Beschlüssen, die die baldige Einsetzung eines Ad Interim Committee forderten und spätestens im Jahre 1920 die Einberufung einer Konferenz durch dieses Komitee wollten[293]. Das ganze Vorhaben sollte ähnlich wie das North American Preparation Committee auf die Vereinigten Staaten beschränkt sein[294]. Unter der Bezeichnung American Council on Organic Union versammelte man sich vom 3. bis 6. Februar 1920 in Philadelphia und debattierte über einen Plan für Einheit, der dann an die Kirchen gesandt wurde[295]. Das Interesse an der Vorbereitung der Weltkonferenz hatte unter den Protestanten stark nachgelassen.

[288] Vgl. GK 5, *W. H. Roberts,* an G, 20.11.1917.

[289] Vgl. *The Christian Union Quarterly,* Juli 1918, S. 59 ff.; vgl. auch *The Living Church,* 30.11.1918, S. 139: A New Call to Unity, Kommentar.

[290] Vgl. GK 5, *E. L. Parsons,* von G, 28.12.1918.

[291] Vgl. *The Christian Union Quarterly,* Januar 1919, S. 12, in: The Philadelphia Conference.

[292] *The Living Church,* 14.12.1918, S. 217: Bishop Talbot's Impressions of the Philadelphia Conference.

[293] Vgl. den ausführlichen Bericht in: *The Christian Union Quarterly,* April 1919, ganze Nummer; vgl. auch *The Christian Union Quarterly,* Januar 1919, S. 9 ff.: The Philadelphia Conference, Kommentar; GK 5, *Ph. M. Rhinelander,* an und von G, 9.12.1918; 13.12.1918.

[294] Vgl. *The Christian Union Quarterly,* Januar 1919, S. 13.

[295] Vgl. *The Christian Union Quarterly,* April 1920, S. 9 ff.: The Union of Evangelical Protestantism, Kommentar.

5. Die Deputation nach Europa

Trotz der Bemühungen von Mr. Gardiner war es während des ganzen ersten Weltkriegs nicht möglich, die seit dem Jahre 1914 geplante Deputation nach Europa die Reise antreten zu lassen. Das notwendige Gespräch zur Vorbereitung einer Weltkonferenz blieb auf die nur teilweise erfolgreichen Unternehmungen in Nordamerika konzentriert. Auch hier beruhte die Aktivität weniger auf dem Einsatz der Kommission der Protestant Episcopal Church für eine Weltkonferenz als auf der Initiative einzelner in ihr. Deren Vorträge, Predigten oder persönliche Begegnungen hatten aber nur begrenzten Einfluß. Verschiedene local conferences wurden durchgeführt, «to make it manifest that we are unitedly seeking union»[296]. Das allgemeine Interesse an der Frage christlicher Einheit versuchte Mr. Ainslie im Jahre 1918 durch eine systematisch angelegte, sich über die gesamten Vereinigten Staaten erstreckende Kampagne zu steigern, deren Höhepunkt eine Reise im Mai und Juni 1919 bildete, bei der Rev. Ainslie von der Atlantischen Küste bis in den Mittelwesten für notwendige christliche Einheit eintrat und sich auch für die Weltkonferenz für Glauben und Kirchenverfassung einsetzte[297]. Mr. Gardiner, der auch durch Vorträge für die Weltkonferenz warb[298], mußte die sehr ehrenvolle Einladung des schwedischen Erzbischofs N. Söderblom zu Vorträgen an der Universität von Uppsala im Herbst 1918 über die amerikanische Christenheit und christliche Einheit nach längerem Überlegen aus beruflichen Gründen absagen[299].

Die Kommission der Protestant Episcopal Church beschäftigte die Frage der Sendung einer Deputation nach Europa nach den Überlegungen im Frühsommer 1917 erneut im Zusammenhang mit der Einladung der skandinavischen Kirchenführer zu der International Ecumenical Conference, die am 8. September 1918 in Christiania (Norwegen) beginnen sollte[300]. Die Überlegungen, ob man eine Deputation schicken solle, deren Teilnehmer bei dieser Konferenz – zu der übrigens Mr. Gardiner eine persönliche Einladung erhalten hatte[301] –

[296] GK 1, *P. Ainslie,* von G, 20.6.1918; vgl. auch GK 4, *A. Mann,* von und an G, 24.2.1916; 25.2.1916; GK 3, *J. W. Hamilton,* von und an G, 1.4.1918; 6.5.1918; 7.6.1918.

[297] Vgl. *The Christian Union Quarterly,* Oktober 1919, S. 9 ff.: Touring in the Interest of Christian Unity; vgl. auch GK 1, *P. Ainslie,* an und von G, 4.10.1918; 11.10.1918; 21.11.1918; 26.11.1918; 25.11.1918.

[298] Vgl. z. B. GK 1, *Ch. B. Brewster,* von und an G, 24.12.1917; 29.12.1917; 9.9.1918.

[299] Vgl. GK 4, *W. T. Manning,* von G, 22.8.1918; 29.8.1918; GK 7, *G. Zabriskie,* von und an G, 28.8.1918; 30.8.1918; GK, *Ch. H. Brent,* von G, 11.9.1918.

[300] Vgl. die Einladung, *Minutes Com,* 9.4.1918.

[301] Vgl. GK 1, *Ch. P. Anderson,* von G, 13.4.1918.

dann anwesend sein könnten, wurde durch eine zeitliche Verschiebung der Konferenz hinfällig[302]. Aber für die Kommission galt weiterhin, daß «the great business before us is to induce our deputations to Europe to go»[303].

Das Ende des Krieges stellte für die Kommission den Anlaß zu größerer und verstärkter Aktivität dar. Man war sich einig darüber, daß beim Anbruch des Friedens möglichst bald eine Deputation nach Europa aufbrechen sollte[304]. Als die Beendigung der Kriegshandlungen bekannt wurde, wollte Mr. Gardiner dieses Ereignis durch die Kommission für eine Weltkonferenz gewürdigt und gleichzeitig als Startpunkt neuer Tätigkeit angesehen wissen. Sein Entwurf für ein Rundschreiben, das zu erneuter Aktivität ermuntern sollte, wurde von der Kommission gebilligt und noch im Dezember 1918 verbreitet[305]. Gleichzeitig setzte die Vorbereitung für die Deputation nach Europa ein.

In der Sitzung vom 5. Dezember 1918 beschäftigte sich die Kommission ausführlich mit der geplanten Deputation, die zumindest nach Rom so rasch als möglich Anfang des Jahres 1919 aufbrechen sollte[306]. Die Finanzierung war dadurch gesichert, daß Mr. Mather – der schon die Unkosten der Zusammenkunft des North American Preparation Committee im Jahre 1917 übernommen hatte – für die Deputation 10 000 Dollar zur Verfügung stellte[307] und Mr. J. P. Morgan, Junior, den restlichen Betrag übernahm[308]. Unklar war längere Zeit die Zusammensetzung der Deputation. Von den im Jahre 1917 bestimmten Mitgliedern war Rev. Manning in seiner Gemeinde unabkömmlich und mußte auf seine Teilnahme verzichten[309]. Auch Mr. Gardiner konnte am Anfang des Jahres nicht reisen, da diese Zeit für ihn beruflich die «Hochsaison» darstellte. Er meinte zudem, daß sein Name durch die Korrespondenz so bekannt sei, daß er als Laie den gleichen Rang wie die Bischöfe und Geistlichen der Deputation haben mußte. Seine Erfahrungen zeigten ihm aber, daß seine Voten und

302 Vgl. *Minutes Com,* 9.4.1918; GK 7, *G. Zabriskie,* an G, 28.6.1918; 11.7.1918; GK 6, *B. T. Rogers,* von G, 10.7.1918; 24.7.1918; GK, *Ch. H. Brent,* von G, 11.9.1918.

303 GK 3, *F. J. Hall,* an G, 24.8.1918.

304 Vgl. GK 1, *Ch. P. Anderson,* an G, 16.10.1918; GK 7, *B. Vincent,* von G, 16.11.1918; GK, *Ch. H. Brent,* von G, 15.11.1918.

305 Vgl. «With the Advent of Peace ...», im *Anhang,* S. 320; vgl. auch *Minutes Com,* 5.12.1918; GK 4, *W. T. Manning,* von G, 11.11.1918.

306 Vgl. *Minutes Com,* 5.12.1918.

307 Vgl. GK 4, *W. T. Manning,* von G, 11.12.1918; GK 7, *G. Zabriskie,* an G, 11.12.1918.

308 Vgl. *Minutes Com,* 24.4.1919.

309 Vgl. GK 4, *W. T. Manning,* 18.12.1918; GK 1, *Ch. P. Anderson,* von G, 13.1.1919.

Ratschläge in der Kommission kaum beachtet wurden, weshalb er besser nicht an der Deputation teilnehme[310]. Der aus den Überlegungen und Gesprächen[311] endgültig sich bildenden Deputation gehörten die Bischöfe Anderson, Vincent und Weller und die Pfarrer Parsons und Rogers an.

Die Abreise dieser Deputation fand am 6. März 1919 statt. Noch vorher kam Rev. Rogers für einige Tage zu Mr. Gardiner nach Boston und vertiefte sich in die mit Europa geführte Korrespondenz des Sekretärs und anderes in den letzten Jahren gesammeltes Material[312]. Allgemein hatte Mr. Gardiner allerdings den Eindruck: «I feel as the Deputation were going off like babes into the woods but perhaps the Lord will take care of them[313].» Bei der Abreise begleitete er die Deputation auf das Schiff «Aquitania» und stellte außer Bischof Anderson alle Mitglieder Erzbischof Cerretti vor, der mit seinem Gefolge zufälligerweise auf demselben Schiff nach Europa zurückkehrte. Erzbischof Cerretti, der Mr. Gardiner in Washington, D.C., empfangen hatte und über die Weltkonferenz informiert war[314], hatte Amerika aus Anlaß der Feierlichkeiten des goldenen Bischofsjubiläums von Kardinal Gibbons am 20. Februar 1919 als persönlicher Vertreter des Papstes besucht[315]. Zu diesem Jubiläum hatte auch Mr. Gardiner seine Glückwünsche ausgesprochen und für das Interesse des Kardinals an der Weltkonferenz gedankt[316]. Daß Erzbischof Cerretti bei der Rückkehr von diesen Feierlichkeiten das gleiche Schiff wie die Deputation benutzte, bot unverhoffte Gelegenheiten zu inoffizieller Fühlungnahme[317].

Nach der Abreise der Deputation gab Mr. Gardiner am 7. März das Bulletin Nr. 19 heraus, das neben der Information über den Stand der Vorbereitungsarbeit vor allem den Aufbruch der Deputation und deren vorläufigen Reiseplan mitteilte[318]. Für die Deputation verlief die Seereise bis Liverpool (England) gut. Man traf auf dem Schiff zweimal mit Erzbischof Cerretti zusammen, der sich hilfsbereit zeigte

310 Vgl. GK 6, *B. T. Rogers,* von G, 19.12.1918; 30.12.1918; GK 7, *G. Zabriskie,* von G, 12.12.1918.

311 Vgl. besonders GK 1, *Ch. P. Anderson,* von und an G, 14.12.1918; 17.12.1918; 20.12.1918; 30.12.1918; 4.1.1919; 13.1.1919; 15.1.1919; 3.2.1919; 14.2.1919; GK 4 *W. T. Manning,* an G, 18.12.1918.

312 Vgl. GK 7, *G. Zabriskie,* von G, 10.2.1919.

313 Vgl. GK 7, *G. Zabriskie,* von G, 13.2.1919.

314 Vgl. GK 1, *Ch. P. Anderson,* von G, 14.2.1919; GK 2, *B. Cerretti,* von G, 14.2.1919; GK 4, *S. Mather,* von G, 20.2.1919.

315 Vgl. *J. T. Ellis,* The Life of James Cardinal Gibbons, Vol. II, S. 298.

316 Vgl. GK 2, *J. Gibbons,* von und an G, 17.2.1919; 19.2.1919.

317 Vgl. GK 2, *B. Cerretti,* von und an G, 20.2.1919; 22.2.1919.

318 Vgl. Bulletin Nr. 19 im *Anhang,* S. 346 f.

und den Besuch in Rom anmelden und einführen wollte[319]. Die Tage in England, während derer die Deputation auch mit dem Erzbischof von Canterbury zusammenkam, waren recht hektisch. Man bereitete die Reise auf dem Kontinent vor[320]. Außerdem fand die erste Zusammenkunft mit einem orthodoxen Kirchenführer statt. Die Deputation suchte am 21. März den Erzbischof von Zypern, Cyril, der in London weilte, auf. Er war vom Gedanken der Weltkonferenz sehr angetan und wollte sich für eine Teilnahme seiner Kirche einsetzen[321].

Von England aus begann die Reise der Deputation wegen der Transportschwierigkeiten mit einem Umweg über Paris und Rom nach Athen, wo der Besuch bei der griechisch-orthodoxen Kirche die erste Aufgabe der Deputation darstellte. Außer der Korrespondenz mit Professor Alivisatos und den Informationen über die Weltkonferenz in griechischen Zeitschriften waren zur griechisch-orthodoxen Kirche beim Besuch des Metropoliten von Athen in Amerika im Herbst 1918 auch persönliche Kontakte geknüpft worden[322]. Eine natürliche Erleichterung während des neuntägigen Aufenthalts bildeten für die Deputation zweifellos die schon längeren Beziehungen zwischen Anglikanern und Orthodoxen, die in der Protestant Episcopal Church durch die Anglican and Eastern Churches Union gepflegt wurden[323]. Der entscheidende Empfang der Deputation in Athen durch die Hl. Synode fand am 5. April 1919 statt. Dabei wurde eine Erklärung über die geplante Weltkonferenz und eine Einladung dazu und zur Vorbereitung dafür überreicht. In der Antwort der Synode am 8. April erklärte sie sich zur Teilnahme bereit[324].

Nach diesem Erfolg reiste die Deputation über Smyrna nach Konstantinopel, der zweiten wichtigen Station der Reise. Am 20. April telegraphierte die Deputation an Mr. Gardiner die dortige Ankunft[325]. Schon in Paris hatte die Deputation den Verwalter des Patriarchats, Dorotheos, getroffen und ihm dabei die Einladung überreicht. Nun konnte Bischof Anderson in einer Sondersitzung der Hl. Synode am Mittwoch nach Ostern das Vorhaben der Weltkonferenz vortragen. Auch die amerikanische Presse berichtete darüber[326]. Die Synode gab

[319] Vgl. GK 6, *B. T. Rogers,* an G, 12.3.1919; GK 1, *Ch. P. Anderson,* an G, 17.3.1919.

[320] Vgl. GK 6, *B. T. Rogers,* an G, 21.3.1919.

[321] Vgl. Report . . . , *Heft 32,* S. 17 und S. 31 f.; vgl. auch GK 2, *Cyril of Cyprus,* an Ch. P. Anderson, 21.3.1919.

[322] Vgl. S. 235 und S. 240 f.; vgl. auch GK 1, *H. Alivisatos,* an G, 1.3.1919.

[323] Vgl. GK 1, *H. Alivisatos,* von und an G, 19.5.1919; o.D.

[324] Vgl. Report . . . , *Heft 32,* S. 5; vgl. die Antwort der Hl. Synode, ebenda, S. 30 f.

[325] Vgl. GK 1, *Ch. P. Anderson,* an G, 20.4.1919.

[326] Vgl. GK 7, *G. Zabriskie,* von G, 30.4.1919.

schon einen Tag später eine die Teilnahme zusagende Erklärung ab[327].

Die Deputation hatte dann verschiedene Begegnungen mit wichtigen Persönlichkeiten. Außer einer Zusammenkunft mit dem armenischen Patriarchen Zaven und einem Besuch beim Präsidenten der berühmten orthodoxen Theologenschule auf der Insel Halki trafen sie auch mit dem dort im Exil weilenden, früher in New York residierenden Erzbischof Platon zusammen. Er hatte als Metropolit von Odessa nach der Übernahme der Macht durch die Bolschewisten aus Rußland fliehen müssen. Er war der einzige russische Gesprächspartner der Deputation[328]. Obwohl ein Besuch Rußlands für unmöglich gehalten wurde, war man der festen Überzeugung, daß das Interesse an der Weltkonferenz dort weiterhin bestehe und die russisch-orthodoxe Kirche sich sofort daran beteiligen würde, wenn eine Möglichkeit dazu vorhanden wäre[329]. Im Auftrag der Kommission sollte der Exekutivausschuß über diese Frage im Herbst 1919 beraten[330].

Von Konstantinopel reiste die Deputation weiter nach Sofia, Bukarest und Belgrad. Überall waren die Kirchen nach dem Kriegsgeschehen mit der Neugestaltung befaßt, vielfach waren die Ämter der Bischöfe und leitenden kirchlichen Repräsentanten noch nicht wieder besetzt. Doch konnte die Deputation Vertretern der bulgarischen, der rumänischen und der serbischen Kirche über den Zweck ihrer Mission berichten und diese orthodoxen Kirchen zur Teilnahme an der geplanten Weltkonferenz einladen. Außer von der serbischen Kirche, deren Hl. Synode eine Teilnahme an der Weltkonferenz befürwortete[331], konnte nur eine wohlwollende Behandlung der Sache zugesichert werden[332].

Von Belgrad aus brach die Deputation nach Rom auf, wo nach den verschiedenen schriftlichen und mündlichen Kontakten mit Vertretern der römisch-katholischen Kirche und den Artikeln über das Vorhaben auch in römisch-katholischen Zeitschriften während der vergangenen Jahre[333] endlich dem Oberhaupt der römisch-katholischen Kirche, Papst Benedikt XV, der Vorschlag der Weltkonferenz für Fragen des Glaubens und der Kirchenverfassung persönlich vorgetragen und die Einladung zur Teilnahme daran ausgesprochen

327 Vgl. Report . . . , *Heft 32,* S. 6 ff.; vgl. die Ansprache vor der Synode und deren Antwort ebenda, S. 25 ff.

328 Ebenda, S. 7 f.

329 Vgl. GK 7, *G. Zabriskie,* von G, 1.10.1919; GK 1, *Ch. P. Anderson,* von G, 4.1.1919; 13.1.1919.

330 Vgl. *Minutes Com,* 16.10.1919.

331 Vgl. Report . . . , *Heft 32,* S. 32.

332 Ebenda, S. 8 ff.

333 S. o. S. 228 ff.

werden sollte. Um eine günstige Aufnahme der Deputation hatte man sich bemüht. Mr. Gardiner hatte an italienische Zeitungen und Zeitschriften Artikel geschickt, die sich mit der Weltkonferenz beschäftigten und die Sache schon vor der Ankunft der Deputation in Italien bekanntmachen sollten[334]. Im Vatikan wurde die Deputation schriftlich[335] und durch Erzbischof Cerretti mündlich schon im voraus eingeführt. Für den Besuch selber hatte man nochmals eine in lateinischer Sprache abgefaßte Erklärung über das Vorhaben zur Überreichung vorbereitet[336]. Allerdings schien eine günstige Entscheidung des Papstes schon vor der Ankunft der Deputation in Rom zweifelhaft. Erzbischof Cerretti schrieb Mr. Gardiner Anfang April nach einem Gespräch mit dem Papst einen Brief, dessen Inhalt eine große Distanz zur geplanten Weltkonferenz erkennen ließ[337]. Ende April stand in vielen Zeitungen eine Meldung, nach der die römisch-katholische Kirche eine Teilnahme am Pan-Christian Congress ablehnte:

«The Holy See has decided not to participate in the Pan-Christian Congress which it is proposed to hold shortly, as the Roman Catholic Church, considering her dogmatic character, cannot join on an equal footing with the other churches. The feeling at the Vatican is that all other Christian denominations have seceded from the Church of Rome, which descends directly from Christ. Therefore Rome cannot go to them; it is for them to return to her bosom. The pope is ready to receive the representatives of the dissenting churches with open arms, since the Roman Church has always longed for the unification of all Christian religions. Pope Leo XIII was deeply interested in this question and has written two famous encyclicals on the subject of the unification of the Christian churches.»[338]

Trotz dieser Nachrichten hoffte Mr. Gardiner auf die Zusage einer Teilnahme der römisch-katholischen Kirche an der Weltkonferenz. Da es bei dem Pan-Christian Congress um die von den skandinavischen Bischöfen vorgeschlagene praktische Zusammenarbeit ging, würde man den Unterschied zur Weltkonferenz, bei der es um das gemeinsame Gespräch gehen sollte, auch im Vatikan erkennen[339]. Zum Brief von Erzbischof Cerretti meinte er, er sei zwar «careful noncomittal, but I do not think he would have written as he did if the dispatches from Rome that the Pope had decided not to participate in the Pan-Christian Congress referred to the World Conference movement»[340].

Im Mai erreichte die Deputation Rom. Erzbischof Cerretti, an den

[334] Vgl. GK 6, *B. T. Rogers,* von G, 1.4.1919; 11.4.1919.
[335] Vgl. GK 1, *Ch. P. Anderson,* von G, 3.2.1919.
[336] Vgl. den Abdruck in *Minutes Com,* 5.12.1918.
[337] Vgl. den Abdruck im *Anhang,* S. 367.
[338] *The Christian Union Quarterly,* Juli 1919, S. 56.
[339] Vgl. GK 1, *Ch. P. Anderson,* von G, 2.5.1919; GK 2, *B. Cerretti,* von G, 6.5.1919.
[340] GK 4, *W. T. Manning,* von G, 2.5.1919.

sie sich auf Grund der Begegnungen bei der Überfahrt von Amerika gleich wandte, vermittelte das Datum für eine Audienz bei Papst Benedikt XV. Es war der 16. Mai 1919[341]. Die lateinische Erklärung und ein englisches Schriftstück über die beabsichtigte Weltkonferenz wurden vorher dem Vatikan zugeleitet. Am 16. Mai empfing Kardinal Gasparri die Deputation und führte sie dann zur Audienz mit dem Papst. Dabei wiederholte Bischof Anderson in einer kurzen Rede nochmals das Anliegen der Deputation[342]. Benedikt XV antwortete eindeutig ablehnend, auch wenn er persönlich äußerst freundlich war. Ein Gespräch konnte gar nicht aufkommen, denn der Entschluß des Papstes hatte schon vor der Audienz festgestanden, was auch dadurch deutlich wurde, daß Bischof Anderson beim Verlassen des Raumes eine getippte Erklärung, die das Wesentliche des vom Papst Gesagten zusammenfaßte, von Erzbischof Cerretti überreicht bekam[343]. In seiner Entscheidung stellte sich der Papst auf den Boden der Grundsätze seiner Vorgänger, was dadurch besonders zum Ausdruck kam, daß er der Deputation den Brief des Kardinalstaatssekretärs vom 8. November 1865 «Ad quosdam puseistas anglicos» und die Enzyklika «Apostolicae Sedi» vom 16. September 1864 überreichen ließ[344]. Auch die Enzyklika, die Papst Leo der XIII über die Gültigkeit der anglikanischen Weihen herausgegeben hatte, erhielt Bischof Anderson von Erzbischof Cerretti ausgehändigt[345]. Nach der Audienz übergab die Deputation selber der Associated Press in Rom ebenfalls eine Erklärung, die folgenden Wortlaut hatte:

> «The deputation had an audience with the Pope and Cardinal Gasparri. The Pope stated that it would not be possible for the Roman Catholic Church to take part in the World Conference. The deputation regrets that the Roman Catholic Church will not be represented, as substantially all the rest of Christendom has promised to co-operate. Preparations for the Conference will proceed and the deputation will continue its work until invitations have been represented to those Communions which have not yet been reached[346].»

Der Versuch, die römisch-katholische Kirche zur Beteiligung an der Weltkonferenz für Glauben und Kirchenverfassung zu gewinnen, war damit gescheitert.

Die Entscheidung des Papstes wurde auch von römischen Katholiken bedauert[347]. In den hochkirchlichen Kreisen der Protestant Epis-

[341] Vgl. Report ..., *Heft 32,* S. 10 ff.; vgl. Max Pribilla, Um kirchliche Einheit, Freiburg 1929, S. 207 ff.

[342] Vgl. den Abdruck der Rede im *Anhang,* S. 368.

[343] Vgl. Report ..., *Heft 32,* S. 12.

[344] Ebenda.

[345] Vgl. GK 1, *Ch. P. Anderson,* an G, 27.5.1919.

[346] GK 2, *P. Gasparri,* To Associated Press, Rome, May 16 th, 1919.

[347] Vgl. GK 4, *S. Mather,* von G, 2.6.1919; GK 7, *B. Vincent,* von G, 26.12.1919.

copal Church hielt man das Verhalten Roms für falsch und enttäuschend. «Rome had the opportunity of presenting Papalism to assembled Christendom at its very best; and it has chosen to present it, in advance, at its worst[348].» Allerdings warnte besonders Bischof Brent davor, nun die römisch-katholische Kirche einfach abzuschreiben. Man sollte weiterhin diese Kirche mit im Blick behalten. «I hold to the hope that a day will come, perhaps, when with a fuller understanding of the situation, a Pope will ask those who are not of his fold to consider with him the unity of the Church[349].»

Nach der Erfüllung ihres Auftrags in Rom teilte sich die fünfköpfige Deputation. Bischof Anderson, Bischof Vincent und Rev. Parsons reisten nordwärts, Bischof Weller und Rev. Rogers brachen in den Vorderen Orient auf. Die drei nach Norden reisenden Mitglieder der Deputation kehrten über Paris, wo sie mit Professor Wilfried Monod konferierten, der schon früher wegen der Teilnahme der französischen protestantischen Kirchen an der Weltkonferenz angefragt hatte[350], nach London zurück. Von dort brachen sie nach Norwegen auf, wo sie die Bischöfe von Bergen und von Christiania aufsuchten[351]. Nach einem Aufenthalt in Schweden kehrte diese Deputation nochmals nach Christiania zurück und breitete das Vorhaben vor einer «distinguished company» aus. Die norwegische Kirche wollte sich an der Weltkonferenz beteiligen[352]. Der Aufenthalt in Schweden führte über Stockholm nach Uppsala, wo Erzbischof Söderblom die Deputation herzlich willkommen hieß. Auch hier führte die Begegnung zur Zusage der Teilnahme[353]. Es wurde auch über eine Zusammenlegung der Weltkonferenz für Glauben und Kirchenverfassung und der durch die neutrale Konferenz während des Krieges vom 14. bis 16. Dezember 1917 in Uppsala angeregten International Church Conference gesprochen[354]. Doch meinte man, da die Aufgabe der International Church Conference viel begrenzter sei als die der Weltkonferenz für Glauben und Kirchenverfassung, sei ein getrenntes, doch zusammenarbeitendes Vorgehen am besten[355]. Von Christiania kehrte die Deputation nach London zurück, wo Bischof Anderson, Bischof Vincent und Rev. Parsons zusammen mit dem Archbishops Committee die Er-

[348] *The Living Church,* 24.5.1919, S. 109 in: Ecclesiastical Diplomacy, Kommentar; vgl. auch *Christian Union Quarterly,* Oktober 1919, S. 51 f.

[349] *The Living Church,* 21.6.1919, S. 267, in: The Imperative of Unity, von Ch. H. Brent.

[350] S. o. S. 179; vgl. Report ..., *Heft 32,* S. 12 f.

[351] Vgl. Report ..., *Heft 32,* S. 13.

[352] Vgl. Report ..., *Heft 32,* S. 15 f.

[353] Ebenda, S. 13 ff.

[354] Vgl. Rouse/Neill, Geschichte der Ökumenischen Bewegung, Band II, S. 158 ff.

[355] Vgl. Report ..., *Heft 32,* S. 15.

gebnisse und den Stand der Vorbereitungen besprachen. Betont wurde dabei, daß man eine Vorkonferenz angesichts der Lage in Rußland und Deutschland erst einberufen sollte, wenn «it is possible to secure a representative gathering»[356]. Beide Länder konnte die Deputation wegen der inneren Lage nicht besuchen, doch wurde festgestellt: «Too much importance cannot be attached to the services which the Churches of these two countries can render to the World Conference and to all Christendom through the medium of the Conference[357].» Bedauerlicherweise konnten aus Zeitgründen auch die Kirchen in Finnland, Dänemark und Holland nicht mehr besucht werden. Notgedrungen mußte man die Einladung schriftlich schikken[358]. Im Juni traten diese drei Mitglieder der Deputation die Rückreise nach Amerika an[359].

Bischof Weller und Rev. Rogers waren am 19. Mai von Rom aus über Neapel zur Fahrt nach Alexandria aufgebrochen[360]. Am 26. Mai hatten sie Alexandria erreicht. Dort trugen sie noch am gleichen Tag dem Patriarchen der dortigen orthodoxen Kirche, Photius, ihre Sache vor. Am nächsten Tag sprach er sich für eine Teilnahme an der geplanten Weltkonferenz aus[361]. Am 28. Mai ging die Fahrt nach Kairo, wo die Deputation den koptischen Patriarchen für Ägypten und Abessinien aufsuchte. Die Gespräche gingen am nächsten Tage vor der Hl. Synode weiter. Die Einladung wurde auch hier mit Zustimmung aufgenommen.

Die Weiterreise wurde durch die Hilfe des britischen Hochkommissars für Ägypten, des Generals Allenby, den Bischof Weller und Rev. Rogers aufsuchten, möglich. Durch seine Vermittlung konnte die Deputation am Sonntagabend, den 1. Juni, Kairo mit einem Militärzug nach Ludd verlassen. Von dort brachte sie ein Militärfahrzeug am 2. Juni morgens nach Jerusalem, wo der dortige britische Militärgouverneur alle äußeren Arrangements hatte treffen lassen. Die Deputation wurde vom Patriarchen von Jerusalem, Damianos, empfangen. Am 3. Juni nahm die Deputation an einem feierlichen Gottesdienst und anschließendem Frühstück zu Ehren St. Konstantins und aus Anlaß des Geburtstags des englischen Königs teil. Ihre Anfrage wegen einer Beteiligung an der Weltkonferenz erhielt eine bejahende Antwort[362]. Bischof Weller und Rev. Rogers besuchten auch Bethlehem.

[356] Ebenda, S. 16 f.
[357] Ebenda, S. 17.
[358] Ebenda, S. 17.
[359] Vgl. GK 1, *Ch. P. Anderson,* an G, 27.5.1919.
[360] Vgl. GK 6, *B. T. Rogers,* an G, 19.5.1919.
[361] Vgl. GK 5, *Photius,* o.D.
[362] Vgl. BK 1, *Damianos,* an Bischof Ch. P. Anderson, Juni 13/26, 1919.

Am 4. Juni reiste die Deputation weiter. Sie wurde im Auto wieder nach Ludd gebracht, von wo sie mit dem Zug nach Damaskus fuhr. Dort konnte sie am folgenden Tag dem Patriarchen von Antiochien, Gregorius, die Einladung überbringen und die notwendigen Erläuterungen geben. Aus Zeitgründen mußte die Deputation schon am 6. Juni wieder Richtung Kairo aufbrechen, das am nächsten Tag frühmorgens erreicht wurde. Am 8. Juni, dem Pfingstfest, feierten Bischof Weller und Rev. Rogers dort einen Dankgottesdienst, bevor die Abreise am Nachmittag stattfand. Die Rückreise führte über England, wo die Deputation mit dem Erzbischof von Canterbury zusammentraf. Nach verschiedenen Verzögerungen verließ die Deputation England am 10. Juli und kehrte am 22. Juli nach Amerika zurück[363].

Die mehrmonatige Reise der Deputation war ein großer Erfolg. Die wesentlichen Erkenntnisse führte Bischof Anderson bei einer Sitzung der Kommission gleich nach der Rückkehr des ersten Teils der Deputation am 23. Juni auf[364]. Weithin greife die Notwendigkeit der Annäherung der Kirchen angesichts der Weltsituation Platz im Denken, was auch dadurch Ausdruck fand, daß bis auf die römisch-katholische Kirche alle Kirchen sich an der Weltkonferenz für Glauben und Kirchenverfassung interessiert zeigten. «... the world is moving from one end to the other, and some of the Churches are beginning to realize that they cannot remain static while the procession marches on»[365]. Das «unique testimony as to the primitive content of Christianity and the devotional life of the Church» der orthodoxen Kirchen und deren Bedeutung für die geplante Weltkonferenz wurden hervorgehoben. Beim Dankgottesdienst, den seine Diözese nach der gesunden Rückkehr für Bischof Anderson veranstaltete, sagte er, daß die Orthodoxie «will fill a very large place in the World Conference. It is only a form of western provincialism which would minimize the importance of their co-operation or the value of their contribution»[366]. Entscheidend wichtig schien der Deputation schließlich auch, daß man nach der Beendigung der großenteils geglückten Reise nach Europa nun intensiv an die Durchführung der Weltkonferenz denke und die Aufgabe wahrnehme, «to press ahead with the Conference»[367].

Aus ihren Erkenntnissen zog die Deputation Folgerungen und legte

[363] Vgl. GK 6, *B. T. Rogers,* an G, 3.7.1919; GK 7, *R. H. Weller,* an G, 30.8.1919, Anhang; Report of the Deputation from the World Conference Commission to Egypt, Palestine and Syria; Report ..., *Heft 32,* S. 23 f.

[364] Vgl. *Minutes Com,* 23.6.1919.

[365] Report ..., *Heft 32,* S. 18.

[366] *The Living Church,* 12.7.1919, S. 392 f.: Bishop Anderson summarizes conditions regarding unity; vgl. auch Report ..., *Heft 32,* S. 19 f.; The Living Church, 24.5.1919, S. 109: Ecclesiastical Diplomacy, Kommentar.

[367] GK 1, *Ch. P. Anderson,* an G, 27.5.1919; vgl. auch Report ..., *Heft 32,* S. 20 f.

sie als konkrete Vorschläge der Sitzung der Kommission vor. Neben erneuter und verstärkter Propagierung des Vorhabens in Amerika und Europa und dem Versuch, den noch nicht besuchten und den Grundsätzen der Weltkonferenz entsprechenden Kirchen – vor allem in Rußland und Deutschland – eine Teilnahme zu ermöglichen, wurde zu einem «preparatory meeting» für die Weltkonferenz mit Vertretern aller eingesetzten Kommissionen als nächsten Schritt geraten[368]. Die von Bischof Anderson vorgetragenen Vorschläge und der Bericht der Deputation wurde verbunden mit dem Dank an die schon zurückgekehrten Mitglieder entgegengenommen[369].

Für das Vorhaben der Weltkonferenz stellte der Erfolg, daß man nahezu die ganze Christenheit eingeladen, beinahe ausschließlich Zusagen für eine Beteiligung erhalten hatte und damit die Durchführung möglich war, einen Ansporn dar. Schon Anfang Juni gab Mr. Gardiner ein Bulletin heraus, in dem er einen Überblick über die ergangenen Einladungen und die bis dahin erzielten Ergebnisse der Deputation gab[370]. Am 23. Juni beschloß der Exekutivausschuß in einer kurzen Sitzung, den Bericht der Deputation als offizielle Schrift der Kommission zu veröffentlichen und möglichst weit zu verbreiten[371]. Mr. Gardiner ließ den Bericht drucken[372] und auch verschiedene Übersetzungen anfertigen[373]. Das Heft wurde an die gesamte Adressenliste des Sekretariats und an alle Pfarrer der Protestant Episcopal Church geschickt[374]. Doch sollte die Erkenntnis von der Notwendigkeit christlicher Einheit und der Bedeutung von conference spirit, dem Geist des Gesprächs, als den Voraussetzungen einer sinnvollen Weltkonferenz breiteren Raum gewinnen, dann mußten die Laien besser informiert werden. Mr. Gardiner betonte immer wieder, wenn die Weltkonferenz wirklich weiterführen solle, «it must be supported by the whole body of the Christian world, and not simply by a number of ecclesiastics, however saintly and distinguished they may be»[375]. Um die breitere Unterstützung zu gewinnen, stimmte der Exekutivausschuß dem Vorschlag Mr. Gardiner's zu[376], das kaum in Er-

[368] Vgl. Report ..., *Heft 32,* S. 21f.; GK 6, *B.T. Rogers,* von G, 18.7.1919.

[369] Vgl. *Minutes Com,* 23.6.1918.

[370] Vgl. Bulletin Nr. 21, im *Anhang,* S. 348 f.

[371] Vgl. *Minutes Ex Comt,* 23.6.1919.

[372] Vgl. Report ..., *Heft 32;* vgl. auch GK 4, *W. T. Manning,* von G, 22.8.1919; 11.9.1919; GK 7, *R.H. Weller,* an G, 30.8.1919; GK 1, *Ch.P. Anderson,* an G, 29.8.1919.

[373] Vgl. *Minutes Ex Comt,* 15.1.1920; eine deutsche Übersetzung des Berichts erschien in IKZ, Januar 1920, S. 1 ff.

[374] Vgl. *Minutes Com,* 16.10.1919.

[375] GK 4, *S. Mather,* von G, 19.5.1919.

[376] Vgl. *Minutes Ex Comt,* 27.5.1919; GK 4, *W. T. Manning,* von G, 11.3.1919; GK 1, *Ch. P. Anderson,* von G, 29.4.1919; GK 7, *L. B. Wilson,* von G, 4.6.1919.

scheinung getretene North American Preparation Committee zur Information über die Deputation und die Besprechung der Vorschläge für nächste Schritte zusammenzurufen. Nachdem die Kommission in ihrer Sitzung am 16. Oktober 1919 diesen Vorschlag ebenfalls billigte, wurden die Vertreter der Kommissionen in Nordamerika vom Exekutivausschuß auf den 20. November 1919 zu einer ganztägigen Zusammenkunft in New York eingeladen[377].

In der Synod Hall der Kathedrale St. John the Divine versammelten sich auf die Einladung hin am 20. November fast 70 Vertreter von Kommissionen für eine Weltkonferenz über Fragen von Glauben und Kirchenverfassung[378]. Mit durch die Bemühung um die geplante Weltkonferenz waren in den vergangenen Jahren in aller Welt Bewegungen für örtlich begrenzte Einheit entstanden, hatte das Gespräch über die Frage des Amtes und des Episkopats in verschiedenen Ländern neu eingesetzt oder hatten Versuche von Annäherung und Zusammenarbeit von Kirchen verschiedener Herkunft begonnen. Selbst Mr. Gardiner überschaute die Zahl und Art dieser in irgendeiner Weise für christliche Einheit wirkenden Bewegungen nicht. «There are so many conferences, movements and societies nowadays that it is almost impossible to keep them straight in ones mind[379].» Als bei der Zusammenkunft am 20. November gleich zu Beginn der Vorschlag gemacht wurde, sich mit diesen Entwicklungen zu beschäftigen, betonte Mr. Gardiner als das Thema der Zusammenkunft die Weltkonferenz für Glauben und Kirchenverfassung. Ihm lag an der ausschließlichen Beschäftigung damit. «We want to keep the World Conference movement distinct from everything else[380].»

Den Versammelten trug dann Bischof Anderson den Bericht der Deputation nach Europa und dem Vorderen Orient mit den Empfehlungen vor[381]. Mr. Gardiner ergänzte diesen Bericht mit Bemerkungen über den Stand der Vorbereitungen in den Ländern, die nicht von der Deputation aufgesucht wurden. Nach der Information setzte eine ausführliche Diskussion ein, der zwei Anträge von Mr. Gardiner zugrunde lagen. Darin forderte er, daß alle Kommissionen und Komitees die Weltkonferenz jetzt intensiv als ihr Ziel in Angriff nehmen sollten und daß diese nicht aus finanziellen Gründen oder aus Mangel an thematischer Vorbereitung verzögert werden sollte. Er empfahl

[377] Vgl. *Minutes Ex Comt,* 23.10.1919; *Minutes Com,* 16.10.1919.

[378] Vgl. im folgenden das Protokoll der Zusammenkunft am 20.11.1919; vgl. den Abdruck auch in: *The Christian Union Quarterly,* Januar 1920, S. 64 ff.; vgl. auch GK 5, *W. H. Rob*erts, an G, 5.11.1919; GK 1, Ch. P. Anderson, von G, 14.11.1919.

[379] GK 5, *W. H. Roberts,* von G, 7.11.1919.

[380] GK 1, *Ch. P. Anderson,* von G, 15.11.1919; vgl. auch GK 1, Ch. P. Anderson, an G, 11.11.1919; GK 4, *S. Mather,* von G, 19.5.1919.

[381] Vgl. Report . . . , *Heft 32,* S. 3 ff.

außerdem, den von der Deputation gemachten Vorschlag einer Vorkonferenz zu billigen.

Im Verlauf der Diskussion wurde die Kommission der Protestant Episcopal Church, der man das Vertrauen aussprach, mit der Vorbereitung einer solchen Vorkonferenz beauftragt. Sie sollte dabei von den verschiedenen über die ganze Welt verteilten Kommissionen deren Empfehlungen erbitten «as to what they desire included in the program». Bei der Debatte über den Antrag einer intensiveren und beschleunigten Vorbereitung in den Kommissionen und Komitees berichtete Sekretär Gardiner, daß nur etwa ein halbes Dutzend «Statements» des Glaubens auf den Beschluß des North American Preparation Committee hin bei ihm eingetroffen seien. Damit die thematische Vorbereitung intensiver geschehe, wurde jetzt vorgeschlagen, solche Stellungnahmen durch Fragebogen zu sichern, und außerdem angeregt, daß jede Kommission einen Unterausschuß einsetze «to see that the schools and seminaries of its communion are thoroughly informed with regard to the World Conference». Für die Publizität der Weltkonferenz setzte sich erneut Rev. Ainslie ein. Er meinte, die Kommission der Protestant Episcopal Church müsse mehr Informationen verschicken und regte an, einen Sonntag zu benennen, an dem an allen Orten von der Weltkonferenz berichtet und über die Notwendigkeit christlicher Einheit gepredigt werden sollte. Er wiederholte einen schon früher geäußerten Plan, nach dem immer zwei Persönlichkeiten zusammen bei Veranstaltungen über die Weltkonferenz informieren und für ihre Unterstützung werben sollten. Schließlich wurde das ständige Gebet für die Sache als eine wesentliche Aufgabe hervorgehoben.

Am Schluß der Versammlung wurde Mr. Gardiner's Ziel, diese Zusammenkunft nur auf die geplante Weltkonferenz in der Diskussion zu beschränken, nicht eingehalten. Eine Erklärung von Rev. Ainslie, die den Versuch der von den Presbyterianern geplanten Konferenz für organische Einheit unter den protestantischen Kirchen unterstützte und gut hieß, wurde von den Versammelten angenommen. Der Drang zu konkreten Taten war bei der Zusammenkunft unter den Teilnehmern unverkennbar.

Die Unterstützung des von den Presbyterianern eingeleiteten Vorhabens durch die Versammlung am 20. November 1919 sollte wohl auch ein leiser Hinweis für die Kommission der Protestant Episcopal Church sein, sich aktiver für die geplante Weltkonferenz einzusetzen. Denn das Interesse an der Frage christlicher Einheit und auch am Vorhaben der Weltkonferenz hatte in der Protestant Episcopal Church seit der Einsetzung der Kommission im Jahre 1910 merklich nachgelassen. Bei der im Herbst 1919 tagenden General Convention empfand selbst Bischof Anderson das Interesse als nicht sehr stark[382]. Den Bericht der Kommission an die General Convention hatte der Exekutivausschuß anhand eines Entwurfs von Mr. Gardiner am 27. Mai 1919 beraten[383]. Dabei wurde die Fertigstellung des Berichts Rev. Manning, Mr. Zabriskie und Mr. Gardiner übertragen. Die Gruppe führte diese Aufgabe aus, beschloß aber nach dem erfolgreichen Abschluß der Reise der Deputation und der Veröffentlichung von deren Bericht von einer Veröffentlichung des Berichts an die General Convention abzusehen, da das allgemein Interessierende schon in den Bericht der Deputation aufgenommen sei[384]. Bei der General Convention selber, die in Detroit (Michigan) tagte, informierte die Kommission in einer besonderen Veranstaltung am 14. Oktober über die Erfolge der Deputation im Frühjahr und die Frage christlicher Einheit, bei der das mit den Kongregationalisten geplante Konkordat im Vordergrund stand[385].

Die zumindest sehr vorsichtigen Beschlüsse der General Convention im Blick auf das Konkordat und die völlig passive Haltung gegenüber einer vollen Mitgliedschaft im Federal Council enttäuschten manche Nichtepiskopalisten. Der Generalsekretär des Federal Council, Rev. Macfarland, erwartete, daß die General Convention im Jahre 1919 «would unquestionably vote for a completer participation, especially in view of the fact that during the war the Protestant Episcopal body did function on the same basis with our War Commission as did the other bodies»[386]. Daß die Protestant Episcopal Church im Federal Council noch immer nicht als volles Mitglied mitarbeitete, war auch schwer verständlich, nachdem vom 3. Vierjahrestreffen des Federal Council vom 6. bis 11. Dezember 1916 in St. Louis, Missouri, berichtet worden war, daß «this great organization is not at all undenominational, but strictly inter-denominational, safeguarding with the utmost scrutiny the ecclesiastical and doctrinal autonomy of the thirty constituent bodies that compose ist»[387]. Der Federal Council erhielt von den skandinavischen Bischöfen zu der geplanten International Church Conference wie die Kommission für die Weltkonferenz eine Einladung, über deren Annahme beraten wurde[388]. Nach-

[382] Vgl. *Minutes Com,* 4.12.1919, Brief von Bischof Ch. P. Anderson.

[383] Vgl. *Minutes Ex Comt,* 27.5.1919; vgl. auch *Minutes Com,* 5.12.1918; 24.4.1919.

[384] Vgl. den Bericht an die General Convention in: *Journal of the General Convention,* Appendix XIX, S. 589 ff. im Band des Jahres 1919.

[385] Vgl. *The Living Church,* 25.10.1919, S. 919: At a Mass Meeting on Unity, von Rev. W. T. Manning; vgl. auch *Minutes Com,* 23.6.1919.

[386] GK 4, *Ch. S. Macfarland,* an G, 29.10.1919.

[387] *The Living Church,* 6.1.1917, S. 327; Some Impressions of the Federal Council of Churches, von Bischof Ethelbert Talbot.

[388] Vgl. *Federal Council,* Annual Reports, 1918, S. 70.

dem diese Konferenz hatte verschoben werden müssen, und die Deputation der Protestant Episcopal Church im Frühjahr 1919 mit Erzbischof Söderblom über sein Vorhaben gesprochen hatte[389], empfahl sie nach ihrer Rückkehr zwar, eine Vertretung zu schicken[390], und Mr. Gardiner empfahl auch Rev. Macfarland die Einladung an den Federal Council anzunehmen[391]. Mr. Gardiner selber, der auch eingeladen war, sagte wegen der zur gleichen Zeit stattfindenden General Convention die Teilnahme an der schließlich vom 30. September bis 3. Oktober 1919 in Oud Wassenaar bei Den Haag stattfindenden Konferenz ab[392]. Doch hatte der Sekretär gleichzeitig Bedenken, daß das Vorhaben einer bei dieser Konferenz vorgeschlagenen «conference on practical activities», an deren Vorbereitung Rev. Macfarland als Vertreter des Federal Council beteiligt war[393], eine Verwechslung mit der geplanten Weltkonferenz bringen könnte. Nachdem die Protestant Episcopal Church im Federal Council nicht als volles Mitglied mitarbeitete, drohte nun die Gefahr, daß durch das vom Federal Council unterstützte Vorhaben einer ökumenischen oder internationalen Konferenz für praktische Zusammenarbeit Schwierigkeiten für die geplante Weltkonferenz entstanden. Mr. Gardiner hoffte: «As we are last on the point of clinching the World Conference movement, I hope, that Dr. Macfarland and others will make every effort not to confuse it with the ecumenical[394].» Auf jeden Fall zeigte die äußere Lage sowohl im Blick auf die eigene Kirche wie im Blick auf die Lage in den Vereinigten Staaten die Notwendigkeit einer schnellen und unverwechselbaren Vorbereitung der von der Deputation nach Europa vorgeschlagenen Vorkonferenz.

6. Die Vorkonferenz von Genf im Jahre 1920

Das Ziel für die weitere Arbeit der Kommission nach der Zusammenkunft der Vertreter der North American Commissions am 20. November 1919 und der Neukonstituierung nach der General Convention im Oktober 1919 bildete die sogenannte Vorkonferenz. Die erneuerte Zusammensetzung der Kommission brachte bemerkenswerte Veränderungen. Schon im Mai des Jahres 1919 wurde für den verstorbenen Bischof von New York, D. H. Greer, als Nachfolger Bischof

[389] Vgl. Report ..., *Heft 32*, S. 15.
[390] Vgl. *Minutes Com*, 23.6.1919.
[391] Vgl. GK 4, *Ch, S. Macfarland*, von G, 21.7.1919.
[392] Vgl. GK 5, *W. H. Roberts*, von G, 7.11.1919; vgl. auch Rouse/Neill, Geschichte der Ökumenischen Bewegung, Band II, Göttingen, 1958, S. 164 ff.
[393] Vgl. GK 4, *Ch. S. Macfarland*, an G, 29.10.1919.
[394] GK 5, *W. H. Roberts*, von G, 7.11.1919.

Ch. H. Brent in den Exekutivausschuß gewählt[395]. Er hatte im Jahre 1917 die Philippinen verlassen, hielt sich dann als leitender Armeegeistlicher in Europa auf und amtierte seit dem Kriegsende als gewählter Bischof von Western New York. Wegen Arbeitsüberlastung trat im Herbst 1919 Mr. Pepper von der Kommission zurück[396]. An seine Stelle wurde, nachdem Mr. Mather die Wahl abgelehnt hatte, Bischof Brewster von Connecticut in das Exekutivkomitee gewählt[397]. Für die weitere Marschroute der Kommission war die erste Sitzung nach der General Convention am 4. Dezember 1919 entscheidend.

Bei dieser Sitzung standen im Mittelpunkt die Durchführung der Vorkonferenz und stärkere Publizität des Vorhabens der Weltkonferenz für Fragen des Glaubens und der Kirchenverfassung. Die Empfehlungen der Zusammenkunft von Vertretern der North American Commissions am 20. November lagen vor. Man faßte den wichtigen Beschluß, die Vorkonferenz auf den 12. August 1920 für etwa vierzehn Tage nach Genf einzuberufen. Die ursprünglich vorgesehene Stadt Den Haag wurde abgelehnt, weil Holland von manchen Leuten angesichts der Niederlage Deutschlands für zu prodeutsch gehalten wurde, Genf dagegen ein neutraler Ort war[398]. Im weiteren Verlauf der Sitzung wurden als Delegierte der Kommission bei der Genfer Vorkonferenz Bischof Anderson, Rev. Manning und Mr. Gardiner benannt[399]. In der Frage der Finanzierung der Vorkonferenz, für die schon vorher als Alternative die Frage einer gemeinsamen oder getrennten Kasse der Kommissionen zur Debatte stand[400], entschied die Kommission, daß jede einzelne Kommission die Kosten der eigenen Delegierten bei der Vorkonferenz aufbringen sollte und daß die Kommission der Protestant Episcopal Church sämtliche Kosten für Vorbereitung und Durchführung der Vorkonferenz übernehme[401]. Im Blick auf eine bessere Vermittlung der Kenntnisse über das Vorhaben und eine stärkere Publizität hatte Mr. Gardiner Anfang November einen Rundbrief an alle Pfarrer der Protestant Episcopal Church gerichtet, in dem er den Wunsch nach stärkerem Vertrautwerden der breiteren Öffentlichkeit in den Vereinigten Staaten – besonders auch der Geistlichen und der Laien in der eigenen Kirche – mit dem Vorhaben der Weltkonferenz zum Ausdruck brachte und Material zur

[395] Vgl. *Minutes Ex Comt,* 27.5.1919; vgl. auch *The Living Church,* 24.5.1919, S. 109: Death of Bishop Greer.

[396] Vgl. GK 5, *G. Wh. Pepper,* an G, 6.10.1919; *Minutes Com,* 16.10.1919.

[397] Vgl. *Minutes Ex Comt,* 13.11.1919.

[398] Vgl. GK 1, *Ch. P. Anderson,* von G, 27.10.1919; 15.11.1919.

[399] Vgl. *Minutes Com,* 4.12.1919.

[400] Vgl. GK 1, *Ch. P. Anderson,* von und an G, 10.11.1919; 14.11.1919.

[401] Vgl. *Minutes Com,* 4.12.1919.

Information beilegte[402]. In der Sitzung am 4. Dezember verpflichteten sich die Mitglieder der Kommission, «to present the subject of the World Conference and the progress of the movement at public gatherings and especially at Synods and other meetings of an official nature»[403]. Gleichzeitig wurde beschlossen, nochmals alle eingesetzten Kommissionen zu verstärkter Unterstützung der Weltkonferenz-Bewegung aufzurufen und auch die Empfehlung weiterzugeben, «that ministers should preach about the movement»[404]. Nach Überlegungen über die Propagierung der Weltkonferenz in der Protestant Episcopal Church schrieb Mr. Gardiner im Auftrag des Exekutivausschusses an 184 theologische Seminare der Kirche. Doch nur sechs Seminare baten um Vorträge über die geplante Weltkonferenz, einige mehr fragten wegen Literatur an[405]. Auch auf Rundbriefe an alle Bischöfe der Protestant Episcopal Church mit dem Angebot, auf Anfrage hin Persönlichkeiten zu Vorträgen – zum Beispiel vor den Diözesansynoden – zu senden, antworteten über siebzig Bischöfe gar nicht, und erbaten nur wenige eindeutig Vorträge[406]. Das allgemeine Interesse in der Protestant Episcopal Church und den anderen amerikanischen Kirchen an der Weltkonferenz und der Vorkonferenz war so gering, daß Sekretär Gardiner im April 1920 schreiben mußte: «My chief difficulty at present is to get the American Churches to recognize the importance of the preliminary meeting in Geneva. The rest of the world seems to be quite enthusiastic about it[407].»

Sofort nach der Sitzung der Kommission am 4. Dezember 1919 verfaßte Mr. Gardiner einen an sämtliche 544 Mitglieder der in aller Welt ernannten Kommissionen gerichteten Rundbrief[408], in dem die Einberufung der Vorkonferenz nach Genf mitgeteilt wurde. Im Auftrag der Kommission lud der Sekretär ein, dafür Delegierte zu benennen und bat gleichzeitig, Vorschläge für das Programm der Konferenz an das Sekretariat zu schicken. Der Rundbrief unter dem Datum des 11. Dezember 1919 wurde auch an die Kirchen geschickt, die auf die Einladung zur Teilnahme an der Weltkonferenz hin noch nichts unternommen hatten[409]. Der Brief sollte einen möglichst gro-

[402] Vgl. den Rundbrief von Mr. Gardiner vom 1.11.1919; zum Material gehörten: Report . . . , *Heft 32;* der Aufruf «Appeal for Prayer»; das Heft zum Gebrauch während der Octave of Prayer 1920.

[403] *Minutes Com,* 4.12.1919.

[404] Ebenda.

[405] Vgl. *Minutes Com,* 11.5.1920; vgl. auch *Minutes Ex Comt,* 15.1.1920.

[406] Vgl. *Minutes Ex Comt,* 18.3.1920; vgl. auch *Minutes Ex Comt,* 15.1.1920.

[407] GK 4, *F. Lynch,* von G, 6.4.1920.

[408] Vgl. den Rundbrief im *Anhang,* S. 322 f.; vgl. auch GK 1, *Ch. P. Anderson,* von G, 20.12.1919; GK 7, *G. Zabriskie,* von G, 30.4.1919.

[409] *Minutes Ex Comt,* 15.1.1920.

ßen Teil der Christenheit nochmals an das Vorhaben der Weltkonferenz erinnern und leitete die Phase der direkten Vorbereitung der Vorkonferenz ein, die von Mr. Zabriskie schon im Jahre 1916 vorgeschlagen wurde und nach ihrer Reise von der Deputation nach Europa wieder aufgegriffen wurde.

Im Sekretariat begannen auf den Rundbrief hin schon bald Antworten einzutreffen[410]. Der Sekretär hatte wegen der Teilnahme an der Vorkonferenz mit den verschiedensten Kirchen zu korrespondieren[411]. Bemerkenswert ist, daß die Kenntnisse des Sekretärs über die kirchlichen Verhältnisse in der Schweiz und Deutschland gering waren. Kontakte mit dem Schweizer Dr. A. Keller[412] führten dazu, daß die schweizerischen Kirchen selber entscheiden sollten, ob sie mit ordentlichen Vertretern oder nur durch Beobachter an der Vorkonferenz in Genf teilnehmen wollten[413]. Kontakte in Deutschland nahm Mr. Gardiner zunächst mit Dr. F. Siegmund-Schultze auf, den er bei der Konstanzer Konferenz im Jahre 1914 kennengelernt hatte[414]. Durch seine Vermittlung wurde der Deutsche Evangelische Kirchenausschuß zur Teilnahme an der Vorkonferenz eingeladen[415], die dieser aber ablehnte[416]. In dem die Ablehnung begründenden Schreiben, das die wegen des Weltkriegs in Deutschland entstandene Verbitterung widerspiegelt, heißt es:

«Im Hinblick auf die Unsumme von Unwahrhaftigkeit und Verleumdung, mit der unser Vaterland und unsre Kirche während des Weltkrieges auch von Vertretern der beteiligten feindlichen Länder verfolgt und überschüttet worden ist, würde es für das evangelische Deutschland im gegenwärtigen Augenblick geradezu eine Unwahrheit bedeuten, mit den Vertretern dieser Kirchen über Fragen des Christentums gemeinsam zu verhandeln, als ob der tiefe Abrund, der uns von ihnen noch trennt, überhaupt nicht vorhanden wäre. Und dieser Abgrund besteht nach wie vor[417].»

Einzelne Persönlichkeiten, zu denen Dr. Siegmund-Schultze gehörte, nahmen jedoch an der Vorkonferenz in Genf teil.

Neben der notwendigen Korrespondenz wurde die äußere und technische Vorbereitung für die Vorkonferenz in Angriff genommen.

[410] Vgl. z. B. *Minutes Ex Comt,* 15.1.1920.

[411] Vgl. *Minutes Com,* 4.12.1919; *Minutes Ex Comt,* 15.1.1920, 18.3.1920.

[412] Vgl. nähere Angaben über Adolf Keller in *WKL,* Stuttgart, 1960, Spalte 671.

[413] Vgl. *Minutes Com,* 11.5.1920.

[414] Vgl. GK 6, *F. Siegmund-Schultze,* von und an G, 2.10.1919; 19.12.1919; vgl. nähere Angaben über Friedrich Wilhelm Siegmund-Schultze in *WKL,* Stuttgart, 1960, Spalte 1335.

[415] Vgl. *Minutes Ex Comt,* 18.3.1920.

[416] Vgl. *Minutes Com,* 11.5.1920.

[417] GK 6, *F. Siegmund-Schultze,* an G, 26.3.1920, Beilage, Schreiben des Deutschen Evangelischen Kirchenausschusses vom 12.3.1920.

Mr. J. R. Mott vermittelte die Hilfe eines Sekretärs des internationalen YMCA in Genf[418]. Außerdem kam Mr. Gardiner durch Mr. H. A. Atkinson[419] in Kontakt mit einem Vertreter der Church Peace Union, Dr. Nasmyth, der im Auftrag dieser Organisation im Frühjahr 1920 nach Europa reiste und sein Standquartier in Genf aufschlug[420]. So halfen in Genf selber zwei Personen bei der Beschaffung der Tagungsräume, der Unterkünfte, der Übersetzer und der Erledigung weiterer technischer Details[421]. Für die Vorkonferenz selber genehmigte der Exekutivausschuß Mr. R. W. Brown als Assistenten des Sekretärs, der «typewrites and mimeographs in six or eight languages, and is of course thoroughly familiar with the whole subject»[422].

Auch die inhaltliche und thematische Vorbereitung der Vorkonferenz machte Fortschritte. Der Sekretär verfaßte einen Programmentwurf. Dabei stellte er organisatorische Fragen in den Vordergrund. Die Vorkonferenz sollte vor allem «discuss the best method of further procedure», und sie hatte die Aufgabe, «to settle the whole plan»[423]. Die Vorkonferenz sollte alle Gruppen zusammenstellen, die wegen ihrer Standpunkte im Blick auf Faith and Order bedacht und bei der endgültigen Weltkonferenz repräsentiert sein müßten. Man hatte zu beraten, wie bei der Weltkonferenz eine angemessene Vertretung aller teilnehmenden kirchlichen und theologischen Gruppierungen am ehesten gewährleistet werde und was die einzelnen Vertreter an eigener Vorbereitung für die Weltkonferenz unternehmen sollten. Schließlich sollte die Einsetzung eines Komitees für die weitere Vorbereitungsarbeit, die Finanzierung und die Entscheidung über das Wann und Wo der Weltkonferenz besprochen werden[424]. Der geistliche und theologische Akzent der Vorkonferenz war noch unklar. Hatte man ursprünglich bei der Vorbereitungsarbeit die Bedeutung und Notwendigkeit von conference spirit betont, so war dieses Motto inzwischen von so vielen anderen zwischenkirchlichen Vorhaben und Unternehmungen übernommen worden, daß Rev. Smyth vorschlug, jetzt mehr auf die Notwendigkeit künftiger und sichtbarer Einheit

[418] Vgl. *Minutes Ex Comt,* 15.1.1920; GK 5, *J. R. Mott,* von G, 16.2.1920.

[419] Henry A. Atkinson, Vertreter der Church Peace Union in den USA., gewann in der Bewegung für praktisches Christentum große Bedeutung. Vgl. *Rouse/Neill,* Geschichte der Ökumenischen Bewegung, Band II, Göttingen, 1958, S. 194 f.

[420] Vgl. nähere Angaben über die Church Peace Union in: *Rouse/Neill,* ebenda, S. 139 f.; nähere Angaben über Dr. Nasmyth waren nicht zu finden.

[421] Vgl. GK 4, *F. Lynch,* Dr. Nasmyth, von G und an G, 19.12.1919; 12.2.1920; 16.2.1920.

[422] GK 4, *F. Lynch,* Dr. Nasmyth, von G, 16.2.1920; vgl. auch *Minutes Ex Comt,* 18.3.1920; GK 4, *F. Lynch,* Dr. Nasmyth, von G, 23.4.1920.

[423] GK 6, *N. Smyth,* von G, 17.2.1920.

[424] Vgl. GK 4, *W. T. Manning,* von G. 22.1.1920; GK 6, *N. Smyth,* von G, 4.3.1920.

der Kirchen einzugehen[425]. Doch diese Ansicht wurde nicht einhellig geteilt. Selbst Mr. G. Wh. Pepper, der vor seinem Rücktritt von der Kommission von ihrer Einsetzung an sich für das Vorhaben der Weltkonferenz hervorgetan hatte, stellte auf Grund seiner Erfahrungen fest: «I incline to the conclusion that no single conception held in common is powerful enough to compel more than transitory affiliations. I am sure this is so as between national groups and I suspect it to be still more true in the case of the churches[426].» Für Mr. Gardiner lag die Bestimmung und Beschränkung der Weltkonferenz ganz allgemein in ihrer kirchlich-theologischen Aufgabe, die er um der Unterscheidung willen gegenüber anderen Bewegungen herausstrich, und als deren Grundlage die Tatsache und Lehre von der Inkarnation maßgebend war: «The World Conference movement is strictly and technically dogmatic, theological and ecclesiastical, concerned only with Christian dogma and questions relating to the Order of the Christian Church; for we believe that the permanent and visible unity of Christians can never be attained except through agreement on the essentials of revealed Christianity and in some form of organization which shall make the Church visible to an unbelieving world[427].»

Im März 1920 informierte Sekretär Gardiner in einem weiteren Bulletin die für die Vorkonferenz schon gemeldeten Teilnehmer und sprach erneut von notwendiger sichtbarer Einheit, von der Haltung völligen Gehorsams gegenüber Christus, von der Bedeutung des Gebets und dem entscheidenen Gewicht des Gesprächs (conference) als dem Gegenüber zu Bekämpfung (controversy). Besonders wurde zum Gebet für die Vorkonferenz in Genf am Pfingstfest, dem 23. Mai 1920, aufgerufen[428]. Der Programmentwurf von Mr. Gardiner wurde vom Exekutivausschuß in seiner Sitzung am 18. März besprochen. Man entschied, nochmals zur Einreichung von Vorschlägen für die Vorkonferenz aufzufordern. In einem Rundschreiben des Sekretariats, das gleichzeitig über den Stand der Vorbereitung informierte, rief Mr. Gardiner dazu auf[429]. Die große Anzahl von Anregungen, die daraufhin eintrafen, versuchte Mr. Gardiner bis zur letzten Sitzung der Kommission vor der Vorkonferenz am 11. Mai 1920 zu sichten und zu ordnen[430]. Bei dieser Sitzung wurde ein abschließender Vorschlag für das Programm der Vorkonferenz, die natürlich ihr endgültiges Programm selber bestimmen mußte, von der Kommission verabschie-

[425] Vgl. GK 6, *N. Smyth,* an G, 16.2.1920.
[426] GK 5, G. Wh. Pepper, an G, 25.3.1920.
[427] GK 4, *F. Lynch,* Dr. Nasmyth, von G, 4.3.1920.
[428] Vgl. Bulletin Nr. 22 im *Anhang,* S. 349 f.
[429] Vgl. Rundschreiben vom April 1920 im *Anhang,* S. 323 ff.
[430] Vgl. GK 1, *Ch. P. Anderson,* von G, 4.5.1920.

det[431]. Außerdem war man der Meinung, daß die Vorkonferenz als reine Arbeitskonferenz ohne viel publizistischen Aufwand abgehalten werden solle. «It is strictly a business meeting, so to speak, called for the purpose of considering the difficult problem as to how to press the World Conference movement[432].» Angesichts des geringen allgemeinen Interesses an der Weltkonferenz in den Vereinigten Staaten und auch der eigenen Kirche herrschte der Eindruck, daß «it will take some, possibly many years befor the ultimate conference can be held»[433]. Die Ergebnisse der Sitzung vom 11. Mai 1920 und die abschließenden Vorschläge der Kommission verschickte der Sekretär in einem weiteren Rundschreiben an die Delegierten für die Vorkonferenz in Genf und die Mitglieder aller eingesetzten Kommissionen[434].

Schwierig gestaltete sich die Zusammensetzung der Vertretung der Protestant Episcopal Church, von deren bei der Sitzung der Kommission am 4. Dezember 1919 gewählten Delegierten nur die Teilnahme Mr. Gardiner's bestehen blieb. Wegen einer bronchialen Erkrankung erbat Bischof Anderson seine Befreiung von der Teilnahme an der Genfer Konferenz[435]. Er hoffte, daß an seiner Stelle Bischof Brent gehen konnte, der für eine Teilnahme nicht vorgesehen war[436]. Auf verschiedentliches Drängen hin, daß er als Präsident der Kommission in Genf nicht fehlen könne[437], und die Ungewißheit, ob Rev. Manning nach Genf reisen könnte[438], führten dazu, daß die Kommission in der Sitzung vom 11. Mai 1920 als neue Vertretung in Genf Bischof Anderson, Bischof Brent und Mr. Gardiner bestimmte[439]. Im Juni teilte Bischof Anderson dann endgültig mit, daß er nicht nach Genf reisen könne[440]. Da auch Rev. Manning an der Vorkonferenz nicht teilnehmen konnte[441], bedeutete das, daß die Protestant Episcopal Church in Genf nur durch zwei Persönlichkeiten vertreten war, durch den ursprünglich nicht gewählten Bischof Brent und Mr. Gardiner, der allein die Vorbereitungsarbeit der letzten Jahre in ihrem ganzen Umfang miterlebt hatte.

Eine gewisse Schwierigkeit bedeuteten für die Genfer Vorkonferenz auch die zahlreichen anderen internationalen christlichen Konferen-

[431] Vgl. *Minutes Com,* 11.5.1920.
[432] GK 4, *F. Lynch,* Dr. Nasmyth, von G, 4.3.1920.
[433] GK 4, *W. T. Manning,* von G, 16.4.1920.
[434] Vgl. das Rundschreiben vom Mai 1920 im *Anhang,* S. 325 f.
[435] Vgl. GK 1, *Ch. P. Anderson,* an G, 3.2.1920, 16.3.1920.
[436] Vgl. GK 1, *Ch. P. Anderson,* an G, 27.3.1920.
[437] Vgl. GK 1, *Ch. P. Anderson,* von und an G, 23.4.1920, 27.4.1920, 28.4.1920.
[438] Vgl. GK 4, *W. T. Manning,* von G, 16.4.1920.
[439] Vgl. *Minutes Com,* 11.5.1920; GK 1, *Ch. P. Anderson,* von G, 12.5.1920.
[440] Vgl. GK 7, *G. Zabriskie,* 19.6.1920.
[441] Vgl. GK 4, *W. T. Manning,* an G, 1.6.1920.

zen im Sommer 1920[442]. Diese Vielzahl gab leicht zu Verwechslungen und Vermischung Anlaß. Vor allem gegenüber der geplanten internationalen Konferenz für praktische Zusammenarbeit der Christen, für die direkt vor der Genfer Vorkonferenz vom 9. bis 11. August ebenfalls in Genf eine vorbereitende Zusammenkunft stattfand, wollte Mr. Gardiner den Auftrag und das Ziel der Bewegung für eine Weltkonferenz über Fragen von Glauben und Kirchenverfassung deutlich unterschieden wissen. Auch in der Bezeichnung sollte das zum Ausdruck kommen, weshalb er die Bezeichnung Weltkonferenz nur für die geplante Konferenz für Glauben und Kirchenverfassung verwendet haben wollte. Von einer «Ecumenical Conference» sollte man seiner Meinung nach nicht sprechen, weil dieser Titel für die historischen, die gesamte Christenheit mit voller Autorität repräsentierenden Versammlungen vorbehalten sei[443]. Eine Hilfe für die Vorkonferenz dagegen stellte das berühmteste Dokument der Lambeth-Konferenz, zu der sich die anglikanischen Bischöfe im Juni 1920 versammelten, der sogenannte «Appeal for Unity», dar[444]. Aus diesem Aufruf an alle Christen zur Bemühung um Einheit sprach der gute Wille der anglikanischen Kirche in dieser Frage. Das Dokument «made it clear once and for all that it neither expected nor desired reunion by piecemeal submission»[445]. Immer wieder wurde bei der Genfer Vorkonferenz in anerkennender Weise der Aufruf angesprochen, an dessen Zustandekommen nach den Worten des Erzbischofs von York die Bemühungen der Kommission der Protestant Episcopal Church für eine Weltkonferenz entscheidend Anteil hatten[446]. Besonders Bischof Brent und Bischof Rhinelander hatten an seiner Abfassung mitgewirkt[447].

Die Aussichten für die Genfer Vorkonferenz hatten sich durch das Dokument gebessert. Mr. Gardiner erhoffte aber vor allem auch auf Grund der Beteiligung Fortschritte von der Genfer Vorkonferenz. In seinem letzten Rundbrief vor der Abreise nach Europa schrieb er im Blick auf die Beteiligung an der Genfer Vorkonferenz:

«We are assured of the presence at Geneva of representatives of at least forty different Commissions, representing every part of the world, and more important

[442] Vgl. *The Christian Union Quarterly,* Juli 1920, S. 9 ff.: The Switzerland Conferences, Kommentar; *A. W. Schreiber,* Internationale kirchliche Einheitsbestrebungen, Leipzig, 1921.

[443] Vgl. GK 4, *F. Lynch,* Dr. Nasmyth, von G, 19.12.1919.

[444] Vgl. *Rouse/Neill,* Geschichte der Ökumenischen Bewegung, Band II, Göttingen, 1958, S. 54 ff.: Appeal to All Christian People; *G. K. A. Bell,* Randall Davidson, London, 1935, Band II, S. 1011 ff.

[445] *R. Lloyd,* The Church of England, 1900–1965, London, 1966, S. 410.

[446] Vgl. GK 7, *G. Zabriskie,* an G, 25.12.1920.

[447] Vgl. GK 4, *W. T. Manning,* an G, 9.10.1920.

than the number is the fact that in almost every case, each Commission is sending those who are among its strongest men. It will be the most representative assemblage of Christians which has been held since the schism between the East and the West.»[448]

Am 12. August 1920 begann die sogenannte Preliminary Conference in Genf. Sie wurde im Athenäum der Stadt von dem altkatholischen Bischof der Schweiz, E. Herzog, eröffnet[449]. Daran anschließend wurde auf seinen Vorschlag hin Bischof Brent zum Präsidenten der Konferenz anstelle von Bischof Anderson als dem Präsidenten der Kommission der Protestant Episcopal Church gewählt[450]. Bischof Brent sprach zu den 137 Delegierten in einem Überblick nochmals über Ursprung, Sinn, Wollen und Entwicklung der Weltkonferenz-Bewegung in den letzten zehn Jahren. Entscheidend gehe es um die Erfüllung des Willens Christi, also die sichtbare Manifestation der von Gott geschenkten inneren Einheit, nicht um eine eigene oder neue Konzeption von Einheit. Die amerikanische Lage und die Weltmissionskonferenz von Edinburgh nannte er als Ausgangspunkte für die Erkenntnis, daß solche Erfüllung des Willens Christi nur durch conference, nicht controversy möglich sei. Aus diesem Grunde habe die Protestant Episcopal Church zur Suche nach einer gemeinsamen, umfassenden Einheit eingeladen, und zwar mit der einzigen Einschränkung auf die, die «confess our Lord Jesus Christ as God and Saviour». Als Hilfe bei diesem Suchen empfand Bischof Brent auch den «Appeal for Unity» der Lambeth-Konferenz, der in den Beiträgen der Teilnehmer später öfters erwähnt wurde, weil man in ihm ein starkes Interesse der ganzen anglikanischen Kirche an der Bemühung um christliche Einheit spürte. In seiner Rede betonte Bischof Brent auch, daß die Bewegung «today reaches a new stage in its development» und bezeichnete als den Zweck dieser seit Jahrhunderten umfassendsten Konferenz von offiziellen Vertretern christlicher Kirchen, die eigentliche Weltkonferenz als ihr Ziel vorzubereiten. «We must discuss and arrange for organization, determine what topics should occupy our attention when we meet and adopt measures which will best further our purpose[451].»

Mit den letzten Äußerungen war der Charakter der Konferenz als einer Arbeitskonferenz angedeutet. In der ersten Sitzung wurden auch die Formalien erledigt, die Wahl des Geschäftsordnungsausschusses,

[448] Vgl. Rundbrief vom 14.6.1920; vgl. auch in: *The Christian Union Quarterly*, Juli 1920, S. 78.

[449] Vgl. nähere Angaben über Eduard Herzog in *RGG*, 3. Auflage, Band III, Spalte 287 f.

[450] Vgl. *Der Katholik*, 43. Jahrgang, 1920, S. 259 f.: Eröffnung der ersten Sitzung der Genfer Konferenz über Glauben und Kirchenverfassung.

[451] Vgl. die Rede von Bischof Brent in: Report ..., *Heft 33*, S. 16 ff.

bei dessen Zusammensetzung auf die verschiedenen Sprachen und die verschiedenen kirchlichen Richtungen geachtet wurde[452], die Wahl des Sekretärs und der Schriftführer. Mr. Gardiner wurde zum Sekretär bestimmt. Ein genaues Konferenzprogramm gab es nicht. Der Geschäftsordnungsausschuß bestimmte den Ablauf des jeweils folgenden Tages nach eigenem Ermessen, was auch den Nebeneffekt hatte, daß kaum vorbereitete Reden gehalten wurden, sondern die Themen formlos angesprochen wurden[453].

Die große Schwierigkeit bildete anfangs, die einander weitgehend unbekannten Persönlichkeiten aus den vielen und so verschiedenen Kirchen, zu denen als einzige Frau die Engländerin Miss Lucy Gardner gehörte[454], in Gemeinschaft miteinander zu bringen. Bischof Brent setzte gleich in der Eröffnungsrede einen Maßstab, indem er ökumenisches, das heißt umfassendes, Denken forderte. Auch angesichts der eindeutig ablehnenden Haltung der offiziellen römisch-katholischen Kirche meinte er: «... shall we because of that rule out that Church as though we have no further concern with it? God forbid! We shall not. We can aim at nothing less than the unity of the whole of Christendom»[455]. Dazu brauchte es eine allgemeine und vorurteilslose Offenheit, die vom Ziel und der Begründung der Bewegung her dachte, und nicht von der Erfahrung und der Augenblickslage her. Eine solche Einstellung war zudem wichtig, wollte man die Bitterkeit überwinden. Denn als Folge des Krieges fehlten offizielle Vertreter französischer, holländischer und deutscher Herkunft. An den beiden ersten Tagen versuchten die Teilnehmer der Konferenz durch kurze Ansprachen und Berichte über ihre Kirchen einander vorzustellen, persönlich bekanntzumachen und einander näher zu kommen. Man wollte durch diese Einführungstage eine «real fellowship» erreichen, was nach den Worten Bischof Brent's in seiner Schlußansprache auch gelang[456].

Dann beschäftigte man sich mit Themen. Den Versammelten schien das Thema «Die Kirchen und die Natur der Einheit der

[452] Vgl. *Der Katholik,* 43. Jahrgang, 1920, S. 270, in: Von der Genfer Vorkonferenz zur Vorbereitung der Weltkonferenz ...

[453] Vgl. *The Christian Union Quarterly,* Oktober 1920, S. 133, in: Conference on Faith and Order.

[454] Vgl. nähere Angaben über Lucy Gardner in: Report ..., *Heft 33,* S. 7.

[455] Report ..., *Heft 33,* S. 22 f.

[456] In einem Bericht über die Vorkonferenz merkte Dr. Siegmund-Schultze mit Recht an, daß der Beitrag von Professor H. Alivisatos in diesem Zusammenhang (Report ..., *Heft 33,* S. 33 f.) im offiziellen Bericht über die Vorkonferenz nicht richtig wiedergegeben ist. Vgl. *IKZ,* 1921/22, Band 11/12, S. 38, Anmerkung, in: Bericht über die Präliminarversammlung ..., von F. Siegmund-Schultze. vgl. den vollen Abdruck der Rede von Professor Alivisatos in: *IKZ,* 1921/22, Band 11/12, S. 93 ff.: Das Programm der orthodoxen Kirche.

Kirche» wichtig. Nach zwanzigminütigen Eröffnungsvoten von Bischof Ch. Gore, der als eine der markantesten Persönlichkeiten der Konferenz bezeichnet wurde[457], und dem kongregationalistischen Professor J. V. Bartlet[458] konnte jeder Teilnehmer in nicht mehr als zehn Minuten über seine Anschauung Auskunft geben. Eine Diskussion über die verschiedenen Anschauungen und Auffassungen wurde nicht abgehalten[459], so daß man weniger in ein eigentliches Gespräch eintrat als vielmehr eine Darstellung der Gedanken der einzelnen Redner vorgeführt bekam. Selbstverständlich verlief dadurch das Gespräch öfters recht ungeordnet und zufällig. Doch verteidigte Bischof Brent diese unsystematische und lockere Form des Gesprächsgangs: «... it would have been a grave mistake to have taken a firm, technical line, for the freedom with which men spoke has revealed the souls of the delegates, and therefore we have the unity which otherwise we would not have»[460]. Die sachlichen Unterschiede waren schon in den einleitenden Voten unverkennbar. Bischof Gore vertrat als das entscheidend zu Beachtende, ob man im Ziel und der Vorstellung zur Gemeinsamkeit gelangen könne, was eine vereinte Kirche meine. Gibt es verbindliche, autoritative Gemeinsamkeit? Zu dieser Fragestellung führte er die anglikanische Sicht an, daß das Charakteristikum für die Christen im Neuen Testament eine verpflichtende Mitgliedschaft in einer Gemeinschaft gewesen sei. Diese sichtbare Gemeinschaft stellte sich für ihn in einem Bekenntnis «authority of the common faith», in Sakramenten, «a means of divine grace and a social ceremony», dar und in einem göttlich eingesetzten Amt[461]. Demgegenüber bildete für Professor Bartlet, der seinen Überlegungen den «Lambeth Appeal» zugrundelegte, das Grundproblem: Was verstehen wir unter «faith», Glaube? Er betonte die Bedeutung des Glaubens gegenüber der Ordnung und meinte, hier habe der Katholizismus besonders vom Protestantismus zu lernen. Der «original faith that Jesus is the Christ, the Saviour and Lord», habe Vorrang vor dem Bekenntnis, vor Order[462]. In den Gesprächsbeiträgen, die den Einleitungsvoten folgten, wurde vor allem der Begriff «faith» aufgenommen und behandelt. Dabei wurde die Schwierigkeit einer Anpassung

[457] Vgl. *A. W. Schreiber,* Internationale kirchliche Einheitsbestrebungen, Leipzig, 1921, S. 28.

[458] Vgl. nähere Angaben über James Vernon Bartlet in: Report ..., *Heft 33,* S. 3.

[459] Vgl. *Der Katholik,* 43. Jahrgang, 1920, S. 270.

[460] Report ..., *Heft 33,* S. 54.

[461] Vgl. die Rede von Bischof Gore in: Report ..., *Heft 33,* S. 38 ff.; vgl. auch in: *IKZ,* 1921/22, Band 11/12, S. 39 ff.: Bericht ..., von S. Siegmund-Schultze.

[462] Vgl. Report ..., *Heft 33,* S. 44 ff.

der «institutional and noninstitutional interpretations» erkennbar[463].

Zur Verhandlung kam auch das Thema «Die Stellung der Bibel und eines Glaubensbekenntnisses bei der Gründung einer geeinten Kirche». Die Einführung des Presbyterianers Professor Ch. A. Scott[464] unterstützte die Feststellung des «Appeal for Unity» der Lambeth-Konferenz, daß die Hl. Schrift «the record of divine revelation» sei und betonte, daß lebendiger Glaube sich im Bekenntnis Ausdruck verschaffe. Doch müsse jedes Bekenntnis sich des «relative and subordinate character» bewußt sein[465]. Der Großteil der Voten stimmte dann zu, daß man zwar ein Bekenntnis brauche, stellten aber seine Relativität, Subjektivität und Veränderlichkeit heraus, kurz seine notwendige Offenheit. Zudem wurde unterstrichen, daß beim Bekenntnis nicht die intellektuelle und logische Komponente wichtig sei, sondern das Verständnis, daß es eine Erfahrung ausdrücke. Von anglikanischer Seite wurde immer wieder auf das Nicaenum als eine historische und sachliche Grundlage hingewiesen, die das Wesentliche des Glaubens ausspreche und darstelle. Für eine vereinte Kirche wurde als grundlegendes Bekenntnis neben dem Nicaenum das Apostolikum empfohlen und von anderen ein der Zeit entsprechend formuliertes Bekenntnis vorgeschlagen. Eine vierte Gruppe «opposed to any ‹man-made› words being placed in the position historically held by the Creeds»[466].

Beide Themen, die nur angerissen wurden, reichte man an den Ausschuß, der ähnlich wie bei der Weltmissionskonferenz in Edinburgh das entscheidende Ergebnis der Vorkonferenz darstellte, das Continuation Committee, weiter. Über diesen Fortsetzungsausschuß wurde am 18. und 19. August gesprochen und beschlossen. Ihm gehörten etwa vierzig Mitglieder aller bei der Konferenz vertretenen Kirchen und theologischen Richtungen nach einem an der Mitgliederzahl der einzelnen Kirchen orientierten Schlüssel an. Die Aufgabe stellte die weitere Vorbereitungsarbeit für die Weltkonferenz dar. In der Erklärung hieß es: « . . . that it shall be charged with the duty of carrying on the work of preparation for the World Conference or Conferences on Faith and Order, correspondence and co-operation with the Commissions of the various communions, fixing the time and place of a Conference, and performing all such other duties as

[463] Vgl. *The Christian Union Quarterly,* Oktober 1920, S. 133, in: Conference on Faith and Order.

[464] Vgl. nähere Angaben über Charles Anderson Scott in: Report . . . , *Heft 33,* S. 13.

[465] Vgl. Report . . . , *Heft 33, S. 55 ff.*

[466] *The Constructive Quarterly,* Band 9 (1921), S. 2, in: Reunion: A New Outlook and a New Program, von E. J. Palmer.

may be necessary to arrange for the Conference»[467]. Die Mitglieder des Fortsetzungsausschusses, der gleich im Anschluß an die Vorkonferenz zu seiner ersten Sitzung zusammentrat, wurden von der Konferenz gewählt[468]. Mit der Einsetzung des Continuation Committee war die Verantwortung der Protestant Episcopal Church für die Vorbereitungsarbeit der World Conference beendet. Auch wenn Bischof Brent der Vorsitzende und Mr. Gardiner zum Sekretär vom Ausschuß gewählt wurden und damit weiterhin entscheidend die Vorbereitung voranzutreiben hatten, waren sie doch nicht mehr ihrer Kirche und deren Kommission verantwortlich. Die Internationalisierung und Entkonfessionalisierung der Vorbereitung der Weltkonferenz leitete einen neuen Abschnitt ein.

Der Geschäftsordnungsausschuß legte der Konferenz auch Beschlüsse über die weitere Finanzierung vor[469], die in den ersten zehn Jahren fast ausschließlich von J. P. Morgan, Vater und Sohn, bestritten worden war, und die sich dadurch verdient gemacht haben um die Anfänge der Faith- and Order-Bewegung[470]. Auch zum Problem des Proselytismus, das besonders die orthodoxen Kirchen empfanden, wurde eine Erklärung vorgelegt, die nach einer Aussprache angenommen wurde[471]. Man kam hier den orthodoxen Kirchen entgegen, die offensichtlich eine Zusammenarbeit auch mit den protestantischen Kirchen anstrebten und deren seit Jahrhunderten erstmalige offizielle Teilnahme an einer internationalen christlichen Konferenz nicht genug gewürdigt werden konnte. Rev. Ainslie meinte: «The Eastern Orthodox Church has turned its face toward the front with an understanding and purpose that means a new day in its history as well as a new force in the Christian unity problem[472].»

Als die Vorkonferenz am 19. August 1920 im Athenäum von Gent mit Dankesworten, besonders auch an die beiden leitenden Persönlichkeiten im Ablauf der Tage, Bischof Brent und Mr. Gardiner, abschloß, da konnte man zuversichtlich auseinandergehen. Zwar war deutlich geworden, daß gedankliche Annäherung und inhaltliche Verständigung nicht leicht waren, denn man hatte noch weitgehend aneinander vorbeigeredet. «Differences of thought were sketched in clear outline nor did any immediate reconciliation appear on the horizon ...», sagte Bischof Brent in einer zusammenfassenden Erklä-

[467] Report ..., *Heft 33,* S. 73.

[468] Vgl. ebenda, S. 81 ff.

[469] Vgl. ebenda, S. 74.

[470] Vgl. GK 7, *G. Zabriskie,* von G, 13.10.1920; 28.10.1920; GK 5, *J. P. Morgan,* von G, 29.12.1920.

[471] Vgl. Report ..., *Heft 33,* S. 75 ff., vgl. besonders S. 80.

[472] *The Christian Union Quarterly,* Oktober 1920, S. 135, in: Conference on Faith and Order.

rung nach Abschluß der Konferenz, die unter der Überschrift «A Pilgrimage Towards Unity» verbreitet wurde[473]. Doch die Konferenz war bestimmt von einem allgemeinen Willen der Teilnehmer zur Bemühung um christliche Einheit. Mr. Tatlow urteilte: «The spirit of goodwill was manifest throughout our time together. The will to Unity was strong and the fellowship in Christ real[474].» Diese Gemeinsamkeit schuf unter den Teilnehmern eine Gemeinschaft, die das eigentlich Beglückende darstellte und trotz anderer Schwierigkeiten entscheidend wurde. Auch Mr. Gardiner sprach das aus: «... the promptness with which the gathering developed a sense of unity was beyond my highest expectations»[475]. Die Tatsache, daß sich bei der Konferenz Vertreter ganz verschiedener christlicher Kirchen und Traditionen trafen und sich in freundlicher und offener Weise begegneten, war ein Erfolg. Der conference spirit wurde geübt, der für die weitere Bemühung um christliche Einheit wesentlich war. Für das Gespräch setzte die Vorkonferenz von Genf einen hoffnungsvollen Anfang.

[473] Vgl. die Erklärung vom 21.8.1920 im *Anhang*, S. 386 ff.
[474] *The Challenge*, 27.8.1920, S. 247: Faith and Order, von T. Tatlow.
[475] GK 7, *G. Zabriskie*, von G, 28.10.1920.

VI
Zusammenfassung

Die Anfänge der Bewegung für Glauben und Kirchenverfassung vollzogen sich nach der ersten Begeisterung über die Einsetzung der Kommission der Protestant Episcopal Church zur Vorbereitung einer Weltkonferenz in teilweise mühsamem Vorwärtstappen. Man vermied in den ersten zehn Jahren theologische Diskussionen, so daß die Fragen von «Federation» und «Union», das Problem des Amtes und besonders des Episkopats, Diskussionen über das Kirchenverständnis und andere theologische Fragen höchstens am Rande geführt wurden. Auch wenn das Fernziel des Vorhabens eine sichtbare, organische Einheit der Christen war, bestand in der Kommission der Protestant Episcopal Church Einigkeit darüber, daß die geplante Weltkonferenz keine weitergehende Aufgabe habe, als möglichst alle christlichen Kirchen zu sammeln und durch Nebeneinanderstellung der Gemeinsamkeiten und Unterschiede ein Gespräch in Gang zu bringen. Die Erreichung von weltweiter conference statt controversy in einem «General Council of Christendom» war das nächstliegende Ziel. Über die Ergebnisse einer solchen Weltkonferenz wurden keine Prognosen gestellt. «... who shall measure its moral and spiritual power, or predict what the results following from it may be?»[1]

Das theologische Gespräch sollte allerdings zur Vermeidung vorheriger Kontroversen erst bei der Weltkonferenz aufgenommen werden. Deshalb beschränkte die Kommission der Protestant Episcopal Church ihre Aufgabe strikt auf die Einladung anderer christlicher Kirchen und Kirchengemeinschaften zur Teilnahme an der Vorbereitung und Durchführung einer Weltkonferenz für Glauben und Kirchenverfassung. Einzige Bedingung für eine Teilnahme stellte dabei das Bekenntnis zur Inkarnation Jesu Christi als des «God and Saviour» dar. Diese Voraussetzung und die Beschränkung ihrer Aufgabe deuteten die Richtschnur für die Tätigkeit der Kommission an, deren praktische Auswirkung Kontaktnahme und Publizität darstellten. Die Beschäftigung mit den Anfängen der Bewegung für Glauben und Kirchenverfassung zeigte, daß bei der Bemühung um die Inangriffnahme und Lösung der Aufgabe innerhalb der Kommission der Protestant Episcopal Church die unterschiedlichen Anschauungen und Verhaltensweisen große Bedeutung gewannen.

Die Katholizität, durch die Gegensätze und Unterschiede zusammengehalten werden, hatte die Protestant Episcopal Church in den

[1] *W. T. Manning,* The Call To Unity, New York, 1920, S. 52 f.

Auseinandersetzungen des 19. Jahrhunderts als ihr «proprium» entdeckt, durch das sie auch ihren Auftrag als Vermittlerin bei der Bemühung um christliche Einheit empfunden hatte. Die Berufung auf sie bildete jetzt immer wieder ein Hemmnis. Ob es sich um die Veröffentlichung von Schriften handelte oder das Vorgehen bei der brieflichen und mündlichen Kontaktnahme mit Kirchen, ob in der Kommission die Frage der Mitarbeit oder Zusammenarbeit von protestantischen Kommissionen oder die Folgen des Ausbruchs des ersten Weltkriegs behandelt wurden, immer wieder wurde eine vom Erfolg unabhängige gleiche Betätigung in protestantischer und katholischer Richtung gefordert und betont. Immer wieder trat die übervorsichtige Beachtung solcher Parität – besonders unter den Hochkirchlern – bei der Vorbereitungsarbeit in den Vordergrund. Das Handeln der Kommission bei der Entwicklung der ersten zehn Jahre ist geprägt von den dadurch entstandenen Spannungen und Schwierigkeiten. Die gegensätzlichen Vorstellungen und Empfindungen der an der Vorbereitung anteilnehmenden Persönlichkeiten, vor allem die zum Handeln drängenden Protestanten wie Rev. Smyth und Rev. Roberts und die zum Warten mahnenden Personen wie der in seiner Kirche wie der Kommission großen Einfluß ausübende Hochkirchler Bischof Hall[2], führten in Krisen und Konflikte, die eine weiterführende Arbeit für die Weltkonferenz öfters gefährdeten. Nicht oft genug galt es über den Bemühungen den Satz Rev. Ainslie's zu wiederholen: «All this calls for prayer, patience and such toleration as will prove our sincerity both to our fellows and to God[3].» Es scheint, daß diese ersten zehn Jahre der äußeren und äußerlichen Vorbereitungsarbeit, bei der aus der historischen Sicht auch oft unbedeutende Entscheidungen anstanden, in den Auseinandersetzungen und Diskussionen zur Gewinnung einer gemeinsamen Haltung und Handlungsweise innerhalb der Kommission der Protestant Episcopal Church und darüber hinaus ein Spiegelbild der Mühe, Geduld, Empfindlichkeit und Erwartung vorstellen, die für das dann einsetzende theologische Gespräch gelten, dessen Schwierigkeiten offen zutage liegen.

Entscheidend war, daß trotz mehrmaliger Gefährdung die Vorbereitungsarbeit nicht aufhörte. Das ist wesentlich den Laien zu danken, die sich besonders entschieden einsetzten und auf Fortschritte bedacht waren. Vor allem müssen Sekretär Gardiner, Mr. Zabriskie und Mr. Pepper genannt werden. Von der Einsetzung der Kommission ihrer Kirche an waren sie bei der Frage der Zusammenarbeit mit anderen Kommissionen durch Vorschläge und persönlichen Einsatz

[2] Vgl. *G. L. Richardson,* A. C. A. Hall, Boston/New York, 1932, S. 237.
[3] *P. Ainslie,* Towards Christian Unity, Baltimore, 1918, S. 49.

aktiv, in schwierigen Situationen, wie der durch die Panama-Affäre für die North American Preparatory Conference herrschenden oder der durch das Verhalten des Hauses der Bischöfe gegenüber den von Rev. Smyth entworfenen «Proposals Towards Unity» entstandenen, übernahmen sie Vermittlerfunktion. Die Erkenntnis der Laymen Missionary Movement, daß von der Aktivität der Laien die Entwicklung kirchlichen Lebens und Fortschritts entscheidend abhänge, verwirklichten sie im Rahmen der Kommission praktisch. Sie ergriffen durch gemeinsame Beratungen die Initiative[4], wo das Verhalten der Theologen zu zögernd oder unbeweglich erschien, und sie waren in der Frage christlicher Einheit der Überzeugung: «Christian Unity can be brought about only by an uprising of the great body of laymen and laywomen[5].» Gerade durch die Vorbereitungsarbeit für die Weltkonferenz für Glauben und Kirchenverfassung, bei der er einerseits immer wieder spüren mußte, daß er «nur» Laie war, andererseits selber auf die Empfindlichkeiten der Theologen Rücksicht zu nehmen hatte, hielt Sekretär Gardiner auf Grund seiner Beobachtungen und Erfahrungen sachliche Fortschritte durch Theologen allein für unmöglich. In einem Brief sagte er:

«I suppose it is highly insubordinate of me, but I am perfectly convinced further that the clergy will never work out a valuable program; that must come from the laity. What I have long been hoping is that competent laymen and women should translate the conventional theology into terms of modern life. I believe all our theology should and could be rewritten on the notes that God is Love, and that the crowning glory of His creation of the world is the freedom of man[6].»

Feststeht, daß ohne die Laien und besonders ohne den Laien Robert H. Gardiner kaum eine Vorkonferenz in Genf im Jahre 1920 stattgefunden hätte.

Bedeutsam für die Vorbereitungsarbeit dieser ersten zehn Jahre waren auch die Aufrufe zum Gebet. Die Feststellung stimmt: «Das Gebet ist in seiner Wichtigkeit für die Einigungsarbeit erkannt[7].» Während dieser Jahre wurde unablässig zum Gebet als der Voraussetzung für das Gelingen des Vorhabens aufgerufen. Auch wenn manchmal von der Diskrepanz zwischen der formalen Betonung des Gebets und dem inneren, geistlichen Willen dazu gesprochen wurde, so zeigt doch schon die Tatsache des öffentlichen Aufrufs zum Gebet für die Bemühung um Faith und Order die notwendige Mitte und den unbedingten Anfang an. Historisch bemerkenswert ist, daß die

[4] Vgl. z. B. GK 6, *F. L. Stetson,* von und an G, 9.12.1914; 11.12.1914; 12.12.1914.
[5] WCC, Bericht von einer Ansprache Mr. Gardiner's in der Congregational Church, Gardiner (Maine), November 1914.
[6] GK 1, *A. Brown,* von G, 23.1.1918.
[7] *René Heinrich Wallau,* Die Einigung der Kirche, Berlin 1925, S. 84.

Kommission für die Weltkonferenz erstmals im Jahre 1918 zur Einhaltung einer Weltgebetswoche vom 18. bis 25. Januar aufgerufen hat.

Als Ergebnis der in ihren Anfängen von der Kommission der Protestant Episcopal Church getragenen Bewegung für Glauben und Kirchenverfassung muß man neben der Erfüllung der Aufgabe der Einladung aller christlichen Kirchen zur Teilnahme bei der Vorbereitung einer Weltkonferenz vor allem die Entstehung des proklamierten conference spirit bewerten. Der in damaliger Zeit noch ungewöhnliche Ruf zur Bemühung um Gespräch und gegenseitiges Verstehen begann im Laufe der Jahre durch die Vorbereitung der Weltkonferenz Platz zu greifen. Angesichts der Entwicklung der ersten zehn Jahre beschrieb Rev. Smyth das am Anfang des Jahres 1920:

«The preparation for the World Conference on Faith and Order has already rendered this inestimable service that is has brought into personal touch and fellowship men from different communions and of dissimilar views, apart from their denominational functions or polemical occasions, face to face with one another to converse of the things pertaining to their common Christianity, and to see before them the Christian thing to be done. Whatever progress of late has been made towards overcoming our heritage of schisms we owe above all to this personal method of seeking to reunite our Churches[8].»

Die Methode des conference spirit ging ein in die gesamte ökumenische Bemühung der Christen. In ihren Anfängen setzte sie sich angesichts des durch Jahrhunderte gewachsenen gegenseitigen Mißtrauens und der Skepsis unter Christen im Umgang miteinander nur langsam durch. Sie war es aber, die die Vorkonferenz von Genf zum hoffnungsvollen Beginn eines weltweiten christlichen Gesprächs über theologische Fragen machte. «Traten zunächst auch bei den Gegensätzen die außerordentlichen Schwierigkeiten des Unternehmens zutage, so erlebte man doch bei aller Verschiedenartigkeit der Meinungen etwas von der Wirklichkeit der Una Sancta[9].» Nur wo das Gespräch gesucht wurde, konnten auf dem Wege zu christlicher Einheit Fortschritte erzielt werden. Daß in Genf im Jahre 1920 ein Gespräch begann, ist das Verdienst der Bemühung um conference spirit in den zehn Jahren der davor liegenden Vorbereitungsarbeit.

[8] *The Constructive Quarterly,* Band VIII, 1920, S. 88, in: A Proposed Approach Towards Unity in the United States, von N. Smyth.

[9] *A. W. Schreiber,* Der Protestantismus und die kirchlichen Einheitsbewegungen, S. 228.

Zeittafel

20. Oktober 1910	Einsetzung der Kommission zur Vorbereitung einer Weltkonferenz für Glauben und Kirchenverfassung durch die General Convention der Protestant Episcopal Church in Cincinnati
20. April 1911	Verabschiedung eines Arbeitsplans, des «Report of the Committee on Plan and Scope», durch die Kommission
Juni/Juli 1912	Deputation zur Church of England
8. Mai 1913	Erste offizielle Zusammenkunft der Kommission mit Vertretern anderer Kirchen bei der sog. Inter Commission Conference im Hotel Astor, New York
Januar/Februar 1914	Deputation zu den nichtanglikanischen Kirchen in England
4.–6. Januar 1916	North American Preparatory Conference in Garden City, New York
23.–24. Januar 1917	Konferenz des North American Preparation Committee in Garden City, New York
März–Juli 1919	Deputation nach Europa und dem Nahen Osten
12.–19. August 1920	Vorkonferenz in Genf, bei der ein Continuation Committee eingesetzt wird

In den folgenden Jahren lag die Vorbereitung der geplanten Weltkonferenz für Fragen des Glaubens und der Kirchenverfassung, die dann endgültig in Lausanne im Jahre 1927 stattfand, in der Verantwortung des Continuation Committee und seiner Unterausschüsse, dem Business Committee und dem Subject Committee:

September 1923	Das Subject Committee tagt in Oxford
November 1923	Das Business Committee tagt in Buffalo
Juni/Juli 1925	Das Subject Committee tagt in Oxford
1925	Das Continuation Committee tagt im Zusammenhang mit der in Stockholm stattfindenden Weltkonferenz für Fragen des Praktischen Christentums

1926	Tagung des Continuation Committee in Bern
1927	Tagung des Continuation Committee in Lausanne vor Beginn der ersten Weltkonferenz für Fragen des Glaubens und der Kirchenverfassung
3.–21. August 1927	Weltkonferenz für Glauben und Kirchenverfassung in Lausanne

Bibliographie

I. Quellen

1. Gardiner-Korrespondenz

World Conference on Faith and Order.
Photographed for: The American Theological Library Association.
Microtext Project by: Department of Photoduplication, The University of Chicago Library.

Robert H. Gardiner-Correspondence 1910—1924, Filmed with the co-operation of the General Theological Seminary, New York, from the files organized by Dr. Floyd W. Tomkins and with the permission of the World Council of Churches. Original files in the Faith and Order Archives at Geneva.

Robert H. Gardiner Correspondence File 1910—1924 from his offices in Gardiner, Maine, and Boston as the first Secretary of the Episcopal Church's Commission on a World Conference on Faith and Order and, after August 1920, as General Secretary of the world-wide and interdenominational Continuation Committee appointed by the Preliminary Conference at Geneva.

Die von Rev. Floyd Tomkins, D. D., durchgesehene und geordnete Gardiner-Korrespondenz (= GK), die bis jetzt noch im General Theological Seminary, New York, lagert, kann heute auf acht Mikrofilmrollen gelesen werden. Im folgenden werden nach dem bisher nicht veröffentlichten und von Rev. Floyd Tomkins aufgestellten, leicht verbesserten Index die Korrespondenten in der Reihenfolge, in der sie einander auf den jeweiligen Filmrollen folgen, aufgeführt. In der Arbeit werden Abkürzungen gebraucht. Zum Beispiel wird die Korrespondenz von Ch. P. Anderson mit R. H. Gardiner (= G), die auf der Filmrolle 1 gelesen werden kann, folgendermaßen abgekürzt: GK 1, Ch. P. Anderson. Je nachdem, ob Ch. P. Anderson an R. H. Gardiner schreibt oder von ihm einen Brief empfängt, lautet die Abkürzung: an G beziehungsweise von G.

Gardiner-Korrespondenz, Rolle 1 (= GK 1)

1. Abrahamian, A.
2. Addison, J. Th.
3. Ainslie, P.
4. Alivisatos, H. S.
5. Ambrosius, Bischof
6. Anderson, Ch. P.
7. Anderson, H.
8. Anderson, N. A.
9. Anthony, A. W.
10. Baldwin, L. H.
11. Banninga, J. J.
12. Barton, J. L.
13. Batchinsky, E.
14. Bate, H. N.
15. Batiffol, P.
16. Bell, G. K. A.
17. Bell, W. M.
18. Bitting, W. C.
19. Black, R. W.
20. Black, W. H.
21. Blanchard, F. Q.
22. Blanford, A. P.

23. Bliss, E. H.
24. Boutflower, C. H.
25. Bowie, W. R.
26. Boynton, N.
27. Bradley, D. F.
28. Bratton, Th. D.
29. Brewster, B.
30. Brewster, Ch. B.
31. Brokaw, R. W.
32. Brown, A.
33. Brown, A. J.
34. Brown, C. L.
35. Brown, W. A.
36. Bryan, J. S.
37. Bryant, S.

Gardiner-Korrespondenz, Rolle 2 (= GK 2)

1. Buonaiuti, E.
2. Burnett, J. F.
3. Burton, L. W.
4. Byers, G. K.
5. Calkins, R.
6. Callinicos, C.
7. Carruthers, J. E.
8. Carter, W. M.
9. Cecil, H.
10. Cecil, R.
11. Cerretti, B.
12. Chandler, A.
13. Chester, S. H.
14. Chown, S. D.
15. Chrysostomos, Bischof
16. The Churchman
17. Cisar, F.
18. Comnenos, P.
19. Cortesi, S.
20. Cotton, H.
21. Coucke, F. L.
22. Cummins, A. G.
23. Cutting, R. F.
24. Cyril, Erzbischof
25. Dabovitch, S.
26. Dargan, E. C.
27. D'Aubigne, Ch. M.
28. Davidson, R.
29. Davies, Th. F.
30. DeNarfon, J.
31. DeSchweinitz, P.
32. DeVries, W. L.
33. DeWulf, M.
34. Dixon, W. G.
35. Dionisy, Metropolit
36. Dobrecic, N.
37. Dorotheus, Metropolit
38. Easton, B. S.
39. Emhardt, Wm. Ch.
40. Ernwin, F.
41. Eschni, E.
42. Every, E. F.
43. Fallize, J. G.
44. Farthing, J. C.
45. Ferrando, M.
46. Fiddian, J. R.
47. Fitch, A. P.
48. Forsyth, P. T.
49. Fosbroke, H. E. W.
50. Francis, P. J.
51. Frere, W. H.
52. Furnajieff, D. N.
53. Gailor, Th. F.
54. Gardner, L.
55. Garvie, A. E.
56. Gascoyne-Cecil, W.
57. Gasparri, P.
58. Gibbons, J.
59. Gill, Ch. H.
60. Gooch, H. M.
61. Gore, Ch.
62. Green, W. M.
63. Gregory, Patriarch
64. Griffith, A. J.
65. Grellier, H.
66. Guild, R. B.
67. Hagger, Th.
68. Haigh, A. J.
69. Halifax, Ch. L. W.

Gardiner-Korrespondenz, Rolle 3 (= GK 3)

1. Hall, A. C. A.
2. Hall, F. J.
3. Hall, G.
4. Hamilton, J. W.
5. Hammarsköld, J. G.
6. Harding, A.
7. Hasse, E. R.
8. Haven, W. J.
9. Hay, H. C.
10. Headlam, A. C.
11. Hennig, P. B.
12. Herzog, E.

13. Hodgkin, H. T.
14. Hodgson, Th. R.
15. Holden, A. T.
16. Holland, H. S.
17. Holland, Wm. E. S.
18. Hooton, W. S.
19. Hoss, Bishop
20. Hughes, E. H.
21. Hunington, J.
22. Idleman, F. S.
23. Ihmels, L.
24. Ingham, J. E.
25. Ings, R.
26. Inman, S. G.
27. Irbe, K.
28. Jauncey, E.
29. Jensen, P. T.
30. Johansson, G.
31. Jones, R. M.
32. Keller, A.
33. Kelly, H. H.

Gardiner-Korrespondenz, Rolle 4 (= GK 4)

1. Kennedy, H. B.
2. Kennion, G. W.
3. Kershner, F. D.
4. Kirby, F. M.
5. Kukk, J.
6. Küry, A.
7. Laflamme, H. F.
8. Lang, A.
9. Lang, C. G.
10. Lanphear, W. E.
11. Lansbury, G.
12. Lapiana, G.
13. Lawrence, W.
14. Lefroy, G. A.
15. Lencz, G.
16. Lines, E. S.
17. Low, S.
18. Löwenstein, A.
19. Lynch, F.
20. Macfarland, Ch. S.
21. Maclean, J. H.
22. McBee, S.
23. McKim, J.
24. Main, A. E.
25. Maler, B.
26. Mann, A.
27. Manning, W. T.
28. Manson, J. T.
29. Martin, A.
30. Mather, S.
31. Matheson, S. P.
32. Matthews, S.
33. Mauck, J. W.
34. Maximilian, Prinz
35. Meletios, Patriarch

Gardiner-Korrespondenz, Rolle 5 (= GK 5)

1. Melish, J. H.
2. Mendenhall, H. C.
3. Mercier, D. J.
4. Merrill, W. P.
5. Meyer, F. B.
6. Milne, J.
7. Moore, E. A. L.
8. Morehead, J. A.
9. Morehouse, F. C.
10. Morgan, J. P.
11. Mortimer, A. G.
12. Mosel, H.
13. Mott, J. R.
14. Mt. Sinai, Kloster
15. Nanassy, L.
16. Nash, J. O.
17. Nash, N. B.
18. Nevill, S. T.
19. Nicolai, Bischof
20. Norelius, E.
21. Norris, F. L.
22. Nuttall, E.
23. Ochiai, J. K.
24. Pace, E. A.
25. Packenham-Walsh, H.
26. Packer, G.
27. Palmer, E. J.
28. Panteleiman, Patriarch
29. Parsons, E. L.
30. Pearson, A. A.
31. Pelényi, J.
32. Pepper, G. Wh.
33. Perks, R. W.
34. Perry, J. D.
35. Phillips, Ch.
36. Phillips, W.
37. Photios, Patriarch
38. Pihlblad, E. J.
39. Portal, Abbé
40. Pröhle, K.

41. Pullen, J.
42. Quick, O. C.
43. Raffay, A.
44. Reddington, W. R.
45. Reese, F. F.
46. Remensnyder, J. B.
47. Rhinelander, Ph. M.
48. Ridgeway, F. E.
49. Riley, A.
50. Roberds, W. J.
51. Roberts, W. H.
52. Robertson, W. L.
53. Rockefeller, J. D.

Gardiner-Korrespondenz, Rolle 6 (= GK 6)

1. Rogers, B. T.
2. Rondthaler, E.
3. Roots, Bischof
4. Rowell, N. W.
5. Russell, J. M.
6. Sabatier, P.
7. Sadler, M.
8. St. George, H. B.
9. Schlathoelter, L. F.
10. Schmauk, Th.
11. Schreiber, A. W.
12. Scott, C. A.
13. Seddon, T. R.
14. Selbie, W. B.
15. Shakespeare, J. H.
16. Sharp, I.
17. Shaw, E.
18. Shea, M. J.
19. Siegmund-Schultze, F.
20. Sing, Bischof
21. Singmaster, J. A.
22. Smiley, W. B.
23. Smith, E. W.
24. Smyth, N.
25. Smyth, Bischof
26. Söderblom, N.
27. Spaldak, A.
28. Speer, R. E.
29. Staehelin, E.
30. Stein, J. R.
31. Stephan, Metropolit
32. Stetson, F. L.
33. Stevenson, J. R.
34. Stevenson, J. S.
35. Stewart, Bischof
36. Stewart, M. B.
37. Stock, E.
38. Stokes, A. Ph.
39. Sturgis, W. C.
40. Sundelöf, A. W.
41. Swinstead, J. H.
42. Symons, G. P.
43. Talbot, Bischof (England)
44. Talbot, E.

Gardiner-Korrespondenz, Rolle 7 (= GK 7)

1. Tatlow, T.
2. Thorneloe, Erzbischof
3. Thvedt, N. B.
4. Tierney, A. L.
5. Todd, E.
6. Tourian, Patriarch
7. Tucker, Bischof
8. Tyler, Bischof
9. Van Allen, W. H.
10. Vincent, B.
11. von Engeström, S.
12. von Grüneck, Bischof
13. von Zeller, D.
14. Webb, Bischof
15. Wehrenpfennig, E.
16. Wehrle, Bischof
17. Weir, R. W.
18. Welldon, J. E. C.
19. Weller, R. H.
20. Wells, R. J.
21. White, Bischof
22. Whitehead, Bischof (USA.)
23. Whitehead, Bischof (Indien)
24. Williams, Bischof
25. Willis, A.
26. Wilson, L. B.
27. Winnington-Ingram, Bischof
28. Wiseman, F. L.
29. Woelfkin, C.
30. Woodin, H. P.
31. Woods, Bischof
32. Worrell, Erzbischof
33. Wright, Erzbischof
34. Wynne, J. J.
35. Young, J. R.
36. Zabriskie, G.
37. Zahos, A.
38. Zaven, Patriarch

Gardiner-Korrespondenz, Rolle 8 (= GK 8)

Auf dieser Rolle ist die Korrespondenz mit einigen Kirchen festgehalten:

1. African Methodist Episcopal Church (USA.).
2. Austria: letters in reply to stencilled letter Jan. 1, 1920, to Roman Cath. Bishops and Prot. Church leaders: Rt. Rev. Ignatius Rieder, Archbishop of Salzburg, Bishop Adam Hefter of Klagenfurt, Dr. Wolfgang Haase, Prot. Church Council.
3. Czechoslovakia, Czech Brethren Evan. Church.
4. Czechoslovakia, Evan. Church of the Augsburg Confession.
5. Czechoslovakia, The Czechoslovak Church.
6. Evangelical Synod of North America.
7. Iceland, Evan. Lutheran Church.
8. India, Mar thoma Syrian Church.
9. Methodist Church of Australasia, General Conference.
10. The Archbishop and Abbot of the Monastery of Mt. Sinai, Arabia, Egypt.
11. Old Catholic Churches of Europe.
12. Presbyterian Church in Canada.
13. Reformed Church of Hungary.
14. Roumanian Orthodox Church.
15. Serbian Orthodox Church.
16. Swiss Reformed Churches, letter from Bishop Nuelsen (Meth.).
17. United Lutheran Church in America, letters from President F. H. Knubel and Rev. M. G. G. Scherer, Secretary of Executive Board.
18. Waldensian Church, Italy.
19. Second Faith and Order Deputation to Great Britain, 1914: Report of Meeting in Edinburgh, January 14, 1914: A Conference with Non-Episcopalian Churches in Scotland.
20. Call for the Preliminary meeting at Geneva, August 12, 1920.
    2 letters December 11, 1919.
    1 Notes and suggestions, May 6, 1920.
    Secretary's Report July 8 to August 11.
21. French Inquiries, Letters from various persons, 1921–1924.
22. From China Missionaries: two responses to circular letters, 1921–1923.

2. Brown-Korrespondenz

World Conference on Faith and Order.
Photographed for: The American Theological Library Association.
Microtext Project by: Department of Photoduplication, The University of Chicago Library.

The Ralph W. Brown Correspondence File 1924–1931 (Continuing the Robert H. Gardiner Correspondence File 1910–1924).

Die Brown-Korrespondenz (= BK), die mit dem Tode Mr. Gardiner's im Jahre 1924 beginnt, ist in unserem Zusammenhang von geringerer Bedeutung. Sie wird als Filmrolle 9 geführt und besteht aus drei Teilrollen. Wo in der Arbeit auf die Brown-Korrespondenz Bezug genommen wird, meinen die Zahlen die verschiedenen Teilrollen. Wenn zum Beispiel aus der ersten Teilrolle der Brown-Korrespondenz ein Brief angeführt wird, lautet die Abkürzung: BK 1. Im übrigen gelten die schon bei der Gardiner-Korrespondenz genannten Abkürzungen.

3. Minutes of the Faith and Order Commission 1910–1949 and of its Executive Committee 1910–1927

World Conference on Faith and Order.
Photographed for: The American Theological Library Association.
Microtext Project by: Department of Photoduplication, The University of Chicago Library.

Minutes of the Faith and Order Commission 1910–1949 and of its Executive Committee 1910–1927, Filmed with the co-operation of the General Theological Seminary, New York, from the files organized by Dr. Floyd Tomkins and with the permission of the World Council of Churches. Original files in the Faith and Order Archives at Geneva.

Von den Protokollen der Sitzungen der Kommission der Protestant Episcopal Church (=Minutes Com) und den Protokollen der Sitzungen des Exekutivausschusses (= Minutes Ex Comt) sind für unsre Arbeit diejenigen der Jahre 1910–1920 wichtig. Die Sitzungen dieses Zeitraums werden daher aufgeführt.

A. Sitzungen der Kommission:

1910	20. Oktober
	15. Dezember
1911	20. April
	14. Dezember
1912	10. April
1913	9. Januar
	(end first printed pamphlet)
	20. Mai
1914	29. Januar
	(24. April, Meeting of the incorporators)
	14. Mai
	(end second printed pamphlet)
	Mimeographed or typed: 3. Dezember
1915	11. Februar
	8. April
	15. Juni
	2. Dezember
1916	27. April
	7. Dezember
1917	12. April
	(June 14 memo)
	6. Dezember
1918	9. April
	5. Dezember
1919	24. April
	23. Juni
	16. Oktober
	4. Dezember
1920	11. Mai

B. Sitzungen des Exekutivausschusses:

1910	29. November
	15. Dezember
1911	12. Januar
	19. April
	25. Oktober
1912	10. April
	31. Mai
	29. Oktober
1913	20. Februar
	4. März
	26. März
	7. und 8. Mai
	(end first printed pamphlet)
	25.–28. Juli
	19. November
	10. Dezember
1914	13. Januar
	12. Februar
	10. März
	12. März
	14. April
	14. Mai
	8. Oktober

	(end second printed pamphlet)
	Mimeographed or typed:
	5. November
	3. Dezember
1915	14. Januar
	11. Februar
	11. März
	7. April
	8. April (zwei Sitzungen)
	11. Mai
	15. Juni
	16. Juni
	14. Oktober
	2. Dezember
1916	13. Januar
	10. Februar
	9. März
	9. November
	7. Dezember
1917	8. Februar
	3. Mai
	11. Oktober
	8. November
1918	13. September
	14. November
1919	27. Mai
	23. Juni
	23. Oktober
	13. November
	4. Dezember
1920	15. Januar
	18. März
	11. Mai

4. World Conference Clippings

Die World Conference Clippings (= WCC), die derzeit noch im General Theological Seminary, New York, lagern, umfassen 42 großformatige Bände mit jeweils über 300 Seiten, die Nachrichten, Kommentare, Artikel, Interviews und Berichte besonders über die Bewegung für Glauben und Kirchenverfassung, aber auch über die Bemühung um christliche Einheit allgemein, aus den Jahren 1910–1930 zum Inhalt haben. Die ganze Sammlung, deren Ausschnitte aus Zeitungen und Zeitschriften entweder aufgeklebt oder durch Nadeln befestigt sind – teilweise zusammengefaltet – ist nicht mehr gut erhalten. Konservierende Maßnahmen wären dringend erforderlich.

Diese World Conference Clippings wurden im Sekretariat von R. H. Gardiner in den vorhandenen Bänden gesammelt. Die Datierungen der Ausschnitte und Artikel – die in der Arbeit angegeben werden – stellen nur ungefähre Anhaltspunkte dar, weil sie das jeweilige Eingangsdatum im Sekretariat Mr. Gardiner's wiedergeben. Auch die Seiten der Bände – bis auf Band III und Band IV – sind nicht numeriert, was es sehr erschwert, das Material genauer zu bestimmen. Einzig die ungefähre zeitliche Folge der Bände gibt eine gewisse Hilfe. Im folgenden werden die Bände aufgeführt, in die das gesammelte Material der Jahre 1910–1920 aufgenommen ist und auf die in der Arbeit unter der Abkürzung WCC mit den aus den Bänden ersichtlichen Angaben eingegangen wird:

WCC, Oktober 1910–September 1911, Band I
WCC, September 1911–Juni 1912, Band II
WCC, Juni 1912–Februar 1913, Band III
WCC, Februar 1913–Juni 1913, Band IV
WCC, Juni 1913–Oktober 1913, Band V
WCC, Oktober 1913–Januar 1914, Band VI
WCC, Februar 1914–Mai 1914, Band VII
WCC, Mai 1914–Oktober 1914, Band VIII
WCC, Oktober 1914–August1915, Band IX
WCC, September 1915–März 1916, Band X
WCC, März 1916–November 1916, Band XI

WCC, November 1916–Juni 1917, Band XII
WCC, Juni 1917–September 1918, Band XIII
WCC, November 1917–Juni 1918, Band XIV
WCC, September 1918–April 1919, Band XV
WCC, April 1919–August 1919, Band XVI
WCC, August 1919–März 1920, Band XVII
WCC, März 1920–Oktober 1920, Band XVIII
WCC, Oktober 1920–Februar 1921, Band XIX

5. Numerierte Veröffentlichungen der Kommission der Protestant Episcopal Church, der Joint Commission Appointed to Arrange for a World Conference on Faith and Order

Heft 1	Report and Resolution of the Protestant Episcopal Church suggesting the Conference and Report and Resolutions of National Council of the Congregational Churches.
Heft 2	Report and Resolution of the Protestant Episcopal Church suggesting the Conference.
Heft 3	Report of the Committee on Plan and Scope.
Heft 4 bis 11	Die Hefte Nr. 4 bis 11 sind Übersetzungen von Heft Nr. 2 in die griechische, lateinische, italienische, russische, schwedische, deutsche, französische, holländische Sprache.
Heft 12	The World Conference and the Problem of Unity, von Rev. Francis J. Hall, D. D.
Heft 13	Virorum Congressui Omnium Gentium de Fide et Ordine Instituendo Communiter Delectorum Ad Concilium Episcopale Ecclesiarum Catholicarum Veterum Europaearum Epistola. (Letter to the Council of the Old Catholic Churches in Europe. In Latin, with English translation).
Heft 14	An Official Statement by the Joint Commission of the Protestant Episcopal Church in the United States of America.
Heft 15	Prayer and Unity. By a Layman.
Heft 16	Questions of Faith and Order for Consideration by the Proposed Conference, von Rt. Rev. A. C. A. Hall, D. D.
Heft 17	Bibliography of Topics Related to Church Unity, compiled by Rev. Francis J. Hall, D. D.
Heft 18	Unity or Union: Which?, von Rt. Rev. P. M. Rhinelander, D. D.
Heft 19	The Conference Spirit. By a Layman.
Heft 20	The Manifestation of Unity, von Rt. Rev. C. P. Anderson, D. D.
Heft 21	List of Commissions Already Appointed.
Heft 22	Heft 22 ist die spanische Übersetzung von Heft 2.
Heft 23	Report of the Joint Commission to the General Convention of the Protestant Episcopal Church, 1913.
Heft 24	A First Preliminary Conference.
Heft 25	Report of the Committee on Church Unity of the National Council of Congregational Churches, 1913.
Heft 26	A World Movement for Christian Unity. Von Rev. Lefferd M. A. Haughwout.
Heft 27	Second Meeting of the Advisory Committee. Report of the Second Deputation to Great Britain. The Call for a Truce of God.
Heft 28	The Object and Method of Conference.
Heft 29	A Manual of Prayer for Unity.

Heft 30 North American Preparatory Conference, Garden City, Long Island, New York, USA., January 4—6, 1916. Report of Progress by the Secretary. Opening Address by the Rt. Rev. C. P. Anderson, D. D.

Heft 31 Report of the Joint Commission to the General Convention of the Protestant Episcopal Church, 1916.

Heft 32 Report of the Deputation to Europe and the East.

Heft 33 Report of the Preliminary Meeting at Geneva, Switzerland, August 12—20, 1920. A Pilgrimage Toward Unity.

6. Unnumerierte Veröffentlichungen der Kommission der Protestant Episcopal Church, der Joint Commission Appointed to Arrange for a World Conference on Faith and Order

Außer den im Anhang abgedruckten Rundbriefen, Informationen und Bulletins wurden folgende unnumerierte Veröffentlichungen der Kommission festgestellt und verwendet:

Conference of Representatives of Commissions in the United States, Appointed to Arrange for a World Conference on Faith and Order. Hotel Astor, New York, Thursday, May 8th, 1913. Printed from a Stenographic Report not Revised by the Speakers.

Notes for the Octave of Prayer for Christian Unity, January 18—25, 1920 (January 5—12, Eastern Calendar).

Plans for further Procedure with regard to the World Conference on Faith and Order. Printed for the North American Preparatory Conference A. D. 1916.

Prayers For The Peace And Unity Of The Church, Gebetskarte.

Statement concerning the World Conference of all Christian Churches, by the Deputation from the American Churches (Rev. Smyth, Rev. Roberts, Rev. Ainslie).

Suggestions for the Octave of Prayer for Christian Unity, January 18—25, 1919 (January 5—12, Eastern Calendar).

World Conference on Faith and Order — Suggestions for an Octave of Prayer for Unity during the eight days ending with Pentecost (Whitsunday) namely, May 8 to 15, 1921. Published by the Continuation Committee.

7. Ainsliematerial

Unter dem Stichwort *Ainsliematerial* werden die bei den Nachforschungen im Nachlass von Rev. Peter Ainslie, der ungeordnet im Keller des Hauses von Rev. P. Ainslie, jun., in einer großen Truhe lagert, gefundenen und benützten Schriftstücke genannt:

Ausschnitt aus The Continent, o. D.

Brief von N. Smyth an P. Ainslie, 6.2.1913.

Brief von R. H. Gardiner an P. Ainslie, 21.5.1913.

Briefe von N. Smyth an P. Ainslie, 2.6.1913; 1.8.1913; 17.8.1913.

Towards Reunion, ein Bericht über die Deputation nach Großbritannien im Januar 1914 in The Christian World.

Rev. Dr. Smyth On Church Unity, Bericht im New Haven Journal Courier, 23.2.1914.

Briefe von N. Smyth an P. Ainslie, 25.2.1914; 28.2.1914; 4.3.1914.

Hektographiertes Protokoll der Sitzung des Advisory Committee am 12.3.1914.

Christian Union, Sonderdruck aus The Times, 12.12.1913.

8. Brentmaterial

Unter dem Stichwort *Brentmaterial* werden bis auf die Korrespondenz zwischen Ch. H. Brent und R. H. Gardiner die Schriftstücke aufgeführt, die im Nachlaß von Bischof Brent in der Library of Congress, Washington, D. C., Manuscript Division, Bishop Charles Henry Brent Papers, zu finden sind.

Die aus der übrigen Gardiner-Korrespondenz herausgenommene und dem Brentmaterial hinzugefügte Korrespondenz zwischen Bischof Brent und Mr. Gardiner wird in der Arbeit angeführt unter der Abkürzung GK, Ch. H. Brent.

Brief von Bishop Kinsman an Rev. Manning, XIX Trinity 1911.

Brief von Bishop Kinsman an Bishop Brent, 8.10.1912.

A Statement of the Quaker Position in regard to the Document entitled «Towards Christian Unity».

9. Material des Union Theological Seminary, New York

Das unter dieser Bezeichnung angeführte Material stammt aus ungeordneten Schachteln des Union Theological Seminary, New York, deren Inhalt unter dem Stichwort World Conference on Faith and Order gesammelt ist.

A Great Step Toward Unity, von R. H. Gardiner, 10.5.1918, Zeitungsausschnitt.

Brief von Patriarch Tikhon an R. H. Gardiner, Zeitungsausschnitt.

, Brief von S. Low an Rev. Rockland T. Homans, 21.10.1913.

10. Mottmaterial

Der unter diesem Stichwort angeführte Bericht stammt aus dem Nachlaß von J. R. Mott, der an der Yale Divinity School, New Haven, eingesehen werden kann. Der Bericht gehört zu dem Material unter dem Titel World Conference on Faith and Order.

Bericht über die Sitzung der Kommission am 20.10.1910.

11. Smythmaterial

Die unter dieser Bezeichnung angeführten Schriftstücke stammen aus dem Nachlaß von Rev. N. Smyth, der in der Bibliothek der Yale University, New Haven, eingesehen werden kann.

Correspondence With the House of Bishops of the Protestant Episcopal Church. Sonderdruck.

Protokoll der Zusammenkunft zwischen Rev. Smyth, Rev. Calkins, Prof. Ph. M. Rhinelander und Mr. Gardiner am 14.11.1910.

The Value and Limits of Federation, A Statement. Ein sechsseitiges Manuskript.

II. Lexika und Dokumentarische Werke

A. Lexika

The American Peoples Encyclopedia, Band 5, New York, 1965.

Department of Commerce and Labor, Bureau of the Census, Special Reports. Religious Bodies 1906. Part I: Summary and Generalliables. Part II: Separate Denominations: History, Description, and Statistics. Washington, D. C., 1910.

Dictionary of American Biography, edited by Dumas Malone, Band XIX, London 1936.
Dictionary of American Biography, edited by Harris E. Starr, Band XXI, Supplement One (To December 31, 1935), London 1944.
A Dictionary of North American Authors . . . , Compiled by W. Stewart Wallace, Toronto 1951.
The Encyclopedia Americana, New York/Chicago/Washington, D. C., 1962, Bände 4, 5, 18, 23.
Enciclopedia Cattolica, Città del Vaticano, Band 3 (1949), Band 8 (1952), Band 9 (1952).
Gründler, J.: Lexikon der christlichen Kirchen und Sekten, Band 2, Wien/Freiburg/Basel, 1961.
Die Religion in Geschichte und Gegenwart (= RGG), 3. Auflage, Tübingen, Bände 2, 4, 5, 6.
Weltkirchenlexikon, Handbuch der Ökumene, Stuttgart 1960.
Who's who in America (= Who is who in America); a biographical dictionary of notable men and women of the US., Chicago, Bände 7 (1912/1913), 15 (1928/1929), 18 (1934/1935), 31 (1960/1961).
Who was who, Band 1, 1897—1916, London, 1920.
Band 2, 1916—1928, London, 1929.
Band 3, 1929—1940, London, 1941.
Band 4, 1941—1950, London, 1952.
Band 5, 1951—1960, London, 1961.
Who was who in America, a compagnion volume to Who's who in America, Biographies of the nonliving with dates of death appended, Chicago, Band 1, 1897 bis 1942, Band 3, 1951—1960.

B. Dokumentarische Werke.

Actes de Benoit XV, Tome Premier (1914—1918), Paris 1924.
Church Congress, Authorized Report of the Proceedings of the First Congress of the Protestant Episcopal Church in the United States, New York 1875.
Constitution of the Protestant Episcopal Church. Anhang zu jedem Journal of the General Convention.
Federal Council of the churches of Christ in America. Annual reports, New York, 1913 und 1914.
Journal of the General Convention of the Protestant Episcopal Church in the United States of America. Printed for the Convention. Folgende Bände: 1859, 1868, 1874, 1886, 1889, 1892, 1895, 1904, 1910, 1913, 1916, 1919.
Proceedings of the X General Council of the Alliance of Reformed Churches holding the Presbyterian system, Edinburgh 1913.
Proceedings of the Men's National Missionary Congress of the United States of America, Chicago, Illinois, May 3—6, 1910, New York 1910.
Protestant Episcopal Church, The Book of Common Prayer and Administration of the Sacraments and Other Rites and Ceremonies of the Church, New York 1945.
The six Lambeth-Conferences 1867—1920, edited by Lord Davidson of Lambeth, Archbishop of Canterbury, London 1920.
Toward Our Second Century, A Preview of the 1955 Centenary. Report of the Geneva Plenary Meeting, 1953.
World Missionary Conference 1910, The History and Records of the Conference, 9 Bände, Edinburgh/London/New York/Chicago/Toronto 1910.
World Student Christian Federation, Lake Mohonk Conference 1913, June 2—8, Report of the tenth conference held at Lake Mohonk.

III. Bücher

Addison, J. Th., The Episcopal Church in the United States 1789 bis 1931, New York 1951.

Ainslie, P., Towards Christian Unity, Baltimore 1918.

Albright, R. W., A History of the Protestant Episcopal Church, New York 1964.

Ayres, A., The Life and Work of William Augustus Muhlenberg, New York 1889, 4. Auflage.

Beaver, R. P., Ecumenical Beginnings in Protestant World Mission, New York 1962.

Bell, G. K. A., Randall Davidson, 2 Bände, London 1935.

Brent, Ch. H., The World Missionary Conference. An Interpretation. In: The Inspiration of Responsibility and Other Papers, New York 1915, S. 55 ff.

Capen, S. P., The Uprising of Men for World-Conquest. The Beginning and Progress of the Laymen Missionary Movement, New York.

Constantinides, M., The Orthodox Church, London 1931.

Croly, D., An Index to the Tracts for the Times; With a Dissertation, Oxford 1842.

DeMille, G. E., The Catholic Movement in the American Episcopal Church, Philadelphia 1941.

D'Herbigny, M., L'Anglicanisme et l'Orthodoxie greco-slave, Paris 1922.

Ellis, J. T., The Life of James Cardinal Gibbons, 2 Bände, Milwaukee 1952.

Emhardt, W. Ch., Religion in Soviet Russia, Milwaukee/London 1929.

Ewer, F. C., Catholicity in its Relationship to Protestantism and Romanism, New York 1878. New Edition Revised.

Gairdner, W. H. T., Edinburgh 1910, Edinburgh/London 1910.

Gannon, D., Father Paul of Graymoor, New York 1951.

Hardy, E. R., The Catholic Revival in the American Church 1722 bis 1933. In: Northern Catholicism, Centenary Studies in the Oxford and Parallel Movements. Edited by N. P. Williams und Ch. Harris, New York 1933, S. 75 ff.

Gloede, G. (Hrg.), Ökumenische Profile, Band 1, Stuttgart 1961.

Hobart, J. H., A Charge to the Clergy of the Protestant Episcopal Church in the State of New York, New York 1815.

Hobart, J. H., The Churchman. The Principles of the Churchman stated and explained, in distinction from the corruptions of the Church of Rome, and from the errors of certain Protestant Sects, in a third charge, New York 1819.

Hogg, W. R., Ecumenical Foundations, New York 1951.

Hopkins, Ch. H., The Rise of the Social Gospel in American Protestantism 1865 bis 1915, New Haven 1940.

Hughes, W. D. F., Prudently with Power, W. Th. Manning, tenth Bishop of New York, o. D.

Huntington, W. R., The Church-Idea. An Essay Towards Unity, Boston/New York 1928, 5. Auflage.

Huntington, W. R., A National Church. The Bedell Lectures for 1897, New York 1898.

Latourette, K. S., A History of the Expansion of Christianity, Band 7, New York and Evanston 1945.

Latourette, K. S., The World Missionary Conference, Edinburgh 1910. In: A History of the Ecumenical Movement 1517—1948. Edited by Ruth Rouse and Stephen Ch. Neill, Philadelphia 1954, S. 355 ff.

Leo XIII, Satis cognitum, 12.6.1896. Rundschreiben über die Einheit der Kirche, Freiburg 1896.

Lloyd, R., The Church of England 1900—1965, London 1966.

Macfarland, Ch. S., The Churches of Christ in America and International Peace, presented ... at the Church Peace Conference Constance, Germany, August 2, 1914. Printed by The Church Peace Union.
Macfarland, Ch. S. (Hrg.), The churches of the Federal council, New York/Chicago 1916.
Maclennan, K., The Laymen Missionary Movement, Edinburgh, o. D.
Mancross, W. W., A History of the American Episcopal Church, New York 1959, Third Edition Revised.
Manning, W. T., The Call To Unity. The Bedell Lectures for 1919, New York 1920.
Maurice, F. D., The Kingdom of Christ, 3 Bände, London 1838.
Mott, J. R., Addresses and Papers of J. R. Mott, Band 6, New York 1947.
Muhlenberg, W. A., Evangelical-Catholic Papers. A Collection of Essays, Letters and Tractates. Compiled by A. Ayres. First Series, New York 1875.
Newman, J. H., Tracts for the Times. No. 90. Remarks on Certain Passages in the Thirty-Nine Articles, London 1841, 2. Auflage.
Pepper, G. Wh., Philadelphia Lawyer. An Autobiography, Philadelphia/New York 1944.
Pribilla, M., Um kirchliche Einheit, Freiburg 1929.
Richardson, G. L., A. C. Hall, Boston/New York 1932.
Root, E., The United States and the War, The Mission to Russia, Political Adresses. Collected and edited by Robert Bacon and James Brown Scott, Cambridge 1918.
Rouse, R./Neill, S. (Hrg.), Geschichte der Ökumenischen Bewegung, 1517–1948, Teil 1 und Teil 2, Göttingen 1958.
Sanford, E. B., Origin and History of the Federal Council of Churches of Christ in America, Hartford 1916.
Sasse, H. (Hrg.), Die Weltkonferenz für Glauben und Kirchenverfassung, Deutscher Amtlicher Bericht über die Weltkirchenkonferenz zu Lausanne, Berlin 1929.
Schreiber, A. W., Internationale kirchliche Einheitsbestrebungen, Leipzig 1921.
Schreiber, A. W., Der Protestantismus und die kirchlichen Einheitsbestrebungen, in: Der Protestantismus der Gegenwart, von G. Schenkel (Hrg.), Stuttgart 1926, S. 205 ff.
Smyth, N./Walker, W. (Hrg.), Approaches Towards Church Unity, New Haven 1919.
Smyth, N., Passing Protestantism and Coming Catholicism, New York 1908.
Smyth, N., A Story of Church Unity, New Haven 1923.
Speiser, M., H. H. Kelly. Über Wiedervereinigung katholischer und protestantischer Christenheit, in: Festschrift Paul Speiser-Sarasin, Basel 1926, S. 173 ff.
Stuntz, H. C., South American neighbors, New York 1916.
Suter, J. W., Life and Letters of William Reed Huntington, A Champion of Unity. New York and London 1925.
Tiffany, Ch. C., A History of the Protestant Episcopal Church in the United States of America, New York 1895.
Vail, Th. H., The Comprehensive Church, or, Christian Unity and Ecclesiastical Union in the Protestant Episcopal Church, New York 1879, 2. Auflage.
Wallau, R. H., Die Einigung der Kirche, Berlin 1925.
White, J. C., The Origin and Work of the Laymen Missionary Movement, New York 1911.
Zabriskie, A. C. (Hrg.), Anglican Evangelicalism, Publication No. 13. The Church Historical Society, Philadelphia 1943.
Zabriskie, A. C., Bishop Brent. Crusader for Christian Unity, Philadelphia 1948.

IV. Zeitschriften und Artikel

Folgende Zeitschriften leisteten bei der Arbeit an der Entwicklung der Bewegung für Glauben und Kirchenverfassung in den Jahren 1910–1920 grundsätzliche Hilfe durch Nachrichten, Kommentare und Hinweise und werden in der Arbeit oft erwähnt:

The Living Church, Milwaukee, 1910 ff.
The Congregationalist, Boston, 1910 ff.
The Constructive Quarterly, New York/London, 1913–1921.
The Christian Union Quarterly, St. Louis/Baltimore, 1911–1921.
The Churchman, New York, 1910 ff.
Internationale Kirchliche Zeitschrift (= IKZ), Bern, 1911–1921.
Folgende Zeitschriften werden in der Arbeit nur selten angeführt:
The Christian Century, Chicago 1910.
Der Katholik, Bern, 1918 und 1920.
The Lamp, Graymoor (New York) 1916 und 1917.
The Lutheran Observer, Lancester/Philadelphia 1910.
St. Andrew's Cross, national publication of The Brotherhood of St. Andrew, 1904.
The Virginia Magazine of history and biography published quarterly by the Virginia historical society, Richmond 1914.
World Call, Magazine of the Disciples of Christ, Spencer (Indiana) 1966.

Einzelne Artikel:

Ainslie, P., The American Deputation in England, in: The Christian Work and Evangelist, New York, 7.2.1914, S. 181 und 191.

– The American Deputation in England, in: The Christian Work and Evangelist, New York, 14.2.1914, S. 204.

– The American Deputation Among the Scottish Churches, in: The Christian Work and Evangelist, New York, 28.2.1914, S. 272.

– The Christian Unity Deputation and the Anglican Church, in: The Christian Work and Evangelist, New York, 7.3.1914, S. 305 f.

– The American Deputation Still Among the Non-Anglicans, in: The Christian Work and Evangelist, New York, 14.3.1914, S. 337.

– The American Deputation at Oxford and Cambridge and at the Farewell Banquet in London, in: The Christian Work and Evangelist, New York, 21.3.1914, S. 369 f.

– Another Move for Christian Unity, in: The Congregationalist ..., Boston, 26.11.1910, S. 813.

– Conferences on Church Union, in: The Congregationalist ..., Boston, 25.3.1911, S. 403.

– Christian Union: The Task of this Generation. Commission on Christian Union of the Disciples of Christ, Heft 3.

Alivisatos, H., Das Programm der orthodoxen Kirche, in: IKZ, Bern 1921/22, S. 93 ff.

Batiffol, P., Pope Benedict XV and the Restoration of Unity, in: The Constructive Quarterly, New York/London 1918, S. 209 ff.

Benedikt XV, Oratio ad populos christianos orientis cum ecclesia romana iungendos indulgentiis ditatur, in: Acta Apostolicae Sedis, Annus VIII, Die 5 Maii 1916, S. 137 f.

Brent, Ch. H., The Imperative of Unity, in: The Living Church, Milwaukee, 21.6.1919, S. 267.

Calkins, R., The Historical Approach to the Problem of the Church Unity, in: The Constructive Quarterly, New York/London 1917, S. 467 ff.
– The North American Preparatory Conference, Church Unity Meetings in Garden City, in: The Congregationalist . . . , Boston, 20.1.1916, S. 121 f.
Corbato, J. M., Anhelos De Unidad, in: La Ciencia Tomista, Madrid, September/Oktober 1915, S. 74 ff.
Gardiner, R. H., Creed, Life, Unity, in: The Churchman, New York, 15.4.1911, S. 529 f.
– Federation, in: The Churchman, New York, 3.1.1914.
– La «World Conference» et le Protestantisme Americain, in: IKZ, Bern 1917, S. 60 ff.
– L'union des Eglises et l'initiative américaine de la «World Conference», in: IKZ, Bern 1916, S. 56 ff.
– The Meaning of Christianity, in: The Living Church, Milwaukee, 1.4.1911, S. 733.
– The New Commandment, in: The Churchman, New York, 10.6.1916.
– A Russian view of the World Conference, in: The Christian Union Quarterly, St. Louis/Baltimore, Oktober 1918, S. 36 ff.
– The World Conference on Faith and Order, in: The Christian Union Quarterly, April 1917, S. 24 ff.
– The World Conference on Faith and Order, in: The Christian Union Quarterly, St. Louis/Baltimore, April 1918, S. 22 ff.
Getino, L. G. A., El Concilio general de todas las confesiones cristianos, in: La Ciencia Tomista, Madrid, Januar/Februar 1918, S. 5 ff.
Hall, F. J., An Anglican Position Constructively Stated, in: The Constructive Quarterly, New York/London 1913, S. 522 ff.
– The Proposed Congregational Concordat, in: The Living Church, Milwaukee, 5.7.1919, S. 337 f.; 12.7.1919, S. 379 f.; 19.7.1919, S. 412 f.
Hardy, E. R., Evangelical Catholicism: W. A. Muhlenberg and the Memorial Movement. In: A Historical Magazine of the Protestant Episcopal Church, Band 13, 1944, S. 155 ff.
Horton, R. F., The Church of England, Established and Free, in: The Contemporary Review, London, November 1915, S. 600 ff.
Johnston, Ch., The Departure of Archbishop Platon, in: The Constructive Quarterly, New York/London 1914, S. 550 ff.
Kelly, H. H., Approach Towards Unity, I–IV; In: The Living Church, Milwaukee, 7.6.1919, S. 193 f.; 14.6.1919, S. 231 f.; 21.6.1919, S. 268 ff.; 28.6.1919, S. 309 f.
Lang, A., Eine Weltkonferenz für die Einheit der Kirchen, in: Die Reformation, Berlin, XIII. Jahrgang, 10.5.1914, S. 218 f.
Lynch, F., The Peace Conference at Constance, in: The Living Church, Milwaukee, 7.1.1914, S. 16.
Macfarland, Ch. S., The Federal Unity of the Churches As Related To The Movement For Christian Unity, in: The Christian Union Quarterly, St. Louis/Baltimore, Januar 1914, S. 80 ff.
– The Progress of Federation Among the Churches, in: The Christian Union Quarterly, St. Louis/Baltimore, Juli 1917, S. 31 ff.
Manning, W. T., The Board of Missions and the Panama Conference, in: The Living Church, Milwaukee, 12.6.1915, S. 241.
– At a Mass Meeting on Unity, in: The Living Church, Milwaukee, 25.10.1919, S. 919.
– The Protestant Episcopal Church and Christian Unity, in: The Constructive Quarterly, New York/London 1915, S. 679 ff.

Moncrieff, P. B., Christian Unity in England, in: The Christian Union Quarterly, St. Louis/Baltimore, Juli 1916, S. 16 ff.
Müller, A. A., Ninth International Old Catholic Congress, in: The Living Church, Milwaukee, 19.11.1913, S. 155 ff.
de Narfon, J., La «World Conference» et l'union des Eglises, in: La Revue hebdomadaire, Paris, 10.3.1917, S. 210 ff.
Oldham, J. H., The War and Missions, in: Interntional Review of Missions. (= IMR), Edinburgh, Oktober 1914, S. 625 ff.
Palmer, E. J., Reunion: A New Outlook and a New Program, in: The Constructive Quarterly, New York/London 1921, S. 1 ff.
Palmieri, F. A., The Prayer of the Pope for Christian Unity and the Eastern Churches, in: The Catholic World, New York, Februar 1916, S. 606 ff.
Remensnyder, J. B., The Basic Call For The World Conference On Church Unity, in: The Constructive Quarterly, New York/London 1916, S. 151 ff.
Sanday, W., The Primitive Church and The Problem of Reunion, in: The Contemporary Review, London, April 1911, S. 408 ff.
Schaff, S. D., The Movement Towards Church Unity, in: The Constructive Quarterly, New York/London 1916, S. 211 ff.
Shakespeare, J. H., An Approach Toward Unity, in: The Living Church, Milwaukee, 30.11.1918, S. 145.
Siegmund-Schultze, F., Bericht über die Präliminarversammlung der Weltkonferenz über Glaube und Kirchenverfassung in Genf vom 12. bis 20. August 1920, in: IKZ, 1921/22, S. 30 ff.
– Vor 50 Jahren: Weltbund für Internationale Freundschaft der Kirchen, in: Ökumenische Rundschau, Frankfurt, Oktober 1964, S. 347 ff.
Smyth, N., The Common Idea of the Church in Protestant Creeds, in: The Constructive Quarterly, New York/London 1913, S. 227 ff.
– The Congregational Council and the Episcopal Church, in: The Christian Work and Evangelist, New York, 15.1.1916, S. 86.
– Preparation for the World Conference, in: The Constructive Quarterly, New York/London 1917, S. 707 ff.
– A Proposed Approach Towards Unity in the US., in: The Constructive Quaterly, New York/London 1920, S. 85 ff.
Talbot, E., The Second Quadrennial Meeting of the Federal Council of the Churches of Christ in America, in: The Living Church, Milwaukee, 21.12.1912, S. 263.
– Some Impressions of the Federal Council of Churches, in: The Living Church, Milwaukee, 6.1.1917, S. 327.
Tatlow, T., Faith and Order, in: The Challenge, London, 27.8.1920, S. 247.
Velimirovic, N., An Aspect of the Russian Revolution, in: The Challenge, London, 10.8.1917, S. 227.
Vincent, B., Church Union, in: The Christian Union Quarterly, St. Louis/Baltimore, Oktober 1912, S. 5 ff.
Walker, W., A Congregationalist on the Unity Proposals, in: The Living Church, Milwaukee, 19.4.1919, S. 805 f.
Wells, B. W., The Garden City Conference, Notes and Impressions, in: The Living Church, Milwaukee, 8.4.1916, S. 833 ff.
Zabriskie, G., The Constitutionality of Proposals for an Approach Towards Unity, in: The Living Church, Milwaukee, 9.8.1919, S. 519 ff.
– The Unity of the Church and the World Conference, in: The Christian Union Quarterly, St. Louis/Baltimore, Oktober 1915, S. 3 ff.

ANHANG

Gesammelte Dokumente
zu

Ein Gespräch beginnt
Die Anfänge der Bewegung für Glauben und Kirchenverfassung
in den Jahren 1910–1920

Inhaltsverzeichnis

Dokumente
zu der Arbeit mit dem Thema

Ein Gespräch beginnt –
die Anfänge der Bewegung für Glauben und Kirchenverfassung in den Jahren 1910 bis 1920

I. Rundschreiben der Kommission der Protestant Episcopal Church

1. Rundbrief an die Bischöfe der Protestant Episcopal Church vom 25. Januar 1911

Chicago, January 25 th, 1911
Festival of the Conversion of St. Paul

Dear Bishop: –

The Commission on a World Conference on Faith and Order, which was appointed at the last General Convention, has been duly organized. In embarking upon its work it rejoices in believing that it has the sympathy and support of every Bishop whom this letter will reach. The unanimous action of the House of Bishops is sufficient evidence of this.

The Commission is conscious of the magnitude of the task which the Church has committed to it. At the same time it is solemnly convinced that the purpuse for which it was called into being has the sanction of the Great Head of the Church. This conviction is the foundation of our courage.

The Commission does not venture to predict the results of its labors. They may be many or few. They may come soon or late. They may assume forms that we cannot anticipate. On the other hand, it is impossible to believe that such labors can be wholly fruitless at any stage of our proceedings. No serious effort towards mutual approach, whereby Christians seek to comprehend and not to compromise each other, can completely fail. Even a failure to reach the ultimate goal would not be ultimate failure. Incalculable good will have been done along the way. We do not venture to paint the distant scene. It is enough for the present to be persuaded that it can not be in vain that men labor and pray for «the edifying of the Body of Christ: till we all come in the unity of the faith and of the knowledge of the Son of God, unto a perfect man, unto the measure of the stature of the fullness of Christ».

The Commission earnestly desires your co-operation in whatever ways may seem best to you. It particularly requests that you will bring the purpuse of the Commission to the attention of your Clergy and Laity, by means of a pastoral letter or otherwise; and that you will set forth a prayer or prayers for God's blessing upon our labors and for the peace and unity of the Church. Copies of some prayers that have been suggested by the Bishops of New York, Delaware, and Chicago are enclosed.

The Commission cannot emphasize too strongly the necessity of beginning and continuing this work in an atmosphere of prayer. There must be a spiritual longing for visible oneness in Christ, on the part of Christian people everywhere, before a Conference can be hopefully contemplated. More important than a Conference is the spirit in which it would meet. The Conference aims towards Unity, even though Unity is not its immediate purpose: but Conferences can not make Unity. Unity is the gift of God. The spirit of unity must be attained through prayer for ourselves and intercession for others before organic unity can take outward and visible shape. It is by one Spirit that Christians are incorporated into one Body. It is by the same Spirit that men are made to be of one mind in an house. Unless believing prayer and holy love abound, a world Conference, if brought about, might rekindle a world controversy.

For this reason your Commission believes that there is much more to be done than to try to assemble a Conference. The way must be prepared. Before a Conference on Faith and Order can profitably occur, there must be much affectionate personal intercourse between representatives of different Communions. More than this, there must be renewed faith in God and a genuine repentance on the part of every Church for its share in our present confusion and disorder. The Christian world is beginning to realize that a house divided against itself can not stand. Only a Church which preserves within itself the positive assets of all the Churches, and possesses more power than all of them, while detached from each other — only such a Church, truly one and holy and catholic and apostolic, can undertake to train coming generations in that righteousness which is in Christ Jesus, for which a needy world unconsciously hungers and thirsts. A divided Christendom can not give the whole Gospel to the whole world. Let us see to it that on our part, and on the part of our people, neither prayerlessness, pride, nor prejudice obstruct the way of the Lord.

Your Commission urges, therefore, even at the risk of seeming to be too insistant, that you exhort the faithful to prayer and intercession, and that you seize every opportunity, by personal contact and conference, to set forward quietness, peace, and love amongst all Christian people within your reach. The members of the Commission have agreed amongst themselves to unite in special prayer on the first Sunday of each month at the Holy Communion for themselves and for all who are trying to lead the followers of Christ in the ways of peace and concord. Perhaps you and many of your clergy and laity will join with us at the same time, and in the same intention.

Your Commission will feel free to call upon the Bishops for counsel and help from time to time. Our first message, however, must be a preliminary call to spiritual preparation. Prayer and intercession are more than means towards an end. They are, in themselves, practical and positive attainments toward a unity that makes the world believe. Our work is too great for man. It is God's work in man. Only our faith in our God, who is the Father of us all, can justify the hope of a fruitful conference between the component parts of a disintegrated Christianity.

On behalf of the Commission, Yours very sincerely,
Robert H. Gardiner, Secretary C. P. Anderson, President

2. Rundbrief an die Vorsitzenden der von anderen Kirchengemeinschaften eingesetzten Kommissionen vom 6. Januar 1912

Reverend and dear Sir:

Up to the 25 th of last July, eighteen Commissions had been appointed by as many different Communions to co-operate in bringing about a World Conference for the consideration of questions touching Faith and Order. In a statement lately issued by the Commission of the Protestant Episcopal Church, of which you will have received a copy, it was remarked that «formal association for joint action can be effected only after a sufficient number of commissions shall have been appointed and sufficient opportunity to appoint such commissions shall have been afforded to all Communions, both Catholic and Protestant». It is obvious that considerable time must elapse before responses can be expected from Churches in Europe and in other foreign parts of the World. The question arises whether those Commissions that have been appointed can make profitable use of the interval of waiting.

We are instructed on behalf of the Commission of the Protestant Episcopal Church to suggest that each Commission can make good use of this time in fostering within its own Communion, a sentiment in favor of Unity. The Conference, when it meets, will be called on to study and discuss those things in which we differ, from the standpoint of those things in which we are at one. In order that such a discussion may be fruitful, it is important that the representatives of the several participating Communions shall feel conscious of a desire in the bodies who send them for the restoration of Christian Unity, and of an expectation in those bodies that a better understanding of the points of difference shall make easier their reconciliation.

The Conference will have no power to commit participating Communions upon any point, but it is desirable that their members should be prepared, by the cultivation of a sympathetic interest, to receive the results of a Conference in good will and with the disposition to proceed towards reunion rather than to seek reasons for rejecting it.

With a view to stimulating such a spirit, each Commission might advantageously take such steps now as it shall deem most suitable to its own circumstances. It has appeared to the Commission of the Protestant Episcopal Church that in general it would be advantageous to each Communion that its own Commission should, among other things, recommend:

a) To the clergy to preach upon the subject of Unity.

b) To both the clergy and laity to study the distinctive tenets of Faith and Order which are understood to lie at the foundation of their position and to constitute the justification for their separateness.

c) That such studies be critical and thorough, in order that the subject may become well understood, and that the vital points for which the particular Communion stands as distinct from other bodies may be clearly distinguished from its general body of Christian doctrine.

d) That denominational standards of doctrine, where such exist, receive special attention, particularly in their relation to current teaching.

e) That the distinguishing doctrines of other Communions be examined, not for the purpose of disparaging them, but for the purpose of understanding their value to those who hold them.

f) Finally, and in order that these, or any, methods may be efficacious, that prayer be made habitually and systematically by clergy and by laity for the Unity of God's people and for the guidance of the Holy Spirit in all efforts to bring about a World Conference.

It is believed that such studies and prayers will tend to diminish rather than to increase the divergence between Christian Communions. In some cases it may appear that the divergence lies in the proportion in which the same doctrine is held by different bodies in relation to other doctrines; in others, that the vital points of one Communion are not really incompatible with the standards of others; in still others, that the differences rest more in form than in substance. At all events, it may be hoped that the consideration of Christian people may be fixed upon those things which they esteem essential, and that other points which are not vital, however highly they may be esteemed for other reasons, may be regarded as not presenting obstacles to the reunion of Christendom, but as suitable to be cherished by those who prize them without prejudice to divergent views of others. The more clearly points considered vital are expressed, the better they can be dealt with when the time shall come to discuss them in conference. Patient and candid study will tend to eliminate from the category of vital denominational tenets such things as are not in reality essential.

In submitting these suggestions to the several Commissions it is hoped that they will not be thought to proceed from a purpose of dictating any particular line of action. It seems, however, very desirable that while the Commissions are waiting until the time is ripe for concerted action, the interval may be employed for the advancement of the cause which we all have at heart, and it is respectfully urged upon the Commissions to take such actions towards that end, within their several Communions, as they shall deem judicious.

The Commission of the Protestant Episcopal Church is now engaged in efforts to obtain the co-operation of representative bodies of other Communions, and in carrying on preliminary work of preparation for the proposed World Conference. Meanwhile each Commission will be helped and encouraged in its own labors by the knowledge that the other Commissions are endeavoring, in their several methods, to make straight paths by which their respective Communions may approach the Conference with a lively hope that they will find our Lord and Saviour waiting for them there to show them His will.

January 6, 1912

Faithfully yours,
Charles P. Anderson, Bishop of Chicago, President

3. Rundschreiben des Committee on Plan and Scope um die Jahreswende 1912/1913: To all our brethren in Christ

Much must be done before the proposed World Conference on the Faith and Order of the Church of Christ can be called. The mere details of the preparations are numerous and complicated. The names and addresses of the proper officers of those Communions throughout the world which confess Our Lord Jesus Christ as God and Saviour must be obtained, and invitations issued to them. These invitations cannot always be accepted promptly, for meetings of official bodies may not be held for two or three years. What shall be the basis of representation? Where shall the Conference meet and how long should it remain in session? In what way and how far shall the course of its procedure be outlined beforehand? It may well be years before these and numerous similar problems, which will be disclosed as the preparations go on, can be fully solved.

But the first question is whether we Christians really desire reunion. Have we that deep and definite faith in the one Lord which must fill us with the desire to reunite in His one Body? What are faith and membership in Christ? Is the relation of the Christian to Christ merely individual or does it constitute membership in a body? Is that body merely a human organization, self-originating, or is it the living, continuous Body of the one Lord? Do we know whether or not the brethren, from whom we have been separated for centuries, possess any of the precious things of which we are stewards or which, perhaps, we do not ourselves possess? Can we learn anything from each other? What is the Church? Has it any authority and if so, what? What is the basis of its claims? What is its mission? Is there any sufficient reason for the continued separate existence of the Communions to which we severally belong?

The Committee appointed by the Protestant Episcopal Commission to consider the Plan and Scope of the World Conference believes that, before the Conference can actually be called, there must be created a more general and intense desire for reunion, a warmer atmosphere of Christian love and humility, and some wider and clearer comprehension of such questions as the above which must be faced and considered when the conference meets. The Committee therefore urges that Christian people should assemble together informally in frequent meetings, first, for united prayer that the way to reunion may be made plain and that we may have grace to follow it, second, that coming to know and appreciate each other better, we may learn of those precious things which we have hitherto kept from each other, and thus may deepen and widen the desire for a reunion which shall convince the world that God has sent His Son. Such local and informal conferences will help to prepare the way for larger conferences which will gradually lead up to the World meeting, at which it is hoped that we shall see that there is no sufficient reason for much, at least, of our present separation.

In aid of such conferences, the Secretary will send, on request to those who so desire, the names and addresses of all the persons who, within such area as may be specified in the request, have shown sufficient interest in the matter to ask to be entered on our permanent mailing list. That will serve two purposes: — it will enable those who wish to do so to get into touch with some persons near them who are interested, and it will doubtless suggest others who would be glad to be entered on the mailing list, if they knew of the movement.

The only names so entered are those of persons who write to the Secretary and request it, and we hope to receive many more requests. The Committee recommends: — 1. That such conferences should at first be very small and informal. If the smallest number of persons fairly representative of a community can first be brought together to discuss the problem thoroughly, there will be a better prospect of real progress. 2. That the devotional side should be emphasized throughout. The desire for reunion must be grounded in and fed above all by common prayer. 3. That, in selecting topics of discussion, careful search be made to find those are really fundamental, but which the divisions of the past centuries have obscured. As the meaning of these questions is grasped more fully, it may come to be seen that the divisions growing out of them need not have occured. Divisive and disputed topics should be carefully avoided until, by repeated meetings, the members of the conference have reached a large measure of unity.

A Bibliography will soon be printed and mailed to all who are on our mailing list which may help to suggest books for instructive reading, though it must be confessed with sorrow that, at present, too many of the books which attempt to deal with Christian reunion are disfigured by partisanship and lack of thorough knowledge. Let us pray that our hearts may be so filled with the love of Christ, and our eyes so opened by the Holy Spirit, that we may all be made one in Him, Who liveth and reigneth, Father, Son and Holy Spirit, one God, forever and ever.

For the Committee on Plan and Scope, Your brethren in Christ,
Robert H. Gardiner, Secretary, William T. Manning, Chairman

With the advent of peace, the visible unity of Christians in the one Lord of peace and righteousness and love is an absolute necessity, if the new order of the world for which we hope is to be permanent and effective. The problems of reconstruction are the greatest ever presented to humanity. It is now no question of reestablishing a balance of power which, though it might make war impossible for a time in an exhausted world, would leave the nations armed to the teeth, with hearts full of jealousy and suspicion. The problem now is to create a Brotherhood of the World. The splendid lessons of duty, service, sacrifice, which privileged and unprivileged alike have learned through all the horrors of this titanic struggle, must be conserved. Rich and poor, the weak and the strong, must understand that no man can reach his highest development so long as he lives only to himself.

Nations and individuals must hear the message that God is Love, revealed in His Son, Incarnate in Jesus born of the Virgin Mary, and that the supreme law of the world is Christ's New Commandment that we should love one another even as also He has loved us. The Church was established that it might proclaim that message and establish that law, — the message of love, infinite and eternal, the law of the only life that is worth living. But love is unity, the sharing in the one Life of God. A divided Church cannot fully manifest that Life, nor adequately proclaim that Love.

The World Conference on Faith and Order is an attempt to bring Christians together in true Christian love and humility to try to understand and appreciate one another, and so to prepare the way for constructive effort for that visible unity which is necessary to convince and convert the world to its Redeemer. Already many partial and local efforts are being made toward reunion. It cannot be doubted that God the Holy Spirit is inspiring and guiding them. But the world is no longer merely an aggregation of nations. It is one, as it never has been before, and as it never will be again for generations, unless it be placed on the foundation of which Jesus Christ is the corner stone. Christians need the vision of a whole world at peace because it is at one in the peace of God which passeth understanding. God has blessed the efforts to bring about the World Conference to a degreee which seemed impossible eight years ago. Almost every Communion which could be reached has promised its co-operation, and the Commission of the Protestant Episcopal Church is preparing to send as soon as possible deputations to present the invitation to join in the Conference to the Churches of Rome and of the East and to those in other countries to which access has not yet been possible.

But if progress is to be made toward the visible reunion of Christians it can come only from the deep desire of the whole Church, and that desire can find its only effective manifestation, its only means of achievement, through incessant and fervent prayer. Urge your friends and acquaintances of your own and other Communions to prayer for the turning of the hearts of Christians to unity and for the guidance of the World Conference. Form prayer circles in private houses and ask your minister to hold public services.

By order of the Commission of the Protestant Episcopal Church on the World Conference:

Gardiner, Me., December 12, 1918

Charles P. Anderson, President
William T. Manning, Chairman of Executive Committee
Robert H. Gardiner, Secretary

5. Rundschreiben wegen der Gebetswoche für die Einheit der Christen vom 10. Juli 1918

Christians are beginning to realize that only a Christianity visibly united can convert the world to Christ, and that such a visible unity can be attained only through prayer which shall put the wills of the members of the Church Militant in harmony with the will of Christ its Head.

The Octave January 18–25 (January 5–12 in the Eastern Calendar) of prayer for the visible reunion of the Church, which is the Body of Christ, was observed in 1918 in every part of the world and by Christians of every communion; but a still more general observance is needed, and a more complete surrender of our hearts and minds and wills to the will of God.

The Commission of the American Episcopal Church on the World Conference on Faith and Order therefore again requests Christendom to observe the same octave in the year 1919 for the same purpose. This notice is sent out early to reach the distant parts of the world. But many of us who will receive this request at once may well spend six months in prayer that through united intercession Christians may have no will except the will of the One Lord.

Gardiner, Maine, July 10, 1918

By order of the Commission
Robert H. Gardiner, Secretary

6. Rundschreiben vom 23. Juli 1919: An appeal for prayer

July 23, 1919

Christ, the manifestation of the Love of God, is waiting till those who call themselves by His holy name bring the world, by their unity, seen and known of all men everywhere, to believe that He was sent by the Father to redeem all mankind. To be a Christian should mean to dwell in Christ continually and so completely as to be filled with His Love. And love is unity, the complete surrender and forgetfulness of self to find one's self enriched, enlarged, completed. The mystery of the Blessed Trinity is the glory and perfection of infinite Love in God Who is Lover and Beloved and Love proceeding, eternal Three in One. To those Churches which will participate in the World Conference on Questions of Faith and Order, Christian unity has infinite meaning, for it is that perfect love which is unity in the Church, the Body of Christ filled with the Life and Presence of the Son of God made man. And if we are true members of that Body there will be no room in heart or mind for suspicion or hostility toward our brethren.

The World Conference on the Faith and Order of the Christian Church is the effort to create conditions of mutual love and understanding in which the way of the true unity which is the evidence of Christ indwelling in His Church may be revealed. And that way is Christ's own way of boundless, tireless, all-patient love. Only by trying to understand and appreciate one another and all the great truths for which each separate Communion stands, can we comprehend Him Who is the Truth for all men everywhere, however diverse they may be. Only in His Life of Love for all mankind, however ignorant they may be of Him, can we find that completion which is perfect peace.

There is an increasing recognition in every part of the world of the duty of

Christians to be one that the world may be made new by Faith in Jesus Christ and by obedience to Him. What but the compulsion of a common faith and a common devotion can bind nations of the world and the classes of society in concord and brotherhood, expelling mutual jealousies and suspicions, and teaching mutual forbearance and helpfulness? Accordingly we rejoice that families of Churches which separated from one another years or generations ago are recognizing that the causes which seemed to justify that separation were not sufficient, or no longer exist, and that Churches, near of kin, are seeking to approach each other.

The World Conference is now assured. The invitation to join in arranging for it has been accepted generally by Churches throughout the world which find their hope in God in three Persons, Our Creator, Redeemer and Sactifier, the manifestation of infinite life and perfect love in One, transcending all worlds, yet ready to dwell in every humblest heart. The Church of Rome is an exception, for the Pope has found himself unable to accept this opportunity to make clear the faith and claims of the Church of Rome and to try to appreciate the position of other Communions.

The Commission appointed nine years ago by the American Episcopal Church to issue the invitations to the Conference does not feel that its task is complete till it urges thanksgiving and prayer. It therefore begs all who bear the name of the Son of God Incarnate to offer constant thanks to God for His grace which is stirring the hearts of men to unity, and to pray regularly and earnestly that God the Holy Ghost will guide and strenghten every movement for reunion and all the preparations for the convening of the World Conference, so that, when its members assemble all in one place, they may be prepared to receive, all of one accord, the guidance of the Spirit of Truth and Love in all their deliberations.

We ask especially for the public as well as private observance of the Octave next January 18–25 (January 5–12 in the Eastern Calendar). A copy of suggestive notes for that observance is enclosed and additional copies may be had on application. But we ask also for daily prayer by every Christian and for weekly public prayer in all the Churches, that God's will of unity may be done on earth as it is in heaven. Pamphlets explaining the object and methods of the Conference may be had from the Secretary, Robert H. Gardiner, 174 Water Street, Gardiner, Maine, USA.

By order of the Commission

Charles P. Anderson, Bishop of Chicago, President
William T. Manning, Chairman of the Executive Committee
Robert H. Gardiner, Secretary

7. Rundschreiben vom 11. Dezember 1919

December 11, 1919

Nearly all the invitations to the Churches throughout the world which accept the fact of the Incarnation to unite in arranging for a World Conference on the Faith and Order of the Church of Christ have been sent out and most of them have been accepted, the Church of Rome being the only one which has refused. The Commission of the American Episcopal Church therefore requested the other Commissions in North America to meet to consider the next step to be taken. The meeting was attended by members of Commissions appointed by Anglican, Baptist, Congregational, Disciples, Friends, Methodist, Moravian, Presbyterian and Reformed Churches in the United States and Canada, by a member of the Commission appointed by the Church of Bulgaria and by members of the Armenian and Greek Churches and of the United Lutheran Church in America. The meeting voted to recommend to the Commission of the Episcopal Church to call a preliminary meeting of representatives of all the Commissions throughout the world at such time and place as it thought best.

The American Episcopal Commission has complied with that recommendation and hereby invites each other Commission to send delegates to such a meeting as shown by the following votes: —

Resolved: that the Secretary be instructed to call this preliminary meeting for August 12, 1920 at Geneva, to determine when and where the World Conference shall be held, what subjects shall be discussed, what preparations shall be made for the discussions, the basis of representation of the participating Commissions, the executive direction of preliminary arrangements and any other pertinent matters.

Resolved: to request each Commission to appoint a deputation to that meeting of not more than three members, and to suggest that Commissions may unite in the appointment of a common deputation.

Resolved: that in the judgement of this Commission, the meeting will probably find it necessary to remain in session fourteen days.

Resolved: that at present, this Commission is unable to suggest definitely any plan as to the expenses except that each Commission shall provide for the travelling expenses of its own delegates and their hotel expenses during the session.

Resolved: that the general expenses incident to the meeting, such as the cost of necessary cables preliminary to the meeting, the hire of halls and committee rooms, printing, and the salaries of such clerks and interpreters as may be needed, be provided by this Commission.

Resolved: that each of the other Commissions be requested to send to the Secretary at the earliest possible moment any suggestions it may wish to make with regard to the preliminary meeting and the business to be there transacted, and the cable address of its President or Secretary.

Resolved: that this Commission requests that the Secretary be notified of the name and address of every delegate as soon as appointed. Each delegate is requested to keep the Secretary informed of any change of address for letters and cables before the meeting. The Secretary's address for letters is: Robert H. Gardiner, 174 Water Street, Gardiner, Maine, USA., and for cables: Robgard, Boston, USA. Each delegate will be expected to engage his own hotel accommodations. The offices of Thomas Cook and Son, or other similar travelling agencies, can doubtless give information and reserve rooms.

Resolved: that this Commission requests every other Commission to give immediate and vigorous attention to the effort to make the World Conference movement more widely known and to develop the spirit of conference and the desire for the reunion of Christendom, and begs most earnestly for frequent, regular and fervent prayer for the guidance of the preparations for the meeting and of the meeting itself.

Attest: Robert H. Gardiner, Secretary

8. Rundschreiben vom April 1920

As has been announced, the World Conference being practically assured by the co-operation of almost all the churches throughout the world, a preliminary meeting of three representatives of each commission has been called to assemble at Geneva, Switzerland, August 12, 1920, to settle the details of further procedure.

Notice of the appointment of delegates to that meeting has already been received from the following churches or commissions: South India United Church, Ecumenical Patriarchate, Church of Greece, Old Catholic Churches of Europe, Methodist Conference of New Zealand, Disciples of Christ in North America, Church of Serbia, Reformed Church in the United States, Baptist Union of Great Britain and Ireland, Church of Norway, African Methodist Episcopal Church, Church of England in Australia, and Tasmania, and the Church of Ireland.

Promises of early action have been received from the Archbishops' Committee (Church of England), Methodist Church in Canada, Seventh Day Baptist General Conference, Society of Friends in America, United Free Church of Scotland, Presbyterian Church in the USA., German Province of the Moravian Church, and the Presbyterian Church of New Zealand.

The Lutheran Archbishop of Finland writes that the war with Russia will prevent the appointment of delegates by his church. It has been difficult to secure the names and addresses of the proper officials of the churches in Central Europe to whom invitations should be sent, but official invitations to take part in the Conference and to send delegates to the Geneva meeting have been sent to the five Bishops of the Reformed Church of Hungary, and to the Rt. Rev. Alexander Raffey of the Evangelical Lutheran Church of Hungary, also to the autocephalous Monastery of Mount Sinai.

Mr. Thomas Whittemore, who has been doing valuable relief work in Russia, has sailed again for Russia taking with him official invitations to the Metropolitans of the churches of Ukrainia and Georgia, to be delivered only with the approval of the Patriarch Tikhon of all the Russia to whom Mr. Whittemore also carried a letter asking the Patriarch to send delegates to Geneva if in any way possible.

The Internationale Kirchliche Zeitschrift had printed in its issue of October to December 1919 translations of Bulletin 21, sent out by the commission of the American Episcopal Church announcing the calling of the meeting at Geneva, and also translations of the invitation by that commission to the Old Catholic Churches of Europe, of the appeal for the last Octave of Prayer, and of the Report of the Deputation to Europe and the East. Der Katholik published a translation of the invitation to Geneva.

The Ecclesiastical Herald, of Athens, December 25, 1919, reports that in consequence of a telegram from the presbyter Kaklamanos in London, announcing that the Archbishop of Canterbury had informed him that he had called together an official committee under the presidency of Bishop Gore, to develop friendly relations between the Anglican and Eastern Churches, and the study of all that relates to their rapprochement, the Holy Synod had appointed a committee for the same purpose consisting of the University Professors Archimandrite Chrysostom Papadopoulos, G. Derbos, Gregory Papamichael and H. Alivisatos.

New efforts have been made to interest secular and religious papers in the United States in the World Conference movement. A short pamphlet has been issued by the Episcopal Commission in French, German and modern Greek, giving an account of the aims and progress of the movement.

A place of meeting has been engaged in Geneva for the assembly in August, and inquiries are being made about hotels.

The African Methodist Episcopal Church has appointed a commission. Official invitations have been ordered sent to the Eastern Section of the Presbyterian Alliance, the Deutscher Evangelischer Kirchenausschuß, the American Christian Convention, the Waldensian Church, the Polish National Catholic Church of America, the Nederlansch Hervormde Kerkgenootschap and the Gereformeerde Kerken in Nederland.

A skeleton programme for the meeting at Geneva is being prepared, and the secretary of the Episcopal Commission, Robert H. Gardiner, 174 Water Street, Gardiner, Maine, will be glad to receive suggestions as to topics to be included, and also requests for pamphlets issued explaining the movement.

9. Rundschreiben vom Mai 1920

To all the members of all the Commissions on the World Conference on Faith and Order, and to all the delegates to the preliminary meeting at Geneva:

To avoid waste of time, the meeting at Geneva next August will need to adopt a programme to guide its discussions and concentrate its thoughts. The following suggestions have come from different sources, but for them no Commission or individual is specially responsible. It is hoped that out of them, with the help of careful criticism by all who are engaged in the undertaking, a useful programme can be made, to be proposed at the first session for adoption or amendment.

This paper is sent not only to all the delegates to Geneva of whose appointment notice has been received, but to all the members of all the Commissions, in the hope that they will contribute their criticisms.

Suggestions should be sent immediately to Robert H. Gardiner, 174 Water Street, Gardiner, Maine, USA. Letters which cannot reach him before July 1, 1920, should be addressed in care of Lombard Odier and Co., Geneva, Switzerland.

The Commission of the American Episcopal Church, having practically completed the work of issuing the invitations for participation in the movement, now looks to all the Commissions to join in the active preparations for the Geneva meeting and for the World Conference itself.

Our Lord prayed for the unity of His disciples as the evidence potent to convince the world of His mission by the Father. Therefore the object of the World Conference is to prepare the way for effective lifting up of Christ before the world.

The World Conference is world-wide, including in its scope every Church which confesses Jesus Christ as God made man.

The World Conference is not to undertake direct effort for unity, but to prepare the way for such efforts by *the clear statement and full consideration of those things in which we differ, as well as of those things in which we are at one.*

It will take time to complete the preparation for the World Conference. The object of the Geneva meeting is to consider the lines of preparation, and what should be done to spread the spirit of conference, as distinguished from that of controversy and proselytism, among the Churches, and to prepare the minds and hearts of the faithful for the results of the World Conference.

During the preparation, partial and local efforts at reunion should be encouraged, for every success in such efforts may spread the desire for complete reunion, foster the conference spirit, and show that difficulties may not be insuperable.

Suggestions

1. Do the Churches meanwhile need, as a part of the preparation for the Conference, a deeper and more efficient recognition of the necessity of a genuine and true repentance for their sins in their relations with one another?

2. Do we need to dwell more on the unity of personal devotion to Christ?

3. Should the distinction be made more clear between matters of opinion and the faith once delivered to the saints?

4. How far are matters of order and government necessary to essential unity?

5. How far can the Apostles' and Nicene Creeds, or either of them, be taken as statements of our agreements in matters of faith, and as guides for the effort to understand our differences?

6. What are the actual groups, considered with regard to their standards of faith and order, which should be represented at the World Conference?

7. How far can groups which hold certain positions in common (for example, Congregational, Presbyterian or Episcopal polities), act in common with regard to those positions?

8. How shall the ultimate Conference be composed so as to include adequate representation of the different communions or groups of communions?

9. What preparations should the representatives of the different groups be called upon to make, and what *ad interim* committees should be appointed to bring them about?

10. What further invitations, if any, shall be issued for participation in the movement?

11. Date and place of the ultimate Conference.

12. Appointment of a committee representative of various views on faith and order, to make all further arrangements for the World Conference. Or shall there be a very small executive committee with a central office? Shall there be one or more executive secretaries, in either case?

13. What, if any, publications or preliminary reports shall be issued? Who shall edit them?

14. How shall the expenses of the movement, after the adjournment of this meeting, be met?

II. Allgemeine Information des Sekretariats der Kommission der Protestant Episcopal Church: Bulletins Nr. 1–22

10. Bulletin Nr. 1

Since the publication of the report of the Commission of the Protestant Episcopal Church on the World Conference on Faith and Order, notice has been received by the secretary of that Commission of the appointment of co-operating Commissions by the Disciples of Christ in Great Britain, the United Methodist Church in England and the Wesleyan Methodist Conference in England, which last will act also for the Methodist Church in Ireland. The Congregational Union of Canada has appointed a representative to receive communications. The ninth Congress of the Old Catholic Churches of Europe, held in September, voted to appoint a Commission.

Commissions have now been appointed representing probably more than twenty million Christians. Considering that it has not yet been possible to get the information needed to issue invitations for the appointment of Commissions in the Continent of Europe or the near East and other important territories, this result shows a most encouraging interest in this effort to prepare the way for Christian Unity.

The impressive list of particular and partial movements towards Reunion printed in the Report of the Commission of the Protestant Episcopal Church has been enlarged by the receipt of news of the union of the South India Provincial Synod of the Wesleyan Methodist Church with the South India United Church; of the union of the Presbyterian and Methodist Colleges at Winnipeg, Manitoba; and of the appointment by the Wesleyan Methodist Conference in England of a committee to investigate the differences as to polity, etc., which exist among the Methodist churches in Great Britain with a view to discovering a basis for union.

An important Congress on Union of Churches was to be held in Australia at the end of last August. No report of it has yet been received, but the earnest and sympathetic spirit displayed in the preparations was most hopeful. In Canada, the union of the Presbyterian, Methodist and Congregational Churches will be taken up again by the Presbyterian Church Union Committee at Toronto in December. 1913; the Methodist and Congregational Churches have already shown themselves strongly in favor of the union. In the United States, the Free Methodist and the American Wesleyan Methodist Churches have Commissions negotiating for organic union, and the Presbyteries of the Presbyterian Church in the USA. are now voting on the union with the Reformed Church in the United States, which was proposed last year.

A meeting has been called for November 19, 1913, in New York, of the Advisory Committee, consisting of representatives of various Communions, suggested at the Conference at the Hotel Astor which was reported in the pamphlet published by the Commission of the Protestant Episcopal Church entitled «A First Preliminary Conference». Copies of that and other publications on the subject of the Conference may be obtained by application to Robert H. Gardiner, Maine, USA.

Among the matters to be considered by the Advisory Committee are: — (1) Discussion as to the expenses of the further preparations for the conference. (2) What preliminary steps might be taken to carry into effect the following suggestion made at the Hotel Astor Conference: — «That in order that the World Conference may have a maximum value, the questions there to be considered shall be formulated in advance by Committees of competent men representative of various schools of thought, these Committees to be appointed at as early a date as is consistent with assurance that their truly representative character can not be successfully challenged.»

The Orthodox Patriarch of Jerusalem has shown marked interest in the subject of Unity; and among those most recently heard from is Mar Geevarghese Dionysius, Metropolitan of the Ancient Syrian Church in India, who writes expressing a cordial interest in the suggestion of the World Conference.

(Ende Oktober 1913)

11. Bulletin Nr. 2

Since October 30 the Commission of the Protestant Episcopal Church on the World Conference on Faith and Order has received notice of the appointment of a Commission by the Church of Ireland.

The General Convention of the Protestant Episcopal Church sent the following telegram to the Roman Catholic Missionary Congress in Boston: «The General Convention of the Protestant Episcopal Church sends greetings and asks the guidance of God the Holy Ghost in your efforts to spread the Gospel of our Lord Jesus Christ.»

To which Cardinal O'Connell replied as follows: «I am deeply touched by the cordial message of the General Convention, and beg to express my heartfelt desire for the speedy union of all God's Church under the universal rule of our Lord Jesus Christ.»

The National Council of Congregational Churches, which met in Kansas City, was greeted at the opening of its session by a message of fraternal greeting from the Convention of the Protestant Episcopal Church assembled in New York. A most cordial message was received by the Convention of the Episcopal Church from the Congregational Council in reply.

An evidence of the deepening desire for Christian unity, and of the recognition of the only power by which it can be brought about, is seen in the increasing efforts for public and private prayer.

The Bishop of New York has authorized for use in his diocese the prayers suggested by the Commission of the Protestant Episcopal Church. Those prayers, printed on a convenient card, and also various publications in regard to the World's Conference, may be had free on application to Robert H. Gardiner, Maine, USA.

A Jesuit priest in Bohemia has suggested public services for unity, with prayers selected from Eastern and Western liturgies. Two public services of intercession for unity have been held in the Anglican Pro-Cathedral at Buenos Ayres, attended by ministers and leading laymen of various English speaking religious bodies there.

A clergyman of the Protestant Episcopal Church in Rhode Island has suggested week-day evening prayer meetings for unity. Doubtless many such meetings are being held. A lady in England has suggested the formation of prayer circles. Perhaps other efforts of the same kind can be made elsewhere.

At the meeting held November 19 of the Advisory committee with the Executive committee of the Commission of the Protestant Episcopal Church, the following resolutions were passed:

«That a suggestion be made to each Commission to consider the advisability and feasability of raising a fund from among its constituents of such amount as it may deem proper for the carrying on of its own work.

That contributors to any such fund should be advised that each Commission will feel at liberty to make appropriations to a joint fund in case occasion arises.

That the time has come to begin the consideration of the steps to be taken before the topics for consideration by the Conference can wisely be formulated.

That each member of the Advisory committee should recommend to the Commission of his communion the immediate consideration of how the following questions should be answered:

(a) What should be the nature of the bodies or groups which are finally to be charged with the duty of formulating topics for the Conference?

(b) What can be done by each Commission in the way of preparing a statement of the topics which that Commission thinks appropriate for ultimate consideration of the Conference?

That the statements prepared by each Commission be sent to the Executive committee of the Episcopal Commission for tabulation, for the information and consideration of the Advisory committee.»

(Anfang Dezember 1913)

12. Bulletin Nr. 3

The following list of the 35 Commissions already appointed to arrange for and conduct the World Conference on Faith and Order, is evidence of the progress made since the appointment of the first Commissions in 1910. It is probable, however, that years must elapse before the Conference can be called. The country is the United States unless otherwise specified.

Anglican: The Protestant Episcopal Church; the Church of England in Canada; in Argentina; in England; the Episcopal Church in Scotland; the Church of Ireland; the Church of England in India; the Chinese Church or Chung Hua Sheng Kung Hui; the Nippon Sei Kokwai or Holy Catholic Church of Japan; the Church of England in Australia and Tasmania; the Church of the Province of South Africa.

Baptist: The Northern Baptist Convention; the Southern Baptist Convention; the Free Baptist Conference; the Seventh Day Baptist General Conference; the Baptist Union of Great Britain and Ireland.

Congregational: The National Council of Congregational Churches.

Disciples of Christ: A commission has been appointed for the United States and Canada, and another for Great Britain.

Lutheran: The General Synod of the Evangelical Lutheran Church in the USA.

Methodist: The Methodist Episcopal Church; the Methodist Episcopal Church, South; the Methodist Church of Canada; the Wesleyan Methodist Conference in England, whose Commission by arrangement represents also the Irish Conference.

Moravian: The Moravian Church in America, Northern Province; Southern Province; the Moravian Church in Great Britain and Ireland.

Old Catholic: The Council of the Bishops of the Old Catholic Churches in Europe.

Presbyterian: The Presbyterian Church in the USA.; the Alliance of Reformed Churches holding the Presbyterian System; the Reformed Church in the United States; the Reformed Church in America; the Reformed Presbyterian Church in North America; the United Presbyterian Church of North America.

Acknowledgements of invitations to appoint Commissions have been received from many communions not here listed, with promise of cordial co-operation. Some of the most recently received of such letters come from the Federal Executive of the Disciples of Christ in Australia, and from the offices of the Congregational Union, the Presbyterian Assembly and the Methodist Conference in Australia and New Zealand.

The Synod of the Church of England in the Province of South Africa has voted its hearty approval of the aims of the Conference and suggests that discussions on the subject might be usefully held in the various Dioceses and that individual Churchmen should apply to Robert H. Gardiner, Gardiner, Maine, USA., to be included in the mailing list to which the publications by the Commission of the Protestant Episcopal Church are mailed. The Bishop of Bloemfontein was asked to act for the Synod with the other Commissions to arrange for the Conference.

The Committee on Church Union of the Presbyterian Church of Canada which has been negotiating with the Methodist and the Congregational Churches as to union, brought before the joint committee of the three bodies the desirability of a complete survey of Church conditions throughout the Dominion of Canada, in order that before any vote is taken on the union of the three Churches, the people may know the facts. This plan was ratified by the joint committee of the three negotiating Churches, and a representative of each Church has been appointed to arrange for the proposed survey.

At a recent conference on unity, entirely tentative in character, held at Melbourne, Australia, 150 ministers and leaders of seven communions unanimously resolved to carry on the work toward union of the Churches and another conference will be summoned when the time seems ripe.

In the United States, the proposed union between the United and the Southern Presbyterian Churches is being ardently discussed. All sections of the Methodist family in Australia, including Wesleyans, Primitive Methodists, Bible Christians, Methodist New Connexion, Methodist Free Church, etc., are acting together under one General Conference. The same holds true in New Zealand, where all the Methodists, including the Primitive Methodists, are united under one Conference.

(Januar 1914)

13. Bulletin Nr. 4

Summary of Progress toward the World Conference on Faith and Order.

1. All communions in the world «which confess our Lord Jesus Christ as God and Saviour» are being «asked to unite with the Episcopal Church in USA. in arranging for and conducting» a World Conference for the consideration of questions of Faith and Order, as well of those in which we differ as of those in which we are at one.

2. The Episcopal Commission considers its special function as limited to issuing invitations as above. It has invited:

a) The Anglican Communion throughout the world.

b) The important Protestant Communions in the US., Canada and the West Indies.

c) The important Protestant Communions in Great Britain and Ireland.

d) The important Protestant Communions in Australia and New Zealand.

e) The Old Catholic Churches in Europe.

f) The Moravian churches in the US., England and Europe.

3. The Episcopal Commission is still seeking for the information as to Confessions, addresses of officials, etc., needed before other invitations can be sent, but there had been much encouraging correspondence with leading Protestants in Europe, South Africa and elsewhere.

4. Formal invitations have not yet been sent to the Roman or Eastern Churches, but cordial letters have been received from Roman Catholic Cardinals, Bishops and priests in different parts of the world. The co-operation of the Russian Church has been assured by the Russian Archbishop and Dean in New York, and of the Armenian by an Archbishop in Boston.

5. Thirty-five commissions have been appointed in the US., Canada, Great Britain, Ireland, Europe, Australia, South America, India, China and Japan, and notice of others is expected daily.

6. The Episcopal Commission will not undertake to determine the scope of the Conference or the methods of preparation. That is for the joint action of Commissions, when appointed which shall be fairly representative of the whole of Christendom, geographically and theologically. Until that is obtained, everything is advisory and tentative. Except the restriction of invitations to those communions which confess our Lord, nothing is yet determined, and no statement, past, present or future, by any Commission or any officer thereof is, or will be, final, until approved by Christendom.

7. The Conference is not expected to achieve unity directly. It is hoped that by promoting prayer for a common object, personal acquaintance, appreciative knowledge of the tenets of others, and a clearer sense of proportion, a spirit of compre-

hension will be substituted for that of controversy, and that so the Conference will open the way for subsequent direct effort for reunion.

8. No Commission is definitely committed, by the appointment of a Commission, to anything except a friendly interest and a willingness to advise and to criticise as to the preparations and to seek for what is best in its brethren.

9. Obviously, the Conference cannot be held for some, perhaps many, years. Nor will preliminary meetings, unless local, be possible, except rarely. Most of the other preparations must be made by correspondence, the difficulties and delays of which can only be met by infinite patience and utter submission to the guidance of God the Holy Ghost.

10. In May, 1913, the Executive Committee of the Episcopal Commission requested such of the other Commissions as found it possible to send members to discuss problems and methods. That meeting passed the following:

Resolved, That an advisory committee be constituted, composed of one representative of each of the Commissions already appointed, to be chosen by each of said Commissions to co-operate with the Executive Committee of the Commission of the Episcopal Church in promoting any preparation preliminary to the work of convening the World Conference. That the Commissions which may be appointed by other Communions be invited to appoint representatives on the advisory committee.

11. A meeting on November 19, 1913, of twenty-one members of that Advisory Committee passed the following resolutions:

a) That the time has come to begin the consideration of the steps to be taken before the topics for consideration by the Conference can wisely be formulated.

b) That each member of the Advisory Committee should recommend to the Commission of his communion the immediate consideration of how the following questions should be answered:

(a) What should be the nature of the bodies or groups which are finally to be charged with the duty of formulating topics for the Conference?

(b) What can be done by each Commission in the way of preparing a statement of the topics which that Commission thinks appropriate for ultimate consideration at the Conference?

c) That the statements prepared by each Commission be sent in to the Executive Committee of the Episcopal Commission for tabulation for the information and consideration of the Advisory Committee.

12. It is the writer's understanding that similar partial meetings of the Advisory Committee will be held from time to time and that future, as well as past, suggestions made by such meetings will be submitted to absent members, who will consult their own and other nearby Commissions and suggest omissions, additions or other corrections which will again be submitted to all the Advisory Committee, in person or by letter.

13. Preliminary public discussion of points of difference should be avoided, and will be, if each Commission seeks not to establish its own position but to appreciate the positions of the brethren.

14. If those who will be charged with the formulation of questions for the Conference are filled with the Christ love and submit their minds and wills to God the Holy Ghost, many differences will be found to have no real existence, the bitterness of others will disappear, a greater measure of agreement will be found than we now suppose, and we shall all find a deeper, richer life in the one Body of the one Lord.

(Februar 1914)

14. Bulletin Nr. 5

In Mai 1913 the Commission of the Protestant Episcopal Church on the World Conference on Christian Faith and Order which was proposed by the Convention of 1910 of the Protestant Episcopal Church as the next step toward Christian Unity appointed a Deputation of non-Episcopal ministers to visit the Communions, other than the Anglican, of England, Ireland and Scotland, in the interest of the Conference. The Deputation, as appointed, consisted of the Rev. Newman Smyth, D. D., of the Congregational Church, Bishop J. W. Hamilton, LL. D., of the Methodist Episcopal Church, the Rev. J. H. Jowett, D. D., and the Rev. W. H. Roberts, D. D., of the Presbyterian Church in the USA., and the Rev. Peter Ainslie, D. D., of the Disciples of Christ. Bishop Hamilton and Dr. Jowett were unable to go.

Dr. Smyth, Dr. Roberts and Dr. Ainslie reached London on January 7, 1914. The Rev. Tissington Tatlow, M. A., Secretary of the Archbishop's Committee of the Church of England on the World Conference, had arranged a programme for their meetings and rendered invaluable service to them throughout their tour.

The leading religious and secular papers of London recognized the importance of their mission and gave much space to it. The first meeting was held in the Whitefield Tabernacle with members of the Swanwick Free Church Fellowship, an organization of about 300 young ministers of the non-Anglican Churches who have bound themselves together prayerfully «in the light of all new knowledge and scientific method to re-examine and, if need be, re-express for our own time the fundamental affirmation of the faith», desiring «to cultivate a now spiritual fellowship and communion with all branches of the Christian Church».

Conferences were held with the official representatives of the Presbyterian Church of England, of the Primitve Methodists, of the Congregational Union of England and Wales, with the Committee on Unity of the Anglican Fellowship, with the officers of the Church of Scotland, the United Free Church of Scotland, the Presbyterian Church of Ireland, the Congregational Church in Scotland, the Christian Unity Association of Scotland, the Welsh Calvinistic Methodists, the Baptist Union of Great Britain and Ireland, the Wesleyans, the United Methodists, the Association for the Promotion of the Unity of Christendom, the Friends, the Moravians, the Disciples of Christ, the Archbishops' Committee of the Church of England, and the Churchmen's Union.

In all, they met thirty-one groups in conference and accepted twenty invitations of a social character for further conference with representative men. In all instances their message was sympathetically received, and from the conferences they had the definite promise of recommending to the various annual meetings the appointment of commissions to co-operate in arranging for and conducting the World Conference. Not only did they thus advance the project of that Conference, but they were the means of bringing the Christians of England, Scotland and Ireland into much closer relation and sympathy and thus, perhaps, to bring about the beginning of the healings of division there.

A fuller report is in the hands of the printer and may be had free on application to Robert H. Gardiner, Gardiner, Maine, USA., with pamphlets showing how the World Conference is expected to prepare the way for Christian Unity.

15. Bulletin Nr. 6

One Day's Mail in the World Conference Office.

Sometimes 50 or more letters are received in a day by the secretary of the Commission of the Protestant Episcopal Church on the World Conference on Faith and Order. They come from all over the world, from members of every communion, and are of every character, but the great majority are sympathetic and encouraging. This day is a fair sample except that the mail happened to be light.

There are three post cards from Lutheran pastors in Germany, asking for literature, one of them that he may publish it in a newspaper that he edits. These requests undoubtedly were prompted by a antecedent article published in Die Reformation a few weeks ago, written by a German clergyman who had heard of the movement. There is a copy of the English Free Church Year Book for July, with an admirable address by Rev. J. H. Shakespeare, M. A., on «The Contribution of the Free Churches to Christian Unity», and the following resolution, moved by the president of the council, Rev. F. L. Wiseman, B. A., and seconded by Rev. J. H. Ritson:

«The National Council of Evangelical Free Churches expresses its gratification at the visit of the recent deputation of representatives of the World Conference on Faith and Order. It notes with satisfaction the influences which are at work for securing a closer approximation between the Churches, especially in view of the great problems awaiting solution at home and on the foreign field.

It trusts that the proposals recently made for a World Conference to consider a basis of closer union and co-operation, may be brought to a successful issue.»

There is a copy of a Pronouncement on Christian Union and Denominational Efficiency by the Southern Baptist Convention in the USA. in 1914. Next comes a letter from a French Baptist, sending the Confession of Faith of the Union of Baptist churches of the French languages, the Northern Baptist Union in France and Belgium. Next half a dozen copies of Elet Es Munda, published at Budapest in February, 1914, with an article explaining the World Conference in a language which the secretary did not know, but which his assistant found to be Hungarian. Then a long and cordial letter from an English Bishop in South Africa, enclosing a complete list of the autonomous Protestant bodies in South Africa which are within the scope of the conference, with the names and addresses of their secretaries and the number of members of each and telling about the Orthodox Eastern Church members in South Africa. That letter gives information which the secretary has sought in vain for a year or two. The next is from a Presbyterian minister in South Africa, expressing the deepest and most practical sympathy, and asking how the Presbyterian Church in South Africa shall comply with the commendation of the World Conference by the Council of the World Wide Presbyterian Alliance at Aberdeen in 1913. He suggests that we send a deputation to South Africa, or a separate Commission to bring the project to the notice of all the Christian bodies there.

An English layman, active in the Laymen's Missionary Movement, reports the distribution of our pamphlets, and, best of all, of the prayer cards. He suggests our providing each of the 4000 Secretaries of the Church of England Men's Society with a few pamphlets for distribution, and asking him to join in a carefully arranged plan for presenting the idea of the World Conference to the 130 000 members of the Society.

Then comes a letter from a Roman Catholic layman in England, speaking highly of our pamphlets and enclosing a money order to help out on our expenses. This gentleman is anxious to extend the habit of a daily Communion, as the source and sustenance of spiritual strength, and is getting signatures to a petition to the Pope to abrogate the day of fasting Communion for them whose work makes a daily fasting Communion impossible. If those who are interested in that will write to the secretary Robert H. Gardiner, Gardiner, Maine, USA., they will be put in touch with this gentleman. The secretary will also send the World Conference pamphlets to those who desire them. An English bookseller sends an order for pamphlets to be sent to Australia. An English lady writes from Germany of the distribution she has made of our pamphlets there and asks for more. A layman in Philadelphia writes expressing thanks for information as to where copies can be had of Rev. Gilbert A. Reid's address «The Reunion of Christendom as it appears to a Foreign Missionary». A bishop of the Church of England in India reports that a commission is being appointed by that Church, and cordially advises an invitation to the South India United Church, a new union church formed by Presbyterians, Congregationalists and others. A member of one of the non-Anglican Commissions recently appointed in England acknowledges the receipt of our pamphlets. The father of one of the most prominent non-Anglican ministers in Great Britain says he reads the pamphlets we send his son, but he wants them sent to him also, and asks for a dozen of one of them. A Scotchman acknowledges the receipt of literature and promises his influence, and so does an Englishman, and there are a few routine letters and copies of newspapers containing Bulletin No. 5. The secretary's assistant cut a stencil in Greek of the Lord's Prayer for use in a polyglot collection of prayers for unity.

This is but one day, and that a short one. No one who could read all the thousands of letters can doubt that Christians of every name and in every part of the world are beginning to desire that unity among them which shalt manifest the one Christ to His world, and we are beginning, too, to see that gradually the spirit of controversy is passing away, and that there is coming an earnest desire to understand and appreciate each other so that we may stand united to make the kingdoms of the world the kingdoms of the Lord and His Christ.

June 6, 1914

16. Bulletin Nr. 7

September 15, 1914

Before the outbreak of the European war notice had been received of the appointment of 48 Commissions in the United States, Canada, South America, England, Scotland, Ireland, Europe, Australia, South Africa, India and China to cooperate in the preparations for and holding of the World Conference on the Faith and Order of the Christian Church. Other Commissions were in process of appointment, so that it can be said that the proposal has the approval of the Anglican Communion throughout the world, of the leading Protestant Communions in all English speaking countries, of the Old Catholic Churches of Europe, and the warm sympathy of dignitaries of the Holy Orthodox Eastern Church and of many leading Roman Catholics in different parts of the world.

The Commission of the Episcopal Church in the United States had planned to send a Deputation, consisting of the Rt. Rev. C. .P Anderson, D. D., Bishop of Connecticut, the Rt. Rev. P. M. Rhinelander, D. D., Bishop of Pennsylvania, the Rev. William T. Manning, D. D., Rector of Trinity Church, New York, and Dr. John R. Mott, to lay this matter before leading men in every Communion in Europe and the near East. The Secretary had been trying to arrange their trip and had gone to Constance to attend the Peace Conference of the Churches which was to have been held there August 2–5, hoping to meet the many influential men from all parts of Europe who had expected to be present. Only half a dozen of them were able to arrive but the Secretary received at Constance on August first the last batch of letters needed to assure the Deputation of a cordial and sympathetic reception everywhere. They had planned to visit practically every country in Europe.

Until the Secretary began correspondence last May to make arrangements for the Deputation, no effort had been made to present the matter generally in Europe, but that correspondence showed that the proposal of the Conference had become widely known. Not only were leading individuals in every country looking with interest for an opportunity to co-operate, but many religious papers had published sympathetic accounts, not only in countries like Germany which might be expected to be in touch with American religious thought, but in others more remote like Finland and Hungary. Almost everyone in Great Britain and on the Continent of Europe who knew of the proposal recognized it as the most important question before the Christian world, for, till the obstacles to Christian Unity are removed by that thorough appreciation of each other by the Christian Communions of the world and the consequent destruction of the prejudices and misunderstandings which are so largely the cause of the continuance of their divisions their separate and often hostile efforts to preach to the world Christ and His law of love and righteousness and peace will continue to be only feeble effective.

One of the first and greatest lessons of this dreadful war which is convulsing half the world is that only by unity in the one Lord Jesus Christ, the Prince of peace can Christians help to make the Kingdoms of the world the Kingdoms of the Lord and of His Christ, and surely the terrible destruction which the war will cause, whatever else may be its issue, will make Christians see more clearly the need of a reunited Christianity.

Of course, the world wide plans for the Conference must now be suspended. Yet there is much that has hitherto been neglected which can be done by those of us who are not involved in war.

1. We can pray that God the Holy Spirit will direct all the preparations for the Conference and will hasten the time when this world wide effort for Christian Unity may be resumed. A card of prayers for Unity and the Conference may be had in any quantity on application to the Secretary, Robert H. Gardiner, Gardiner, Maine, USA. Surely, to these prayers we will add the daily petition that God will turn the hearts of the warring nations to peace and good will.

2. We can spread among friends and members of our several congregations the knowledge of the plans and purposes of the Conference. Leaflets about them can be had free on application to the Secretary as above.

3. We can promote small gatherings of members of different communions, first and foremost for united intercession for Unity, and, in the warmest spirit of real Christian love, for the effort to appreciate all that is best in the positions of those from whom we are separated.

4. We can do our outmost to bring together the divisions of the communion to which we belong. Much has been done in that direction, but the effort must be strengthened. If the members of each family cannot be brought to dwell together in vital unity, how can the families expect to heal their greater divisions?

5. We can pray that this awful experience of war through which the world is passing may bring men to a frame of mind in which they will be more than ever ready to give ear to such proposals as those which the World Conference Movement represents.

17. Bulletin Nr. 8

April 7, 1915

Since the last bulletin of the progress in preparing the way for Christian Unity through the World Conference on Faith and Order, five new commissions have been appointed, namely: the Congregational Union of Australasia, the United Free Church of Scotland, the churches of Christ in Great Britain, the Queensland Conference of the Methodist Church of Australasia; and the Church of England of the Province of South Africa.

The Commission of the Episcopal Church in the United States has asked the bishops of that church, to recommend to their clergy the observance of Sunday, May 16, as a day of special intercession, with a special sermon on behalf of Christian Unity and the World Conference Movement. A majority of the bishops have already approved the suggestion.

The Episcopal Commission is just issuing a pamphlet entitled «The Object and Method of Conference», and has in press a Manual of Prayer for Unity, compiled from many sources, ancient and modern. Copies of these may be had on application to Robert H. Gardiner, Post Office box 1153, Gardiner, Maine.

Correspondence as to the World Conference was naturally interrupted by the war in Europe, but has now been resumed, and an increasing number of letters are received, showing a world-wide recognition of the necessity of a visibly united church in order to make Christ's law of peace and righteousness and love effective. Indirectly, the war is showing the superiority of the conference method, or rather the hopelessness of the method of controversy. Too often the various Christian Communions, in what they consider to be efforts for reunion, have followed diplomatic methods, such as failed to prevent the war. The world is beginning to see that the diplomatic methods of the past must be discarded if peace is to be established and maintained, and Christians are beginning to see that they must set the world the example of an earnest and sincere effort to understand the needs and positions of others.

The Episcopal Commission has appointed a new deputation, consisting of the Rt. Rev. Dr. Anderson, Bishop of Chicago; the Rt. Rev. Dr. Brewster, Bishop of Connecticut; the Rt. Rev. Dr. Rhinelander, Bishop of Pennsylvania; the Rev. Dr. Manning, rector of Trinity Church, New York, and Mr. George Wharton Pepper, of Philadelphia, to be ready to proceed to Europe as soon as conditions permit. Meantime, efforts are being made to get in touch with individuals in Europe and the East and those efforts are meeting with a very cordial reception. A number of sympathetic letters have been received this winter from very eminent officials of the Roman and Eastern churches and of important Protestant communions throughout the world.

18. Bulletin Nr. 9

June 22, 1915

Spite of the confusion caused by the European War, the interest in Europe and the East in the promotion of Christian Unity by the World Conference on Faith and Order seems to be steadily increasing. During the last few weeks there have been received copies of a Russian paper with a brief mention of the World Conference and a promise to give further information, a pamphlet from Finland, giving a summary of the publications issued by the Commission of the Episcopal Church, and a copy of «Ein Herr und Ein Glaube» by Dr. Otto Freiherr von und zu Aufsess of Munich. One of the most eminent Archbishops of the Russian Church has been good enough to send ten dollars toward the expense of the publications and to send also a copy of a pamphlet containing a review by him of the publications about the World Conference, with a classical Russian translation of the three prayers suggested by the Commission of the Episcopal Church for general use. The «Tserkovnia Viedomosti», published by the Holy Governing Synod of Russia, has published articles by Serge Troitzky, explaining and commending the plan of the Conference and urging the participation of the Eastern churches. Postal cards from Germany and Hungary have lately been received showing continued interest there.

The General Assembly of the Presbyterian Church of New Zealand has passed a vote of sympathy and interest in the conference. The Committee on Co-operation and Unity of the National Missionary Council of India has asked for literature and to be kept in touch with the movement. The Nippon Sei Kokwai of Japan has appointed a commission, Bishop Cecil of South Tokyo being chairman, and he with Bishop McKim and two Japanese clergymen and two Japanese laymen form the commission.

The editor of Pharos, the diocesan magazine of the Patriarch of Alexandria, has published a letter from the secretary of the Episcopal commission, written nearly a year ago, informing the Patriarch of the then intended visit of a deputation to explain the proposal to the churches of Europe and the East, and the editor has asked for an article explaining the project as fully as possible.

As showing the increasing recognition of the importance of unity, it is interesting to see the progress that is being made in the United States by the great Methodist bodies, North and South, toward restoring their union, and that three important Norwegian Synods, namely, the Norwegian Synod in America, the Hague Norwegian Lutheran Synod and the Norwegian United Lutheran Synod, are considering union.

The Manual of Prayer for Unity, which has been for some time in preparation, has now been issued. It will be sent free to all whose names are on the mailing list of the commission of the Episcopal church and single copies may be had free by applying to the secretary of that commission, Robert H. Gardiner, P. O. Box 1153, Gardiner, Maine.

The Southern Baptist Convention, which has been appointing a commission from year to year, has now, in view of the importance of the World Conference and of the increasing prospects of its proving of value, appointed a standing commission which will consist of its president and two secretaries.

The Advisory committee, consisting of one or more members appointed by each of the commission to keep in touch and consult with the Executive committee of the Episcopal commission, now represents almost every quarter of the globe and is preparing to take an active shore in the preparations for the conference.

19. Bulletin Nr. 10

As the European war continues to make it impossible to send a deputation to Europe to explain the object and methods of the World Conference on Faith and Order, which is proposed as a step in preparation for the reunion of the divisions of Christendom, the Commissions resident in North America have decided to establish a North American Preparation Committee to collect material for the World Conference, and to explain and spread in North America the conference spirit, instead of that spirit of controversy which has for so many years kept Christians apart.

The North American Preparation Committee has now been appointed and will hold its first meeting at Garden City, Long Island, New York, January 23–24, 1917. The Committee consists of about one hundred and seventy-five men from all parts of the United States and Canada, and includes members of the following communions: Anglican, Baptist, Armenian, Congregationalist, Disciples of Christ, Friends, Lutheran, Methodist, Moravian, Polish Catholic, Presbyterian, Reformed, Roman Catholic, Russian and Serbian. It is believed that never before have so many men of so many different communions worked together for the common purpose of trying to understand and appreciate each other and to bring out the points of agreement which they hold in common as Christians.

(Januar 1917)

20. Bulletin Nr. 11

February 10, 1917

The World Conference on Faith and Order has secured the appointment of sixty Commissions covering almost every quarter of the globe and representing a considerable number of the important Communions.

The European war has prevented the issuance of formal invitations to the Roman Catholic Church, the Holy Eastern Orthodox Church of Russia, of Greece and of other nations, to the other Eastern Churches and to the Protestant Churches on the continent of Europe which come within the scope of the Conference as confessing Jesus Christ as God and Saviour.

Spite of the war, a large correspondence has been carried on with eminent members of the European and Eastern Churches. Pope Benedict XV has expressed his warm interest in the movement and promised his personal prayers, as have many other Roman Catholics in high office. Distinguished members of the Russian Church have cordially approved the project of the Conference. Articles about it have been printed in a number of ecclesiastical magazines in Europe – Roman Catholic, Greek and Protestant – and distinguished Protestants in various parts of Europe have also expressed approval.

As, however, almost all the Communions in North America had appointed Commissions, it was felt wise that they should attempt preliminary work while waiting for the opportunity to secure the co-operation of the Communions whose headquarters are in Europe. Therefore, the North American Preparation Committee was appointed, which met at Garden City, New York, January 23–24, and which organized by the appointment of the following officers:

Chairman, Rt. Rev. Charles P. Anderson, D. D.; Vice-Chairman, Rev. Bishop Luther B. Wilson, D. D.; Secretary, Robert H. Gardiner; Treasurer, Lucien C. Warner; Finance Committee, Francis Lynde Stetson, L. H. Baldwin, Arthur C. James, Lucien C. Warner, and R. A. Long; Executive Committee, Rev. Peter Ainslie, D. D., Rev. Clarence A. Barbour, D. D., William M. Birks, Hon. Justice Maclaren, John R. Mott, LL. D., Rev. J. B. Remensnyder, D. D., Rev. William H. Roberts, D. D., Newman Smyth, D. D., and Rev. John J. Wynne, S. J.

Most of the men named have already accepted their appointments. This Committee has at once set about to procure from each of the several Commissions in North America statements as to the propositions of Faith and Order, which each Commission considers (a) held in common by its own Communion and the rest of Christendom and (b) held by its own Communion as its special trust, and the ground upon which it stands apart from other Communions. These propositions are to be collated and a report will be prepared exhibiting the agreements and the differences between the several Communions. It is hoped that the result will be to make it apparent that the differences which now separate Christians are neither as numerous nor as insuperable as has hitherto been supposed. The work will require long and patient effort in deepest humility and Christian love, for Christians have been so ignorant of each other that the first effort must be to begin to understand each other, and it must be recognized that centuries of divisions cannot be healed in a few months or even a few years.

It may be that the North American Preparation Committee will find it expedient and possible to issue publications from time to time. Meanwhile, the Secretary of the Commission of the Episcopal Church, whose address is Robert H. Gardiner, Post Office Box 1153, Gardiner, Maine, will be very glad to send to anyone who applies the publications of the Commission of the Episcopal Church, outlining the aims and methods of the World Conference, urging its need and suggesting methods for the accomplishment of its purpose.

21. Bulletin Nr. 12

A Day's Mail for the World Conference On Faith and Order.

Though the war has suspended for a time the efforts to secure the co-operation of the Churches on the continent of Europe and in the Near East in the effort to prepare the way for the visible reunion of Christendom by means of a conference of Christians from every part of the world in the effort to understand and appreciate the value of the special truths for which each separate Communion stands, the preparation for the Conference continues with most encouraging results. There ist an increasing recognition that only the visible unity of Christians in the one Body of the one Lord will avail to establish Christ's Kingdom of peace and righteousness and love, and more and more individuals are seeing that Christian unity is not to be reached by ecclesiastical concordats but by each member of Christ doing his utmost to manifest the unity of the Church which is Christ's Body. This day's mail is an example of the world wide interest.

A Jesuit Priest in England, who has devoted his life to the cause, suggests that the freedom of Arabia from the Turks offers an opportunity to place before Islam in Arabia the true nature of religion and our ideal of unity. He offers for publication a pamphlet by a Russian enthusiastic for the union of the Churches.

A French Roman Catholic layman sends the names of five Roman Catholic ladies in France, England and Canada, of wide influence, who will help by their prayers and personal relations.

The President of a leading Methodist university and a very prominent business man in the United States accept their appointments as members of the North American Preparation Committee, which is collecting material for the World Conference and hoping to encourage the practice in America of the art of conference instead of controversy. An inquiry comes from South Africa, on behalf of the Dutch Reformed Church, as to the scope of the Conference, with an intimation that that Church, as well as the Baptists and Wesleyans in South Africa, will probably wish to co-operate. A lady in New Zealand sends the addresses of thirty clergymen and two laymen of the Church of England and nonconformist Churches in New Zealand, in order that the publications about the World Conference may be sent to them.

A wider knowledge in America of the movement is greatly to be desired and the publications about the World Conference can always be had free on application to Robert H. Gardiner, Post Office Box 436, Gardiner, Maine, USA.

A day or two after this Bulletin was written word was received that a number of Chinese Roman Catholics are attending the Holy Communion every day, making special intercession for the unity of Christendom.

22. Bulletin Nr. 13

Bulletin No. XIII of World Conference on Faith and Order,
Asking All Christians To Pray In Concert For Church Unity

The world-wide interest in the World Conference on Faith and Order, as the best means to prepare the way for constructive efforts for the visible reunion of Christians, is steadily increasing, and more and more clearly it is seen that the task is beyond human strength and that the immediate need is earnest prayer for God's guidance of the movement.

Therefore the Commission appointed by the American Episcopal Church to issue to all the Communions throughout the world which confess our Lord Jesus Christ as God and Saviour, an invitation to unite in arranging for a World Conference on Faith and Order, desires to secure a world-wide recognition of the supreme necessity. It hopes for an outpouring, by Christians of every Communion and in every part of the world, of prayer that God through the Holy Spirit will fill our hearts and minds with the desire for the visible manifestation of our unity in Christ Jesus our Lord and will so turn our wills to obedience to Him that, in oneness of faith and purpose, we may labor for the establishment of His Kingdom of peace and righteousness and love.

While our divisions still prevent the bringing together in one place of all the Christians in each neighborhood for united prayer it would be possible for them all to pray at the same time and for the same purpose.

The Commission, therefore, requests all who have been baptized into the Name of Christ to begin to prepare now for the observance of the eight days beginning with January 18 through January 25, 1918 (January 5–12 in the calendar of the Holy Orthodox Eastern Churches) as a season for special prayer for the Reunion of Christendom and for the blessing and guidance of all efforts for that end, including especially the attempt to be made in the World Conference on Faith and Order to bring Christians to such an understanding and appreciation of each other that the way may be open for increased effort in the way of constructive work for Reunion.

This period has been observed by an increasing number of Christians and is not far from a week which has for many years been observed by many others. It is hoped that it will be found convenient to all and that no preference for another time will be allowed to impair the spiritual value of simultaneous prayer throughout the world.

Copies of a Manual of Prayer for Unity will be sent, on application to the Secretary, to those who can use it either as printed or as suggestions for extempore prayer. The Commission will be glad to hear from all who will join in this effort, especially if they have suggestions to make as to how the co-operation of all Christians in their neighborhoods may be secured. It may be helpful if the Commission is informed as to plans that are being made.

Replies should be addressed to Robert H. Gardiner, Post Office Box 436, City of Gardiner, Maine, USA.

Dated June 12, 1917

23. Bulletin Nr. 14

The suggestion made by the Commission of the American Episcopal Church on the World Conference on Faith and Order that the period, January 18 to January 25, 1918, should be observed throughout the world as a season of special Prayer for the Reunion of Christendom has met with cordial approval. Many letters have come from Christians of every Communion and in every quarter of the globe promising their co-operation and expressing new and deeper interest in the movement for the World Conference because, as they say, the need for the visible unity of Christians is becoming day by day more manifest. The day the first draft of this Bulletin was written, such letters were received from a Methodist Bishop in the United States, an Anglican Bishop in India, a French Roman Catholic priest in China and a Roman Catholic lady in France. Two or three days after, came letters from a Danish pastor in Copenhagen, a minister in Holland, an Anglican Bishop in South Africa, a Congregational minister in Australia, a Norwegian missionary in China and a number of others in China, England, the United States and elsewhere. Another interesting fact is that, in the six days of the week before last, four letters were received by the Secretary of the Commission, asking for literature on the subject from Chaplains in the trenches, two of them Roman Catholic – one French and one Italian – one clergyman from Australia and one from England, each letter saying that, in the trenches, the question of Christian unity is vital.

Many requests have come to the Secretary, Robert H. Gardiner, Post Office Box 436, Gardiner, Maine, for a short Manual of Prayer for Unity which has been issued by the Commission and which he will be glad to send to anyone who asks for it.

The Commission has not attempted to indicate any special way in which the Week of Prayer shall be observed, for circumstances vary so much in different places. In some places there will doubtless be public union services; in others, each congregation will have special services of its own. There will be a number of small private prayer groups formed and very many individuals will observe the week in their private devotions.

It is believed that this is the first time when the whole Christian world has joined in observing the same period of prayer for the same purpose.

November 2, 1917

24. Bulletin Nr. 15

The work of issuing invitations to the various Communions throughout the world to co-operate in the World Conference on Faith and Order has been prosecuted as far as the war permitted. Sixty-one such Commissions have now been appointed, representing almost all the leading Communions of the world and, more or less completely, every country in the world except the Continent of Europe.

The Commission of the American Episcopal Church had expected to send a Deputation in August, 1914, to explain the matter to the European Communions, including the Roman Catholic and the Eastern Orthodox, and ask their co-operation. The war prevented the Deputation from sailing, but correspondence has been continued and extended with eminent individuals in every country which could be reached, and very many cordial letters of approval have been received.

It had seemed possible to send Deputations last summer – one to Russia and one to Rome – each to approach such Communions as it could reach in other countries. The Deputation appointed for Russia was in position to act quickly and had, as its members thought, arranged for their passports and had engaged passage, but at the last moment the State Department expressed a strong wish that the Deputation should postpone its visit, for fear that it might interfere with the prosecution of the war. At that time it was supposed that the two Deputations should start as nearly simultaneously as possible, in order to ensure that all the Communions which could be reached should be invited as nearly simultaneously as possible. At the time of the suggestion by the State Department that the Russian visit should be postponed, Dr. John R. Mott was on his way back from Russia, having been sent there by the President of the United States as a member of a mission to express the sympathy of the United States with the new Russian Democracy. Dr. Mott was seen as soon as he arrived in Washington, and reported that he had found the World Conference very generally understood in Russia and meeting with cordial approval, many eminent members of the Russian Church having assured him of the co-operation of that Church as soon as the official invitation could be issued. Mr. Mott, however, advised waiting for some months until the Russian Church had settled some, at least, of the numerous and difficult problems arising out of its new relation to the State, but he was quite confident there would be no jealousy on the part of the Russian Church if the formal invitation were issued first to Rome. The visit to Russia has therefore been postponed.

It seemed wise to write to Rome to a very eminent Roman Catholic, who is deeply interested in the question of Reunion, and who is familiar with the World Conference movement and thoroughly in sympathy with it, and ask his private and unofficial advice as to whether or not it would be expedient for the Deputation to proceed to Rome the coming winter of next spring. That letter has been written and is perhaps now reaching Italy, but an answer can hardly be expected much before December first.

So far as possible, correspondence will be continued with Roman Catholics in various parts of the world and, especially, in Italy with members of the Russian and other Eastern Orthodox Churches, and of Protestant Communions in all the countries which can be reached, where Commissions have not yet been appointed.

25. Bulletin Nr. 16

A World Force

One of the most encouraging things about the World Conference on Faith and Order are the letters received by the secretary of the Commission appointed by the Episcopal Church to issue invitations to the Conference. Before the war, the secretary was receiving 10 000 letters and postal cards a year. But they came largely from the United States. Since the war broke out the number of letters has decreased, for many people in the United States think the movement has been suspended by the war. It is true that so much effort has not been given by the Commission of the Episcopal Church to press the matter at home, for that is now the function of the North American Preparation Committee, organised at Garden City in January, 1917, and consisting of members of all the leading Communions in North America, including the Roman Catholic, Serbian and Armenian.

But the efforts of the Commission of the Episcopal Church have been directed toward securing the world-wide observance of the period January 18–25, 1918, as a season of special prayer for Christian reunion, and toward interesting influential persons in the rest of the world. Those who think the movement is in abeyance would be greatly encouraged if they could see the letters which come from every part of the globe and from Christians of every name.

Here is what came to the secretary on January 3, 1918: — Letters from Y.M.C.A. secretaries in Massachusetts, Virginia and Ohio, from a minister of the Reformed Church in Ohio, a Congregational minister in Minnesota, a minister in New Zealand, the head of a religious order of the Episcopal Church in the United States, an American Baptist Mission in Burma, an Archbishop of the Church of England in Australia, a Bishop of the Church of England in Canada, another in an island in the South Atlantic, a prominent Free Church minister in England, a Church of England clergyman, a Church of England clergyman from South Africa (now a chaplain in France), a Canadian Church of England clergyman, also a chaplain in France, an English Doctor of Divinity, a Bishop of the Episcopal Church in Japan, a minister of the Christian Church in Kentucky (writing for himself and the three other ministers in his town), a clergyman in Iowa (writing also for himself and the pastors of the other churches in his town). All of these promise to observe the Week of Prayer for Unity.

Besides there were letters from a Greek Bishop in Crete, a Roman Catholic Archbishop in India, an eminent Roman Catholic divine in Italy, a Metropolitan of the Greek Church in Macedonia, a Roman Catholic Archbishop, a Bishop and an Apostolic Vicar in Asia, and a layman of high official connection with the Church of Greece. All these express interest in the movement. The Greek layman sends also a magazine containing a long article by him about the World Conference, and the divine in Italy a «Review» with an article by him explaining the Mass ad tollendum schisma. Then there are inquiries for the literature of the movement from a Church of England clergyman in Ceylon and a lady in England. The languages used in the letters are English, Latin, French, Greek, and in the «Reviews» Italian and Greek.

The officers of the Commission of the Episcopal Church take this opportunity to thank the newspapers and magazines, secular and religious, which have been good enough to print these Bulletins. As a result many requests for the literature of the movement have come to the secretary, Robert H. Gardiner, Post Office Box 436, Gardiner, Maine, who is always glad to send, gratis, pamphlets explaining the movement. But, besides the direct requests for literature, the publicity which the newspapers have been kind enough to give, has inspired and strengthened many a soul who longs for Christian reunion and has promoted many local efforts to that end.

26. Bulletin Nr. 17

August 12, 1918

In June, 1917, the Commission of the American Episcopal Church on the World Conference on Faith and Order requested the whole Christian world to observe January 18–25,1918, as a season of special prayer for the Reunion of Christendom and for the guidance of the preparations for the World Conference. It is believed that the week was observed by more Christians of more Communions and in more parts of the world than had ever been the case with any such observance. The Commission is now asking for the observance of the same period next January for the same purpose.

One of the countries where the observance was most general and earnest was India, where, through the efforts of the National Missionary Council, different arrangements were made in each Representative Council Area for the observance of the week according to the different conditions prevailing.

In Bombay each congregation was urged to meet every day of the week for meditation and prayer, and a general meeting of the clergy in the city arranged the plans. The Church of the United Free Church of Scotland and the Hume Memorial Church of the American Marathi Mission were each open for an hour on each day throughout the week, as places where Christians of every Communion could meet for silent prayer and meditation.

The Bishop of Madras, at the request of the National Missionary Council, prepared «Outlines of Meditation and Prayer» for use during the week. These were adapted and amplified and widely circulated and used in Bombay and in other parts of the Province by Christians of every denomination.

A joint meeting for prayer in the Anglican Cathedral was held on Saturday, the day after the close of the Octave, because that afternoon was considered to be the best time for such a gathering. A small committee, with the Bishop of Bombay as Chairman, was appointed by the Bombay Representative Council of Missions to draw up the form of service, which was printed in English, Marathi, Gujurati and Urdu, the four languages representing the chief Christian communities of Bombay. It had not been possible to print also in Tamil, but many of the Tamil-speaking Christians in Bombay understand either English or Urdu; and many of the rest were able to bring their Bibles and hymn books and so join in the service. The passages from Scripture were read first in English by the Bishop of Bombay, then in Marathi by the Rev. John Malelu of the American Marathi Mission, and then in Gujurati. The hymns chosen were those of which translations existed in all four of the Indian languages, so that each could join in his own tongue. The Cathedral was filled with between seven and eight hundred people of various Communions and races.

The request for the observance of the same Octave January 18—25 in 1919 for special prayer for the Reunion of Christendom has again been sent to Christians in every part of the world. It is hoped that they will begin at once to plan for the observance of the Octave, putting their whole soul into this outpouring of prayer by every Communion, every race and in every tongue that, the unity of Christians being made visible to the world, it may believe that the Father sent the Son as its Redeemer.

27. Bulletin Nr. 18

September 23, 1918

In August 1917 the Rt. Rev. Dr. Anderson, President of the World Conference Commission of the American Episcopal Church, cabled greetings to the Council of the Holy Orthodox Church of Russia, sitting for the first time for centuries as a free and democratic Church. At that Council, Tikhon, formerly the Russian Archbishop in New York, was elected Patriarch of All the Russians, and sent the following reply.

December -th 1917 No. 1752
To His Eminence Right Reverend C. P. Anderson, Bishop of Chicago
President of the World Conference Commission
of the American Episcopal Church

Dear and Right Reverend Sir:

On behalf of the Council of the Holy Orthodox Church of Russia we beg to express once more our gratitude to the World Conference Commission presided by you for its friendly greetings that were presented through Mr. Charles R. Crane on the opening day of Russian Church Council's sessions in Moscow, August the twenty-eight, and received here with deep appreciation and unanimous vote of thanks.

May the Holy Spirit lead all Christendom to the final victory of the Cross and Gospel and to the Kingdom of Love over Spiritual darkness and hatred that nowadays — as never before — attempt to hurt and destroy the precious work of our Saviour. Let all Christians unite in earnest prayers for Russian Church in her struggles against the enemies of Christ and Religion!

As soon as the results of sessions of the Council of the Holy Orthodox Church of Russia are systematized we will feel our pleasure to communicate them to your friendliness and to the sympathy of the American Episcopal Church.

Please accept our best wishes to the coming day of the Blessed Christmas and kindly convey the same to the World Conference Commission, to Mr. R. H. Gardiner and to our good friends — the American Episcopal Church.

Our blessings to all!

(Cross) Tikhon, Patriarch of All the Russians
Chairman of the Council of the Holy Orthodox Russian Church
V. Beneshevich, Secretary

To this letter Bishop Anderson replied as follows: —

The Most Reverend Tikhon, Patriarch of All the Russians
Chairman of the Council of the Holy Orthodox Russian Church
Moscow, Russia

Your Holiness: —

The kind letter which your Holiness sent to me, and through me to The World Conference Commission of the American Episcopal Church, in acknowledgement of our greetings to the Council of the Holy Orthodox Church of Russia, has been received with deep gratitude and affection. Owing, however, to the vicissitudes and difficulties of travel, the letter did not reach me until the month of April. It was read at a meeting of our Commission in New York in April, and immediately upon its reading the Commission joined in earnest prayer for your Holiness and for the Church and people of Russia. We associated ourselves with your Church and people and prayed that God would deliver us from our common enemies and from the enemies of Christ and religion, and that He would draw us together into a united allegiance to Christ and His Church and the welfare of the world.

The American Episcopal Church, as your Holiness well knows, has an abiding affection and admiration for the Russian Church, and especially in these days of common peril; and the American people long to join hands with the great Russian people in the fierce struggle for liberty and right that is going on in the world to-day.

With assurances of the profoundest interest in the performance of the great tasks which have fallen upon your Holiness in your exalted position, and with the further assurance of our constant sympathy and prayers, I am, on behalf of the World Conference Commission of the American Episcopal Church,

Yours sincerely and faithfully,

(Signed) C. P. Anderson, President of the Commission

The Episcopal Commission had hoped to send a Deputation to attend the Council and invite the co-operation of the Russian Church in the World Conference, having been assured by many eminent Russians that the invitation would be cordially accepted. The Deputation will be sent as soon as conditions permit.

28. Bulletin Nr. 19

March 7, 1919

Invitations to participate in the arrangements for the World Conference on the Faith and Order of the Church of Christ have been sent to all the Communions throughout the world which believe that the Son of God was made man, with the exception of the Communions on the Continent of Europe and the Oriental Orthodox Churches. All the Communions in the United States and Canada accepted the invitation in 1911 and 1912. The Commission of the American Episcopal Church, whose duty it is to issue the invitations, then sent Deputations to Great Britain which secured in 1912 and 1913 the co-operation of the Church of England and its sister Churches in Scotland and Ireland and of the Free Churches in those countries. After that the co-operation of the Churches all over the world in English speaking countries was obtained and sixty-one Commissions have been appointed representing sixty-one autonomous branches of all the leading Communions. It was thought wiser not to issue invitations by letter to the Churches in non-English speaking countries, and in 1914, and again in 1917, it was hoped to send Deputations to present and explain the invitation personally in those countries, but the war made it impossible. Now, however, the way has been opened and there sailed on the Aquitania from New York on March 6 a Deputation consisting of the Rt. Rev. Dr. Anderson, Bishop of Chicago and President of the Commission of the American Episcopal Church, the Rt. Rev. Dr. Vincent, Bishop of Southern Ohio and from 1910 to 1916 Chairman of the House of Bishops, the Rt. Rev. Dr. Weller, Bishop of Fond du Lac, the Rev. Dr. B. Talbot Rogers, President of Racine College and the Rev. Dr. Edward L. Parsons.

The Deputation hopes to proceed to London, Athens, Constantinople, Antioch, Jerusalem, Alexandria, Rome, Switzerland, France, Belgium, Holland, Denmark, Norway, Sweden and such other countries as can be reached. Many eminent members of the Churches in all these countries have given cordial assurances that the Deputation will be sympathetically received and heard with interest and in the earnest hope that the World Conference may remove the prejudices, misunderstandings and mutual ignorance among the Churches which should form the one visible Body of Christ, so that the way may be open for directly constructive effort to establish that unity among His Disciples which Christ regarded as the only evidence potent to convince the world that He had been sent by the Father to redeem mankind.

29. Bulletin Nr. 20

March 25, 1919

The Chaplains on the battle front among men who at any moment might pass nearer to the Presence of God have learned that true theology is the knowledge of God indwelling now and here in His world, bearing its burdens of sin and suffering. They have had no time to study heresies buried centuries ago in tomes now thick with dust. They have been too busy helping each other in teaching their men the Gospel that God came in the Person of His Son to redeem the world to look for motes in each other's eyes. They have found that Christianity is the eternal life which is the knowledge of God and of Jesus Christ Whom He hath sent.

There came on one day some weeks ago to the desk of the Secretary of the Commission of the American Episcopal Church on the World Conference on Faith and Order three printed papers from Chaplains in different parts of the world, all recognizing that Christianity is real and vital and therefore must be manifestly one. It is time that the warring churches should realize, as these Chaplains do, that a divided Christianity is a false Christianity, a hindrance to the manifestation to all men everywhere of their Redeemer. And it is time, too, that those who are weary of un-Christian controversies among Christians and therefore take refuge in religious indifference should realize that God is the ultimate Reality, one, infinite, eternal. The Chaplains are humbly, courageously, hoping that God will let them teach us these lessons.

One of these papers was a pamphlet of 68 small pages in Italian by a Roman Catholic Chaplain serving in Albania, entitled *La Guerra e la Riunione delle Chiese Cristiane* and published by Ausonia, Via Convertite 8, Rome, Italy. The writer tells most simply, and therefore most movingly, of conferences among Chaplains on the question, to them in the face of death all important, of Christian Unity and of their hope that the World Conference will remove the prejudices and jealousies and mutual ignorances which centuries of division have engendered among Christians so that their hearts may be purified and set free to seek that unity which shall convince the world of Christ. The Chaplains were a Roman Catholic, a Russian, a Greek, an Anglican and toward the end a Lutheran prisoner.

Another paper was from England telling of the formation in the Church of England of an Ex-Chaplains' Fellowship that together they may carry home the lessons they have learned and try to stir the home Churches to proclaim Christ to mankind by their unity.

The third was from a Canadian Church of England Chaplain enclosing an address especially for Presbyterians urging reunion and printing in full the *ad interim* report in England signed by Free Churchmen and Anglicans offering the fact of the historic Episcopate, without any theory, as the basis of reunion.

A Fellowship similar to that in England is to be formed in the United States as soon as a majority of the Chaplains have returned. An interesting account of an earlier Conference, held in October 1916, of some seventy Chaplains, Anglicans, Presbyterians. Wesleyans and United Board, is «Chaplains in Council», published by Edward Arnold, London, at sixpence net.

While this bulletin was being prepared there came from an eminent Roman Catholic layman in Italy an account of a League of Prayer for Unity formed in Italy, of which both Protestants and Roman Catholics are members, and from a Church of England lady in Ceylon a letter about a League of Prayer she is forming. She plans to find in each congregation in the Diocese four ladies, English, Singhalese, Burgher and Tamil. Her plan is that each of them shall get two others of the same nationality so that there will be a number of groups of twelve, each made up of four races, and each group meeting for united prayer for unity.

Every day reports come in from different parts of the world of the observance of the Octave of Prayer for Unity last January. One of them is from a Church of England Chaplain in Italy telling of the observance by two battalions served by him.

30. Bulletin Nr. 21

June 2, 1919

After nearly nine years of effort, the World Conference on Faith and Order is practically an accomplished fact, though very much remains to be done in making the detailed arrangements. That will require much time, for it involves correspondence with nearly a hundred commissions scattered all over the world. But apparently all the invitations necessary, and at present possible, have been or are being issued, and the acceptances have been so far universal that it will probably be thought that immediate steps can now be taken to convene the Conference or, at least, to consider where and when it can be convened.

When the Deputation of the American Episcopal Church sailed to invite the Churches of Europe and the Near East, it had behind it the approval of the whole Anglican Communion throughout the world, of almost every important Protestant Communion outside the Continent of Europe, the unofficial, but weighty, assurances of the Patriarch and many influential members of the Church of Russia, and the active and cordial sympathy of eminent representatives of the Holy Orthodox Eastern Churches in Greece and elsewhere, of many distinguished Roman Catholics all over the world and of leading Protestants on the Continent of Europe. Fortified by such support, the Deputation has been cordially received everywhere.

In London they met the Archbishop of Cyprus, and in Paris, the Acting Patriarch of Constantinople, each of whom promised to call a special session of his Synod to consider the official invitation and gave assurances that it would be accepted. In Paris they met also Father Nicolai Velimirovitch on his way to Serbia, of whose cordial help we have been assured for years.

In Athens, among other courtesies shown to the Deputation, the Metropolitan took them to Mars Hill where he read them St. Paul's address in Greek. Next day the Synod formally accepted the invitation.

The Deputation were in Constantinople for Easter, and the invitation was presented to and accepted by a special session of the Synod at Constantinople. They took part in the Easter service at the Cathedral, at which the Gospel was sung in nine different languages, the Bishop of Fond du Lac singing it in English. They met the Armenian Patriarch in Constantinople who promised to transmit the invitation to the Catholicos of the Armenian Church at Etchmiadzin.

At Sofia they presented the invitation to the Acting Metropolitan who assured them of its acceptance as soon as the Synod could be convened, and at Bucharest they received a similar assurance from the Metropolitan.

At Belgrade they were assisted in their Conference with the Metropolitan by Fr. Nicolai Velimirovitch. Wednesday morning the Orthodox Cathedral was put at their disposal and Bishop Weller confirmed an American lady. They also celebrated the Holy Communion, a number of Serbian clergy remaining through the service. The Synod accepted the invitation to take part in the World Conference.

They arrived in Rome May 10, where, Archbishop Cerretti arranged a special audience for them with the Pope, but the Pope has not felt able to appoint representatives to the Conference, considering submission to the Church of Rome as the only possibility of Reunion. The Deputation expressed their regret at this decision, but are continuing on their journey to invite the other Churches of Europe in Switzerland, France, Belgium, Holland, Denmark, Norway and Sweden. Two of them are going to Alexandria, Jerusalem and Antioch.

Whatever may be the decision of individual Churches, the invitation will have been presented to all the Churches which find the motive and bond of visible unity in the Life of God Incarnate, inviting them to come together, not for controversy, but to try to understand and appreciate one another and the great rush for which each Communion stands, and we can now hope and pray that the Conference will be held and that in it God the Holy Spirit will manifest the way to that reunion of Christians which will bring the world to Christ.

31. Bulletin Nr. 22

March 16, 1920

The Spirit of God is moving over the chaos of the divisions of Christians and slowly, but surely, the world is coming to see, first, that only by universal obedience to Christ's new Commandment of Love is there any hope for the future of civilization and for enduring peace and righteousness, international, industrial or social. Next that only the visible unity of Christians can convert the world to Christ and so establish that new Commandment. Then that only through fervent and regular prayer can Christians obtain grace to surrender their wills to God's, that His Will for unity may be achieved and Christ, the one Way, the one Truth, the one Life, be all in all. Lastly it has become clear that if Christians be truly filled with Christ's Love, they will seek unity through conference, not controversy, for in conference they can understand and appreciate one another and so help one another to a more complete comprehension of infinite Truth.

So the World Conference on the Faith and Order of the Church of Christ seems now assured, and a preliminary meeting to discuss how best to proceed further, and perhaps to fix the date and place of the World Conference itself, will be held, God willing, at Geneva, Switzerland, August 12 (western calendar), 1920. All the great family groups, save one, of the Churches which worship Jesus Christ as God Incarnate and Saviour will be represented by delegates from every quarter of the earth, and of almost every race and every tongue. Invitations have been sent to, and been accepted by, all Europe, Australia and America, all Christian Asia and Africa, and the islands of the sea. The languages of the various delegates will be English, French, German, Swedish, Norwegian, Danish, Dutch, Italian, Russian, Greek, Roumanian, Bulgarian, Serbian and perhaps Armenian and Arabic.

Notices of the appointment of delegates to the Geneva meeting are beginning to be received. Already the following have been named:

Protestant Episcopal Church — Rt. Rev. C. P. Anderson, D. D., 1612 Prairie Avenue, Chicago, Illinois; Rt. Rev. William T. Manning, D. D., 187 Fulton Street,

New York; Robert H. Gardiner, 174 Water Street, Gardiner, Maine. Seventh Day Baptist General Conference: Rev. Gerard Velthuysen, Jr., 22 Weteringplantsoen, Amsterdam, Holland. Ecumenical Patriarchate, Constantinople: His Grace Germanos, Rector of the Theological Academy, Halki, via Constantinople, Turkey. Church of Greece: Very Rev. Archimandrite Chrysostom Papadopoulos, The University, Athens, Greece; Dr. Hamilcar Alivisatos, 7 Odos Massalias, Athens, Greece; Very Rev. Constantine Callinicos, B. D., Hr. Broughton, Manchester, England. Methodist Conference of New Zealand: Rev. E. O. Blamires, care W. Aykroyd, Methodist Times, London, England. Disciples of Christ: Rev. Peter Ainslie, D. D., Seminary House, Baltimore, Maryland; Rev. F. W. Burnham, LL. D., Carew Bldg., Cincinnati, Ohio; Rev. F. S. Idleman, D. D., 142 West 81st Street, New York, N. Y.; Rev. H. C. Armstrong, 504 N. Fulton Avenue, Baltimore, Maryland (alternate). Church of Serbia: Rt. Rev. Nicolai Velimirovic, D. D., Bishop of Zicha, Serbia (to be accompanied by two priests). Reformed Church in the United States; Rev. James I. Good, D. D., 3262 Chestnut Street, Philadelphia, Pa.; Rev. George W. Richards, D. D., Lancaster, Pa.; Rev. Charles E. Schaeffer, D. D., 422 South 50th Street, Philadelphia, Pa. Baptist Union of Great Britain and Ireland: Rev. J. E. Roberts, M. A., B. D., 32 Heaton Road, Withington, Manchester, England; Rev. F. C. Spurr, 3 Dartmouth Road, Brondesbury, London, N. W. 2, England. Presbyterian Church of New Zealand: Rev. W. Gray Dixon, M. A., Roslyn Manse, Dunedin, New Zealand. Church of Norway: Rt. Rev. Bishop J. Tandberg, Christiania, Norway; Prof. Dr. Juris A. Taranger, LL. D., Slemdal, Christiania, Norway; Rev. N. B. Thvedt, M. A., C. T., Nils Juelsgt 4, Christiania, Norway. Alternates: Archdeacon J. Gleditsch, D. D., Vor Frelsers Kirke, Christiania, Norway; Pastor V. Koren, Nordstrand, Christiania, Norway.

The Commission of the American Episcopal Church is deeply grateful to God who has permitted it thus to accomplish its function of securing the co-operation of the Churches of the world in this great effort to prepare the way for that visible unity of Christians which will set free the power of the Gospel of man's redemption. That Commission has frequently urged the paramount need of prayer. It now repeats that request and especially begs that all the Christian world will make the next Feast of Pentecost, or Whitsunday, May 23 (western calendar), a special day of earnest prayer that God the Holy Spirit will preside over the meeting at Geneva and guide the diversity of race and tongue, of modes of worship, of credal statements, towards visible harmony in the one Faith they all share in common in the one Lord. And wie urge our brethren of the Roman Catholic Church to join with us in prayer that day. We are grieved that they will not be represented officially at Geneva, and we know that our grief will be shared by many thousands of them, all over the world, who are looking with eager hope to this movement.

William T. Manning, Chairman Executive Committee
Robert H. Gardiner, Secretary

III. Dokumente der Vorbereitungsarbeiten der Kommission der Protestant Episcopal Church

1. Kontakte nach England

32. Brief des Erzbischofs von Canterbury, Randall Cantuar Davidson, vom 24. Oktober 1912 an eine Anzahl englischer Bischöfe, Geistlicher und Laien nach dem Besuch einer Deputation der Protestant Episcopal Church im Juni 1912

Lambeth Palace, S. C., 24 th October, 1912

I think you are probably familiar with the proposal which has been made by the Church in America as to a World Conference on Faith and Order to be held at some future date not yet settled. The origin of the matter was as follows:

At the meeting of the General Convention of the American Church held in Cincinnati in October, 1910, after the reception of a report by a joint committee of the House of Bishops and of the House of Deputies, the following resolution was unanimously adopted by both Houses:

Whereas, There is today among all Christian people a growing desire for the fulfilment of our Lord's prayer that all His disciples may be one; that the world may believe that God has sent Him: Resolved: The House of Bishops concurring, that a Joint Commission be appointed to bring about a Conference for the consideration of questions touching Faith and Order, and that all Christian communions throughout the world which confess our Lord Jesus Christ as God and Saviour be asked to unite with us in arranging for and conducting such a Conference. The Commission shall consist of seven bishops, appointed by the chairman of the House of Bishops, and seven presbyters and seven laymen, appointed by the president of the House of Deputies, and shall have power to add to its number and to fill any vacancies occuring before the next General Convention.

And subsequently a commission was appointed. Further particulars as to these first steps in the matter are given in the papers which I enclose.

In June of this year certain delegates officially appointed by this Commission of the American Church came to England to see the archbishop of York and myself. The delegates were:

The bishop of Chicago, Dr. Anderson; the bishop of Southern Ohio, Dr. Boyd Vincent; the bishop of Vermont, Dr. Hall, and the Rev. Dr. Manning, rector of Trinity Church, New York.

These delegates also paid a later visit to Scotland and Ireland, where they saw the Primus and other Scotch bishops, and the Primate of Ireland and other Irish bishops.

The interview which the archbishop of York and I had with them took place at Lambeth Palace on June 25, when we invited certain other bishops and a few members of the Lower Houses of Convocation to be present. The conference was of a private nature. A brief account, however, of its conclusions was subsequently placed in the hands of Bishop Anderson of Chicago, who acted as leader of the American delegation, and will be by him communicated to the Commission which the delegates represent.

As the outcome of our Conference, I suggested, with the concurrence of the English members of the informal Conference, that the action on the English side of the Atlantic might be as follows:

(1) A committee to be appointed in the Church of England, the nomination and appointment resting with the two archbishops, who should themselves select the members – episcopal, clerical and lay. The committee should watch the progress of the arrangements for the proposed Conference, organize support and help in England for these endeavours, and specially stimulate general interest and regular and widespread prayer in the matter. It would rest with this committee to make arrangements for any local or preliminary conferences in England which may be expedient.

(2) Invitations to other religious bodies or denominations than the Church of England should emanate not from the committee above-named, or from the Church of England as such, but from the co-religionists in America of each denomination in England. The English committee, though not concerned in issuing such invitations or controlling in any way the action of the non-Episcopal bodies, should markedly hold itself in readiness to confer with such bodies or committees in the non-Episcopal Churches, or, if so be, with those who might represent the Roman Catholic or the Eastern Churches.

I further expressed an opinion, which was concurred in by the Englishmen present, that it would be helpful to the satisfactory working of the whole plan that its American origin should be borne in mind, as also the possibility or probability that the ultimate conference when held would be on American soil. This was not in any way pressed, or even advocated, by the American delegates. But I expressed the belief that the knowledge of these facts and probabilities might tend to simplify and facilitate the consideration of the matter in England.

The American delegates expressed their full approval of the form, as described above, which our suggestions had taken. I now write to invite you to become a member of the committee which is being nominated by the archbishop of York and myself. The matter is obviously of great importance, but I do not anticipate that, for the present at least, the work of the committee will make great demands upon the time of its members. We propose that it should comprise about twenty or twenty-five men. Please let me hear whether the committee may have the advantage of your services.

I am, yours very truly,
(Signed) Randall Cantuar

33. Rede des Bischofs von Bath und Wells bei einer Zusammenkunft des Archbishops Committee und der amerikanischen Deputation zu den nonkonformistischen Kirchen in Großbritannien am 29. Januar 1914

Reverend Brethren in the Lord: We greet you in the name of our one Lord and Master whose, as we each trust, we are, and whom we each of us strive to serve. The high importance and the noble aim of your mission must be recognized by all earnest Christian people. You have come to our British Isles that you may stir men's minds and hearts with the desire to work under the guidance of God's gracious Spirit for the furtherance of the great prayer of our divine Lord, «That they all may be one; even as thou, Father, art in me, and I in thee, that they also may be one in us; that world may believe that thou hast sent me.»

You come from the great continent of the West, where you are confronted with the complex conditions of a population recruited from almost all countries of the world. You have people who are polyglot in language, disintegrated in religious persuasions, influenced by the most variable political aspirations, but who are all full of that eagerness and of those mingled hopes and disappointments which are apt to be experienced under new conditions of life. You are there face to face with possessions of the greatest wealth which the world has known, and almost at the same time with problems of the greatest necessity. Amid such circumstances you have realized with a grave intensity of force that there is but one possible unifying influence which can consolidate the best moral forces of that great people, and rightly guide their aspirations. It is to bring into harmony and co-operation the widely differing Christian communities which, although they acknowledge the same Lord and Saviour, are now practically forceless for good, and are failing to receive the true fulness of God's grace and help, because they are so sadly divided from each other.

Although our conditions vary very greatly from yours, we also know only too well in our island home and in the British dominions beyond the seas how sadly we who, with you, believers in the Lord Christ, are ourselves the losers, and how ineffectual in consequence are our efforts to extend the kingdom of God and of his Christ, because of our unhappy religious divisions.

Stirred with fresh zeal through the earnest prayers of those who are promoting the Faith and Order Movement which has originated in the Protestant Episcopal Church in America, you have crossed the ocean to make known to the Church of Scotland and to the non-Episcopal churches of England the proposals for this movement, which have been very wisely formulated in your own country. We have been made aware from time to time of the very large number of various churches and denominations which have formed commissions of selected persons to study the proposals.

We had the great advantage a year ago of a visit from certain bishops and others belonging to the Protestant Episcopal Church in the United States, who were able, on behalf of those who are in full communion with ourselves, to put before us their view of the whole situation. The report of that visit is doubtless in your hands. Similarly it has seemed to us very wise that the special appeal to non-Episcopal churches in this country should be made to them from America by their own co-religionists. The fact that this plan has been followed will be found, no doubt, to contribute to the confidence with which members of so greatly varying denominations will be inclined to consider the possibility of joining in this great movement.

I do not doubt that by God's grace your personal visits will have been found to increase this feeling of confidence. We have no doubt that you will have made it clear to those whom you have been visiting that there is no intention of summoning the world-wide conference on the solemn question of the reunion of Christendom before years of preparation for it has passed. Need I say how earnestly we who sympathize with this movement pray our heavenly Father to prosper this your undertaking and to grant you such a measure of the grace of our Lord Jesus Christ, and so constant an assistance of the Holy Ghost, that your efforts may not be made in vain. And now you have added to your assigned duties the kindness, which we gratefully acknowledge, of meeting this committee which the two Archbishops of the Church of England have appointed.

You will doubtless recognize that between the less complicated and more plastic conditions of the Protestant Episcopal Church in America and the national and historical Church of England there are differences of position which render it less easy for us to move rapidly than may be the case elsewhere. We, like you, consider that so solemn and great an enterprise as this of the Faith and Order Movement requires much time. But we also feel that the very preparation for the looked-for conference may be of great blessing to all who have their part in it.

All of the Christian churches and bodies concerned have much to learn from each other. And while the preliminary requirement must necessarily be that of a prayerful desire for the unity for which our Lord prayed, it is obvious that one of the first things to be aimed at is a greater amount of intercourse between those who are unfortunately too much separated from each other, although they are one in their anxiety to serve and follow the same Lord and Saviour. You have already generously acknowledged the manner in which the Lambeth Conference of the Bishops of the Anglican Communion has put this in the forefront.

We know full well that in the ultimate approach to real unity, however greatly that may be differentiated from uniformity, every Christian body which is prepared to take its part must be willing to reconsider and possibly restate for the good of the whole the proportion and emphasis rightly belonging to some of the so to speak minor things which have seemed of value to themselves. Here in our committee we have not yet begun to consider such matters. In this committee, for instance, we represent very varying schools of thought in the widely comprehensive Church of England, but I doubt not that there is present to the minds of all of us who sit on this committee a constant sense of the value not only of the creeds, the sacraments and doctrines of our church as set forth in our prayer book, not only of the value of episcopacy – the guarantee of unity and order – but of the whole «ethos» of the Christian life, as experienced by those in whom the habitual of the prayer book is coupled with the effort to live up to the standard of its teaching and its requirements.

I mention these things because, while they indicate the position in which, as we believe happily, the Church of England stands midway between the Greek and Roman churches on the one side and the generality of reformed churches on the other side, it is obvious that grave difficulty would come to us were we to take any onesided or inadequately considered action. There are not a few who urge upon us insistently that our first effort should be made in the direction of a closer union with our Separatist brethren at home. From such closer union it might be hoped that great results would follow. Upon the other hand, some of us might be inclined to lay even more emphasis upon our longing and our hope for a closer approximation to the ancient Catholic branches of the church, branches from which we are at present separated, and they urge that unless an effort is simultaneously attempted in that direction we cannot, without disadvantage, join in the other, lest we destroy the equipoise of our position. The differences of opinion, or perhaps rather of proportion as regards the urgency of the different calls upon us, may, I do not say will, be found to be a cause of delay. America moves, as I have suggested, more freely. We may find easier to co-operate in endeavors which she has found to be practicable than to make even a simultaneous advance in the way of definite propositions.

But one thing we may be able to do of ourselves, and another we may find ourselves able to do with your assistance. We have among our number scholars who have given profound study to these problems. We may, therefore, when the time comes for it, put forth a list of books to be studied, with, perhaps, notes upon them which might be of use in guiding persons who are not members of our communion, to find the grounds upon which we can meet in common. Again, it would be a help to us if you, Reverend Sirs, when the right moment has come for it, can put us into communication with those whom you have already visited and who you have any reason to think would be glad to have such intercourse.

In conclusion I hope I may say that I take it as part of our scheme that there is no thought of any of the different churches of Christian communities making any surrender of the primary principles and convictions by which we may be respectively actuated. What we want to do is to study each other's position, to make clear our own, to find out and make the most of the ground we occupy in common together, and humbly to seek the guidance and fellowship of God's Holy Spirit, so that we, and all others who are thankful for this great movement, may be led nearer to each other while we are seeking to know more fully and to exemplify more perfectly the mind of our Lord Jesus Christ.

34. Antwort der Deputation auf die Rede des Bischofs von Bath und Wells am 29. Januar 1914

My Lord: The American deputation would express their grateful sense of your gracious words and their appreciation of your clear conception of the purpose of the proposed movement for the world conference as a first step toward church unity. We are non-Episcopal clergymen, representing the Protestant Episcopal Church, as well as the other American communions; and it seems to us that our presence here in conference with the Archbishop's Committee of the Church of England is itself a fact of more significance than anything we may say or do.

May we assure you that after having had conferences with official representatives of the non-Episcopal churches of Great Britain and Ireland, we may express their earnest desire to confer together with you concerning these fundamental religious problems in the same desire and spirit which you so nobly expressed in your address to us, and it will be a gratification to us to comply with your request in putting you in communication with those whom we have already visited. We devoutly trust that in the way thus opening before us we may be led on through some providential simplification of our present problems until we shall come to an ultimate manifestation of the essential oneness of the Lord's disciples, so real, so vital and so dynamic, that the world may see and believe in its Christ from God.

Newman Smyth, Chairman Peter Ainslie, Secretary

35. Der erste Ad Interim Report eines gemeinsamen englischen Ausschusses aus Anglikanern und Nonkonformisten, der im Wege der Vorbereitungsarbeiten für eine Weltkonferenz für Fragen des Glaubens und der Kirchenverfassung entstand

Part I: A Statement of Agreement on matters of Faith

We, who belong to different Christian Communions, and are engaged in the discussion of questions of Faith and Order, desire to affirm our agreement upon certain foundation truths as the basis of a spiritual and rational creed and life for all mankind. We express them as follows:

(1) As Christians we believe that, while there is some knowledge of God to be found among all races of men and some measure of divine grace and help is present to all, a unique, progressive and redemptive revelation of Himself was given by God to the Hebrew people through the agency of inspired prophets, «in many parts and in many manners», and that this revelation reaches its culmination and completeness in One Who is more than a prophet, Who is the Incarnate Son of God, our Saviour and our Lord, Jesus Christ.

(2) This distinctive revelation, accepted as the word of God, is the basis of the life of the Christian Church and is intended to be the formative influence upon the mind and character of the individual believer.

(3) This word of God is contained in the Old and New Testaments and constitutes the permanent spiritual value of the Bible.

(4) The root and centre of this revelation, as intellectually interpreted, consists

in a positive and highly distinctive doctrine of God — His nature, character, and will. From this doctrine of God follows a certain sequence of doctrines concerning creation, human nature and destiny, sin, individual and racial, redemption through the incarnation of the Son of God and His atoning death and resurrection, the mission and operation of the Holy Spirit, the Holy Trinity, the Church, the last things, and Christian life and duty, individual and social: all these cohere with and follow this doctrine of God.

(5) Since Christianity offers a historical revelation of God, the coherence and sequence of Christian doctrine involve a necessary synthesis of idea and fact such as is presented to us in the New Testament and in the Apostles' and Nicene Creeds: and these Creeds both in their statements of historical fact and in their statements of doctrine affirm essential elements of the Christian faith, as contained in Scripture, which the Church could never abandon without abandoning its basis in the word of God.

(6) We hold that there is no contradiction between the acceptance of the miracles recited in the Creeds and the acceptance of the principle of order in nature as assumed in scientific inquiry, and we hold equally that the acceptance of miracles is not forbidden by the historical evidence candidly and impartially investigated by critical methods.

Part II: A Statement of Agreement on Matters relating to Order

With thankfulness to the Head of the Church for the spirit of unity He has shed abroad in our hearts we go on to express our common conviction on the following matters:

(1) That it is the purpose of our Lord that believers in Him should be, as in the beginning they were, one visible society — His body with many members — which in every age and place should maintain the communion of saints in the unity of the Spirit and should be capable of a common witness and a common activity.

(2) That our Lord ordained, in addition to the preaching of His Gospel, the Sacraments of Baptism and of the Lord's Supper, as not only declaratory symbols, but also effective channels of His grace and gifts for the salvation and sanctification of men, and that these Sacraments being essentially social ordinances were intended to affirm the obligation of corporate fellowship as well as individual confession of Him.

(3) That our Lord, in addition to the bestowal of the Holy Spirit in a variety of gifts and graces upon the whole Church, also conferred upon it by the self-same Spirit a Ministry of manifold gifts and functions, to maintain the unity and continuity of its witness and work.

Part III: A Statement of Differences in Relation to Matters of Order which require further Study and Discussion

Fidelity to our convictions and sincerity in their expression compel us to recognize that there still remain differences in respect of these matters:

(1) As regards the nature of this visible Society, how far it involves uniformity or allows variety in polity, creed and worship.

(2) As regards the Sacraments — the conditions, objective and subjective, in their ministration and reception on which their validity depends.

(3) As regards the Ministry — whether it derives its authority through an episcopal or a presbyteral succession or through the community of believers or by a combination of these.

We desire to report accordingly and we submit:

(1) That this report be made known to the public.

(2) That further enquiry should be directed to examining the implications in the matter agreed, and to the possibility of lessening or removing the differences by explanation.

(Signed)
G. W. Bath and Wells (Chairman)
E. Winton
C. Oxon
W. T. Davidson
A. E. Garvie
Tissington Tatlow (Hon. Sec.)
February, 1916

J. Scott Lidgett
J. H. Shakespeare
C. Anderson Scott
Eugene Stock

36. Der Second Ad Interim Report eines gemeinsamen englischen Ausschusses aus Anglikanern und Nonkonformisten, der im Wege der Vorbereitungsarbeiten für eine Weltkonferenz für Fragen des Glaubens und der Kirchenverfassung entstand

In further pursuit of the main purpose, the sub-committee was reappointed and enlarged. After mature and prolonged consideration it is hereby issuing its Second Interim Report under the direction of the Conference as a whole, but on the understanding that the members of the subcommittee alone are to be held responsible for the substance of the document.

In issuing our Second Interim Report we desire to prevent possible misconceptions regarding our intentions. We are engaged, not in formulating any basis of reunion for Christendom, but in preparing for the consideration of such a basis at the projected Conference on Faith and Order. We are exploring the ground in order to discover the ways of approach to the questions to be considered that seem most promising and hopeful. In our first Report we were not attempting to draw up a creed for subscription, but desired to affirm our agreement upon certain foundation truths as the basis of a spiritual and rational creed and life for all mankind in Christ Jesus the Lord. It was a matter of profound gratitude to God that we found ourselves so far in agreement. No less grateful were we that even as regards matters relating to Order we were able to hold certain common convictions, though in regard to these we were forced to recognize differences of interpretation. We felt deeply, however, that we could not let the matter rest there; but that we must in conference seek to understand one another better, in order to discover if even on the questions on which we seemed to differ most we might not come nearer to one another.

1. In all our discussions we were guided by two convictions from which we could not escape, and would not even if we could.

It is the purpose of our Lord that believers in Him should be one visible society, and this unity is essential to the purpose of Christ for His Church and for its effective witness and work in the world.

The conflict among Christian nations has brought home to us with a greater poignancy the disastrous results of the divisions which prevail among Christians, in as much as they have hindered that growth of mutual understanding which it should be the function of the Church to foster, and because a Church which is itself divided cannot speak effectively to a divided world.

The visible unity of believers which answers to our Lord's purpose must have its source and sanction, not in any human arrangements, but in the will of the One Father, manifested in the Son, and effected through the operation of the Spirit; and it must express and maintain the fellowship of His people with one another in Him. Thus the visible unity of the Body of Christ is not adequately expressed in the co-operation of the Christian Churches for moral influence and social service, though such co-operation might with great advantage be carried much further than it is at present; it could only be fully realized through community of worship, faith, and order, including common participation in the Lord's Supper. This would be quite compatible with a rich diversity in life and worship.

2. In suggesting the conditions under which this visible unity might be realized we desire to set aside for the present the abstract discussion of the origin of the Episcopate historically, or its authority doctrinally; and to secure for that discussion when it comes, as it must come, at the Conference, an atmosphere congenial not to controversy, but to agreement. This can be done only by facing the actual situation in order to discover if any practical proposals could be made that would bring the Episcopal and Non-Episcopal Communions nearer to one another. Further, the proposals are offered not as a basis for immediate action, but for the sympathetic and generous consideration of all Churches.

The first fact which we agree to acknowledge is that the position of Episcopacy in the greater part of Christendom, as the recognized organ of the unity and continuity of the Church, is such that the members of the Episcopal Churches ought not to be expected to abandon it in assenting to any basis of reunion.

The second fact which we agree to acknowledge is that there are a number of Christian Churches not accepting the Episcopal order which have been used by the Holy Spirit in His work of enlightening the world, converting sinners, and perfecting saints. They came into being through reaction from grave abuses in the Church at the time of their origin, and were led in response to fresh apprehensions of divine truth to give expression to certain types of Christian experience, aspiration, and fellowship, and to secure rights of the Christian people which had been neglected or denied.

In view of these facts, if the visible unity so much desired within the Church, and so necessary for the testimony and influence of the Church in the world, is ever to be realized, it is imperative that the Episcopal and Non-Episcopal Communions shall approach one another, not by the method of human compromise, but in correspondence with God's own way of reconciling differences in Christ Jesus. What we desire to see is not grudging concession, but a willing acceptance for the common enrichment of the united Church of the wealth distinctive of each.

Looking as frankly and as widely as possible at the whole situation, we desire, with a due sense of responsibility, to submit for the serious consideration of all the parts of a divided Christendom what seem to us the necessary conditions of any possibility of reunion:

1. That continuity with the historic Episcopate should be effectively preserved.

2. That in order that the rights and responsibilities of the whole Christian community in the government of the Church may be adequately recognized, the Episcopate should reassume a constitutional form, both as regards the method of the election of the bishop, as by clergy and people, and the method of government after election. It is perhaps necessary that we should call to mind that such was the primitive ideal and practice of Episcopacy and it so remains in many Episcopal Communions today.

3. That acceptance of the fact of Episcopacy, and not any theory as to its character, should be all that is asked for. We think that this may be the more easily taken for granted as the acceptance of any such theory is not now required of ministers of the Church of England. It would no doubt be necessary before any arrangement for corporate reunion could be made to discuss the exact functions which it

may be agreed to recognize as belonging to the Episcopate, but we think this can be left to the future.

The acceptance of Episcopacy on these terms should not involve any Christian community in the necessity of disowning its past, but should enable all to maintain the continuity of their witness and influence as heirs and trustees of types of Christian thought, life, and order, not only of value to themselves but of value to the Church as a whole. Accordingly we hoped and desired that each of these Communions would bring its own distinctive contribution, not only to the common life of the Church, but also to its methods of organization, and that all that is true in the experience and testimony of the uniting Communions would be conserved to the Church. Within such a recovered unity we should agree in claiming that the legitimate freedom of prophetic ministry should be carefully preserved; and in anticipating that many customs and institutions which have been developed in separate communities may be preserved within the larger unity of which they have come to form a part.

We have carefully avoided any discussion of the merits of any polity, or any advocacy of one form in preference to another. All we have attempted is to show how reunion might be brought about, the conditions of the existing Churches, and the convictions held regarding these questions by their members, being what they are. As we are persuaded that it is on these lines and these alone that the subject can be approached with any prospect of any measure of agreement, we do earnestly ask the members of the Churches to which we belong to examine carefully our conclusions and the facts on which they are based, and to give them all the weight that they deserve.

In putting forward these proposals we do so because it must be felt by all good-hearted Christians as an intolerable burden to find themselves permanently separated in respect of religious worship and communion from those in whose characters and lives they recognize the surest evidences of the indwelling Spirit; and because, as becomes increasingly evident, it is only as a body, praying, taking counsel, and acting together, that the Church can hope to appeal to men as the Body of Christ, that is, Christ's visible organ and instrument in the world, in which the Spirit of brotherhood and of love as wide as humanity finds effective expression.

(Signed)

G. W. Bath and Wells (Chairman)
E. Winton
C. Oxon
W. T. Davidson
A. E. Garvie
H. L. Goudge
J. Scott Lidgett
W. B. Selbie
J. H. Shakespeare
Eugene Stock
William Temple
Tissington Tatlow (Hon. Sec.)
H. G. Wood

March, 1918

37. Korrespondenz zwischen Robert H. Gardiner und dem Kardinalstaatssekretär, Kardinal Pietro Gasparri, in den Jahren 1914–1915

1. Brief
Eminentissimo Principi
Petro Gasparri, C. S. R. E.

2 Novembris, 1914

Eminentissime Principe:
Neminem latet Supremum Antistitem Ecclesiae Romanae Leonem XIII, immortalis quidem memoriae virum, quem, ut par est, maxima prosequuntur veneratione quotquot Christiano nomine gaudent prae ceteris sollertem impendisse curam in Christianam unitatem fovendam, ac dissidia componenda quae Christianum dilacerant orbem. Haec dissidentium fratrum concordia inprimis vindicanda est ac vehementissime promovenda miserrima qua vivimur aetate. Humanis enim affectionibus blandita civilium regiminum quam vocant politica, Christianae fidei principiorum immemor, dirissima concitavit bella, totam fere Europam innumeris opplevit malis, fertilissimas regiones vastavit, easque cruoris fluminibus inundavit.
Hac de causa Jesum Christum Deum ac Redemptorem humani generis quotquot profitentur, necesses est amice conjurent, fracta proh dolor unitatis vincula consarciant, confertisque agminibus Christiani nominis hostes strenue adoriantur eorumque audaciam obtundant. Hocce sibi propositum Universus Conventus Ecclesiae Episcopalis Foederatorum Americae Statuum ad effectum perducere conata est, litterisque missis ad ceteras in orbe Christiano dispersas Ecclesias, etiam atque etiam eas rogavit, ut collatis consiliis, ac potissimum Deo fusis precibus viam ad renovandam Christianam unitatem feliciter sternerent.
Hisce positis, vehementer peroptamus, ut Romana Ecclesia, quae redintegrandae unitatis christianae vindicem semper sese praebuit, conatus nostros sua prosequatur benignitate, eisque vehementer faveat. Hac de causa, Eminentissime Princeps hasce litteras tibi mittimus, ac firmissime speramus fore ut, te suadente, Supremus Antistes Ecclesiae Romanae, Benedictus XV suis precibus ac votis facinus nostrum ad felicem citius perducat exitum. Ac simul, opuscula in lucem a nobis edita, quae proposita nostra palam faciunt, rerumque a comitiis nostris gestarum περιληψιν exhibent, tibi humillime submittimus, ut ea perlegere valeas.
Neminem sane latet facinus illud restituendae unitatis Christianae ac discidia componendi in Christi Ecclesia maximis scatere difficultatibus. At spes nos manet, piarum animarum precibus Deum fatigatum quandoque scissionum germina convulsurum, ac pacis plentitudinem adprecantibus filiis daturum. Gratissimi animi sensus ac venerationem qua erga te afficimur expromentes, te vehementer in Domino rogamus ut nostris benigne faveas incoeptis.

Humillimus servus Robert H. Gardiner, Secretarius

2. Brief
Segreteria Di Stato
Di Sua Santita
No. 2109

Dal Vaticano, 18 Decembris 1914

Domine,

Fervere studia omnium quotquot Universo Conventui Ecclesiae Episcopalis Foederatum Americae Statuum nomen dederunt in Religionis Christianae unitatem plenissime restituendam tuendamque, jam, fama nuntiante, probe noveram: ex litteris vero tuis humanitate refertis et ex opusculis ad me gratiose transmissis id vel mea experientia comprobatum habui.

Quod autem perficiendum proposuistis congressu omnium gentium in Jesum Christum Deum et Salvatorem credentium celebrando, ut quam primum illa impleatur suprema Domini precatio, ut omnes unum sint, tuis precibus obsecundans, cum Beatissimo Patre communicandum curavi.

Qua autem in vos caritate Augustum Pontificem inflammatum viderim, hic verbis non exprimam.

Compertum enim vobis est Romanorum Pontificum cogitationes, curas et opera illuc semper maxima parte intendisse, ut una et unica Ecclesia, quam Jesus Christus instituit quamque suo divino sanguine sacravit, integra, immaculata, semperque caritate florens, studiosissime servaretur et custodiretur, atque omnibus, qui humano nomine gaudent quique sanctitatem in terris, felicitatem in caelis sempiternam adipisci volunt tum illucesceret, tum aperta pateret.

Placuit igitur Augusto Pontifici propositum vobis esse ut, sincero animo, nullaque opinione praejudicata, in intimam Ecclesiae formam intueamini, atque vehementer exoptat ut, eius nativa pulchritudine capti, dissidiis omnibus compositis, in illud felici exitu adlaboretis ut mysticum Christi corpus distrahi et discerpi non ultra sinatur, sed concordia et conjunctione mentium, ac praeterea conspiratione voluntatum, unitas fidei et communionis in universo hominum genere tandem obtineatur.

Dum autem gratias agit quod ad propositum bonum expeditias assequendum opem suffragiumque Romani Pontificis exquirenda censueritis, Sanctitas Sua ut omnia e sententia eveniant vota maxima exprimit, Christumque Jesum impensissimis precibus rogat, eo vel magis quod Christus ipsius praecinente ac jubente voce, scit se, cui omnes pascendi homines traditi sint, principium et causam esse unitatis Ecclesiae.

Utinam Summi Pontificis, quod et Jesu Christi, ardentissimum votum expleatur! Utinam omnes homines, quos Dominus a peccati servitute suo sanguine liberavit, Supremi animarum Pastoris paternam vocem exaudiant in amantissimae Ecclesiae sinum se recipiant, et Christo capiti vegeta membra conglutinentur et vivant! Tunc non odia, non arma, non lacrimae: sed alma munera pacis hominum genus ad vitam aeternam ascendens beatum vel in terris efficerent.

Salutem tibi a Domino et gratiam et caritatem plurimam adprecatus, ea qua par est aestimatione sum tuus humillimus servus

P. Card. Gasparri

3. Brief

Eminentissimo Principi
Petro Gasparri, C. S. R. E.

2 Februarii 1915, Purificationis B. M. V.

Eminentissime Princeps,

Quas accepimus ab Em. V. pulcherrimae litterae, quibus ditamur preces impensissimae ab animo profectae Supremi Pastoris gregis catholici, qui, summo studio vestigiis inhaerens immortalis memoriae viri Leonis XIII, sacrum facinus redintegrandae unitatis Christianae prosequitur, gaudio quo maius nullum concipere valemus nos affecerunt. Ex tuis enim suavissimis verbis haurire nobis datum est Romanam Ecclesiam, quae *vitalem nucleum totius orbis Christiani* scriptor ex nostris nuperrime appellavit, conatibus nostris benigne favere, dissensionum intestinarum extinctionem deperire, et, quod praecipuum est, suas Deo gratissimas preces nostris adiungere, ut quandoque Ecclesiae Christi unitate restituta, pax illa quam Jesus Christus Redemptor Noster *hominibus bonae* voluntatis attulit, refloreat, ac memoriam, si unquam fieri posset, calamitatum quibus in praesens angimur deleat. Quo factum est, ut majori nisu, precibus Beatissimi Patris ac Pastoris Ecclesiae Romanae suffulti opus illud pacis comparandae inter disiunctos gregis Christiani fratres, quod iam feliciter aggressi sumus, prosequi etiam statuerimus.

Faxit Deus ut votis nostris Divinus Ecclesiae Institutor, Jesus Christus, quo flagrat in suam Ecclesiam amore faveat! Ad nos quod attinet, certiorem Te facimus, Eminentissime Princeps, de veneratione qua Romanam prosequimur Ecclesiam, ac de vehementissimo desiderio nostram, quantula cumque sit, operam conferendi discidiis inter animas sanguine Jesu Christi madentes componendis.

Haec nostra proposita, Eminentissime Princeps, Supremo Hierarchae Ecclesiae Romanae Catholicae ut aperias adprecamur, gratissimique animi sensus Eidem nostro nomine expromas.

Tibi autem, Eminentissime Princeps, singulares agimus gratias pro acceptis a Te litteras, quae nostras adaugent vires in bono certamine pro Christianae fidei incremento et gloria Servatoris Nostri Jesu Christi. Humillimus servus,

Robert H. Gardiner, Secretarius

4. Brief

Eminentissimo Principi
Petro Gasparri, C. S. R. E.

1 Martii 1915

Eminentissime Princeps,

Litterae a Te gratissime acceptae, in peculiari sessione virorum, qui nomen dederunt Conventui Generali Ecclesiae Episcopalis Americanae pro componendis discidiis inter varias Ecclesias Christianas, summo cunctorum astantium gaudio perlectae sunt. Qua suavitate in eis perlegendis omnes quotquot huic peculiari sessioni astitere affecti fuerint, qua dulcissima spe nostri effloruerint animi fore ut citius, bellicis odiis sedatis, sodales christiani nominis theologicis controversiis inter se abstracti in unum valeant coalescere corpus Christi mysticum, in promptu erit Tibi potius mente concipere quam nobis ex tua benignitate vehementer commotis verbis explanare. Fatemur enim Tibi nihil nobis dulcius contingere potuisset quam nobis omni ope atque opera enitentibus ut christiana redintegratur unitas, preces Supremi Ecclesiae Romanae Catholicae Pastoris suavissimis eloquiis oblatas fuisse. Tantam enim dulcedinem tuae destillant litterae, ut dubium nobis non est quin ex eis perlectis cuncti viri renovationem christianae unitatis deperientes majori nisu ad eam comparandam ac firmandam adlaboraturi sint.

Hac de causa, Te vehementer rogamus, Eminentissime Princeps, ut exemplaria litterarum quibus conatus nostros tua benevolentia es prosecutus, cunctis Episcopis tum Ecclesiae Episcopalis Americanae, tum Ecclesiae Anglicanae, tuo benigno consensu, a nobis mittantur. Te enim non latet plurimos ex nostris Episcopis renovationem unitatis christianae summopere avere. Tuarum igitur litterarum lectione eos omnes delectaturos persuasissimum nobis est, atque in posterum in praegrandi opere ad felicem exitum perducendo animum et curam indesinenter posituros. Haud dubitamus quin licentiam quam te fidenter poscimus, qua polles humanitate, nobis concedas.

Certiorem itidem te facimus nostris esse in votis ut delecti viri ex nostro generali Conventu Romani petant, ac Tibi gratissimos nostrorum animorum sensus expromant, ac nostra proposita maturent in felicissima urbe quae, ajente Prudentio, non solum innumeros cineres sanctorum nostrae fidei usque ad sanguinem testium servat, sed etiam divinitus constituta est, ut

> Jus Christiani nominis
> Quodcumque terrarum jacet,
> Uno illigaret vinculo.

ac per eam

> Mens una sacrorum foret,
> Confederenter omnia
> Hinc ind membra in symbolum.

At, atrocissima quae torquent Europam bella, calamitates, strages, vastationes, proh dolor! legatus nostros dehortantur quominus Italiam versus iter faciant. Deum tamen adprecamur ut invita haec procrastinatio ad perbreve tempus producatur, et quam citius detur nobis copia aeternam visendi urbem quae Principum Apostolorum consecrata est pretioso sanguine.

Spe suffulti fore ut nostris rogatis benigne respondeas, summa qua par est veneratione, humillimas salutationes meas nec non conventus nostri virorum Tibi mitto, humillimus servus,

Robert H. Gardiner, Secretarius

5. Brief
Segreteria di Stato
di Sua Santita
No. 5543

Dal Vaticano, die 7 Apriliis 1915

Illme Domine

Peculiari animi jucunditate tuas perlegi litteras die prima superioris mensis mihi datas, quas Ipsi Beatissimo Patri reverenter exhibendas curavi.

Tuam benigne humanitatem agnoscens, Summus Pontifex meritis laudibus generosam erga Supremi Apostolorum Principis Cathedram devotionem iis in viris est prosecutus, qui nomen Conventui Generali Ecclesiae Episcopalis Americanae dederunt pro discidiis inter varias Ecclesias Christianas, componendis et pro ea adipiscenda gregis Christi unitate quam Ipse Christus, effuso sanguine, in una petra unoque fundamento solidavit.

Qua de causa spes, quam jam antea Beatissimus Peter conceperat, laetissime efflorescit et invalescit fore ut omnes Spiritui Sancto afflanti sincero animo obsecundent atque Domini Nostri Jesu Christi ejusque in terris Vicarii votum ardentissimum expleant ut exoptatissima illa *consummatio in unum* secundum Conditoris Ecclesiae voluntatem tandem felici eventu perficiatur.

Augustus Pontifex igitur benigne concedit ut exemplaria mearum litterarum, quae, quamquam fidelis, pallida tamen sunt pontificiae caritatis imago, ad omnes transmittantur ad quorum salutem et pacem aliquid collatura esse confidis.

Quod autem juvat iterare, hoc est, exhortationem, suffragium fervidasque preces Romani Pontificis nulli unquam esse defutura qui, praejudicatis abjectis opinionibus, vera et sincera voluntate omni ope atque opera nitatur ut instituta per Christum et aedificata super Petrum fidei et communionis unitas redintegretur, omnesque quotquot christiano nomine consentur in amantissimae unius Ecclesiae sinum se recipiant et Christo capiti tamquam membra adjunantur et consocientur.

Hanc ego libenter nanciscor occasionem et meum in te studium testificer et salutem plurimam tibi dicam.

Humillimus servus P. Card. Gasparri

6. Brief

Eminentissimo Principi
Petro Gasparri
Cardinali S. R. E.
Roma, Italy

28 Junii 1915

Eminentissime Princeps,

Etiam atque etiam gratissimos animi sensus Tibi expromimus pro Tua in nos humanitate. Litteras nobis datas lubentissime accepimus, eisque perlectis allata est nobis memoria Sancti Clementis Romani pulcherrimis verbis charitatis, quae ab animis Jesu Christo enutritis effluit, notas experimentis: «Vinculum charitatis Dei quis potest enarrare? Quis pulchritudinis eius magnificentiam eloqui valet? Altitudo, ad quam evehit caritas, inenarrabilis est. Charitas nos Deo agglutinat: charitas schisma non habet: charitas seditionem non movet: charitas omnia in concordia facit . . . Pedibus igitur Domini advolvamur, et flentes suppliciter imploremus Eum, ut propitius factus nobis reconcilietur et in pristinam nostram decoram et castam fraterni amoris conversationem nos restituat.» (Ad Cor. I, 48—49)

Re enim vera tuae scatent litterae ea charitate Supremi Apostolorum Principis Cathedram devotionem iis in viris est prosecutus, qui nomen Conventui Generali Ecclesiae Episcopalis Americanae dederunt pro discidiis inter varias Ecclesias Christianas, componendis et pro ea adipiscenda gregis Christi unitate quam Ipse Christus, effuso sanguine, in una petra unoque fundamento solidavit.

Qua de causa spes, quam jam antea Beatissimus Peter conceperat, laetissime efflorescit et invalescit fore ut omnes Spiritui Sancto afflanti sincero animo obsecundent atque Domini Nostri Jesu Christi eiusque in terris Vicarii votum ardentissimum expleant ut exoptatissima illa *consummatio in unum* secundum Conditoris Ecclesiae voluntatem tandem felici eventu perficiatur.

Augustus Pontifex igitur benigne concedit ut exemplaria mearum litterarum, quae, quamquam fidelis, pallida tamen sunt pontificiae caritatis imago, ad omnes transmittantur ad quorum salutem et pacem aliquid collatura esse confidis.

Quod autem juvat iterare, hoc est, exhortationem, suffragium fervidasque preces Romani Pontificis nulli unquam esse defutura qui, praejudicatis abjectis opinionibus, vera et sincera voluntate omni ope atque opera nitatur ut instituta per Christum et aedificata super Petrum fidei et communionis qua duce et magistra perarduum illud facinus congregandi in unum ovile dispersas oves Christi pientissimis disjunctarum Ecclesiarum praesulibus inpromptu erit absolvere.

Ex tuis litteris mihi ceterisque nostri conventus viris firmissima spes affulget fore ut sedatis bellorum tumultibus, Supremus Romanae Sedis Antistes. Qui nobis Suae patriae charitatis suavissima pignona largitus est, pacis in orbe Christiano redintegrandae vindicem acerrimum statoremque sese praebeat. Dubium enim nobis non est quin Pastor ille, qui mitigandis bellorum calamitatibus civilibisque odiis placandis sollertem navat operam, ad conatus pro renovatione Christianae unitatis fovendos, vestigiis ingressus immortalis memoriae viri Leonis XIII, strenue atque indesinenter adlaboret.

Certiorem Te facimus, Eminentissime Princeps, in nostris potissimum Americae regionibus permultos viros haberi, qui gloriae Christiani nominis adaugendae studio toto incumbunt pectore in Ecclesiarum unionem promovendam, eosque sane haud latet fervida ipsorum vota impletum non iri nisi ceteris Christianis coetibus Ecclesia Romana suam porrigat dexteram. Satis enim et affatim prorsus digladiatum est in controversis inter sejunctas Christianas Ecclesias capitibus rimandis; domesticis discidiis modus igitur imponendus, quum orbi Christiano quovis gentium gravissima immineant pericula. Acerbissimo enim odio contemptores Christianae revelationis in fidei nostrae principia invehuntur suisque belluinis conatibus vel ipsum nomen Christi mortalium ex cordibus quandoque abrasuros gloriantur.

Haec igitur jactura ut a grege Christi propulsetur, religiosae dissensiones in orbe Christiano componendae, neminemque latere arbitramur Romanam Ecclesiam toto pectore adlaborare in faustissimum hoc opus absolvendum. Ac mihi virisque Conventus nostri, Romanam Ecclesiam qua par est veneratione prosequentibus persuasissimum est venustissimas litteras Eminentiae Vestrae Praesulibus atque Optimatibus Ecclesiae tum Anglicanae, tum Episcopalis Americanae missas eos summa dulcedine affecturas nec non ad validiora media pro totius orbis Christiani unitate renovenda incitaturas.

Antequam huius longiusculae epistolae finem facius suppliciter Te rogamus, Eminentissime Princeps, ut Supremo Ecclesiae Romanae Antisti, Ssmo D. Benedicto XV gratissimos nostrorum animorum sensus expromas pro excelsa benignitate qua postulationes nostras est prosecutus. Faxit Deus ut Ipsius validissimae preces ab Jesu Christo Servatore Nostro quam citius maximum illud nobis promereant beneficium quod, tot hominum aetates vehementissime, ac, proh dolor! nequidquam implorarunt, instaurationem nimirum arctissimae illius conjunctionis qua membra Corporis Mystici Servatoris Nostri suo Capiti adhaerent, unamque Ecclesiam non *habentem maculam neque rugam* efficiant.

Haec cum Tibi sincero aperuissemus animo, Eminentissime Princeps, iterum atque iterum cumulatissimam Tibi gratiam pro litteris nobis humaniter datis referimus, ac Temet certiorem facimus quidpiam in nobis nervorum est ac fervoris fidei Christianae, ac devotionis erga Te, ac venerationis in Supremum Pastorem Ecclesiae Romanae, in Christiana unitate promovenda sedulo ac perseveranter contrituros.

Eminentiae Vestrae humillimus in Christo servus,

Robert H. Gardiner, Secretarius

38. Korrespondenz zwischen Robert H. Gardiner und dem Kardinalstaatssekretär, Kardinal Pietro Gasparri, wegen der Gebetswoche für Einheit vom 18.–25. Januar

1. Brief

Eminentissimo Principi
Petro Gasparri, C. S. R. E.
Roma, Italia

In die festo S. Barnabas Apostoli, XI Junii, A. D. MCMXVII

Eminentissime Princeps,

Te non latet, Eminentissime Princeps, viros delectos pro Congressu totius orbis christiani de Fide ac Constitutione Ecclesiae vocando contentis nervis adlaborare, ut pedetentim discidia, quae Christianas disjungunt Ecclesias, feliciter componantur Hosce viros haud latet enixas preces Deo continenter effundendas, ut propositum illud concordiae totius orbis christiani iterum firmandae ac stabiliendae impleatur. Hac de causa vehementer rogarunt, ac rogare non desinunt omnes animas Jesu Christo Redemptori nostro fideliter addictas, ut effusis Deo precibus Spiritus

Sanctus, Dator ecclestis luminis, mentibus nostris effulgeat cordaque nostra suis flammis urat ac nos flagrantes faciat desiderio unitatem in Christo Jesu, qui lapis angularis est mysticae suae Ecclesiae unitatis, aperte manifestandi. Spiritus enim Sanctus, qui fons est omnis inspirationis desursum a Patre liminis descendentis, animos nostros ita movere potest ut omnes quotquot Jesu Christo adhaeremus, unitatem fidei et propositorum concordiam consequnti, conjunctis viribus ad regnum Dei in terris longe lateque propagandum, strenue tuendum ac firmissime solidandum adlaboremus.

Haud latet nos, Eminentissime Princeps, diras quibus in praesens torquetur ac discerpitur una et sancta Ecclesia Christi discordias animas Jesum Christum Deum fideliter adorantes maxume praepedire, quominus suas dissitas voces ubique terrarum conjunctim ad Deum attolant, ut divina misericordia super nos effundatur et mala, quibus premimur atque affligimur ob nostras ipsorum culpas, penitus arceantur. Persuasissimum tamen nobis est, nihil obstare quominus variis in locis atque eodem temporis intervallo et pro eisdem finibus assequendis Deum humiliter adprecemur ut vota tot animarum gloriam Jesu Christi peroptantium tandem impleantur. Hac de causa coetus virorum illorum delectorum cunctas Christiani nominis Ecclesias et consociationes etiam atque etiam exposcit, ut temporis spatium, quod a die solemniter commemorante festum Cathedrae Sancti Petri Apostoli Romae usque ad faustissimum diem Conversionis Sancti Pauli Apostoli decurrit, anno reparatae salutis MCMXVII, statuatur ad preces effundendas, quae christianae unitatis renovationem humiliter efflagitant. Hisce precibus Deus obsecrandus ut cunctis faveat conatibus quae ad finem illum assequendum conferunt, atque ad mysticam Ecclesiae unitatem in Jesu Christo Redemptore nostro palam faciendam ducunt ac praesertim ad Congressum totius orbis christiani de Fide ac Constitutione Ecclesiae vocandum.

Compertum nobis est, Eminentissime Princeps, Ssmum Dominum Benedictum XV, Supremum Antistitem Ecclesiae Romanae, et preces fovere, quae ad vota tot Romanorum Pontificum pro renovanda Ecclesiae unitate indesinenter effunduntur, et spatium octo dierum, quod commemoravimus, iamiam statuisse, ut preces illae ab omnibus Ecclesiae Romanae filiis pie atque humiliter recitentur, Te igitur vehementer rogamus ut, te efflagitante, Ssmus Dominus Benedictus XV edicat illud temporis spatium, vel apostolicis litteris orbi christiano datis, fideliter a cunctis Catholicis Romanis precibus pro redintegranda christiana unitate devovendum.

Etiam atque etiam speramus, Eminentissime Princeps, fore ut quam exposcimus gratia nobis fideliter concedatur.

Gratissimis enim pietatis sensibus Supremum Antistitem Ecclesiae Romanae miramur omnem lapidem movere ut clades illa quae tot populos Christianae fidei lacte enutritos exangues reddit, bellicis tumultibus compositio desistat. Dubium igitur nobis non est quin eadem sollicitudine Ipse exardescat pro Ecclesiae unitate instauranda ac die illo festinando, quo, totius orbis christiani dissensionibus sepositis, Jesus Christus Filius Dei Unigenitus, Conditor unius Ecclesiae, Magister ejusdem fidei, Largitor ejusdem gratias, Paeco ejusdem baptismi, cunctis — animis — suo — sanguine — madentibus, fulgidiori gloria circumfusus nostris mortalibus oculis appareat.

Faxit Deus ut rogatibus nostris qua exornaris comitate animi atque Ecclesiae Christi amore benigne annuas, ac nos tuarum oratione munimine et solatio corroberes et recrees.

Humillimus servus

Robert H. Gardiner, Secretarius

2. Brief
No. 37108
Da Citarsi Vella
Risposta

Dal Vaticano, die 21 Julii 1917

Illme Domine,
Humanissimas litteras excepi, die XI Junii proxime elapsi datas, quibus efflagitabas ut Ssmus Dominus Benedictus XV publico actu ediceret tempus a die Cathedrae S. Petri Apostoli Romanae usque ad diem Conversionis S. Pauli Apostoli, anno reparatae salutis MCMXVIII, precibus pro redintegranda Christiana unitate a Catholicis omnibus esse dicandum.
Hac de re libenter significare Tibi propero maximi me fecisse nobiles sensus, qui praedictis litteris aperiebantur.
Ad consilium vero allatum quod attinet res opportuno examini S. Sedis subiicietur.
Interim existimationis in Te meae sensa profiteor, quibus maneo Tibi addictissimus

Card. Gasparri

39. Brief von Erzbischof Bueneventura Ceretti an Robert H. Gardiner am 4. April 1919 als Antwort auf einen Brief am 18. Januar 1919

Dal Vaticano, April 4, 1919

After communicating its content to His Holiness, I most willingly reply:
His Holyness fully appreciates the loftiness of your purpose, and He welcomes with a deep feeling of fatherly love the yearning of so many Christians for reunion and your eager wish for the complete restoration throughout the world of the one fold of Christ under one Shepherd. As the Vicar of Jesus Christ, successor of St. Peter, Prince of the Apostles and the rock upon which our Blessed Lord himself established His visible Church on earth, the Holy Father opens wide His arms to receive all those who are sincerely seeking the Kingdom of God. His heart goes out to each and every earnest soul and especially to those who believe in the Divinity of Christ and in the efficacy of the Redemption brought about by the sacrifice of the Cross. Nothing could be more dear to His Holiness than to promote the triumph of the spirit of love over the anti-religious hatred of which you speak, in order that all men should know the truth and that the truth should make them free.
In this regard, and as clearly illustrating the fundamental position of the Catholic Church, His Holiness recalls the great Encyclical issued by His predecessor of blessed memory Leo XIII in 1896 on the Unity of the Church, of which I beg to include a copy.
You may rest assured that the Holy Father will pray that the Holy Spirit enlighten the minds and hearts of all those who labor today for the reunion of Christendom, that they should acknowledge the centre of Unity and rally round the same.
With kindest regards, I am, dear Mr. Gardiner, yours devotedly

B. Ceretti, Archbishop of Corinth,
Secretary for Extraordinary Affairs

40. Ansprache von Bischof Ch. P. Anderson vor Papst Benedikt XV am 16. Mai 1919 in Rom

We wish to thank your Holiness for so graciously giving us an audience at a time which we fear has put your Holiness to some inconvenience.

We are a deputation of three bishops and two priests of the Episcopal Church in the United States of America, who have come to Rome in the interest of a proposed World Conference of all Christian Communions which acknowledge and confess our Lord Jesus Christ as God, and Saviour of the world. We also represent indirectly and unofficially, but in a very real sense nevertheless, the entire Anglican Communion, many of the autonomous Orthodox Churches of the East and many Protestant bodies throughout the world, all of whom have approved of the Conference and have promised their participation in it. We would have your Holiness regard us as speaking, however unworthily and inadequately, for this large constituency, which now seeks the help and counsel of your Holiness at this critical time in the history of the world.

Your Holiness is already familiar with the plan and purpose of the Conference, through documents which have been placed in the hands of His Eminence, the Cardinal Secretary of State. We need do no more now than to state that the Conference is for the consideration, in the spirit of Christian charity, of the things in which Christians differ in regard to Faith and Order, as well as the things in which they are agreed, in the belief that such a Conference, having no power to legislate, and involving no compromise or embarrassment on the part of its participants, will remove many misunderstandings, create an atmosphere favorable to Christian unity, and be the next practical step towards the reunion of Christendom.

We trust that in asking the co-operation of your Holiness, we are acting in harmony with the spirit of the prayers for unity that constantly ascend from every Catholic altar.

In this trust, we have the honor of presenting the formal invitation of the World Conference Commission, with the earnest prayer that it may receive the august sanction and support of Your Holiness.

3. Kontakte mit der Russisch-Orthodoxen Kirche

41. Briefaustausch zwischen Dr. John R. Mott und dem Prokurator der Hl. Synode der Russisch-Orthodoxen Kirche während des Rußlandaufenthaltes im Juli 1917

1. Brief

His Excellency the High Procurator
of the Holy Synod

July 5, 1917

Your Excellency:

Before leaving Russia I write to thank you from a full heart for your distinguished and gracious kindness shown to me in so many ways during my visit to this great country. I shall never forget your thoughtful consideration and all that you have done to admit me into the very heart of the life of the Russian Orthodox Church. It has been one of the most priceless privileges which I have had in all these thirty years of travel and service among the nations. I came to Russia this time with high and reverent regard for the Russian Church but that has been greatly deepened and strenghtened. I shall bear back to President Wilson and to the Christians in America the impressions I have received and will seek to be a true interpreter to them of the recent developments and of the important plans furthered under your wise and strong leadership.

There is one matter which I have presented to you orally which I will now put in writing. I refer to the important Conference on Faith and Order which it is proposed to hold in America and which will probably take place some time within the next few years. Owing to the war it cannot be held in the near future. This Conference is designed to bring together leaders and members of all of the great Christian communions which acknowledge the Deity of our Lord Jesus Christ. It will not be a legislative body and it will have no power to commit or to bind any of the Christian communions represented in it. Its purpose is to afford the members of these different Christian bodies an opportunity to set forth clearly their distinctive beliefs, principles, forms of government and methods of work. Thus the Christians throughout the world will be able better to understand the differences which tend to divide them and likewise the aspects of truth and life which they hold in common. It is believed that this process carried on in the most thorough, sincere, constructive and sympathetic manner will tend to hasten the answer to the prayer of Our Lord — «that they all may be one». I would like to be able on my return to America to carry with me a letter from Your Excellency expressing in writing the kind assurance you have already given me that you would make sure to send to this important conference a delegation of able representatives of the Russian Orthodox Church. Such a message taken back to America by me at this time will be received with the greatest satisfaction and will do great good.

With highest regard and deepest gratitude, Faithfully yours

John R. Mott

2. Brief
Chancellory of the High Procurator of the Holy Synod of Russia

Petrograd, July 6th, 1917

My dear Sir,

The most kind and helpful conversations which you have had with me regarding the important affairs of the Orthodox Church in Russia evoked in my own heart a sense of sincere gratitude, especially for the brotherly appreciation and sympathy which you have manifested for my dear Mother Church. I trust and hope that in the future also you will not leave me without the help of your wise counsel and support as I seek to discharge the important responsibilities entrusted to me by the people. I am indeed grateful to you for your coming to Russia at this time. Your visit and the messages which you delivered at the Convention of the clergy and laity of all Russia in Moscow and before the Holy Synod and other leaders of the Church in Petrograd have shown us that your love for the Christian Church and your ability to perceive the truth of the Christian faith are true not only of yourself but also of those many lovable Christian hearts in America whom you have so well represented. May Our Lord bless you for your largeness of heart.

Regarding that part of your important letter in which you express the desire that the Russian Orthodox Church be represented officially at the proposed conference on Faith and Order to be held in America within a few years, I would say that I am profoundly interested in this conference and respond with all my soul to its high aims as set forth by you in your communication. I believe that the plan of the conference is wise in not making it a legislative body but limiting its work to that of bringing together for fellowship and interchange of knowledge and experience members of the various Christian communions of the world. Such exchange of knowledge about the distinctive teachings, principles, forms of government, and work of the great Christian Churches will result in very great good. I assure you, therefore, that as High Procurator of the Holy Synod of the Russian Orthodox Church I will see, so far as it depends upon me, that suitable representatives of our Church are sent to the proposed conference. I shall be glad to have you report this fact, and also would like to have you arrange to have sent to me all printed circulars and pamphlets which may be issued from time to time dealing with the plans for the conference.

With profound respect for the great and useful work accomplished by the American Special Mission now in Russia, and for you my dear brother in Jesus Christ, I beg to remain, faithfully yours

Vladimir Lvoff, High Procurator of the Holy Synod of Russia

Dr. John R. Mott, Envoy Extraordinary of the United States of America on Special Mission to Russia, Winter Palace, Petrograd

4. Bemühungen in Nordamerika

42. Erklärung und Beschlüsse der North American Preparatory Conference vom 4.–6. Januar 1916

Declaration

Five years ago, the plan of a World Conference of Christian Churches was first proposed. We did not dream then that nation was about to rise against nation and that there would be the present great tribulation, such as hath not been from the beginning of the world until now. The catastrophe, which has fallen upon modern civilization, may be hastening the time for a united Church to come forth as one power and with one obedience to make the rule of Christianity the law of the nations.

For this end, we may devoutly trust that beyond all foresight of men a higher leading may prove to have been in the call for a gathering of representatives of Christian Churches of every name and from all lands as the next step towards unity. Its appointed hour shall come when the war shall have burnt itself out. In the new age, born of the travail of the nations, shall be found the new occasion for the Christian reconstruction of society. The vastness of the opportunity is the measure of the obligation of the Church of Christ. It is now the bounden duty of organized Christianity, in repentance for its sins and with an entire devotion, to make ready the way of the Lord. For the American Churches this supreme obligation begins at home. To do our full part we must study seriously, as we never have done before, the things that make for peace. In the profound humility of the highest and hence broadest vision of the Church of God and its world-wide mission in this generation, as representatives of our respective communions we would here renew our mutual assurances of co-operation in promoting the ends of the World Conference, and declare our earnest expectation that through the way of conference, which we have entered, we may be led to know what is the good and acceptable and perfect will of God for His Church throughout the world.

Spiritual Basis of the World Conference

I. The basis of the proposed World Conference is the faith of the whole Church, as created by Christ, resting on the Incarnation, and continued from age to age by His indwelling Life until He comes.

II. The invitation of the World Conference appeals directly to the Christian conviction of the essential and indestructible wholeness of the one Church of God throughout the world. «I am the Vine, ye are the branches», said the Lord to His disciples. «Christ's Body, the fulness of Him that filleth all in all», said the Apostle to the Gentiles. «Fellowship with us in the life that was manifested», declared St. John. This primitive Christian consciousness of the oneness of the Church found expression in the earliest use of the word Catholic: «Wherever Jesus is, there is the Catholic Church», said Ignatius at the beginning of the first century after Christ. This abiding consciousness of the oneness of the Church was confessed in the Creed of the ancient Catholic Church. It remains alike in the faith of the Eastern Church and the Roman Church. Notwithstanding the controversies of the period of the Reformation, these great words are ever repeated throughout the confessions and declarations of faith of the different communions, «One holy universal Church, the communion and assembly of all saints ... the unity of the catholic Church»[1]; «One catholic or universal Church»[2]; «Which Kirk is catholic, that is, universal»[3]; «The catholic or universal Church»[4]; «One Church in the World»[5]; «The holy universal Christian Church»[6]; «The visible Catholique Church of Christ»[7]; «We believe in the holy catholic Church»[8]; «Also they believe and teach that one Holy Church is to continue forever»[9].

III. The call of the Spirit of Christianity for a World Conference at this epochal hour is given in our Lord's new commandment of love; it is the call of Christ's love for a whole Church to carry salvation to the whole world.

IV. The Method of Conference. It is simple as it is most Christian. It is for each Communion to think and to act in terms of the whole. It is positive; for in and through our relation to the whole Church may we rightly and finally determine our relations to one another. It is negative only in so far as it protests against the fact of continued schism.

Place and function of the Preparatory Conference

This work is initiative and preparatory, but not final or determinative, for the North American Preparatory Conference or other conferences. No action taken by this Conference should be construed as in any way limiting the power of the Council of Commissions, when it is appointed to arrange for and conduct the proposed World Conference.

1) First Helvetic Conf. (1536).
2) Belgic Conf. (1561).
3) Scotch Conf. (1560).
4) Westminster Conf. (1647), also Conf. of the English Baptists (1677).
5) Conf. of the Waldenses (1655).
6) Easter Litany of the Moravian Church (1749).
7) Savoy Declaration, Cong. (1658).
8) Declaration of the National Cong. Council (1871).
9) Augsburg Conf. (1530).

The Methodist definition of the Church is the same as that of the Church of England. Similar citations might be added from the various catechisms and other minor or repeated declarations of faith.

Preparation for the World Conference

The measures which require determination and the means to be adopted for the ends desired may be summarized as follows:

The preparation of the subject matter for the World Conference. We have to consider what we may do to secure the contributions to it from all the communions participating in the World Conference. It will comprise statements of the general agreements and chief divisive differences, the reconciling principles and all possible working plans and approximations towards unity.

In general, the larger questions for conference in them are related to these subjects:

I. The Church, its nature and functions.
II. The Catholic Creeds, as the safeguard of the Faith of the Church.
III. Grace and the Sacraments in general.
IV. The Ministry, its nature and functions.
V. Practical questions connected with the missionary and other administrative functions of the Church.

We are not prepared to discuss these problems until diligent search shall have been made in all directions for the ways and means of reconciliation. Not to set our most competent men at this work together would be for us to be found wanting in the Church statesmanship which existing conditions require. For the World Conference to meet without such preparation might be for it to end in confusion of tongues. It is desirable that some initiative in this direction should no longer be delayed.

North American Preparation Committee

The members resident in North America of the Co-operating Committee, in conjunction with the Commission of the Protestant Episcopal Church, shall appoint:

I. A committee of five or more of its members who should appoint as soon as possible a Preparation Committee of theologians, canonists, and other persons, who need not be members of the Co-operating Committee. The Preparation Committee shall be deemed a subcommittee of the Co-operating Committee. Vacancies may be filled and additional members may be appointed by the chairman of the Co-operating Committee, on the recommendation of the Preparation Committee.

II. It shall be the duty of the Preparation Committee to secure from each of the Commissions in North America the following data:

(1) A formulation of questions touching Faith and Order, in accordance with the provisions of Section 3 of the General Plan, which reads as follows:

«3. Each Commission, Committee, or other official representative shall proceed, with such expert assistance as it may think fit, to formulate the propositions of Faith and Order which it considers to be –

a) held in common by its own Commission and the rest of Christendom, and

b) held by its own Communion as its special trust, and the ground upon which it stands apart from other Communions.

Two or more Commissions, Committees, or other official representatives may unite in formulating propositions.»

(2) To compile with respect to each Communion a bibliography of works if recognized value tending to expound its teachings;

(3) to prepare a report exhibiting the agreements and the differences between the several communions;

(4) to enlist the co-operation of each Commission;

(5) to report to the Co-operating Committee from time to time.

III. The Preparation Committee shall be at liberty to suggest such topics, propositions, or questions touching Faith and Order as, in the light of its studies, it may think suitable for consideration by the World Conference.

IV. The material collected by the Preparation Committee shall be at the disposal of the Council of Commissions whenever it shall be organized.

The Preparation Committee may also appoint such committees as it may deem advisable.

V. The Preparation Committee may promote conferences of representative men of different Communions in the interests of the World Conference.

VI. The Preparation Committee may appoint a publication committee.

VII. The Preparation Committee shall convene meetings of the North American Preparatory Conference whenever it shall deem it expedient.

Plan of Procedure

The North American Conference meeting at Garden City, January 4–6, 1916, adopts the following plan of procedure in preparation for the World Conference on Faith and Order:

1. A Council of the Commissions or other official representatives of the participating Communions shall be formed.

Each Commission or Committee or other authority shall be entitled to appoint one delegate, and, in the first instance, or from time to time, to appoint one additional delegate for each half million communicants of its own Communion, not to exceed fifty delegates in all; provided, that the common convenience be consulted by appointing no more delegates than are deemed necessary to adequate representation. Each Commission or Committee or other authority shall provide for filling vacancies in its own delegation.

2. The Convener of the Council shall be the delegate, or, if more than one delegate be appointed, the senior delegate of the Commission of the Episcopal Church in the United States, unless otherwise ordered by that Commission. Whatever number of delegates respond to the call shall be competent for the transaction of business. The Council shall organize, elect officers, and appoint committees, and adopt rules of procedure, as it shall think fit. Any Commission from time to time may appoint any as it shall think fit. Any Commission from time to time may appoint any person, not a member of the Council, to act in place of any meeting or meetings.

Absolute unanimity shall not be necessary to the determinations of the Council; but, after the analogy of the ancient canons, it shall endeavor to act, so far as practicable, with substantial unanimity.

3. Each Commission, Committee, or other official representative shall proceed, with such expert assistance as it may think fit, to formulate the propositions of Faith and Order which it considers to be –

(a) held in common by its own Communion and the rest of Christendom, and
(b) held by its own Communion as its special trust, and the ground upon which it stands apart from other Communions.

Two or more Commissions, Committees, or other official representatives may unite in formulating propositions.

4. The Council shall select a Board of Advisers. Care shall be taken that the several families of Christian Faith and Order be adequately and justly represented on the Board: not necessarily that one or more advisers be chosen from each Communion of Christendom, but that one or more shall be chosen from at least each of the generic groups into which Christendom is divided.

The propositions of Faith and Order, formulated by the several Commissions, Committees, or other official representatives, shall be referred to the Board of Advisers, who shall deduce the points that appear to be held substantially in common and those which appear to be regarded as grounds for separate organization. The Council may also appoint such other committees as it may deem advisable.

5. As each successive Communion associates itself with the movement for a World Conference, its Commission or Committee or other official representatives shall proceed to formulate its own propositions. The Council (which from time to time will be augmented by the addition of representatives of other Communions as they come in) will increase the number of members of the Board of Advisers as circumstances require; and this Board shall continue to coordinate the propositions of the several Communions as they are received.

6. Whenever the Council shall deem it opportune, the Board of Advisers shall be invited to state questions of Faith and Order for the consideration of the World Conference. Upon their reports the questions shall be formulated by the Council, subject to revision and amendment by its authority as circumstances shall require.

7. The Council shall have power to designate the time and place for holding the Conference and to make the necessary arrangements. The Call of the Conference and other communications, relative to it, shall be issued to the participating Communions by the Council, or under its authorization.

8. Each participating Communion shall appoint its own deputies to the Conference in its own way. The basis of representation in the Conference shall be determined by the Council at the time of the call thereof.

9. The questions formulated for the consideration of the Conference shall there be discussed with a view to bringing about an effectual mutual understanding of existing agreements and differences between Christian Communions concerning questions of Faith and Order, as the next step towards unity.

10. Amendments to this plan may be proposed to the Council by any Commission or Committee or other official representative; and if approved by the Council, either in the form proposed or with variations, they shall take effect and the plan shall thereupon be amended accordingly.

The North American Preparatory Conference directs the secretary to transmit the above plan to the several Commissions, Committees, or other official representatives of the several Communions, either already or hereafter appointed, with the request that they take such action as is provided for in the plan. All communications from the several Commissions, Committees, or other official representatives shall then be transmitted by the secretary to the Co-operating Committee until the Council is fully organized.

43. Vorschläge von Robert H. Gardiner für die Abfassung der theologischen Stellungnahmen der einzelnen Kommissionen, vorgetragen in Garden City bei der Zusammenkunft des North American Preparation Committee am 23./24. Januar 1917

Centuries of divisions can not be healed in a few brief conferences, however earnestly and impatiently we may desire to manifest our unity in the one Christ. It must take long and patient effort in deepest humility and Christian love. We have been so ignorant of each other that our first thought must be how to begin to understand each other. Our quarrels and prejudices have so hidden from men's eyes the Light which lighteth every man that cometh into the world, that they have come to regard Theology, the knowledge of God, Creator, Redeemer, Sanctifier, Source of all life, as merely the speculations of dead ecclesiastics about a past record, unrelated to present life and every-day human relations.

If the statements which the several communions are to be asked to formulate are to be capable of comparison, in order that their points of agreement and of difference may be clearly seen as a first step toward the strenghtening and manifestation of the agreements and the reconciliation of the differences, those statements must be constructed on some common plan. It is suggested that such a plan would be to follow the steps by which the world has come, in some measure at least, to understand God's revelation of Himself and of His purposes and methods.

We begin with a common belief in the fact of the Incarnation, God coming into the world in the Person of the Son and continuing to dwell specially in the Church in the Person of God the Holy Spirit. That means life, the infinite Life of God dwelling in, pervading, His world, and our statements must be filled with that Life.

The fullest revelation by God of Himself in ancient times is recorded for us in the Old Testament revelation to and through the Jewish Church. Then, in the fulness of time, God the Son revealed Himself, incarnate in Jesus Christ, crucified, risen, and ascended, and God the Holy Spirit was seen to have been sent to guide the world back to its Creator and Redeemer.

Should not the statements begin at the beginning with a declaration of belief in each of the three Persons of the Blessed Trinity and His special office and work for the world? With that as a guide, each communion may amplify its statement as it desires. Some will go farther than others, perhaps thus disclosing to those others treasures of whose existence they had been ignorant. But so far as they, or any two of them, go, they will have a common plan which will make comparison possible. That was the way in which grew up the first Christian confession of faith which is still professed, though it be included in longer, fuller statements, by all the communions now engaged in the World Conference and by all the other communions which we hope will join as soon as peace in Europe permits us to present the invitation. If such a common plan is followed, it might lead us to a clearer comprehension of each other. And it would be to follow the revelation of the Life of God and so to preserve us from the danger of mere dead ecclesiasticism and of continuing past controversies and will make our several statements vital, intimately related to the problems of present day life.

And it would help to keep us within due limits. The Christian Faith is no mere matter of the speculations of finite human reason about the infinite mysteries of God and His relation to the world He creates, redeems, and sanctifies, but the act of the will by which, through God's grace, man is enabled to make his own the Life which God offers him. God gave us minds that we might search into and seek to comprehend those mysteries, but our minds remain finite, darkened by the conditions of mortality, and we must beware not to lay down as essential elements of the Christian Faith our opinions as to the nature and meaning of those mysteries. Yet the common acceptance of the facts of the Faith will give us all a deeper, richer life, of mind as of soul, and together, free from sectarian disputes, helping each other in humility and love, our eyes will be cleared to have a deeper insight into the eternal and the infinite.»

44. Die von einem Ausschuß, dem Bischof A. C. A. Hall, Prof. H. W. Fosbroke und Prof. F. J. Hall angehörten, für die Kommission der Protestant Episcopal Church vorbereitete und von ihr angenommene theologische Stellungnahme

This Committee was appointed April 27, 1916, with instructions to formulate the propositions asked for by the North American Preparation Conference. That is, to define what this Commission considers to be (a) held in common by its own Communion and the rest of Christendom, and (b) held by its own Communion as its special trust, and the ground upon which it stands apart from other Communions.

Before submitting the answers which we believe should be given to the questions asked of us, we venture to make three preliminary explanations.

In the first place, we have kept in mind the fact that the members of the proposed World Conference will attend as representatives of Christian Communions. Therefore our propositions do not refer to unofficial movements and tendencies within either this or any other Communion, but to official positions and requirements. And we have been guided primarily by confessional and other authoritative documents, so far as they are available.

In the second place, our statement is unavoidably less simple than we have desired to make it. The reason is that the relations between this and other Communions, whether of agreement and sympathy or of disagreement, are peculiarly complicated. This Communion has been forced into the midst of all the more serious controversies that afflict the Christian world at large, while agreeing in fundamental respects, and sympathizing vitally, with each several section of Christendom. Accordingly our task has been a difficult one. But we have been encouraged by the hope that in defining our own agreements and differences with others, we shall also be summarizing the more fundamental questions which demand consideration by the World Conference.

In the third place, we have not been invited to submit an eirenicon, but to indicate frankly, and as clearly as we can, the points wherein we understand this Communion to agree or disagree with other Communions. We have, however, earnestly striven to shun argument and all methods of statement which are likely to wound or challenge controversy.

I. Agreements

As will appear in what follows, our agreements have to be stated under three heads.

A. With all Communions expected to take part in the World Conference, that is, with Christendom in general, we understand ourselves to be in at least substantial accord in holding

1. The Holy Scriptures of the Old and New Testament to be the word of God, and to contain all things necessary to salvation (Constitution of the General Convention).

2. That our Lord Jesus Christ is God and Saviour (Cf. the scope of invitations to take part in the World Conference), and that such confession is to be understood in the Trinitarian sense.

3. The series of doctrines called evangelical, such as man's sinful state; the incarnation of the Son of God and His death for our sins; His victory over death and reign in glory, to be followed by His second coming to judge the world; the mission of the Holy Spirit; and our dependence for salvation upon the merits of Christ's death, upon our faith in Him and upon His present work of grace by the Holy Spirit in our hearts. This agreement seems to be real in fundamental aspects, in spite of much diversity of terms and of relative emphasis on particulars.

4. That there is a true Church of Christ in this world, the visible unity of which is to be promoted by all who would fulfil the Saviour's will.

5. That Christ instituted the Sacraments of Baptism and Holy Communion, these constituting permanent symbols and pledges which have vital meaning for our salvation.

In proceeding to define further agreements with particular sections of Christendom, we have in mind articles which the Communions mentioned seem to regard as in some sense their special trust. And we define them in terms they are wont to use. We do not mean to imply, however, that they are in each case rejected by all the rest of Christendom except ourselves, for this is not our opinion.

B. With the Roman Catholic and Ancient Eastern Communions, we understand ourselves to agree also in holding

1. The general conception of the visible Church as a permanent, supernatural and indestructible organism and means of salvation, which conception is symbolized by the phrase the Body of Christ, to which we apply the New Testament promises to the Church of God. In agreement with these Communions, we identify this Church by its Faith, Ministry and Sacraments.

2. The authority of the universal Church to teach, and so far as needful, to define in creeds and other dogmatic decisions, whatever has been committed to its stewardship as necessary to be believed and observed for salvation. Therefore we agree with these Communions in accepting the so-called Nicene Creed, and in reciting it in our Liturgy.

3. The unbroken transmission of the Apostolic commission, no one being admitted to the ministry of bishop, priest or deacon except by episcopal consecration or ordination.

4. That the Lord has given to this ministry a certain limited, derivative and purely representative share on earth in His priesthood.

5. That the Sacraments are true instruments of the supernatural benefits which they symbolize, these benefits being conveyed to all who worthily receive and use them.

6. That by Baptism, which is to be administered to infants as well as to adults not already baptized, we are born anew of the Holy Spirit, incorporated into the Church, made members of Christ and potential sharers in all the privileges of the new covenant.

7. That the inward part of the Sacrament of Holy Communion is the Body and Blood of Christ, which are verily and indeed, although spiritually, taken and received by faithful recipients of the Sacrament.

8. That the Holy Communion is also a Holy Eucharist, the primary and divinely appointed form of corporate worship and oblation, in which we proclaim the Lord's death, and make a memorial of it before God. In this sense it is widely customary among us to call it a representative and applicatory sacrifice.

9. That what are known as the minor Sacraments, although not to be placed on the level with Baptism and Holy Communion, nor to be regarded as generally necessary to salvation, are visible means of grace, the majority of them having forms of administration provided by this Communion.

C. With Protestant Communions, as they are commonly called, we understand ourselves to agree in the following particulars, beside those already mentioned in section A —

1. In maintaining the right of the Church in any country to govern and, when necessary, to reform itself in harmony with primitive belief and practice.

2. In requiring New Testament and primitive authority for doctrines and practices imposed by the Church as necessary for salvation.

3. In emphasizing the divine authority of Holy Scripture, the necessity of conforming Christian Doctrine to its teaching, and the importance of earnest study of the Bible by all Christians.

4. In insisting upon the necessity of personal religion and of the entire surrender of the personal life to Christ.

5. In emphasizing the right and duty of exercising the individual conscience in religion.

6. In thankfully recognizing that the Holy Spirit does not confine His work and assistance to the appointed institutions and means of grace, although we believe them to be integral parts of the divinely ordained Christian system.

7. In emphasizing the truth that sacraments depend for their beneficial effects upon worthy reception of them.

II. Distinctive Ground

If the above survey of agreements is reasonably or in main substance correct, this Communion does not positively affirm anything as essential to the integrity of Christian Faith and Order which can rightly be described as a «special trust and the ground upon which it stands apart from other Communions». Every affirmation of saving doctrine and essential order which this Communion makes, appears to be affirmed also by the Roman Church and Eastern Orthodox Communions; and many of them, especially those called Evangelical, are affirmed by Protestant Communions as well.

There is no difference between this and other Communions which could be regarded as formal ground of our standing apart from the rest of Christendom; for in every particular wherein we differ fundamentally from any other Communion our position is that of a very considerable portion of Christendom at large.

It remains a fact, of course, that we have differences with each of the principal sections of Christendom, severally considered; and we take it that the underlying purpose of the question, which we have explained our inability directly to answer, will be fulfilled by our indicating these differences.

A. We are unconscious of any differences with the Eastern Orthodox Commissions which should prevent mutual intercommunion. By mutual misapprehension has been caused by the use of the phrase Filioque in the western form of the Nicene Creed as recited by us; but the difference here we believe to be formal rather than substantial.

B. With the Roman Catholic Communion we differ

1. With regard to the papal claim to exercise the supreme magisterium over the universal Church by divine right.

2. With regard to the papal infallibility in ex cathedra pronouncements concerning doctrine and morals intended to be accepted by the whole Church. We do not admit that the Bishop of Rome has been divinely appointed to speak for the universal Church.

3. With regard to the obligation on all Christians of doctrines and practices which have no ecumenical sanction: for example, the doctrines of a) transsubstantiation; b) the immaculate conception of the Blessed Virgin Mary; c) penal sufferings in purgatory; d) works of supererogation; e) indulgences and the practices of; f) communion in one kind; g) devotions to the Blessed Virgin which ascribe unwarrented prerogatives and excessive honours to her.

4. With regard to the validity of our Orders and the iurisdiction to which our ministry is entitled.

C. With what are called Protestant Communions, our differences lie within the range of the particulars previously specified in this report of our special agreements with the Roman Catholic and Ancient Eastern Communions. (See Part I, B, above). They concern:

1. The visible Church.
2. Its teaching authority.
3. The apostolic ministry of bishops, priests and deacons.

4. The ministerial priesthood.
5. The supernatural effect of Sacraments, rightly administered and received.
6. Baptismal regeneration, and with some other bodies, infant Baptism.
7. The nature and sacramental effect of the Holy Communion.
8. The Godward aspect of the Eucharist.
9. Certain additional means of grace.
10. The need of Confirmation as the apostolic supplement to Baptism and the ordained means for the bestowal of the gift of the Holy Spirit, and ordinarily necessary for worthy and safe reception of the Body and Blood of Christ.

None of our difference appears to include a denial by us of any of the larger positive affirmations of saving doctrine made by Protestant Communions.

In conclusion we express the opinion that, as observed from our standpoint, the questions at issue between us and the Roman Catholic Communion are all more or less involved in the question of papal claims; and those at issue between us and Protestant Communions are chiefly contained in the doctrines concerning the Church, the minstry, priesthood and the Sacraments.

April 9, 1918

45. Die «Proposals For An Approach Towards Unity» einer Gruppe von Kongregationalisten und Mitgliedern der Protestant Episcopal Church

The undersigned, members of the Protestant Episcopal Church and of Congregational churches, without any official sanction and purely on our private initiative, have conferred with each other partly by correspondence and partly by meeting, with a view to discover a method by which a practical approach towards making clear and evident the visible unity of believers in our Lord according to his will, might be made. For there can be no question that such is our Lord's will. The church itself, in the midst of its divisions, bears convincing witness to it. «There is one Body and one Spirit, one Lord, one Faith, one Baptism.» There has never been, there can never be, more than one Body or one Baptism. On this we are agreed. There is one fellowship of the Baptized, made one by Grace, and in every case by the self same grace. And the unity given and symbolized by Baptism is in its very nature visible.

We are agreed that it is our Lord's purpose that believers in Him should be one visible society. Into such a society, which we recognize as the Holy Catholic Church, they are initiated by Baptism; whereby they are admitted to fellowship with Him and permanent types of Christian experience, aspiration and fellowship, and to seness and work in the world must express and maintain this fellowship. It cannot be fully realized without community of worship, faith, and order, including common participation in the Lord's Supper. Such unity would be compatible with a rich diversity in life and worship.

We have not discussed the origin of the episcopate historically or its authority doctrinally; but we agree to acknowledge that the recognized position of the episcopate in the greater part of Christendom as the normal nucleus of the church's ministry and as the organ of the unity and continuity of the church is such that the members of the episcopal churches ought not to be expected to abandon it in assenting to any basis of reunion.

We also agree to acknowledge that Christian churches not accepting the episcopal order have been used by the Holy Spirit in His work of enlightening the world, converting sinners, and perfecting saints. They came into being through reactions from grave abuses in the church at the time of their origin, and were led in response to fresh apprehensions of divine truth to give expression to certain necessary and permanent types of Christian experience, aspiration and fellowship, and to secure rights of Christian people which had been neglected or denied.

No Christian community is involved in the necessity of disowning its past; but it should bring its own distinctive contribution not only to the common life of the church, but also to its methods of organization. Many customs and institutions which have been developed in separate communities may be preserved within the larger unity. What we desire to see is not grudging concession, but a willing acceptance of the treasures of each for the common enrichment of the united church.

To give full effect to these principles in relation to the churches to which we respectively belong requires some form of corporate union between them. We greatly desire such corporate union. We also are conscious of the difficulties in the way of bringing it about, including the necessity for corporate action, even with complete good will on both sides. In this situation we believe that a practical approach toward eventual union may be made by the establishment of intercommunion in particular instances. It is evident to us that corporate union between bodies whose members have become so related will thereby be faciliated. Mutual understanding and sympathy will strongly reinforce the desire to be united in a common faith and order, and will make clearer how the respective contributions of each community can best be made available to all.

We recognize as a fact, without discussing whether it is based upon sound foundations, that in the episcopal churches an apprehension exists that if episcopally conferred orders were added to the authority which nonepiscopal ministers have received from their own communions, such orders might not be received and used in all cases in the sense or with the intention with which they are conferred. Upon this point there ought to be no room for doubt. The sense or intention in which any particular order of the ministry is conferred or accepted is the sense or intention in which it is held in the universal church. In conferring or in accepting such ordination neither the bishop ordaining nor the minister ordained should be understood to impugn thereby the efficacy of the minister's previous ministry.

The like principle applies to the ministration of sacraments. The minister acts not merely as the representative of the particular congregation then present, but in a larger sense he represents the church universal; and his intention and meaning should be our Lord's intention and meaning as delivered to and held by the catholic church. To this end such sacramental matter and form should be used as shall exhibit the intention of the church.

When communion has been established between the ordaining bishop of the Episcopal Church and the ordained minister of another communion, appropriate measures ought to be devised to maintain it by participating in the sacrament of the Lord's Supper and by mutual counsel and co-operation.

We are not unmindful that occasions may arise when it might become necessary to take cognizance of supposed error of faith or of conduct, and suitable provision ought to be made for such cases.

In view of the limitations imposed by the law and practice of the Episcopal Church upon its bishops with regard to ordination, and the necessity of obtaining the approval of the General Convention of the Episcopal Church to the project we have devised, a form of canonical sanction has been prepared which is appended as a schedule to this statement. We who are members of the Episcopal Church are prepared to recommend its enactment. We who are members of Congregational churches regard it as a wise basis upon which in the interests of church unity, and without sacrifice on either side, the supplementary ordination herein contemplated might be accepted.

It is our conviction that such procedure as we here outline is in accordance, as far as it goes, with our Lord's purposes for His church; and our fond hope is that it would contribute to heal the church's divisions. In the mission field it might prove of great value in uniting the work. In small communities it might put an end to the familiar scandal of more churches than the spiritual needs of the people require. In the Army and Navy, chaplains so ordained could minister acceptably to the adherents of Christian bodies who feel compunctions about the regularity of a nonepiscopal ministry. In all places an example of a practical approach to Christian unity, with the recognition of diversities in organization and in worship, would be held up before the world. The will to unity would be strenghtened, prejudices would be weakened, and the way would become open in the light of experience to bring about a more complete organic unity of Christian churches.

While this plan is the result of conference in which members of only one denomination of non-episcopal churches have taken part, it is comprehensive enough to include in its scope ministers of all other non-episcopal communions; and we earnestly invite their sympathetic consideration and concurrence.

New York, March 12, 1919

Boyd Vincent, Bishop of Southern Ohio
Philip M. Rhinelander, Bishop of Pennsylvania
William H. Day, Moderator of Congregational National Council
Hubert C. Herring, Sec. of National Council
Wm. Cabell Brown, Bishop of Virginia
Hughell Fosbroke, Dean of the Gen. Theol. Seminary
William T. Manning, Rector of Trinity Church, New York
Raymond Calkins, Chairman of Congregational Commission on Unity
Arthur F. Pratt, Sec. of Commission on Unity
William E. Barton, of Commission on Organization
Herbert S. Smith, of Commission on Unity
Francis Lynde Stetson
Robert H. Gardiner
George Zabriskie, Chancellor of the Diocese of New York, Hon. Sec., 23 Gramercy Park, New York
Charles F. Carter, Chairman of Ex. Committee of National Council
Williston Walker, of the Commission on Organization
Howard B. St. George, Professor in Nashotah Seminary
Nehemiah Boynton, Ex. Moderator of National Council
Charles L. Slattery, Rector of Grace Church, New York
William T. McElveen, of Commission on Unity
Newman Smyth, of Commission on Unity, Hon. Sec., 54 Trumbull Street, New Haven, Conn.

Schedule

Form of Proposed Canon

§ 1 In case any minister who has not received episcopal ordination shall desire to be ordained by a bishop of this church to the diaconate and to the priesthood without giving up or denying his membership or his ministry in the communion to which he belongs, the bishop of the diocese or missionary district in which he lives, with the advice and consent of the Standing Committee or the Council of Advice, may confirm and ordain him.

§ 2 The minister desiring to be so ordained shall satisfy the bishop that he has resided in the United States at least one year; that he has been duly baptized with water in the name of the Trinity; that he holds the historic faith of the church as contained in the Apostles' Creed and the Nicene Creed; that there is no sufficient objection on grounds physical, mental, moral or spiritual; and that the ecclesiastical authority to which he is subject in the communion to which he belongs consents to such ordination.

§ 3 At the time of his ordination the person to be ordained shall subscribe and make in the presence of the bishop a declaration that he believes the Holy Scriptures of the Old and New Testaments to be the Word of God and to contain all things necessary to salvation; that in the ministration of Baptism he will unfailingly baptize with water in the name of the Father and of the Son and of the Holy Ghost; and (if he is being ordained to the priesthood) that in the celebration of the Holy Communion he will invariably use the elements of bread and wine, and will include in the service the words and acts of our Lord in the institution of the Sacrament, the Lord's Prayer, and (unless one of these creeds has been used in the service immediately preceding the celebration of the Holy Communion) the Apostles' or the Nicene Creed as the symbol of the faith of the Holy Catholic Church; that when thereto invited by the bishop of this church having jurisdiction in the place where he lives, he will (unless unavoidably prevented) meet with such bishop for communion and for counsel and co-operation; and that he will hold himself answerable to the bishop of this church having jurisdiction in the place where he lives, or, if there be no such bishop, to the presiding bishop of this church, in case he be called in question with respect to error of faith or of conduct.

§ 4 In case a person so ordained be charged with error of faith or of conduct he shall have reasonable notice of the charge and reasonable opportunity to be heard, and the procedure shall be similar to the procedure in the case of a clergyman of this church charged with the like offense. The sentence shall always be pronounced by the bishop and shall be such as a clergyman of this church would be liable to. It shall be certified to the ecclesiastical authority to which the defendant is responsible in any other communion. If he shall have been tried before a tribunal of the communion in which he has exercised his ministry, the judgment of such tribunal proceeding in the due exercise of its jurisdiction shall be taken as conclusive evidence of facts thereby adjudged.

§ 5 A minister so ordained may officiate in a diocese or missionary district of this church when licensed by the ecclesiastical authority thereof, but he shall not become the rector or a minister of any parish or congregation of this church until he shall have subscribed and made to the Ordinary a declaration in writing whereby he shall solemnly engage to conform to the doctrine, discipline, and worship of this church. Upon his making such declaration and being duly elected rector or minister of a parish or congregation of this church, and complying with the canons of this church and of the diocese or missionary district in that behalf, he shall become for all purposes a minister of this church.

46. Rede von Bischof Charles H. Brent vor der Kommission der Protestant Episcopal Church in der Sitzung am 14. Juni 1917

I feel that this is the opportune moment, and I feel very strongly that it is so. When I was in England it was proposed by the Secretary of this Commission that I should go on a sort of free-lance errand to Rome, and I was furnished with letters of introduction to several of the Cardinals. For a time I felt very strongly that it might be worth while. Just at that moment the announcment was made that a Commission had been appointed on unity by the Vatican, and also that there was some chance of a commission being sent to the United States later on. But various things made me feel that it was an inexpedient thing for me to take any such responsibility on myself; furthermore I hadn't the time to give for the purpose.

I consulted with the Archbishop of Canterbury and with Mr. Tatlow, who is one of the foremost men in this particular movement in England, and both of them agreed that it would be very inexpedient for me to go. I think the Archbishop felt that something of a similar sort might occur now as when the former movement was made to consider the validity of Anglican Orders from the Roman view-point. So I gave the matter up.

There were two or three things that occured in England that made me feel that even among the Nonconformists the wind was changing, and that we wouldn't lose anything in our influence with them if we took a strong and generous stand with the Roman Church. I was present at a meeting of the British Council of the Federation of Churches for the Promotion of International Friendship, and I was asked to speak about the movement on Faith and Order. I spoke of the necessity of our taking into our consideration the Roman Catholic Church and the Greek Church, and I stressed especially the Roman Catholic Church; and there was not a dissenting voice among those present, with the exception of a word from the Baptist Dr. Shakespeare. He feared that it was hopeless to approach Rome, she was so hidebound. With that exception there wasn't a single voice that didn't agree that the idealism which included a unity where all the churches of Christendom were to be approached and represented was necessary as being the embodiment of our Lord's own ideal. Even old Dr. Clifford, who is a tremendous sectarian (I don't think you can use a different word to express his general attitude), agreed with the position which I took. I am quite convinced that any such attitude on the part of that group of men ten years ago would have been impossible. They wouldn't have allowed any such propositions to be favorably considered.

One of the letters to a Cardinal was given to me by Mr. Allen Baker, of the Society of Friends, to Cardinal Gasquet. Then I met the son of Mr. Honoré. He told me that what he said wasn't singly — that there were a large number of Roman Catholic laity and clergy as well who believed that the unity of the Church was in accordance with the ideal of Christ, and that it did not mean absorption by Rome. There was such a thing as a relation of the non-episcopal and the episcopal bodies to Rome which could not be satisfied by any attempt on the part of Rome to absorb them. — His father is a very influential man and very developed Roman Catholic. He gave me his own definition of certain Roman Catholic doctrines relative to the Infallibility, and told me a good deal about the incident (I'm sorry I didn't get the details from him) in which the Bishop of Cremona stood out against some letter from the Pope, and the Cardinals refused to back the Pope. He spoke also about the Communion of Saints as including the Invocation of Saints, and how he would interpret it. We went quite extensively into the theological side of the Roman position, as well as discussing somewhat the question of orders. The general impression left in my mind was that if this Roman Catholic in England, where Roman Catholicism is apt to be very ultramontane, represented any considerable number of Roman Catholics, then surely this was an opportune moment in which to put ourselves into sympathetic relation with the church at its center.

I went to Paris, and there I discovered that Cardinal Amette already knew about the Conference on Faith and Order and was deeply interested. I learned this through Dr. Watson of the American Church, who has represented our Church in Paris in a most dignified and happy way. Cardinal Amette has allowed, and perhaps he ordered, the article which appeared in the Revue Hebdomadaire on the Conference on Faith and Order, written by Jules de Narfon, formerly secretary of the French papal envoy in Rome.

Shortly before I left, I gave an address.

I supposed they wished me to speak about the relation of France to America; I didn't know until too late that they really did expect me to speak about Church matters. Two priests came and spoke to me immediately and showed themselves interested and friendly. I discovered afterwards that they were there through the interest of the Cardinal; and they have since come to this country on a mission. They told me that night that they were coming on a mission having to do with the question of this Commission on Faith and Order, if my understanding is correct.

I had preached in the American Church in Paris, and I understood that there were a large number of Roman Catholics there that day, and that some of them had come with the permission of their ecclesiastics.

All this would appear to me to indicate that there is something working in Rome today (as is shown also by certain letters more or less confidential which have come to the Secretary), and which throws upon us a great responsibility. Rome will continue to hold aloof; literature is quite inadequate to bring about any link, and we need the personal touch.

I believe that in Italy today the Pope and the men of the Vatican are as torn and troubled about the condition of Christianity as we. I am sure the Deputation will meet with a sympathetic hearing from some of the Cardinals at any rate. We will come to a sympathetic understanding, and we will make at least some progress toward the ideal which Jesus Christ set before us, and which is part of the responsibility of our own Church and of this group of men here today. It is a venture of faith, but we can't be opportunists in this thing. We must be ready to fail if it is in the purpose of God that we should fail. If I felt that I could with justice abandon local responsibilities, I would be quite willing to risk a career and throw over my future for the chance of an opportunity to do something for the unity of the Church, without which I . . .

Now as to the Greek Church: I feel this is the opportune moment to go to the Greek Church. When God began His great work of order, He began on chaos. I am not sure that it is not the best condition in which to begin an work, when conditions are more or less fluid. If we could only get away from the ecclesiastical curtain which hides the hearts of men from us . . . To me the breaking up of Russia represents the breaking down of props and stays which were quite inadequate, and they are now thrown on their own resources and the Divine Spirit.

There are three things which seem to indicate that this is the right moment to go to Russia. (1) The Church is in great trouble there, and there is no opportunity in the world that is equal to that which is given to us when men are in trouble. (2) The Church is in a formative condition; it is bound to be. They are feeling about. For a steadying voice to come (it might take considerable time) and a big vision of a united Church put before them, it would be I think a great contribution to the cause that we have in hand. (3) This is the day of missions between governments, and those missions are all on an errand of consolidation and unity, so that the Russian people would understand a mission from this Commission.

The Deputation should be resident in Russia for some time. Fr. Nicholas, Serbian, of London, a man of profound thought and piety, might accompany the Deputation.

I don't believe it is going to be difficult to get into touch with sufficiently prominent people in the Russian Church to give us a foothold. I saw Dr. Mott before he sailed, and while he was quite at sea he felt that it was a very opportune moment for a government mission to go; things were chaotic and the situation needed men who had some idea of order and how that order should be brought about.

I should hope that the Deputation would get away just as soon as they possibly can.

I would make this suggestion relative to the deputation to the Greek Church, that they might get into touch with Fr. Nicholas, because he is so well up in all that pertains to the English communion. Just before I left, he made an address in St. Margarets, Westminster, in which he spoke of the need for the various national churches to get off their islands; this is the moment in which to see the national church interpreted in terms of the catholic Church, instead of the catholic Church interpreted in terms of the national churches. This shows that there are two ways of looking at a very important subject.

In one way I am not the very best person to advocate this course. I could not possibly serve, but I feel that such deputations should be appointed, and that the more expeditious they are in going, the more chance of accomplishing their end.

It is surely incumbent on our Church to take some practical steps toward the unification of the Church before peace is brought about in the world. I can't see a very high degree of peace unless the Church is preparing herself to inspire a unified world.

47. Stellungnahme von Robert H. Gardiner mit dem Titel «Christian Unity»

That they all may be one ... that the world may believe that thou hast sent me. — St. John 17, 21.

Christian unity is not negative, but positive; not merely abstaining from ecclesiastical controversies and sectarian competition, but the indisputable evidence which will bring the world to Christ, for it is the manifestation of the one Life of God Incarnate in the Person of His Son that He may offer to man that participation in His Life by which man may be redeemed.

We are too apt to think of unity as if it were merely of organization or government. Christ prayed for a unity of will and love, so that we might have life and power to manifest Him to His world through the Church, which is His Body. The motive for unity is the desire to bring the world to Christ, and the only road to success in missions, at home or abroad, the only hope for establishing peace and righteousness and love between nations and classes, individuals and churches, is the manifestation of the one Life, Who alone is able to subdue all things unto Himself.

So when our Lord offered Himself as a sacrifice for the sins of the whole world, He prayed for the unity of His disciples as the potent evidence necessary to convince and convert mankind.

If the world is to be convinced that Christ came to redeem mankind, it must be by something that the world can see. So Christian unity must be visible. Spiritual unity alone is not effective, for it is not recognized by the world which knows not the things of the spirit. Unity must be spiritual, for the spirit is life, and the spirit of unity is the one Life of the world. But if it be truly spiritual, it will manifest itself visibly.

Let us pray: That we may see that the visible unity of Christians is the means by which Christ is to be lifted up that He may draw all men to Him.

That we may see that a divided Christianity cannot with one mind and one mouth glorify God and proclaim the gospel of the one Redeemer.

That we may see how our divisions blur the vision of the one Lord and keep Him from His world.

That we may see that our divisions make the world think that Christ is divided.

That we may see that our divisions distract our minds and repel those who hear of Christ only through our discordant voices.

That we may see that we cannot bring about unity of ourselves, and that all we can or need do is to surrender our wills to the one Will of God.

That each of us and all of us together, may, by complete surrender to Him Who is the Life, be filled with His Presence and manifest Him to the world.

IV. Die Vorkonferenz in Genf im Jahre 1920

48. Erklärung von Bischof Charles H. Brent nach Abschluß der Genfer Beratungen mit dem Titel «A Pilgrimage Towards Unity»

Ten years ago a little group of Christians embraced the purpose, first conceived at an early Eucharist, of joining together in a special pilgrimage towards unity in the broken Church of Jesus Christ. It was not a man-made scheme but a humble endeavor to put ourselves in accord with the mind of our Lord expressed in His prayer *that they all may be one.* From this modest beginning a world-wide movement has grown, so that at the preliminary meeting of the World Conference on Faith and Order which has just closed at Geneva, eighty churches and forty nations were represented. This Conference marks a stage on our journey and also exhibits the spirit of the pilgrims, some of whom, such as the Germans and the Roumanians, came at great cost to themselves.

Our journey is a long one. Christians have taken more than a thousand years to reach the far country of disunion where they now reside. We cannot return home again in a moment. Some of the pilgrims who first caught the vision a decade since had hardly hoped to get as far as they have in so brief a space of time. The temptation is to be content with slow progress, and to rest satisfied with something less than the goal of God's placing – a Church, on earth, among men, visibly and organically one. Partial unities seem more possible and federation has alluring features, but they fall far short of home. Then, too, impossibilities, according to God's design, are the only aim high enough for human capacity. We have allowed ourselves to take for granted the necessity of Christian disunion, blind to the fact that oneness is the first, not the last, requirement for God's firm foothold among men. The tinkling ambitions of separation shocking in the face of a shattered, bewildered world that is looking for leadership and finding none. The performance of the churches, first and last, individually and collectively, is pitiful measured by their highsounding professions and claims. The failure of Christianity – and it has failed – is the inevitable failure of a Kingdom divided against itself. It will go on failing until it manifests unity and all the privileges and wealth which each enjoys separately are placed at the disposal of all.

The pilgrims do not maintain that theirs is the only method of travel, by the way of Conference on Faith and Order, but they do contend that theirs is the only goal and that the spirit for which conference stands is the only spirit for a pilgrim towards unity – the filial spirit which embraces God's purpose as its own and the fraternal spirit which claims each Christian as a brother beloved. Through a long stretch of time controversy has burned with fierce flame in the churches, great and small, and has blackened and scorched many a fair subject. It is not extinguished yet. The spirit of controversy rejoices in dialectic victory – what a hollow triumph it is – and gloats over a defeated foe. The spirit of conference is the slave of the Truth and weeps because gulfs remain unbridged and good men are alienated from one another. Controversy loves war and conference loves peace. Controversy has great respect for its own convictions and little for those of others. Conference applies the Golden Rule to the separated and demands mutual respect for each other's convictions.

For a week the pilgrims were in conference in Geneva. Differences of thought were sketched in clear outline nor did any immediate reconciliation appear on the horizon, but never was there a word of harshness or self-will. The common conviction at the centre of being, was that difficulties boldly exposed and openly met, were the only difficulties in a fair way of settlement. What appear as contradictions have, as the secret to their strenghth, riches of being which, when at lenghth put into harmonious relation to the whole of God's scheme, will be revealed as supplementary elements necessary to perfection. The study of the Church as it exists in the mind of God, of what we mean by unity, of the sources of the Church's inspiration, of the best expression in language of a living faith, occupied the prayers and thoughts of the pilgrims during the Conference, and for a long time to come will continue to occupy them. Faith first and then Order. The inner principle of life, the ideal, and then the mode of propagating and protecting by organic self-government of what is within.

The competition of churches received a body blow from the united action of the pilgrims. It is a sin against love to endeavor to detach a Christian from his own church in order to aid another church to increase its roll. Sheep-stealing in the cattle world is held to be a crime. How then ought it to be viewed by the under-shepherds of the Good Shepherd? That is a question which the pilgrims ask of all the churches. It is not as though the whole world were evangelized or there were any dearth of opportunity anywhere. The number of unconverted and untouched in almost any given community form the majority of that community. A combined effort in the direction of those who know not Christ is our elementary duty. The spirit of God was the strength of the pilgrims. He made us one in our fellowship. The Conference was a living body. Life touched life, nation touched nation, the spirit of the East held communion with the spirit of the West as perhaps never before. By invitation on the last day of the Conference we gathered together — it was the Feast of the Transfiguration in the Eastern calendar — in the Russian Orthodox Church in Geneva for the solemn worship of the Divine Liturgy. Anglican, Baptist, Old Catholic, Presbyterian, Wesleyan, Lutheran, Quaker were all there, and all there to worship. The Metropolitan of Seleucia in a spiritual address spoke to the pilgrims of his own joy in the vision of unity, and told how, out of the transfigured troubles and pains of the present, would rise the glory of the future. We of the West need the fragrant, graceful worship of the East. The beauty of God filled His temple. We felt that we had been drawn within the pearly gates of the Apocalypse, and we came away, with pain bénit and grapes in our hands, and sweetness in our souls, under the spell of the mystic East. It was fitting that we should forthwith consider certain proposals of the Orthodox Churches, sane and strong, touching on co-operation and fellowship. A few minutes later and the Conference became a fact of history, a hope and a vision.

The pilgrims go home with added inspiration, conviction and responsibility. No one departed unmoved. What another decade will bring forth in this movement who can say? But it is in the hands of God from Whom it came and to Whom it belongs. It is ours only so far as we recognize it to be His. Directly and indirectly it has already reached far. Its possibilities are measured only by our willingness to explore them. They will be realized fully if we pilgrims continue to aim to do our little share as God, Whose co-workers we are, does His great share. Some day there will be one flock under one Shepherd. We pilgrims register our active belief in this fact and promise to pursue our journey until we reach the Heaven where we would be.

Geneva, Switzerland, August 21, 1920

C. H. Brent
Chairman of the preliminary meeting of
the World Conference on Faith and Order